VIDA DE DON MIGUEL

Esta obra ha sido escrita con una beca del «Comité d' ecrivains et d' editeurs pour une entr' aide europeènne».

EMILIO SALCEDO

Vida de Don Miguel

Unamuno en su tiempo, en su España, en su Salamanca.
Un hombre en lucha con su leyenda.

**Prólogo de
Pedro Laín Entralgo**

ANAYA

SALAMANCA - MADRID - BARCELONA

© Emilio Salcedo, 1964.
EDICIONES ANAYA, S. A. - Hermanos Braille, 4 - Salamanca

PRINTED IN SPAIN

Depósito legal: M. 14.565 - 1964   Núm. de Registro: 2.125 - 64

A José Luis Gay.

Cuando uno, por mal de sus pecados o por hado del destino, deja de pertenecerse, ha de resignarse a que le traigan, le lleven, le asendereen y, sobre todo, a que se le lea del reves y torcidamente lo que hay entonces en su conciencia. Acaso nadie odia más la exhibición que quien tiene que vivir en el escenario y en gran parte del escenario. Pero hay oficios que no cabe hacerlos a medias, y el de hombre público, en uno u otro aspecto, es el primero de ellos. ¿Vanidad? ¿Ganas de dar que hablar? ¡Cuán equivocados están los que así piensan! Y qué goce el de verse solo, enteramente solo, poder uno reir con los que se ríen de él, y a la vez reirse de ellos. Con risa, ¡claro está!, que es sólo espuma irisada y susurro de una ola de marina amarga.

> (*Miguel de Unamuno*, palabras publicadas en *El Liberal*, Madrid, 19-IX-1920.)

... no cabe participar en una guerra civil sin sentir la justificación de los dos bandos en lucha; como quien no sienta la justicia de su adversario —por llevarlo dentro de sí— no puede sentir su propia justicia.

> (*Miguel de Unamuno*, «Paz en la guerra», artículo aparecido en *Ahora*, Madrid, 25-IV-1933.)

Prólogo

*H*E aquí un libro conmovido y conmovedor; emovido y emoviente, diría tal vez, incitado por su tan arraigada afición al juego filológico, el propio don Miguel de Unamuno. Sí: un libro traspasado por la emoción y engendrador de ella. Dos modos principales de emocionar hay para el escritor: apoyarse sencillamente en el nervio más sensible de lo que dice y buscar con artificio retórico un especial modo de decir. Emilio Salcedo ha querido y sabido seguir con ejemplar pulcritud el primero de esos dos caminos. Frente a la vida del gran vasco salmantizado, ha comenzado por documentarse precisa y honestamente, y luego, renunciando a cualquier fácil tentación de efectismo, sin ahuecar en ningún momento la voz, nos ha relatado con buen orden y clara sobriedad el resultado de su pesquisa. Dominio del tema, agudeza comprensiva, sobria, contenida honestidad en la exposición: tales son las notas más relevantes de esta Vida de don Miguel.

Y, sin embargo, la biografía que ha compuesto Emilio Salcedo es todo menos una obra de seca erudición unamuniana. Es, acabo de decirlo, un libro a la vez conmovido y conmovedor. Conmovido, porque está escrito desde tres muy entrañables amores del autor: amor a las letras y al destino de España, amor a la figura de don Miguel de Unamuno —«solitario, terco e hirsuto vizcaíno, todo sinceridad y corazón, hombre de carne y hueso, rebelde, apasionado, distinto», nos dice de él al término de su relato—, amor a la ciudad donde Unamuno tuvo su casa y en que el propio Emilio Salcedo, salmantino de cuna y de estirpe, tiene morada y raíz. Amores todos ellos, no tardará en advertirlo el lector, lúcidos, alertados, exigentes, lejanísimos de la retórica y las delicuescencias al uso. Libro conmovedor, a la vez, porque nos cuenta con la eficaz elocuencia de la verdad decorosamente vestida —¿hay acaso «verdades desnudas»?— dos penetrantes dramas, el de un hombre y el del pueblo a que ese hombre perteneció. Desde la honda emoción que su lectura ha puesto en mi alma, pero sin ceder por entero a lo que en esa emoción sea puro sentimiento, déjeseme glosar brevemente la Vida de don Miguel, de Salcedo.

LA BIOGRAFIA Y SU ESTRUCTURA

Hace ya muchos años, no menos de veinte, antepuse a mi libro sobre Menéndez Pelayo algunas reflexiones teóricas y metódicas en torno al problema literario de la biografía. De ellas me importa ahora destacar, actualizándolas, estas cuatro.

1ª Como todo saber histórico, el de la biografía es un deliberado o indeliberado caminar mental desde lo último hacia lo primero, desde lo que la vida en cuestión definitivamente ha llegado a ser —desde su muerte— hacia lo que esa vida fue, corriente arriba del tiempo, en el momento de nacer al mundo y a la conciencia. En cuanto relato, *la biografía se mueve y tiene que moverse desde el nacimiento hasta la muerte del biografiado; pero la narración biográfica no sería posible sin un previo* saber *determinante de su figura y su sentido, y tal saber, sépalo o no el aspirante a biógrafo, exige de la mente una contemplación caminante en sentido inverso, desde la muerte de la persona estudiada —más exactamente, desde lo que ésta llegó a hacer de sí misma— hasta su nacimiento. En los procesos mecánicos, el «antes» determina fatal y unívocamente el «después»; en los eventos humanos, la radical novedad y la consiguiente imprevisibilidad de todo «después» exigen partir de éste para desvelar el verdadero sentido del «antes». Acaso fuese Dilthey el primero en advertirlo. En cualquier caso, y seguramente sin conocer el pensamiento diltheyano, así lo advirtió en la viviente dinámica de su propia inteligencia el pensador Unamuno. «Suelo ver las cosas del espíritu —nos dice en su ensayo* El secreto de la vida— *algo a la manera de como si las del mundo material las viésemos en un cinematógrafo cuya cinta corriera al revés, yendo de lo último a lo primero, o como si a un fonógrafo se le hiciera girar en un sentido inverso al normal.»*

2ª En toda biografía deben aparecer, adecuadamente expuestas, las diversas vidas complementarias *que integraron la existencia real del biografiado. En la realidad anímica de todo hombre hay, decía Antonio Machado, varios «yos complementarios». Con mayor o menor interconexión entre cada uno de estos particulares modos de ser, el propio Machado fue poeta, hombre de España, profesor de francés, varón enamorado y contertulio asiduo; y lo que de él se dice podría también decirse,* mutatis mutandis, *del más adocenado y gregario de los mortales. Pues bien: sin abandonar su fidelidad al «antes» y al «después» de su relato, el biógrafo lo será según arte mostrando cómo los diversos «yos complementarios» de su héroe se constituyen, desarrollan, superponen, entrelazan y codeterminan a lo largo del tiempo; cómo, en definitiva, dan lugar a otras tantas unidades melódicas de la narración total.*

3ª Las vidas complementarias *son las unidades longitudinales de la biografía; las distintas* vidas sucesivas *en que se realiza toda individual existencia humana deben ser sus unidades transversales.*

Tales vidas sucesivas son, por supuesto, las que establece la carrera de las edades; y así, en el curso vital de todo hombre llegado a la vejez hay sucesivamente un niño, un adolescente, un joven, un adulto y un viejo más o menos coherentes entre sí. A veces, muy poco coherentes; ¿acaso no nos dijo el mismo Unamuno que en su madurez miraba «como se mira a los extraños» al mozo de veinticinco años que él había sido? Pero no es sólo el decurso de la edad individual lo que va determinando la aparición de vidas sucesivas; también, y en ocasiones con mayor eficacia discriminadora, ciertos sucesos exteriores o íntimos: un acontecimiento histórico, una enfermedad, un cambio de creencias. Piénsese, a título de ejemplo, lo que la Guerra de la Independencia fue para Juan Martín «el Empecinado», su enfermedad mental para van Gogh o la conversión religiosa para San Agustín.

4ª La contemplación y la descripción de una existencia humana individual según las vidas complementarias y las vidas sucesivas que la integran no debe hacernos olvidar, en todo caso, que tal existencia es radicalmente una, y que esta modulada unidad suya tiene como fundamento real y biográfico la vocación personal. Librémonos de pensar, sin embargo, que la vocación reviste siempre la forma precisa del «Quiero ser matemático, o marino, o músico». Hay mil y mil casos en que la llamada vocacional no alcanza en el alma configuración formulable y precisa. Pero siempre, buceando en las acciones, en los deseos y en las inhibiciones más personales de un hombre, será posible barruntar lo que a lo largo del tiempo les da unidad y coherencia, y allí, precisamente allí, estará inscrita —con vaguedad o con precisión, bajo rótulo de quehacer mostrenco o como proyecto de aventura nunca vista, servida eficazmente por la acción de cada día o diariamente contrariada por ella— la íntima respuesta de la persona o la vocecita que desde su mismo fondo, acaso desde más allá de su mismo fondo, la llama a ser lo que ella debe ser. En la existencia concreta del hombre hay siempre una naturaleza, una vocación y un destino, y de la conjunción armoniosa o discordante entre esas tres instancias —más precisamente, de la invisible brega de la vocación personal con la naturaleza y el destino— surgen, más o menos visibles, las diversas «vidas complementarias» de cada individuo.

VIDAS COMPLEMENTARIAS

¿Qué vidas complementarias compusieron la vida total del hombre Miguel de Unamuno? Una lectura atenta del libro de Salcedo permite reducir el número de esas vidas —o elevarlo, como se quiera— a cuatro. A lo largo de su escrespada y pacífica existencia, Unamuno, por voluntad propia o porque así se lo impusieran su naturaleza y su sino, fue simultáneamente hombre agónico, pensador-poeta, reformador de España —aspirante a reformador de España, si se quiere más exactitud— y hombre familiar.

Ante todo, hombre agónico, *en el sentido etimológico y unamu-niano de la expresión. Unamuno vivió luchando. ¿Contra qué? Salvo en el caso de los resentidos y los psicópatas agresivos, lo más importante de la lucha de un hombre no es su «contra», sino su «pro», su «por». ¿Por qué, en pro de qué luchó Unamuno? ¿Qué persiguió de por vida con su individual agonía? Mil veces lo dijo él mismo, aunque tantos junto a él fuesen sordos para su más íntima voz. Unamuno persiguió hasta su muerte algo que le faltaba desde su segunda crisis religiosa; a saber, una certidumbre suficiente acerca de su subsistencia personal, y por tanto acerca de la real y viviente perduración de su persona —la suya, la del hombre que hablaba castellano y vasco, escalaba los picos de Gredos y lloraba la enfermedad de su Raimundín— más allá de la muerte biológica. A través de una auténtica experiencia metafísica, con esa certidumbre inconmovible de lo que íntima y personalmente se ha vivido, Unamuno advirtió en los senos de su alma que el «existo» de la archifamosa conclusión cartesiana sólo puede ser plena y satisfactoria verdad para la conciencia del pensante cuando ese «existo», allende su ulterior apariencia de tal «conclusión» lógica, expresa la creencia más o menos viva y explícita del titular del* cogito *en una realidad incondicionada y absoluta que para su propio ser —para él, en cuanto sujeto individual y contingente que vive, piensa, goza y sufre— se constituye en fundamento vivo y pábulo nutricio. La condición real y fundamentante de lo que hace que haya algo y yo sea (Zubiri) debe ser pensada y creída por mí —pensada y creída, no sólo pensada— para que yo pueda sentir como verdaderamente real y realmente verdadera la subsistencia de mi propia persona. Poco importa ahora decidir si esa realidad incondicionada y absoluta ha de ser llamada «Dios» o puede recibir el nombre de uno de los varios sucedáneos de Dios que andan por el mundo. Importa ahora tan sólo decir que para el hombre Miguel de Unamuno tal realidad no podía ser sino la del Dios Padre del cristianismo, la del Dios uno y trino, y que de por vida luchó él con su voluntad, su pensamiento y su sentimiento por conquistar una creencia firme en ella. ¿La alcanzó al fin de su vida? Sólo Dios lo sabe. Nosotros no sabemos sino que esa lucha fue el argumento central de una de las vidas complementarias —¿la más íntima?; tal vez no— del agonioso Rector de Salamanca.*

El Unamuno pensador-poeta *fue el más inmediato intérprete de esa agonía. Como todos los que mueven pluma, Unamuno escribió impelido por muy diversas razones; pero acaso la voluntad de manifestar de manera legible su combate interior fuese la más poderosa y entrañable de todas ellas. Expresar lo penosamente sentido, libera; comunicar lo verbalmente expresado —decirlo a otro, decírselo uno a sí mismo—, alivia; plantear mediante palabras y figuraciones literarias lo que en el seno de la propia alma es problema doloroso, concede, siquiera en atisbo, una primera esperanza de resolverlo. Quiéralo él o no, quien habla, espera. ¿No es ésta, me pregunto, la intención radical —no siempre consciente— de las innumerables cartas de Unamuno, de su conmovedor diario íntimo, de*

sus ensayos de poeta-pensador y de sus poemas y novelas o nivolas
de pensador-poeta? Porque el pensamiento de Unamuno, como el
de un presocrático de su propia, problemática intimidad, no perdió
nunca esa originaria y tornasolada condición poética de todas las
intuiciones intelectuales in statu nascendi; y su poesía, por otra parte,
nunca dejó de llevar en su seno, indecisa entre el concepto y la me-
táfora, a medio camino entre la palabra indicativa y la palabra su-
gestiva, muy recia osamenta intelectual. Miguel de Unamuno, pensador-poeta; no creo que él hubiese rechazado esta fórmula. Aun cuando,
velando por los fueros de su propia autenticidad, él mismo no dejase
luego de recordarnos la preeminencia «existencial», acéptese tan em-
pachoso modo de decirlo, de cuanto en su obra escrita fue poesía
en sentido estricto, canto:

> Del tiempo en la corriente fugitiva
> flotan sueltas las raíces de mis hechos,
> mientras las de mis cantos prenden firmes
> en la rocosa entraña de lo eterno.

¿En qué medida el Unamuno reformador de España —la más apa-
ratosa y discutida, la más unamunesca, ya que no la más unamuniana, de sus vidas complementarias— fue expresión del hombre agónico
que en él había? El crítico violento, el predicador laico, el político
a su modo que Unamuno fue en su vida más externa, ¿de qué modo
se hallaba en conexión con el protagonista de la lucha metafísica y
religiosa que permanentemente agitó su vida íntima? Grave problema, para quien aspire a entender la realidad personal de este hombre. Por mi parte, pienso, con Salcedo, que esa conexión existió,
aunque no siempre fuese idéntica su forma. La agonía religiosa actuó
en ocasiones como causa inmediata de la crítica y la predicación
unamunianas; por lo menos, cuando Unamuno defendía públicamente
la verdad de sí mismo frente a tantas y tantas interpretaciones agre-
sivas y zafias, o cuando combatía en pro de una sociedad donde
ilesamente se pudiese ser como él era —una sociedad genuina, no
falsamente «moderna»—, o cuando, en fin, se proponía que los españoles saliesen de una religiosidad o una irreligiosidad sólo forma-
les y aparentes, tal vez sólo polémicas, y viviesen de manera auténtica
—unos con fe viva, otros agónicamente, como él mismo— el problema de su pervivencia personal. Mas no siempre fue la agonía causa
inmediata de la predicación censoria y reformadora. En otros casos
tuvo su eficacia un carácter meramente estilístico, si vale decirlo
así; fue, en suma, la versión unamuniana de la acerada y necesaria
crítica que las varias generaciones españolas coincidentes más allá
y más acá de 1900 —la de Costa, la de Cajal, la del Noventa y Ocho,
la naciente de Ortega y Ors— hicieron de la vida histórica y social
de España. Sustantiva o estilísticamente ligada con su personal intimidad y con su condición de escritor, la pugna por la reforma de la
sociedad española fue otra vida complementaria de este varón de
muchas vidas.

Pero en Unamuno no hubo sólo un luchador dentro de sí y en torno a sí, ni sólo un poeta; hubo también —yo diría: hubo sobre todo, aunque en él este modo de ser no fuese el más visible— un hombre familiar: *el Unamuno aficionado a jugar y bromear con sus propios hijos, el esposo filial y conyugalmente enamorado de su mujer —¿qué alcance tendría en su alma aquella platónica y fugaz amistad suya con una profesorcita de la Escuela Normal de Salamanca?—, el docente universitario que cotidiana y paternalmente dialogaba con sus discípulos, el contertulio de café, el paseante por la carretera de Zamora, el delicado amigo del poeta ciego Rodríguez Pinilla. Bajo el unamuniano título de* Autodiálogos, *hice publicar hace pocos años una amplia selección de los artículos de amistad que el gran decidor de sí mismo consagró a multitud de españoles, no siempre afines a los ideales de su vida, y en ocasiones bastante alejados de éstos: Costa, Galdós, Giner de los Ríos, Mariano de Cavia, Cajal, el conde de Romanones, Ganivet, Maragall, los Machado, Baroja, Azorín, Valle-Inclán, Ortega, Gabriel y Galán... Frente al «Unamuno batallador» y al «Unamuno morabito», aparecía, acaso más profundo en la compleja integridad de su persona, un «Unamuno conviviente», a la postre un «Unamuno familiar». Todos los actos personales de nuestra vida son patente declaración de nuestro ser. Sin duda. Pero —contra el tópico actual de atribuir máxima virtualidad reveladora a las llamadas situaciones-límite— acaso sea la mansa actividad del sosiego voluntario aquella en que más auténticamente manifestamos lo que nuestra alma es. Yo seré lo que quiero ser, y en definitiva lo que más íntimamente soy, puesto que el querer-ser es el nervio central del ser del hombre, cuando en mí sea mínima la perturbación de vivir en el mundo: «cuando ya esté tranquilo», diría Eugenio d'Ors. Y familiar, pacífico, entrañable, fue el hombre Miguel de Unamuno en su vida y en su poesía —esto es lo decisivo: en su poesía— las pocas veces en que el mundo le deparó una hora de tranquilidad. Cuando su alma poéticamente descubría el secreto fondo de «esta vida tan preciosa —en que creí no creer».*

VIDAS SUCESIVAS

Este cuádruple manojo de vidas complementarias fue constituyéndose y realizándose a lo largo del entero decurso vital de Unamuno; muy diestra y puntualmente nos lo hace ver la biografía de Salcedo. Y como en todos los mortales acaece, la sucesión de las edades —puericia, adolescencia, juventud, madurez, senectud— ordenó en una serie de vidas sucesivas la inquieta carrera en el tiempo del gran escritor. Un sugestivo tema biográfico: saber cómo Miguel de Unamuno fue niño, mozo, varón maduro y anciano, en relación con lo que según los tratadistas son para el común de los hombres esos diversos estados vitales. No poco apunta y ofrece Emilio Salcedo para emprender con fruto tal pesquisa. Pero acaso sea más fiel contemplador de la auténtica vida de Unamuno y más sensible lector de esta Vida de don Miguel *quien dentro de una y otra busque los puntos de inflexión en vicisitudes de carácter más íntimo y personal que el tránsito siempre indeciso de una edad a otra. Varón joven era Agustín de Tagaste un año antes de su conversión, y varón joven seguía siendo un año después de ella. En él, sin embargo, había surgido un hombre distinto.*

Pienso que en la biografía de Unamuno es posible y conveniente distinguir, según lo que íntima y personalmente fue nuestro hombre, hasta cinco vidas sucesivas: la primera transcurre desde su despertar a la conciencia hasta la primera crisis religiosa (1881); corre la segunda entre esa primera crisis religiosa y los años espiritualmente tormentosos de la segunda (1896-1897); la tercera, desde entonces hasta el cese como Rector de Salamanca (1914); la cuarta, entre este suceso universitario y el regreso del exilio (1930); la quinta y última, desde su retorno a la vida de España hasta su muerte, el 31 de diciembre de 1936.

Hasta sus dieciséis o diecisiete años, Miguel de Unamuno es un muchacho ingenuo, creyente fervoroso y empapado de amor filial e infantil a su tierra vasca. Aspira entonces a ser santo y sabio o, por lo menos, santo y erudito. Paz en la guerra *y* Recuerdos de niñez y mocedad *nos presentan autobiográficamente la naciente intimidad de Miguel. La primera crisis religiosa (Madrid, 1881) convierte al adolescente vascófilo y piadoso en un joven descreído y «moderno», en el sentido historiográfico de esta última palabra. Su fe es fe en el mundo, tal como éste parece ir constituyéndose en Europa y América; su piedad es la piedad secular, Weltfrömmigkeit, según la expresión de Spranger, de quien íntimamente confía en el mundo. Es el Unamuno entre hegeliano y spenceriano que se doctora en Filosofía y Letras, ingresa en el socialismo y gana la cátedra de griego en Salamanca. «En mi juventud, cuando yo era algo así como un spenceriano...», dirá más tarde.*

Pero este Unamuno incipiente no iba a ser el Unamuno definitivo, ese que para nosotros será y para sí mismo fue «el auténtico». Su segunda crisis religiosa (1896-1897) lleva en su entraña tres claves: quiebra de la fe en el mundo como realidad verdaderamente subsistente, y por tanto como realidad verdaderamente satisfactoria; descubrimiento de que la subsistencia de la propia persona sólo es subjetivamente segura por obra de la fe y la esperanza en una realidad absoluta y fundamentante, que para él no puede ser sino el Dios Padre del cristianismo; lucha por conquistar esa fe (Semana Santa en Alcalá de Henares, pasajera vuelta de Unamuno a las prácticas religiosas) y definitivo fracaso de su empeño. Unamuno no se reconvierte al cristianismo ortodoxo, pero, como fina y certeramente ha dicho Zubizarreta, se «inserta» en él, e inserto en él quedará, a su personal modo, hasta la muerte. En su vida ha surgido el hombre agónico, y su visión de España pasa del europeismo sui generis del capítulo final de En torno al casticismo *al casticismo —también sui generis— de las últimas páginas de* Del sentimiento trágico. *Pero ese fracaso definitivo del agonioso y sollozante Unamuno de 1897, ¿fue un fracaso total? En el caso de serlo, ¿habría llegado a existir* El Cristo de Velázquez?

El cese como Rector de Salamanca no otorga nuevo sentido al curso íntimo de la existencia del que para muchos es ya «don Miguel», pero cambia poco a poco la expresión de esa existencia en la vida pública de España. La incorrección con que el cese ha sido decidido y tramitado en Madrid es evidente, y Unamuno no la tolera. La inserción del escritor en la vida española se hace cada vez más agria. Pronto romperá, como entonces se decía, con «las Instituciones», y el advenimiento de la Dictadura de Primo de Rivera dará un cariz violento a esa ruptura. El destierro se hace punto menos que inevitable; en cierto modo, Unamuno lo desea, casi lo busca. El dolor del exilio, ¿podrá no ser eficaz para que España cambie? Fuerteventura, París, Hendaya. El hombre agónico va a ser también hombre desterrado. La agonía unamuniana se exaspera, se reduplica, se convierte resueltamente —¿no lo era ya?— en tesis teológica.

En 1930 cae Primo de Rivera, y Unamuno vuelve a España. Parece haber llegado «su hora». ¿No lo están indicando así la adhesión, el fervor, el clamor de las multitudes que le reciben? En las zonas superficiales de su alma, así lo cree a veces don Miguel, o, por lo menos, así lo piensa; pero él se siente viejo, y la España que entonces apunta no es —aunque luego le declare «ciudadano de honor»— la que él había soñado, la «Su Majestad España» antigua y posible en cuyo nombre, de nuevo como Rector de Salamanca, abrirá el curso académico de 1931 a 1932.

No es un azar que por entonces brote en su mente la idea del San Manuel Bueno, mártir. *El hombre familiar resurge en él y se radicaliza: «En el umbral de la España de promisión —escribirá—, sienten las palmas de mis pies de peregrino ganas de césped de hierba fresca en que descansar sin apretarla, y sienten las plantas de mis manos de escritor ganas de sostén de familiares y discípulos... Que vengan los Josués que le hagan pararse al Sol... Yo me quedaré en Gredos, pues empiezan a cansárseme las manos y los pies. Cada vez sueño más con hierba fresca y verde para descansar sobre ella o debajo de ella, al ras del cielo o a la sombra de la tierra.» Muere Concha, la esposa que una noche de 1897 le llamó «hijo mío». ¿Qué había en los penetrales de su alma cuando su pluma redactaba el famoso «Mensaje de la Universidad de Salamanca» del 20 de septiembre —perdón, don Miguel, de «setiembre»— de 1936? No lo sabemos y acaso no lo sepamos nunca. Sabemos, sí, que un mes más tarde caerá Unamuno en el silencio. Sus palabras —«sangre de mi espíritu» las había llamado— serán tan sólo, desde entonces, las que pronuncie en el retiro voluntario de su hogar y las que amargamente, desoladamente fiel a sí mismo, añada de cuando en cuando a las páginas inéditas de su* Cancionero. *Y así hasta el 31 de diciembre de 1936. «La voz de Unamuno —escribirá Ortega pocos días después— sonaba sin parar por los ámbitos de España. Al cesar para siempre, temo que padezca nuestro país una era de atroz silencio.» Pero un país, ¿puede acaso ser por mucho tiempo un silencio en torno a un conjunto de voces monocordes?*

VOCACION Y RETROSPECCION

Cuatro vidas complementarias, cinco vidas sucesivas en la existencia temporal de Unamuno, si algún analista más sutil que yo no incrementa esa prolija enumeración. Pero la vida de un hombre es una, salvo cuando la personalidad patológicamente se desdobla, y acaso hasta entonces. Los yos complementarios y los yos sucesivos de un mismo individuo humano no son sino formas distintas de un mismo yo, aunque uno vea muy lejano de sí, cuando adulto, al mozo que antaño había sido, y aunque un suceso tan grave y hondo como una conversión religiosa haya partido en dos el curso unitario de la existencia personal. Nada más penoso —o nada más grotesco— que esos conversos que se creen obligados a mirar con asco todo cuanto ellos habían sido hasta el momento de su conversión.

La vida del hombre es una, bajo los mil rostros posibles de sus vidas parciales, y tal unidad descansa sobre doble férula: la naturaleza individual del sujeto en cuestión y su vocación personal. ¿Cómo la naturaleza de Unamuno —su constitución biológica, su temperamento, sus enfermedades— influyó sobre la figura y el contenido de su biografía? Algo ha dicho Luis S. Granjel, en su excelente Retrato de Unamuno, para dar adecuada respuesta a esta interrogación; pero el tema dista no poco de estar agotado. Quede ahí, para los unamunólogos con afán de integridad. Yo debo contentarme indagando —conjeturando— cómo la vocación de don Miguel dio unidad y diversidad a su vida cambiante y peregrina.

¿Qué es la vocación? A las varias definiciones propuestas, yo me atrevo a añadir esta otra: es la forma personal del camino posible de un hombre hacia la verdadera felicidad; esto es, hacia la plena posesión de sí mismo en comunidad viviente con las personas a que de veras amó. La felicidad es la vocación del hombre en cuanto hombre —el «pío universal» del género humano, diría fray Luis de León—, y la llamada que el cenobio, la matemática o la aviación envían a este hombre o al otro no es sino el señalamiento preciso del camino por el cual cada uno cree poder moverse —cree tener que moverse, cuando la vocación es imperiosa y excluyente— hacia su personal felicidad. Puede así acaecer que la vocación, siendo esencialmente una, permanezca indefinida en algunos hombres y parezca ser múltiple en otros, o que no coincida siempre con la aptitud natural, con la naturaleza del sujeto que como suya la siente, o, en fin, que entre en dolorosa colisión o viva en armonía fecunda con el destino de la persona titular, con su «suerte», según la expresión tópica. Mil incitantes cuestiones que aquí deben quedar meramente aludidas.

Porque lo que aquí importa es tan sólo el problema de la vocación personal del gran excitator Hispaniae. ¿Qué camino hacia la felicidad juzgó para sí más idóneo el hombre Miguel de Unamuno?

¿Cómo sus diversas vidas complementarias pudieron, dentro de ese camino posible, trabarse en unidad? ¿Cómo, por otra parte, la colisión entre su vocación y su naturaleza y su destino engendró y dio figura a esas vidas complementarias?

Una lectura atenta del libro de Salcedo concederá sin demora la respuesta central. La vocación más profunda de Unamuno era la posesión de una fe viva en la inmortalidad de su propia persona, para luego, desde esa fe, ser feliz, todo lo feliz que la existencia terrena permite al hombre, en el ejercicio de las diversas actividades a que por su aptitud y su circunstancia él se sintió llamado: la comprensión amorosa y auxiliadora de quienes —como él en la realidad factual de su vida— no hubiesen llegado a poseer, frente al problema de su propia inmortalidad, fe tan suficiente (¡qué buen hermano del Unamuno real hubiese sido este Unamuno posible!); la quijotesca incitación pedagógica, con la palabra y el ejemplo, a que despertasen de su modorra mundanal los sumergidos en ella (el unamuniano imperativo de «despertar al dormido»); la invención no angustiada de figuraciones y personajes que planteasen a todos los hombres, y en primer término a los españoles, los diversos enigmas de la personalidad humana (¿qué Augusto Pérez, qué Manuel Bueno, qué Joaquín Monegro, qué doctor Montarco hubiesen salido de la mente y la pluma de un Unamuno vocacionalmente sereno o gozoso?); la servidumbre poética e intelectual a la fascinación del misterio y la luz de la palabra, el culto filológico y literario a la condición sacral del verbo (pienso cómo un Unamuno religiosamente sosegado —en cuanto la genuina religión puede ser sosiego— hubiese puesto glosa teológica, metafísica y poética a la sentencia Verbo geniti, verbum habent, de San Bernardo); la entrega cotidiana en el hogar, en la Universidad y en la tertulia a su arraigada condición de hombre familiar. No, no fue monotemática la vocación de Unamuno. Desde el ocasional cultivo de cualquiera de los temas a que su alma se sentía llamada, siempre él hubiese acabado diciendo, como el día en que dejaba atrás la gozosa paz, la paz de oasis que en 1933 fue para él la Universidad de La Magdalena:

> Adiós, días de sosiego
> hay que volver a la brega,
> que juega mal el que juega
> nada más que un solo juego.

Pero siendo y teniendo que ser compleja en su realidad concreta, porque este hombre, por imperativo de su constitución física y mental, fue varón de muchas almas, la vocación de Unamuno tuvo desde el momento de su configuración definitiva —el trienio 1895-1898, cuando el «hombre moderno» hubo de ceder ante el «hombre unamuniano»— un secreto nervio central unitario y constante: la aspiración íntima de su alma hacia una fe suficiente en la subsistencia integral de su propia persona más allá de la muerte.

Esta medular vocación que don Miguel descubrió en sí con mo-

*tivo de su segunda crisis religiosa no fue, sin embargo, y en cuanto
nosotros podemos desde fuera juzgar tan inescrutables abismos
espirituales, una vocación cumplida. Por obra conjunta de su naturaleza, su educación y su circunstancia, tan vehemente apetencia de
fe en el fundamento de la propia realidad personal no tardó en
quedar frustrada, y Miguel de Unamuno se vio en el trance de ser
hombre agónico, y poeta como lo fue, y reformador de España —aspirante a reformador de España— tantas veces violento, intempe-
rante y acre. Todo ello de un modo indudablemente genial —no quito
una sola letra de tan maltratada palabra—, pero con genialidad bien
distinta de la que el feliz cumplimiento de esa vocación fundamental
habría sin duda actualizado en el mozo tragalibros de Bilbao y el
helenista joven de Salamanca. Pero también de la agonía puede hacer
el hombre casa propia, y más aún si desde fuera le excitan los demás
a defender y ostentar su combate interior:*

> Todo es hasta acostumbrarse.
> Cariño le toma el preso
> a la reja de la cárcel,

*escribió con senequista agudeza el mayor de los Machado. Y Una-
muno, paulatinamente acostumbrado a la cárcel de su personal
agonía, amoroso y doloroso de ella, en ella supo encontrar acicate
y pábulo para el genio poético que como don nativo había traido al
mundo. Con lo cual esa agonía vino subsidiariamente a ser el rostro
más aparente de su no cumplida vocación secreta.*

*Dije antes que el conocimiento biográfico es inicialmente retros-
pectivo, y va, corriente arriba del fluir del tiempo, desde la muerte
al nacimiento del biografiado. No es, no puede ser excepción a esta
regla general la biografía de Unamuno. Los hechos que integraron la
vida de don Miguel, ahí están, múltiples y casi contradictorios, para
quien en los documentos o en la tradición oral quiera uno a uno
conocerlos. Pero el sentido con que tales hechos aparecen a los ojos
del biógrafo y llegan a ser notas sucesivas de una misma melodía
vital —o de un conjunto armonioso o discorde de melodías vitales—
depende en muy buena parte de lo que esa vida llegó a ser; más
precisamente, de los actos personales que le dieron remate y consu-
mación. Si la muerte de Don Quijote no hubiera sido la que fue,
¿sería para nosotros el quijotismo lo que efectivamente es? La aventura de los molinos de viento, ¿no significa algo nuevo para el lector
cuando éste la lee por segunda vez y sabiendo cómo ha de acabar
la vida de su protagonista?*

*Pienso —tal es también la tácita lección de este libro de Salcedo—
que la vida de Unamuno revela su más profundo sentido cuando se
la contempla retrospectivamente y a la luz de lo que sus dos últimos
meses fueron. Quiero decir, a la luz de lo que en esos dos meses fue
conducta libre y personal. Una recatada, luminosa, esencial dignidad
tienen, bajo su cotidiana apariencia hogareña, los días postreros de
don Miguel. No sale de casa. No quiere salir de casa. Calla. Recuerda.*

*Nada espera ya de este mundo, sangriento en torno a él. Escribe
unos pocos poemas para su* Cancionero. *Recibe algunas visitas, y
entre éstas la de Diego Martín Veloz, el cacique local de otros tiempos, su viejo, chabacano y zahiriente adversario salmantino. ¿No fue
Diego Martín Veloz —terrible estampa anecdótica de la provincia
española— quien veinticinco o treinta años antes paseaba ostentosa-
mente por Salamanca, jinete de un caballo capón al que había dado
el nombre de «Unamuno»? «Su lucha —dice finamente, generosamente, Emilio Salcedo— fue contienda civil, y de puro combatirse
llegaron a quererse.» Poco antes de morir, Unamuno recapitula y da
último sentido a su vida.*

Le da sentido último con su silencio. *Quien parecía no existir sino
al servicio de la palabra, quien sólo hablando y escribiendo para sí
y para todos se afirmaba como persona y como hombre, quiere
callar, y con ese silencio final presta inédita grandeza a todo cuanto
antes había dicho y escrito, depura de intemperancias y estridencias
su expresión toda. Le da sentido nuevo, a la vez, con la dramática*
defensa de la inteligencia *de su postrer discurso rectoral. Quien había
hecho del combate contra la razón —contra lo que en su mocedad
recibía ese nombre— uno de los motivos centrales de su vida pública, daba término a ésta proclamando a borbotones la dignidad y el
valor de la inteligencia. Con lo cual venía a decir a sus críticos: «Re-
visad desde ahora cualquier interpretación superficial y extremada
de mi irracionalismo.» La ilumina inéditamente, en fin, con su familiar práctica final de la* convivencia. *Quien tantas veces se había pronunciado «contra esto y aquello» —penúltimamente, ahora lo vemos—
recibía en amistad testamentaria a bien diversos visitantes: Diego
Martín Veloz, Bartolomé Aragón. ¡Qué penetrante luz acerca del ser
y la vida de Miguel de Unamuno estos terminales encuentros suyos
con el hombre que de tan incomprensivo y vejatorio modo había
luchado antaño con él! Toda la biografía de Unamuno cobra significación definitiva y se ennoblece y transfigura cuando retrospectivamente se la contempla desde la Navidad de 1936. Recobrando sobre
su propio pasado, su muerte, como la que para sí pedía su amigo
Maragall, iba a ser «una major naixença».*

*Unamuno pervive en sus libros. A través de ellos se cumple el
gran deseo de su vejez, aquel que en un breve poema había dirigido
a todos sus posibles lectores:*

> Os llevo conmigo, hermanos,
> para poblar mi desierto.
> Cuando me creais más muerto,
> retemblaré en vuestras manos.
> Aquí os dejo mi alma —libro,
> hombre—, mundo verdadero.
> Cuando vibres por entero,
> soy yo, lector, que en ti vibro.

Mas no sólo en sus propias páginas vibra y hace vibrar el hombre Miguel de Unamuno. También en las de quienes a él se han acercado con amor e inteligencia: las de García Blanco, Marías, Vivanco, Ferrater, Aranguren, Granjel, Zubizarreta, Tovar, Azaola, tantos más. Y de muy cabal manera en éstas de Emilio Salcedo, tan devota, limpia y penetrantemente consagradas a contarnos lo que Unamuno quiso ser y fue.

Pedro LAÍN ENTRALGO

I

La guerra civil y el chico
de las Siete Calles

CÁNOVAS del Castillo fue por primera vez ministro de la corona en 1864, el mismo año en que Maximiliano estrenó su breve Imperio de Méjico. Por aquellas fechas el conde Leon Tolstoy publicó *La guerra y la paz* y, dentro de los límites nacionales, en miniatura, don José María de Pereda las *Escenas montañesas.*

En Bilbao, en el viejo Bilbao de las Siete Calles, en el número 16 de la de Ronda, nació —a las siete y cuarto de la tarde— el 29 de setiembre de 1864 el tercer hijo del comerciante don Félix de Unamuno y de su esposa doña Salomé de Jugo. Aquella misma tarde, en la iglesia parroquial de los Santos Juanes, el párroco don Pascual de Zuazo le impuso el nombre de Miguel, santo del día, y fueron sus padrinos don Félix de Aranzadi, natural de Vergara, y doña Valentina de Unamuno, vergaresa también, tíos del neófito, siendo testigos los sacristanes Ramón de Arrugaeta y Lucas de Ayesta.

La familia de don Félix de Unamuno

Don Félix y doña Salomé tuvieron seis hijos. Miguel fue el primer varón y el último de los retoños habidos en la calle de Ronda y bautizado en los Santos Juanes. Los otros tres vinieron al mundo en la casa de la calle de la Cruz, recibiendo el bautismo en la iglesia de San Nicolás de Bari.

María Felisa, la mayor de la prole del comerciante Félix de Unamuno, nació el 8 de enero de 1861 y murió en Salamanca el tercer día del año de 1932. María Jesusa, nacida también en enero, un día 16 del año 1863, murió el 20 de diciembre de 1867, cuando Miguel tenía sólo tres años y se le evitaría —como a todos los niños en

España entonces— el espectáculo de la muerte en familia. Un año
después del nacimiento de Miguel, instalada la familia en la calle de
la Cruz, vino al mundo Félix José Gabriel, muerto en Bilbao el 4
de mayo de 1931. Susana Presentación Felisa, que murió monja el
3 de marzo de 1934, había nacido el 20 de noviembre de 1866. Finalmente, María Mercedes Higinia, que no llegó a vivir un año, nació
el 11 de enero de 1870, el mismo de la muerte de su padre, y murió
el 16 de noviembre de 1871.

El abuelo materno, José Antonio de Jugo y Erézcano, del Valle
de Arratia, caserío de Arilza, nació y se crió en Ceberio; sus ascen-
dientes procedían de Galdácano e Ibarrondo. José Antonio de Jugo
se casó con doña Benita de Unamuno, abuela de Miguel y hermana
del comerciante Félix de Unamuno, padre del futuro escritor.

Don Miguel, que logró conocer la serie completa de sus abuelos
maternos, desde el octavo Juan de Jugo (cuyo hijo Pedro de Jugo
Sáez Abendaño había nacido en Galdácano en 1608), desconocía, en
cambio, las ramas y raíces del costado paterno. Sólo pudo recordar
el nombre de su abuelo don Melchor de Unamuno, confitero en
Vergara.

Don Félix, Méjico y el francés

Don Félix de Unamuno —hijo de confitero y padre de escritor—
salió muy joven de Vergara y fue a *hacer las Américas* en Méjico,
residiendo en Tepic, donde amasó a fuerza de trabajos una pequeña
fortuna que, a su regreso, le permitió ser llamado *indiano* y traer
en su equipaje una biblioteca que fue el primer pasto espiritual de
su hijo Miguel. En Bilbao, donde se estableció, casó don Félix con
su sobrina Salomé de Jugo, bastante más joven que él. Tuvo primero
fábrica de pan y después comercio. Murió en 1870, cuando su hijo
Miguel contaba sólo seis años de edad.

De su padre —y el recuerdo del padre, para bien o para mal, es
siempre decisivo—, Miguel conserva una doble vivencia: el libro y
el idioma extraño. El comerciante don Félix de Unamuno fue autodidacta y en Méjico formó su parva y entrañable biblioteca, en la
que, junto a los libros sobre la industria panificadora, no faltaron
otros referentes a Historia, Derecho, Filosofía, Ciencias Sociales, Ciencias Generales; todo de acuerdo con las tendencias de la época. «Debí
a mi padre —recuerda Unamuno en 1919— aquella pequeña, pero
tan interesante y tan escogida biblioteca familiar.» La otra vivencia,
tan fundamental en su vida, fue su único recuerdo directo: «Era
la sala en casa —dice— un lugar casi sagrado, adonde no podíamos
entrar siempre que se nos antojara a los niños; era un lugar donde
había sofá, butacas y bola de espejo en que se veía uno chiquitico,
cabezudo y grotesco. Un día en que mi padre conversaba en francés,
con un francés —sigue Unamuno—, me colé yo a la sala y de no re-
cordarle si no en aquel momento, sentado en su butaca, frente a
monsieur Legorgeu, hablando con él en un idioma para mí miste-

rioso, deduzco cuán honda debió de ser en mí la revelación del misterio del lenguaje.» Y no es un azar que el escritor Unamuno comenzase su carrera con problemas lingüísticos y que, al jubilarse, hablara de los misterios de su entrañable lengua española.

En el colegio de San Nicolás

Miguel asistió a la escuela o, mejor dicho, colegio de San Nicolás, que era de pago, instalado en una enorme buhardilla con salida a los tejados de un gran caserón que fue derruido a finales del siglo XIX. Don Higinio, el maestro, con su gorrilla de borla y el levitón de enormes bolsillos —«los bolsillos de la autoridad»—, grandes narices y algodón en los oídos, recibía el sobrenombre de *El pavero* por los cañazos que repartía en clase a los escolares que parecían pavos atontados. Terminada la clase, la caña en reposo en algún rincón, los muchachos le rodeaban gritando: «¡Don Higinio... patrocinio... de las almas... que se acogen... a vuestro paternal amor!»

El día de la *mesada*, en que Miguel lleva el duro fuertemente apretado en la mano para que no se le pierda, es un día solemne. Don Higinio recibe a los colegiales en su casa y les da unas *paciencias*. Miguel suscita entre sus compañeros la discusión de qué vale más si el duro o las secas golosinas que les da el maestro.

El primer Unamuno, que no tuvo realidad después —y tiempo habrá de ver la importancia de los *Unamunos posibles* o «mis yos ex-futuros», como él dijo—, fue un alevín de banquero, prestamista y jugador de ventaja. En la escuela se jugaba a las *vistas* o *santos*, el viejo juego de tirar a la raya las tapas de las cajas de cerillas. Miguel decidió dominar las leyes del azar y anunció a sus compañeros que por cada veinte *santos* que le prestasen daría uno de interés a la semana, lo que haría el 1.040 por 100 de interés anual. El negocio, como simple usura, era ruinoso. Pero contaba con la sociedad de un compañero de buenos puños, llamado *El naranjero* por la gorra que llevaba. «Teniendo la ley y el capital —confesaba después—, sólo me faltaba la fuerza bruta, sin la cual no hay, en el fondo, empresa que prospere.» Esta fuerza bruta fue *El naranjero*. Con la sociedad de éste, Miguel invitaba a jugar a los otros chicos. Si perdía, seguía jugando, pero como tenía la ley —los fuertes puños de su camarada— y el capital —los *santos* de los demás— podía resistir siempre más en el juego. Si el otro perdía se le imponía la aceptación de un préstamo para que siguiese jugando y el préstamo salía, claro está, de los abultados bolsillos de Miguel, que exigía el mismo tipo de interés. Después fundó una lotería en la que él y su socio ganaban el 50 por 100, hasta que un *acusica*, descontento con su mala suerte, le fue con el cuento al maestro y se acabó el negocio.

Gracias a los *santos*, Miguel no sólo hace su primer negocio infantil, acaso el único negocio de su vida, sino que, gracias a ellos —«nuestro diccionario biográfico»— conoce a Savalls, Cabrera, Sagasta, Prim, Serrano, Topete, Cúchares, Cervantes, etc., aunque los *santos* fueron inventados para jugarlos «lo mismo que los valores para la bolsa». Eran también diccionario biográfico las galerías de figuras de cera que caían por la villa del Nervión, donde Miguel contempló el fusilamiento de Maximiliano de Méjico y de sus generales Miramón y Mejía.

En la Plaza del Mercado nunca falta un viejo vendiendo los pliegos sueltos de cordel con la historia de Sansón y Dalila, Carlomagno y los doce pares, Fierabrás de Alejandría, Oliveros de Castilla, Artús de Algarbe, Genoveva de Brabante, El Cid acuchillando —muerto— a los moros, José María *el Tempranillo*, Cabrera, el Cura Santa Cruz... Miguel lee aquellos pliegos, sin entenderlos del todo a veces.

Y en la escuela leen *El Juanito, El amigo de los niños*, y la adaptación infantil de *El protestantismo comparado con el catolicismo* de Jaime Balmes. Les hacía gracia la expresión «corifeos del protestantismo», que los escolares entendían que «no sólo eran feos», sino, además, «cori». «Y decíamos que los feos del protestantismo eran Calvino, algún calvo sin duda; Tocino [Socino] y Fot [Fox]. En Bilbao —concluye— se llamaba *fot* al pan francés.» En su casa, empezando a curiosear en la biblioteca paterna, hojeaba una *España pintoresca* que don Félix había comprado en Méjico.

Cárcamo era el mayor del Colegio y ser protegido de Cárcamo todo un honor para cualquier colegial. Luis «era el gallito de la calle, el chico más roncoso del barrio, un bocota, un verdadero bocota y un fanfarrón.» Había pegado una vez, victoriosamente, a Guillermo, que era el Cárcamo de la calle, convirtiéndose en el mandón. Pero un día volvió Guillermo, al que todos, y Miguel muy especialmente, querían más. Durante la pelea, hasta que Luis se rindió, rezaron muchos porque el elemental juicio de Dios de la victoria del bueno se cumpliese. Frente al gallito, frente a Luis, estaba el pobre Enrique, al que le decía: «¡Infla!», y el pobre Enrique inflaba sus carrillos para que el matón de la calle se los hiciese estallar de un puñetazo. Hasta que Guillermo volvió.

Por entonces era Miguel un chico callado y, un día en que el maestro notó su pertinaz silencio, se desarrolló entre los dos este breve diálogo:

—Pero, Miguel, di algo.

Y Miguel respondió:

—Algo.

O este otro en la clase de don Antonio, el profesor de dibujo, cuando llegó tarde un día a clase:

—¿De dónde vienes?

—De casa.

—¿Por dónde has venido?

—Por el camino.

—¿Pero cómo has venido?

—Andando.

Los jueves, que no había clase, eran toda una fiesta: iban los escolares, en fila de a dos, hacia el campo de Volatín, junto a la ría, para correr a contemplar el paso de los viejos vapores cantando a coro su nombre. A veces se llegaban todos a la Landa Verde, entre Begoña y la ría, desde donde Miguel veía cómo las peñas secas de Mañaria cerraban el valle de Echéverri. Cerca, la cordillera de Archanda les hacía soñar aventuras leidas en Julio Verne.

Los aniversarios famosos, como las corridas de agosto, el domingo siguiente de San Joaquín, o los carnavales, eran acontecimientos esperados primero largo tiempo y recordados después con emoción estremecida. Pero, sobre todo, estaba la Semana Santa, con sus desfiles procesionales de noche, la prisa infantil por coger sitio en los balcones, acurrucados entre las piernas de las personas mayores y agarrados a las rejas del balaustre para ver a los nazarenos, con sus palitroques golpeando el empedrado de la calle, que portaban los *bultos*, y el Viernes Santo veían a los *elementos*, «cuatro caballeros de negro, de tiros largos, más serios que un corcho, arrastrando por los suelos cuatro banderas negras»; después, los fariseos..., todo un mundo de religiosa emoción infantil.

El juego y la muerte

No sabía casi jugar Miguel. La calle de Ronda, donde había nacido, era una calle oscura y lóbrega. No lejos de allí está la calle de la Cruz, donde vivía con su familia. Una calle de casas viejas y ventrudas que contemplan las primeras correrías de Miguel. Toda aquella manzana, con las calles de la Cruz, Sombrerería, Correo y Matadero —donde se hizo después el Banco de España, cambiando de nombre la calle—, el portal de Zamudio y la Artecalle ante el Teso de Miravilla, que corona la cima de Arnótegui, son el paisaje infantil de Miguel, el chico de las Siete Calles y la Plaza Nueva. «Otros se criaron en el campo, corriendo por él, respirando en el aire átomos de huerta y oyendo cantar a los pájaros de carne y hueso; yo entre calles, rompiendo botas por ellas.»

No sabe jugar ni a la pelota, ni a la peonza, ni a las canicas; claro que sí jugaba y sus juegos eran distintos. Miguel, delgaducho, serio y un poco tristón a las veces, no podía competir en la ligereza y fortaleza física con varios de sus compañeros. Acaso por ello se le ha despertado el gusto por la habilidad reposada de creador de pajaritas de papel. Otra diversión a la que se entrega de buen grado es el juego con los insectos, el gran entretenimiento de aquellos años en la escuela: los grillos, *cochorros*, la solitaña, las luciérnagas, el caballito del diablo, hasta las moscas apresadas con cera entre las patas de pajaritas de papel, a las que hacen caminar; todo un muestrario de mitología entomológica. Y algo más que insectos, también otros animales, en cuya mala suerte se complace la crueldad infantil, como aquel pobre gato cazado en el tejado del colegio que fue arrojado por la chimenea de un fondero, por eso de que acaso daba gato por liebre.

No todo eran juegos. Existe el temor representado por el mundo de los mayores: el coco —que se olvida pronto—, el cuarto oscuro o la perrera, el *papau* y la *marmota*. Quedaba la muerte, que parecía no existir ni para Miguel ni para sus compañeros. Oían hablar de muertos, mataban animales, pero no comprendían aún la realidad de la muerte. Y, ¡de pronto!, el niño siente un aleteo extraño y estremecedor que le asusta y le acongoja: es el paso del misterio de la vida, la presencia por vez primera de la muerte.

Y Unamuno, angustiado luego toda su vida por el deseo de no morir, tiene esta revelación cuando un compañero de colegio, Jesús Castañeda, se muere. «Un día —recuerda—, sobrecogidos de un temor misterioso, supimos que había muerto.» Y Miguel llevó en el entierro una de las cintas blancas del ataúd. Después, en el cementerio, cuando se descubrió el féretro, vio el cadáver, «pálido, rechupado, con los ojos cerrados, las manos juntas, tendido en su caja y con su mejor trajecito para el viaje último.» Y Miguel recordó cuántas veces le había visto fumar, *un pecado*, y las palabras feas que le había oído y se estremeció todo, asustado, recordando la descripción que del infierno y del purgatorio hacía el catecismo, y —ya catedrático en Salamanca— recuerda: «No sé si aquella visión entró en parte a corroborarme en no fumar, que es una de las cosas que jamás he hecho en mi vida.»

El plácido horizonte de la infancia empieza a quebrarse. Una nueva angustia surge en la vida de Miguel, provocada por el despertar de la pubertad. «Me producían verdadero terror aquellos chicos que inducían a otros al mal», dijo al despedirse de la juventud. *Hacer cochinadas* le repugnó siempre, desde niño, y quizá a esa contención se deban luego las crudezas de sus novelas y dramas, su preferencia por el *desnudo* y su repudio total del *desvestido*.

La segunda guerra carlista

El 28 de octubre de 1873 Bilbao vive —por toda España— la guerra civil. Ha comenzado la segunda Guerra Carlista. Miguel tiene nueve años y, con sus amigos, tomó como una nueva diversión los trances de guerra, el paso de las tropas, la salida de los voluntarios de uno y otro lado. Miguel, entonces, se dispone a tomar su primera comunión y, casi sin saberlo, cobra también dolorida conciencia del hecho de la guerra civil.

Tres de los cuatro párrocos que hay en Bilbao tienen que abandonar sus parroquias. Sólo permanece el de San Antón, don Pedro de Castañares, que fue luego arcipreste de la villa. La feligresía de los Santos Juanes se le encomendó a un coadjutor que rondaba entonces la treintena, don Isidoro de Montealegre y Berriozábal, que fue el primer confesor de Miguel y quien, por vez primera, le dio la comunión. Cuando don Isidoro preparaba con sus pláticas y preguntas del catecismo a chicos y chicas en la sacristía de la parroquia, Miguel se quedaba mirando a Conchita Lizárraga, «sin saber por qué».

La familia vivía por entonces gracias a la escasa fortuna de la abuela materna, doña Benita de Unamuno y Larraza. La economía familiar no da para lujos, pero se mantiene en la consideración de acomodada, dentro de los límites austeros de un hogar regido por dos viudas y con cinco críos de los cuales se piensa dar carrera a los dos varones. Doña Benita tiene preferencia por Miguel entre todos sus nietos. Es dominadora, decidida y liberal por encima de todo. Por su influencia, las propiedades de la familia se mantienen en régimen comunitario; son sus bienes un par de modestas casitas en Bilbao y un caserío, aportación de su sobrina y nuera, el de Jugo, barrio de Aparribay, en la anteiglesia de Galdácano, cuya antigüedad se remonta, por lo menos, al siglo XVI y que aún conservan, sin que les produzca rentas, los hijos de don Miguel.

1874 es, para los niños, una fiesta y apenas si empiezan a notar las dificultades de los mayores. No hay clase. Las bombas, pobres, modestas y no muy ruidosas bombas de entonces, lanzadas por cañón y no defecadas desde el cielo, casi como petardos, con su ruido, su aviso de campanas y todo, son una diversión más. El 21 de febrero empezó el bombardeo carlista contra los liberales amurallados en la villa. Miguel y su hermana María esperaban en el mirador de la casa la llegada de estas bombas y una de las primeras cayó cerca de allí, «dos o tres casas más abajo».

Las guerras, contra lo que mucha gente piensa, no detienen las vidas, aunque muchas se acaben. «Iba y venía la gente —evoca Unamuno— con las preocupaciones cotidianas, a la hora de siempre pasaba el mismo de siempre por la calle, con su mismo paso, como si nada extraordinario ocurriese, a ganarse la mantenencia, viviendo vida de paz en el seno de la guerra.» Sobre los mayores los niños que están de fiesta. Cuando Miguel lo recuerda confiesa que, entonces, empezó para él «uno de los períodos más divertidos de mi vida».

Y era verdad: se refugiaban en la iglesia de los Santos Juanes, donde don Isidoro de Montealegre, cura liberal que despreció obispados y había sido ya el primer confesor de Miguel, su director espiritual en aquellos tiempos de guerra civil, dejaba corretear a los chiquillos mientras él corría a auxiliar a los heridos o moribundos. De él se contaba que un día, llevando el Viático, no interrumpió su marcha durante el bombardeo y una granada cayó cerca salpicando con la sangre de un burro despanzurrado uno de los farolones que acompañaban al Santísimo y que el monaguillo había abandonado prestamente.

Los niños seguían jugando a la guerra, casi como los mayores, a los que Miguel les oía cantar:

> «Jamás en la villa invicta
> ha de entrar Carlos Borbón;
> podrá pisar sus escombros,
> pero sus bellezas, no.»

o aquello de:

> «*Viva Carlos sin cabeza,*
> *viva Andéchaga sin pies,*
> *vivan todos los carlistas*
> *con los pellejos al revés.*»

y al terminar los bombardeos:

> «*Cuando alguna bomba estalla*
> *y esparce consternación,*
> *dicen llorosas las madres:*
> *¡Maldito seas, Borbón!*»

Para un niño, una guerra, aunque sea civil, es una fiesta. Los primeros días, al escuchar la alarma y luego el estallido de las granadas, les obligaban a tirarse sobre el suelo. Después, como ya se ha dicho, se refugiaban en la parroquia de los Santos Juanes. Miguel, como todos los demás niños, corría al hacerse el silencio para recoger los cascotes calientes y llenarse los bolsillos con las balas que habían estallado sin matar a nadie. Con sus amigos, usando los cascotes, hacía terribles bombardeos y, con pajaritas de papel, encarnizadas batallas que le llevaron a crear toda una técnica quirúrgica de urgencia a base de goma y papeles para sus pobres criaturas, tan pacíficas, que había convertido en soldados. Su compañero en estas batallas, antagonista o amical enemigo, era casi siempre su primo Telesforo de Aranzadi, que fue catedrático de Ciencias en la Universidad de Barcelona.

Durante las treguas de aquella pequeña guerra civil, volvían a clase y los chicos rivalizaban en el recuento de las bombas que habían visto caer. El hambre iba venciendo a los mayores y los niños empezaron a considerar el pan como una golosina. *Carlistón*, entre ellos, era un insulto grave. Y la guerra seguía.

Miguel escuchó el ruido de la refriega y, cuando lo evocó llegó al convencimiento de que fue aquella una edad heroica, aunque nunca vio más carlistas que aquellos que su insaciable mirada contempló en las ilustraciones de los libros y de los periódicos, salvo aquella vez, durante el sitio, en que, con un largo catalejo, vio a uno, cuyos botones refulgían al sol, abriendo un foso en el Alto de Quintana. El 2 de mayo de 1874 presenció la entrada en Bilbao de las tropas liberales victoriosas. En octubre de 1875 comienza su bachiller.

2

La llamada

EL Instituto vizcaíno se ha convertido en hospital, a causa de la guerra, y los estudiantes van a la calle del Correo. Miguel comienza su vida de bachiller en esta instalación provisional. «Durante la guerra —dice—, los cursos habían sido regocijados, pues el continuo entrar y salir de las tropas, las peripecias diarias de la campaña, daban ocasión a frecuentes novillos.»

Don Santos Barrón, ya anciano, alto, fuerte, grueso, con el labio colgante y el largo levitón que parecía uniforme o hábito, era el catedrático de latín. Sacaba de los faldones de su levita un papel con las desinencias de las declinaciones. Sus alumnos, maravillados por la aridez de sus clases, juraban que don Santos era el mejor latinista de España, de Europa, del mundo y hasta que era capaz de hablar en latín de corrido, como si tal cosa.

El catedrático de Geografía se llamaba Carreño y de él nada recuerda Unamuno al recontar su niñez, salvo el apellido, algunas capitales del mundo y su población de veinte años antes, y que el aula en que daban la clase era clara y espaciosa. «Concluí mi primer curso —confiesa— sin brillantez y sin sobresalencia.» Esperaba tan sólo, impacientemente, pasar a otro curso, superar las arideces, llegar a un mundo distinto en el que aquello tuviese sentido.

Terminada la guerra, entronizado Alfonso XII, cuando Cánovas era —una de las muchas veces en que lo fue— presidente del Consejo de Ministros, se promulgó la Ley que abolía los Fueros y orde-

naba el cese de las Juntas Generales del Señorío de Guernica; los
vascos entraron en quintas y se estancó el tabaco. Miguel terminaba
entonces su primer curso de bachiller e indignado, herido en su vasquismo infantil, escribió, en colaboración con un amigo, una carta
anónima preñada de amenazas de muerte dirigida a S. M. Alfonso XII.
«Y cuando poco tiempo después —cuenta en 1908— llegó a Bilbao
la noticia del atentado de Otero u Oliva... nos miramos a la cara mi
amigo y yo, aterrados.»

Julián, el bedel

El segundo curso de bachiller no ofreció más novedades a Miguel
y sus compañeros, con los mismos Barrón y Carreño, que el traslado
al edificio propio del Instituto provincial. Julián, el bedel, es el
único recuerdo cálido. Julián, gordo, leía continuamente el *Flos Sanc-
torum* y hacía preguntas a los estudiantes de latín sobre qué significaba *ego sum pastor bonus*. Y los muchachos le hacían perder su
calma y renegar. Julián, a veces, enfadado, les decía: «Un puñetazo
mío y la muerte, todo es uno.» Nunca dio Julián aquel puñetazo y,
muerto el bedel, llegó a pensar Unamuno si no habrían acortado su
vida las intemperancias escolares.

La partida de Sabas

Entre los condiscípulos que tiene Miguel en el Instituto se destaca en su recuerdo la figura de Sabas, caudillo de una partida de
arrapiezos que, en las últimas jornadas de la guerra civil, atronaba
las calles, callejas y cantones bilbaínos cantando:

> «*La partida de Sabas, turun tun tun,*
> *la partida de Sabas, turun tun tun,*
> *no tiene miedo. ¡Fuego, fuego!*»

Sabas había sido un ídolo para Miguel. El pequeño Unamuno
había sentido miedo durante la guerra, se había tendido sobre los
baldosines del suelo, como todos, durante los primeros bombardeos,
se había refugiado después en los Santos Juanes y, aunque jugó con
cascotes calientes, no se atrevió nunca a salir a la calle en pleno
bombardeo, como había hecho Sabas.

Pero todos los ídolos tienen los pies de barro. De la admiración
pasó Miguel al miedo y al asco. Un día, Sabas le enseñó un librito
pornográfico con un grabado que le sonrojó y le «aceleró, por vergüenza y miedo, los latidos del corazón». Miguel comprendió que
Sabas estaba hecho para acaudillar a los compañeros, pues tenía
con qué encandilarles. Sabas se burló de los remilgos de Miguel y
éste, lógico es suponerlo, se quedó solo.

En la huerta de Deusto

Miguel, no muy fuerte, se resintió en su salud por el esfuerzo del estudio, y los médicos le aconsejaron frecuentes paseos y aire libre. Descubrió entonces el campo a orillas del Nervión y, en los veraneos, en el caserío de la abuela, cerca de Deusto, donde lee por vez primera a Antonio Trueba, *Antón el de los Cantares*. Estudia ya tercer curso, está matriculado en Retórica, que —dice— «no era agradable» y quizá por ello no recuerde el nombre del catedrático. En esta huerta de Deusto recita a Zorrilla. También estudia Matemáticas y prefiere el álgebra a la aritmética.

La gran novedad del cuarto curso es la asignatura llamada *Psicología, Lógica y Etica*, de que es catedrático el presbítero don Félix Azcuénaga. Del interés por sus clases saca Miguel el pasarse las noches en claro leyendo a Balmes y a Donoso Cortés en los ejemplares de la biblioteca paterna. Con ellos, a la luz de una vela, alterna la lectura de poetas mejicanos de cuarta fila, cursis y almibarados, cuyos libros compró el comerciante Félix de Unamuno en Méjico y Tepic, y las ásperas estrofas de *La Araucana*, de Alonso de Ercilla.

Miguel, congregante de San Luis Gonzaga

Vive Miguel, a los catorce años, su crisis de adolescencia. «Aquellos días —recuerda— en que me empeñaba en llorar sin motivo, en que me creía presa de un misticismo prematuro, en que gozaba de rodillas en prolongar la molestia de ellas, en que me iba a los Caños con Ossian en el bolsillo para repetir sus lamentaciones al Morven, el Rino y los hijos de Fingal, aplicándolo yo al viejo Aitor y a Lecodbide, las fantásticas creaciones del inconsistente romanticismo vascongado.»

Miguel empieza a escribir «en estilo lacrimoso, tratando de imitar a Ossian», y son sus tópicos el árbol santo de Guernica, Aitor, Lecodbide y Juan Zurie, las maldiciones al ferrocarril, que representa el progreso y la ruptura del aislamiento del país vasco. Años después, ya en la universidad, hasta pensó en «escribir una historia del pueblo vasco en dieciséis o veinte tomos en folio».

El pequeño Unamuno era congregante de San Luis Gonzaga y, todos los domingos, se reunía con sus compañeros en la Plazuela de la Encarnación en Achuri y oía luego misa en el templo del convento. Fue nombrado, por oficio —«el primer oficio recibido en mi vida, con su ancho margen en blanco»—, secretario de la Junta Directiva de la Congregación. Soñaba con ser santo. «Era una edad de frescura —ha recordado— en que la imaginación se me dejaba brizar en la poesía exquisita de la vida de santidad.»

Según ha comprobado Charles Moeller —y me habló de ello en Salamanca el verano de 1958 y lo ha confirmado después en el cuarto

tomo de su *Litterature du XXe siecle et christianisme*—, la elección
de Miguel como secretario de los Luises fue muy discutida y su
nombre se registra en el libro de actas de la Congregación por vez
primera el 21 de diciembre de 1879 y sigue figurando hasta abril
de 1880. Pasadas aquellas vacaciones, marcha a Madrid y deja de
figurar como tal secretario.

Junto al Tilo del Arenal

Concha Lizárraga vive cerca del gran Tilo del Arenal, el árbol que
un fuerte viento de marzo abatió no hace aún muchos años. «El Tilo
—escribió Sánchez Mazas en su elegía al desaparecido símbolo bilbaíno— vió toda la carrera del progreso de Bilbao hacia el Abra, y
entre humos de grúas, de chimeneas, de locomotoras y de vapores
extendía su dulce sombra sobre el camino real de la pujanza bilbaína.»
Concha, que había nacido en Guernica el 25 de julio de 1864, vivió
en Bilbao, hasta la muerte de sus padres, cerca del Tilo del Arenal.
A los doce años volvió a Guernica y ya era novia de Miguel, desde
los días de la primera comunión. La sombra noble del gran árbol,
frente a la parroquia del Santo de Bari, fue testigo del primer poema
de amor que Miguel dedicó a su Conchita. Miguel y Concha brezaron
sus corazones niños con la inocencia de sus miradas y jugaron un
juego eterno, de todos los tiempos y lugares, que para ellos, como
la historia entera de Vizcaya, se acogió a la sombra de los tres árboles —el Tilo del Arenal, el Arbol gordo y el Roble de Guernica—;
jugaron a ser novios y tomaron muy en serio el dulce juego.
    El secretario de los Luises no abdica de sus anhelos de santidad,
mantiene este sueño y, de vez en vez, la imagen de Concha se inter-
pone. «Iba de corto —evocó años después Unamuno—; sus cortas
sayas dejaban ver las lozanas pantorrillas, su pecho empezaba a alzarse, la trenza le colgaba por la espalda y sus ojos iban iluminando
su camino. Y mi soñada santidad —añade— flaqueaba.»

«Id y predicad el Evangelio»

Un día, Miguel, después de comulgar, abrió su libro de misa y
puso el dedo sobre un pasaje elegido al azar: «Id y predicad el
Evangelio por todas las naciones.» Años más tarde, en carta a Jiménez Ilundain, recordará este suceso: «Me produjo una impresión
muy honda. Lo interpreté como un mandato de que me hiciese
sacerdote.» Y en la misma carta sigue: «Mas, como ya por entonces,
a mis quince o dieciséis años, estaba en relaciones con la que hoy
es mi mujer, decidí tentar de nuevo y pedir aclaración. Cuando co-
mulgué de nuevo, fui a casa, abrí otra vez y me salió este versillo,
el 27 del capítulo IX de San Juan: *Respondióles: ya os lo he dicho
y no habéis atendido. ¿Por qué lo queréis oír otra vez?*» «No puedo
explicarle —continúa— la impresión que esto me produjo.» Y con-

cluirá: «En mucho tiempo repercutió la sentencia en mi interior y el recuerdo de aquellas palabras me ha requerido siempre.»

A la espera del saber

Todavía leía a Balmes; compró un cuadernillo de real y empezó a desarrollar un sistema filosófico nuevo, todo fórmulas; continuó su vida de creyente, su inocente noviazgo y su bachillerato, que llegaba ya al final, con el más divertido curso, el último, con sus juegos de Física, los paseos por el jardín en Agricultura y la exposición de piedras, bichos y plantas en Historia Natural.

Tras aquellas enseñanzas, Miguel de Unamuno intuyó la existencia del mundo del saber. Aprendió quizá poco por entonces en el Instituto Vizcaíno y se entretuvo más haciendo caricaturas de sus profesores, que dibujaba siempre de perfil, siempre por el lado izquierdo, y en las clases del pintor Lecuona, que tenía el estudio en la buhardilla de su misma casa en la calle de la Cruz.

No fue brillante escolar, pero en aquellas clases del Instituto quedó su espíritu despierto, alertado en la atenta espera del saber. Sin salir del reducto de las Siete Calles, casi sin asomarse al mar ladero, Miguel se dispone a la aventura decisiva de salir de Bilbao, *su bochito,* su tacita de plata, para hacerse universitario, y es entonces, preparando el viaje, cuando siente Miguel que ha dicho adiós al niño que hasta ahora ha sido, el niño que guardará siempre, como la almendra o el badajo, en su alma; el niño que, hasta el último día de su vida, bullirá en él queriendo aflorar.

3.

En la Universidad

E n setiembre de 1880, con sus dieciséis años y el título de bachiller recién obtenido, va Miguel de Unamuno a Madrid para estudiar la carrera de Filosofía y Letras. ¿Por qué esta decisión? «Recuerdo —comentaba en 1898— que cuando empecé mi carrera el año 80
estaba mi pueblo, Bilbao, en el apogeo de su prosperidad, cuyo más
visible efecto era el alto precio que alcanzaban los solares de construcción. Entonces se empezó el ensanche de la villa... Y entonces
mis compañeros de edad... se dirigían, sobre todo, a adquirir títulos
de arquitecto o de ingenieros de minas.» ¿Por qué esta decisión?
Es fácil comprenderla. «Es inútil querer hacer industriales sin industrias correspondientes, y no son aquéllos los que hacen a éstas,
sino a la inversa.» En su decisión había una voluntad consciente,
más allá de su habilidad de narrador, de su genio de lector, de
su vocación incipiente de escritor.

La muerte de la abuela

Varios sucesos importantes llenan este año de 1880 la peripecia biográfica del joven Miguel de Unamuno. La abuela Benita ha
muerto y el bachiller (que fue llevado fuera de casa cuando se
produjeron los fallecimientos de su padre y de sus hermanas María
Jesusa y María Mercedes Higinia) tiene ahora constancia de la muerte.
Y no es sólo el ir en un entierro llevando una cinta que cuelga de
un ataúd y ver después el cadáver, como cuando murió su compañero Jesús Castañeda. «Mi abuela Benita Unamuno Lizárraga —recordaba todavía el 15 de enero de 1936— murió a mi lado, a mis
dieciséis años: la primer muerte a que asistí.» Un bachiller es ya
un hombre que presencia en la casa la agonía de su abuela y puede

empezar a hacerse muy serias preguntas sobre el misterio de la vida y de la muerte.

Este mismo año escribe Miguel su primer artículo periodístico, que publica *El noticiero bilbaíno*. En 1924 sólo recuerda el título: «La unión hace la fuerza».

Adiós a la peña de Orduña

Estrenó entonces su ausencia de la tierra natal, y envió a Guernica sus primeras cartas de amor. Y es el recuerdo de Concha, con el de su casa, enlutada una vez más, el que, al trasponer la peña de Orduña, le llena de congoja. «A las sensaciones que experimentara al darme cuenta de que me alejaba de mi patria más chica, de la sensitiva, uníase el sentimiento de dejar mi patria chica, la sentimental, y, aun más que sentimental, imaginativa», recordará en Salamanca en 1902 al prologar su libro *De mi país*.

Durante los años de bachillerato se ha avivado su vasquismo. En su casa se habla sólo castellano (y no olvido el diálogo en francés de don Félix con M. Legorgeu) y él empezó a aprender el vasco en la calle. En *Recuerdos de niñez y mocedad* cuenta Unamuno que, niño aún, no entendía el significado de palabras como «iturrigorri». Este dato importante no lo tuvo en cuenta Ortega y Gasset cuando, en su necrología del escritor vasco, habló del castellano aprendido de éste, suponiéndole el vascuence como lengua materna. Cuando llega a Madrid sí sabe vasco, pero es porque lo ha aprendido. De entonces es una anécdota que gustaba de recordar: unas nodrizas vascongadas vieron al estudiante sentado en el banco de un parque en el cual les apetecía también sentarse a ellas, pero no se atrevían y hablaban entre sí en vascuence llamándole «zezenitarra» (de la tierra de toros), y Miguel, divertido, se hizo el remolón, dando largas, para —al levantarse— decirlas en vascuence: «Ahí os queda el banco; si no hubiérais dicho eso lo habría dejado antes.» Ellas se echaron a reír y reían luego cuando, durante varios días, le volvieron a ver.

El Bilbao que Unamuno dejó tras de sí es «aquel viejo Bilbao mercantil, el de los escritorios de comercio, el de los corredores, el de los tenderos..., un Bilbao liberal y de pequeña burguesía, de clase media». El Bilbao de las fábricas, que se está formando entonces, ya no podrá arrancar nunca tanta nostalgia de su corazón.

Pero Miguel de Unamuno está camino de Madrid un día de setiembre de 1880. Madrid es una experiencia decisiva para cualquier español. Pedro Laín Entralgo ha dado una visión exacta de cuanto pudo significar este Madrid para los jóvenes del tiempo de Unamuno, en su libro sobre *La generación del noventa y ocho*. No voy a seguir —por la razón de que él escribió un libro de interpretación y comprensión de una actitud generacional ideológica y yo pretendo pergeñar un relato de la peripecia biográfica del hombre individual Miguel de Unamuno— la pauta que Laín marca en su libro.

En el tiempo...

Desde el nacimiento de Miguel hasta el momento en que va a
Madrid, España ha seguido dando sus ya connaturales palos de ciego.
Aquel mismo año —como quien dice anteayer, ¡en 1880!— el Gobierno de su Católica Majestad decide abolir —¡al fin!— la esclavitud
en Cuba, y todo por influencia del republicano Emilio Castelar.

Desde que Miguel nació y don Antonio Cánovas del Castillo se
estrenó de ministro con Isabel II han seguido los sarampiones nacionales. O'Donnell muere en 1867 y, un año después, Narváez. En
1866, Prim hace su revolución de Cádiz, con Topete, y llega al Gobierno. Antes, Serrano ha vencido en Alcolea a Novaliches. Después
estalla en Cuba la estúpida guerra de los Diez años, un motivo más
que justificó su legítimo derecho a la independencia, a la catástrofe de 1898.

Pero Prim llegó al Gobierno en un momento en el que era regente
el general Serrano y se ofrece la corona de España al príncipe Leopoldo Hohenzollern-Sigmaringen, en 1870, y Prim trae al rey Amadeo I,
el de Saboya, y muere en un atentado sin verle rey de España. Viene
un Gobierno Topete y los anarquistas y socialistas son nueva e inquietante planta en el país.

En 1872 comienza la segunda Guerra Carlista, que ya hemos visto
cómo fue vivida por Miguel de Unamuno en Bilbao. Amadeo abdica
en 1873 y le sigue la primera República, efímera, ingenua, desorien-
tada, con Emilio Castelar como último presidente. Sigue, siempre
sigue, la eterna guerra civil española. Martínez Campos proclama la
nueva —que es vieja— monarquía española y Cánovas vuelve —todo
vuelve en España— a regir el Gobierno y él da base a la Restauración. Después, la Constitución de 1876, la vuelta a España de Isabel II,
la boda del rey Alfonso XII —el «triste de ti» del cantar popular—
con María de las Mercedes y, al año, tras la muerte de ésta, con
María Cristina. Entre tanto, varios Gabinetes o Gobiernos presididos
por Cánovas, Sagasta o Serrano, los que ya son los de siempre. Y,
sobre todo, el país en latente y perpetuo estado de guerra civil.

Más allá de nuestras fronteras se habla de la muerte, en olor de
sangre y multitud, de Abraham Lincoln, cuyo retrato ilumina la infancia de Unamuno. Se dice también —son los papeles o periódicos quienes lo dicen— que el Congreso de los Estados Unidos de
Norteamérica garantiza (?) la igualdad de derechos de negros y blancos. Se habla igualmente, con el vago respeto y el temor que impone
lo misterioso y oculto, del Ku-Klux-Klan; de las victorias de Prusia
sobre Francia y de un libro enorme, obra de un visionario, Carlos
Marx, publicado en 1867, que se titula El capital y que todos piensan, por los escozores que su difícil lectura provoca, que se olvidará
pronto.

Se habla también del Congreso de las Trade-Unions y del Canal
de Suez, que es inaugurado en 1869; de la batalla de Sedán y del

sitio de París; de la unidad de Italia, conseguida en 1870; de la Tercera República francesa; del triunfo final de Bismark y de su sueño logrado de «Alemania sobre todo» y la locura de Luis de Baviera; de la dictadura de Porfirio Díaz en Méjico, iniciada en 1874.

Tiene más importancia aún que, en 1866, se haya inaugurado el primer cable transatlántico y que en 1880 Ebert haya descubierto el bacilo del tifus. Entre medias, la fundación de la Oficina Internacional de Pesas y Medidas, el invento del teléfono en 1876, la construcción del primer motor de explosión, la invención —por Edison— del micrófono, el fonógrafo y la lámpara incandescente (hasta ahora Miguel de Unamuno ha leido a la luz de una vela de esperma, destrozándose los ojos); el hallazgo, por Pasteur, del principio de las vacunas.

¿En literatura? En 1866 Dostoiewski publica en Rusia Crimen y castigo, el mismo año en que Nobel inventa la dinamita, y el nombre y el premio de Alfred Nobel se cruzarán varias veces, tantálicamente, con el nombre y la vida de Miguel de Unamuno. Ibsen estrena Peer-Gynt en 1867. Flaubert —todavía— publica La educación sentimental. (¡Y cuánto influirá —Claveria lo ha demostrado— el autor de Madame Bobary en Unamuno!) Daudet da a las prensas las Cartas de mi molino en 1868; Tolstoy, su Ana Karenina en 1873; Mark Twain, su Tom Sawyer, y Federico Nietzsche, su Humano, demasiado humano en 1875. Finalmente, Dostoiewski lanza en 1880 Los hermanos Karamazov, libro del que dirá Unamuno que «es un evangelio».

En España, o en el mundo de habla hispana, hay que contar con el nacimiento, el mismo 1864 en que nació Unamuno, del catalán Santiago Rusiñol. En 1865, en Granada, nace Angel Ganivet. Un año después, Ramón del Valle Inclán, Carlos Arniches y Jacinto Benavente. En 1867 nace en Nicaragua Rubén Darío y, en Valencia, Vicente Blasco Ibáñez. En 1869, Ramón Menéndez Pidal y, al año siguiente, Ignacio Zuloaga, José María Gabriel y Galán y Manuel Gómez Moreno. En 1871 se incrementa la nómina de españoles ilustres con Miguel Asín Palacios; en 1872, con Pío Baroja; en 1873, con José Martínez Ruiz; en 1874, con Manuel Machado y Ramiro de Maeztu; en 1875, con Antonio Machado («el hombre más descuidado de cuerpo y más limpio de alma de cuantos conozco», dijo de él Unamuno), el más grande poeta de nuestro tiempo. En 1876 nace Manuel de Falla; en 1879, Francisco Villaespesa, Eduardo Marquina y Gabriel Miró; en 1880, Ramón Pérez de Ayala. Y no puede olvidarse la Institución libre de Enseñanza, fundada en 1876, y la vigencia del krausismo, tan magistralmente estudiado por Juan López Morillas y que tan importante es para Unamuno a su llegada a Madrid.

Campoamor ha publicado en 1869 El drama universal; la edición póstuma de las Rimas de Bécquer (¡el homenaje becqueriano de Unamuno en Teresa!) es de dos años después; Galdós inicia, con Trafalgar, en 1873, la publicación de los Episodios nacionales; le siguen Pepita Jiménez, de Juan Valera; El escándalo, de Pedro Antonio de Alarcón; Gritos de combate, de Núñez de Arce; La ciencia española, de Menéndez Pelayo; Doña Perfecta (otra vez Galdós), en

1876; Amaya *(biblia del vasquismo juvenil de Unamuno), de Navarro Villoslada, y Memorias de un setentón, de Mesonero Romanos, en 1880. Intecionadamente he silenciado muchas efemérides. Sólo debo citar aún el descubrimiento, en 1875, de las Cuevas de Altamira. En sus últimos años escribió Unamuno unos rotundos versos dedicados al «bisonte altamirano». Se ha silenciado mucho y este recuerdo sumario, que va de 1864 —año en que nace Unamuno— a 1880 —cuando va a Madrid a estudiar carrera—, produce vértigo.*

El lector —a quien se le presta esta ayuda nemotécnica— no debe dejarse llevar por espejismo alguno. Hoy podemos tener una visión completa (y hacer, consecuentemente, su valoración) de cuanto estos nombres y hechos significan; entonces, cuando esta historia se estaba haciendo, no era posible; al menos de una manera absoluta. ¿No se consideró acaso que Salvador Rueda, precursor del Modernismo, era superior a Rubén Darío? ¿No se creyó que Blasco Ibáñez era el único escritor español universal? Si estos errores de juicio se produjeron todavía bastantes años después, ¿vamos a pedir clarividencia a los que no conocían aún la exacta medida de lo que en torno a ellos estaba surgiendo? Nos interesa en cuanto que hoy es nuestra prueba de que algo se cocía entonces. Pero no pensemos (y en esta biografía se acudirá a este sistema en más ocasiones) en delirio alguno de fiebre. En Madrid, al llegar Unamuno, la gente está más atenta a las discusiones electivas de Cánovas o Sagasta, de Lagartijo o Frascuelo, Gayarre o Massini.

Pero, y por ello he traido aquí tan apresurada y abrumadora nómina, los hechos políticos de dentro y fuera de España, los libros publicados (no las personas nacidas, de las que aún se ignora el juego que puedan dar) son las realidades con las que ha de contar el joven Miguel de Unamuno, día a día, con la paz y lentitud de los días que pasan, no con la rapidez con que se recuerdan los días pasados. Y Miguel tuvo noticia de éstos y otros muchos detalles que se omiten aquí. Pero los fue conociendo en su época de bachiller en el Instituto Vizcaíno y empezaron a gravitar en su vida de universitario cuando llegó a Madrid, a sus dieciséis años, aquel otoño de 1880.

Llegada a Madrid

Miguel llega una mañana a Madrid y, al subir por la cuesta de San Vicente, ve una ciudad triste, con aire de salón abandonado y lleno de despojos. Ya en la casa de Astrarena, en su habitación, se asoma a la calle de Hortaleza y le gana el desánimo al contemplar el bullente hormiguero de la Red de San Luis. «Madrid —piensa y recuerda en 1902— pulula en vagabundos y trae al estéril vagabundaje callejero... Madrid es el vasto campamento de un pueblo de instintos nómadas.»

Madrid fue una decisiva experiencia para Miguel. Vivió en la casa de Astrarena, pensión estudiantil, entre las entradas de Fuencarral y Hortaleza, aproximadamente donde ahora se alza la Telefónica. Vivió «aquel Madrid lugareño, manchego, a las veces quijotesco... de las sórdidas calles de Jacometrezo, Tudescos, Abada» y se enfrascó en «libros de caballerías filosóficas, de los caballeros andantes del krausismo y de sus escuderos».

Vivía, principalmente, la experiencia de la soledad. Aquellas navidades de 1880, Miguel se queda en Madrid. Son las primeras navidades que pasa solo. Se acuerda de su casa, de aquella cena un poco más larga y del convidado de todos los años, una pariente que no tenía hogar. Llevaba a Miguel al café, con sus amigos, el día de Navidad. Volvía en año nuevo y en Reyes y, al término de la comida de este día, les entregaba a los chicos el aguinaldo. Esta vez Miguel está solo. Y cuando un año después fue a Madrid a estudiar Farmacia su hermano Félix es posible que se acentuase esta soledad en los inicios de una incomprensión fraterna que duró toda la vida y angustió por igual a los dos hermanos.

El blasfemadero de la calle de la Montera

En Nuestra Señora de Atocha visita el sepulcro de Prim; va al viejo Ateneo de la calle de la Montera, en el que era *vedette* don José Moreno Nieto, «a quien hoy —dice Unamuno en 1915— ya casi nadie recuerda», y el padre Sánchez, que a la acusación de Ortı y Lara de que el Ateneo era «el blasfemadero de la calle de la Montera» respondió donosamente que allí los socios pagaban sus cuotas y los catedráticos, en cambio, cobraban del Estado por blasfemar en sus cátedras. En el Ateneo aprende alemán leyendo a Hegel y a Goethe. Y va a sus clases en la Universidad Central, en San Bernardo, porque aún no se ha inventado la Ciudad Universitaria. En la Biblioteca Nacional y en el Centro Vascongado pasa no pocas de sus horas de estudio o nostalgia durante aquellos años.

La Facultad de Letras

La orla de fin de carrera, correspondiente al curso 1882-83, cuando Miguel termina sus estudios de Filosofía y Letras, a sus diecinueve años, y que se conserva en la casa-museo, presenta esta galería fotográfica de catedráticos: don Francisco de Pisa Pajares, rector de la Universidad; don Francisco Fernández y González, decano; don Manuel Ortí y Lara, Metafísica; don Marcelino Menéndez Pelayo, Historia Crítica de la literatura española; don Emilio Castelar, Filosofía de la Historia; don Manuel Pedrayo, Historia de España; don Anacleto Longe, Lengua griega; don Alfredo Camús, Literatura griega y latina; don Miguel Morayta, Historia universal; don Francisco Codera, Lengua árabe; Manuel del Valle, Historia Universal, y don Mariano Viscasillas, Lengua hebrea.

Miguel de Unamuno cerró su primer curso universitario con el aprobado de Literatura General, el notable de Historia Universal y los sobresalientes de Metafísica I y Lengua Griega I. Las vacaciones veraniegas las pasa en Bilbao. Hace sus escapadas a Guernica, donde Concha vive con unos tíos desde que quedó huérfana. Vuelve a Madrid y obtiene sobresaliente en todas las asignaturas de su segundo curso: Lengua griega II, Historia Universal II, Metafísica II y Literatura griega y Latina. Durante el curso de 1882-83 vive en la plaza de Bilbao, en el número 8, y obtiene sobresaliente en Literatura española, Lengua hebrea, Lengua árabe e Historia de España. Durante la carrera ha logrado, además, premio extraordinario en Lengua griega y en Metafísica, su dedicación y su afición respectivas de años después.

El examen de grado de licenciatura, de acuerdo con el plan vigente ,tuvo lugar el 21 de junio de 1883, ante el tribunal que presidía don Mariano Viscasillas y del que era vocal don Francisco Codera y secretario don Luis de Montalvo. Le correspondió, en el ejercicio escrito, desarrollar el tema 78 del programa, sobre *El bien. Concepto del bien mostrado en la conciencia*: Orden. Tras la prueba oral obtuvo la calificación de sobresaliente.

Miguel de Unamuno, el poco distinguido bachiller que luego estudió a conciencia su carrera (sorprende comprobar que de los veintisiete alumnos de su promoción sólo el nombre de aquel rapaz vasco tuvo resonancia nacional y universitaria), vive en Madrid, vive aquel Madrid que a su llegada le produjo impresión tan desoladora. Y allí se hace universitario. «Mi madre y mi novia me alentaban desde lejos, desde Vizcaya, en mi carrera», recordará más tarde.

Tendrá siempre, durante toda su vida, un emocionado y cálido recuerdo para Menéndez Pelayo («mi venerado maestro», y, que yo recuerde, sólo en sus últimos años volvió a emplear el adjetivo *maestro*, y, repetidamente, al referirse a Ortega y Gasset); de don Lázaro Bardón —que no figura en la orla— dirá que fue «un recio maragato» y su primer maestro de griego; a Ortí y Lara le llamará «pobre espíritu fosilizado en el más vacuo escolasticismo tomista». Pero, en conjunto —recordará en 1933—, lo que le importa «no es lo que ellos me enseñaron, sino lo que yo aprendí, excitado por sus enseñanzas y no pocas veces en contra de ellas por mí mismo. Me enseñaron a leer —sigue— en el más noble y alto sentido de la lectura. Y enseñándome a leer, me enseñaron a escribir».

Ultima misa

La experiencia madrileña fue aún más profunda. Al poco de su llegada a la Corte, el secretario de los Luises sigue en la práctica de su misa diaria y su comunión mensual, aunque preocupado por el dogma del infierno y empezando a racionalizar su fe, «despojándola de sus formas y reduciéndola a sustancia y jugo informe», como recordó al redactar el relato autobiográfico de *Paz en la guerra*.

Después, insensiblemente, del otoño a la primavera de este primer curso de vida madrileña fue dejando el hábito de la misa diaria.

Una mañana, al salir de la misa dominical en la iglesia de San Luis, se preguntó qué significaba para él tal acto y decidió no volver más, «sin desgarramiento alguno sensible por el pronto, como la cosa más natural del mundo».

«Mi conversión religiosa —recordó no muchos años después— fue evolutiva y lenta... habiendo sido un católico practicante y fervoroso, dejé de serlo poco a poco, en fuerza de intimar y racionalizar mi fe en puro buscar bajo la letra católica el espíritu cristiano. Y un día de carnaval (lo recuerdo bien) dejé de pronto de oír misa. Entonces —continúa— me lancé a una carrera vertiginosa a través de la filosofía. Aprendí alemán en Hegel, en el estupendo Hegel, que ha sido uno de los pensadores que más honda huella han dejado en mí. Hoy mismo creo que el fondo de mi pensamiento es hegeliano. Luego me enamoré de Spencer; pero siempre interpretándole hegelianamente. Y siempre volvía a mis preocupaciones y lecturas del problema religioso, que es lo que me ha preocupado siempre.»

El doctor Miguel de Unamuno

Junto a las desazones religiosas, que llevaron quizá a Unamuno a ese desalado estudiar y estudiar que le permite saltar la barrera del mediocre bachiller al notable universitario, están los problemas culturales, incitantes, narcotizantes acaso. Cuando Unamuno estudia Filosofía y Letras, no existe asignatura alguna que se llame Historia de la Lengua española o que, cuando menos, se ocupe de la evolución histórica de nuestro idioma, la última dedicación docente de su vida. «Se cursaba latín, francés, griego, hebreo, árabe o sánscrito —confesó en 1916—, y apenas se oía una palabra sobre el proceso de formación de la lengua en que pensaba. Algunos —sigue— suplían por sí la deficiencia oficial; en la Universidad Central ha venido dedicando el señor Sánchez Moguel gran parte de sus cursos de Historia de la Literatura Española al estudio de la historia de la lengua en que esa literatura está escrita, labor benemérita, perseguida con ahinco y premiada con mérito.»

Y era el momento de terminar la carrera, coronando el expediente de licenciatura con el doctorado. *Crítica del problema sobre el origen y prehistoria de la raza vasca* es el título de la tesis doctoral que presenta Miguel de Unamuno en la Facultad de Filosofía y Letras de la Universidad Central, bajo la dirección de Sánchez Moguel y que es leída el 20 de junio de 1884, obteniendo la calificación de sobresaliente.

Esta tesis doctoral ha sido publicada, por vez primera, en el tomo VI de las *Obras Completas* de don Miguel, por el profesor García Blanco, quien ha dicho que «la bibliografía citada en sus páginas, francesa, inglesa y alemana, además de la española, acreditan una sólida preparación y un no escaso interés humano por sus antepasados los vascos. Parte de aquélla —contin;a García Blanco— acredita también su conocimiento de lenguas extranjeras.»

Presidió el tribunal ante el cual Miguel de Unamuno dio lectura a su tesis doctoral, el decano don Francisco Fernández y González y fueron vocales don Miguel Morayta, don Manuel María del Valle, don Antonio Sánchez Moguel como ponente y el señor Galabert como secretario. Al doctorarse, ocupa Miguel su tercera morada madrileña, en el número 36 de la calle de Mesonero Romanos.

Regresa a Bilbao, desde donde envía a Madrid dos instancias, el 5 y 17 de febrero de 1896, pidiendo la exención de la ceremonia de la investidura como doctor y el envío del título a través del gobierno civil de Vizcaya, título que llega a su poder el 20 de marzo de aquel año.

En su alma resuena la canción de Iparraquirre:

> «*Egialde guztietan*
> *Toki onak badira,*
> *Bañan biyotzak diyo*
> *zoaz Euskalerrirá.*»

> (*Hay, ciertamente,*
> *buenos sitios en todas partes*
> *pero el corazón dice:*
> *vete al país vasco.*)

4.

Zoaz Euskalerrirá

REGRESAR a la tierra nativa convertido oficialmente en todo un hombre con la sanción del título de doctor, suele ser un importante suceso biográfico para cualquier persona. Se vuelve con unas notas, un certificado académico, con muchas ilusiones y con la resignada aceptación del mandato bíblico de ganarse el pan, si no con el sudor de la frente, sí de la mejor manera posible. Una de estas maneras, en España, consiste en preparar oposiciones. El que partió estudiante a Madrid, vuelve opositor en potencia a Bilbao.

«Cuando acabé mi carrera, doctorándome en Filosofía y Letras, se me presentó, desde luego, como a todos nos ha sucedido, el problema de aprovechar mis estudios; y como mis aficiones eran por entonces, y siguen siendo, a todo, pero muy especial a la filosofía y la poesía —hermanas gemelas—, me preparé a hacer oposiciones, y las hice primero a una cátedra de Psicología, Lógica y Etica y luego a una de Metafísica.» Esto decía Unamuno en 1918, y de las oposiciones ya se hablará.

Volvía a Bilbao pensando, sin duda, como en el cantar de Iparraguirre, que el corazón aconseja regresar al país vasco. Algo de paz a su espíritu y mucho de alegría a su corazón le trae a Miguel la vuelta a su bochito, a las Siete Calles, al mundo de su niñez.

Profesor particular

Mientras estudia y prepara oposiciones, debuta como profesor interino de Latín en el Instituto de Vizcaya y, al enseñar las declinaciones, se acordará por fuerza de cuando el catedrático sacó éstas en un papel de los faldones de su levita. Han cambiado muchas cosas: él está ahora sentado ante la mesa profesoral, frente a los pupitres que, como escolar, ocupó antaño; no viste levita, y no sólo por joven, sino porque ya no se lleva. El bigote ha nacido sobre el labio y empieza a crecerle la barba negra. Aún no usa lentes.

Don Francisco Ruiz Peña era el catedrático titular de Latín, y el director del Instituto, don Fernando Mieg, decidió dividir en dos secciones la enseñanza de esta asignatura, encargando a Unamuno de una de ellas. En el curso académico de 1890-91, el último curso que Miguel enseña en el Instituto Vizcaíno, tiene entre sus alumnos a Nicolás Achúcarro. Cuando años después se reencuentran y el malogrado biólogo y el escritor hacen amistad, Achúcarro le confiesa a Unamuno: «Yo no puedo decir que aprendiese mucho latín ni que lograse aficionarme a él, pero sí que no salí aborreciendo la cátedra.»

Da también clases particulares. Desde 1885 es profesor de Latín y de Psicología, Lógica y Etica en el Colegio de San Antonio, donde le pagan la mesada en moneditas de oro, veinticinco pesetas por un mes. Explica retórica y poética, hasta matemáticas; pero se resiste a las Historias —la universal y la de España—. En los periódicos de Bilbao anunció que daba clases de Letras y uno de sus primeros alumnos fue un indiano que tomó demasiado literalmente el anuncio. Este hombre, de unos cuarenta a cincuenta años, «hombre rudísimo», había amasado una gran fortuna y no sabía escribir. Unamuno aceptó el equívoco y le dio clase, pero no logró enseñarle ni siquiera a firmar. «Todo mi ingenio pedagógico —contó en 1916— fracasaba. ¡Y era un angelito aquel hombre que supo hacerse una fortunita sin saber firmar!»

No faltan extranjeros que quieren aprender el castellano. Son ingleses casi todos sus alumnos de este tipo, salvo tres noruegos. Con estos últimos traducía del francés y del alemán para enseñarles el español, lo que era difícil y fatigoso para maestro y alumnos, y terminó proponiéndoles traducir de su propia lengua. Uno de estos noruegos, marinos todos ellos, le habló a Miguel de Ibsen y de Kierkegaard. Unamuno, que forzaba a sus alumnos a la traducción oral, libro abierto y repentizando, miraba al libro y empezó a familiarizarse con el idioma norso-danés.

Los más habituales alumnos eran los chicos de buena familia y de éstos sólo conozco el nombre de uno, Joaquín de Urigüen, a quien dio clase particular de latín durante dos cursos (1886-87, aproximadamente), único hijo varón del prohombre vasco don Braulio de Urigüen y Bayo, fallecido en 1929, fundador de *Altos Hornos y Fábricas de Hierro y Acero de Bilbao* y del *Banco de Vizcaya*, abuelo del unamunólogo José Miguel de Azaola.

Dando clases gana Miguel para vivir y ayudar a su familia, pero el primer trabajo pagado que hizo en su vida fue un dibujo: un plano modificado de una mina que le pidió un inglés, buen consumidor de whisky. Le preguntó luego cuánto iba a cobrarle y Miguel le dijo que nada. El inglés le regaló entonces una cartera, vacía, desde luego, pero que el improvisado delineante, al recordar la anécdota para una encuesta periodista sobre la primera peseta ganada en

CALLE DE RONDA

16

Casa en que nació Unamuno (según dibujo de Gregorio Prieto). Miguel, niño, por su profesor de dibujo.

Fin de carrera.

Catedrático en Salamanca.
(Foto V. Gombau.)

la vida de varias personalidades españolas, supuso que, vacía y todo, debía valer algo más de cuatro reales.

Filología vasca

El Unamuno que regresa a Bilbao ha depurado su vasquismo a golpe de nostalgia sobre el yunque del estudio. En su tesis doctoral, al estudiar el origen y prehistoria de la raza vasca, mantiene ya la idea de que su pueblo entrañable está llamado «a perderse como el arroyo en las grandes corrientes del anchuroso río» y afirma que «en el pueblo vascongado es inútil buscar una literatura propia y de abolengo»; señala —y hoy ya lo ha demostrado la moderna filología— que «el eúsquera es pobrísimo en voces significativas de objetos espirituales o suprasensibles y hasta carece de términos que expresen ideas abstractas en general», y, por último, hablará de «las bellísimas, pero poco reales creaciones del señor Navarro Villoslada», el autor de *Amaya*, que había sido uno de sus evangelios vasquistas de juventud.

Registro aquí esta actitud unamuniana porque permite advertir la consecuencia posterior del discurso de los Juegos Florales de 1901, o el anterior de 3 de enero de 1887, en la sociedad «El Sitio», sobre *Espíritu de la raza vasca*, en que leyó un amplio resumen de la tesis doctoral. Ya no es el crío de once años que envía anónimas amenazas de muerte al rey Alfonso XII por haber abolido los Fueros de Vizcaya; es un pionero de la filología en España —por influjo de su maestro Sánchez Moguel—, y entre 1885 y 1886 publica en la *Revista de Vizcaya* un extenso artículo titulado «Del elemento alienígena en el idioma vasco» —reproducido en 1893 en la *Zeitschunt für Romanische Philologic*, y Gaston Paris y Morel Fatio se ocuparon de él— y otros varios trabajos en la misma revista vasca, que hoy pueden leerse en el tomo VI de sus *Obras completas*.

En Bilbao ya no importa sólo el vasco, sino, por encima, el dialecto bilbaíno, la peculiar manera de hablar el castellano los vascos, que no saben vascuence a veces. De este dialecto dice Unamuno que, cuando él nació, estaba llamado a desaparecer. «Ya por entonces —escribe— era mísero esqueleto entre los mayores; pero los niños, menos expuestos al roce y vaivén de gentes extrañas, conservan por más tiempo los rasgos característicos del pueblo en que nacieron.» En 1886 afirmaba Unamuno con harta razón que en Bilbao se hablaba «como en cualquier otro pueblo de España, ni peor ni mejor, y es inútil —añadía— que me lo nieguen porque no lo creeré.»

Vive polémicamente el problema de la lengua vasca; toda su vida será una perpetua polémica, no *contra esto y aquello*, como reza un desafortunado título suyo, sino con esto y con aquello. El 8 de noviembre de 1887, en la Diputación de Vizcaya, el diputado don Aureliano Galarza propuso la dotación de una cátedra gratuita de vascuence en el Instituto Vizcaíno, con el sueldo anual de mil quinientas pesetas. La convocatoria apareció en el *Boletín provin-*

cial de 17 de febrero de 1888. Aspiraron a esta cátedra don Resurrección María de Azcue, don Sabino de Arana y Goyri, don Pedro de Alberdi, don Miguel de Unamuno y don Eustaquio Medina.

Don Juan Pantaleón de Arancibia, secretario de la Corporación provincial, emitió su informe el 29 de mayo y, tras reiterar los nombres de los candidatos, por orden de recepción de sus solicitudes para el concurso-oposición, dictaminó que «entre éstos, el que naturalmente ocupa el primer lugar es el de don Miguel de Unamuno y Jugo, doctor de Filosofía y Letras, por ser ésta la única carrera oficial que supone conocimientos especiales en materia literaria y filológica, máxime cuando, como el señor Unamuno, han sido calificados con la nota de sobresaliente en los exámenes que sufrió en las asignaturas de Lengua griega (primero y segundo cursos), Literatura griega y latina, Literatura española, Lengua hebrea, Lengua árabe, Historia crítica de la literatura española y Sánscrito, habiendo obtenido la misma nota de sobresaliente en los ejercicios de licenciatura y el doctorado en la Facultad expresada.»

Proponía don Juan Pantaleón en segundo término el nombre de don Resurrección María de Azcue, bachiller de Sagrada Teología a la sazón, «quien ha acreditado haber hecho sus estudios con notable aprovechamiento, si bien es cierto que éstos no tienen relación directa ni inmediata con la Literatura y Filología». Sin embargo, el cuidadoso secretario de la corporación provincial olvidaba consignar que el sobresaliente doctoral del candidato Unamuno había sido ganado con un estudio sobre los vascos.

Miguel, por aquellas fechas, está batallando en unas oposiciones a la cátedra de Psicología, Lógica y Etica del Instituto Bilbaíno. Uno de sus contendientes, el que salió vencedor, era su amigo y antiguo compañero de colegio Julio Guiard, que había estudiado en Salamanca. Por casualidad, su otro contendiente en Bilbao, Azcue, ha estudiado también en la ciudad del Tormes.

La convocatoria de la cátedra de vasco no pide la presentación de trabajos, pero, viendo las dificultades que pueden presentarse, los diputados don Angel de Uría y don Fernando de Landecho, en un escrito de 6 de junio de 1888, añaden a los méritos de Unamuno sus artículos sobre el eúsquera, su proyecto de un *Diccionario vasco-castellano* (1) y «diferentes composiciones de menor importancia, así en prosa como en verso, escritas en vascuence, y su intervención

(1) Sobre este diccionario que proyectaba Unamuno hay que aclarar que no era vasco-castellano, sino un *Diccionario etimológico*, «que sirva de partida a las futuras investigaciones acerca del vascuence y ofrezca a los doctos un texto de información», y pensaba que «no puede ser obra individual... si la obra ha de ser lo más completa posible, tiene que ser colectiva la labor de acarreo e información». Esta obra está aún sin hacer. Unamuno no la emprendio, pero están metidos en ella, en equipo, Antonio Tovar, Michelena y Agud, que tienen ya decenas de millares de fichas. (Vid.: A. Tovar: *El Euskera y sus parientes*, Biblioteca Vasca, II, Madrid, 1959, y E. Salcedo: *Algo más que palabras*: *Historia*, en *Literatura salmantina del siglo XX*, Salamanca, 1960.)
Sin embargo, pese a las palabras del propio Unamuno, el profesor Tovar me da noticias de unas cuantas fichas del citado *Diccionario* vasco-castellano, y no del etimológico, empeño que don Miguel inició y no concluyó. De estas papeletas prepara Tovar la edición.

en las lecciones públicas organizadas por el Folk-Lore Vasco-Navarro de esta villa».

El 11 de junio de 1888, por mayoría de votos, fue elegido catedrático de Lengua vasca el bachiller de Teología don Resurrección María de Azcue (2). Este fracaso no significó, en modo alguno, que Miguel dejase de sentir preocupación por el vascuence y sus problemas. Al año siguiente traduce del alemán el ensayo de Guillermo de Humboldt *Vascónica*, que aparece en el tomo XX de la revista *Euskal-Erria*, con un prólogo y algunos notas, que Justo Gárate ha conservado en su edición de *Cuatro ensayos sobre España y América* del sabio alemán en la popular colección Austral. Farinelli, en un intento de querer ser el primero, prurito frecuente en los hispanistas de importación, atrasó en diez años la fecha de esta traducción unamunesca, para quedar él como descubridor. No tenían entonces prestigio los lingüistas españoles.

En estas campañas humboldtianas, en las que hay que ver la sombra de la admiración por Goethe que siente el descalabrado opositor y que he estudiado en mi *Eco y silencio de Goethe en Unamuno*, se adivina la sombra incitadora y estimulante de Telesforo de Aranzadi, tío y primo de Unamuno, que tradujo otros textos de Humboldt.

Amor en Guernica

Antes de aspirar a la cátedra de vascuence y durante el tiempo que duró la pequeña política local en torno a ella, Miguel ha hecho también literatura. Con el seudónimo *Yo mismo* publica, el 31 de agosto de 1885 en *El noticiero bilbaíno*, una impresión viajera titulada «Guernica», que recogió en el libro *De mi país*, artículo al que Trueba puso una nota no muy laudatoria y sí muy impertinente.

Don Miguel, en una carta que escribió a Juan Maragall el 15 de febrero de 1907, hablándole de su novia al poeta catalán, le decía: «Nos conocimos, de niños casi, en Bilbao; a los doce [años] volvió ella a su pueblo, Guernica, y allí iba yo siempre que podía, a pasear con ella a la sombra del viejo roble, del árbol simbólico.» En recuerdo de aquellos años (Miguel, profesor particular de Joaquín de Urigüen), Azaola nos da esta noticia: «Me contaba mi abuela que el novio iba a Guernica cada domingo y que estos viajes semanales tenían la virtud de encender sus juveniles entusiasmos.»

Miguel fue a Guernica y, por vez primera, en esta ocasión para ver a su novia. En este artículo firmado con seudónimo elude el nombre de Concha Lizárraga y el motivo de su viaje. «Después de comer y beber —dice—, fui a la Sociedad, que así se llama a un espacioso local donde se reúnen muchos hombres, y tienen su pequeña biblioteca y todo. Tomé café y copa en compañía de algunos buenos ami-

---

(2) Azcue desempeñó esta cátedra con su mejor interés, pero derivó más al folklorismo que a la lingüística. Véase su libro, en tres tomos, *Euskaleriaren Yakintza*, literatura popular del país vasco.

gos...» Doy esta nota, aparentemente trivial, porque es realmente importante: Miguel de Unamuno, años después, dejó radicalmente cualquier clase de bebida alcohólica, pero en 1885 era un vasco más que no hacía reparos al vino. Habla también en este artículo, con entusiasmo, de las chuletas que cenó. Otro dato importante: hubo una época en su vida en que le ganó la manía vegetariana, aunque no fue norma habitual en él.

Con el seudónimo *Yo mismo* publicó también su primer cuento, «Ver con los ojos», en *El noticiero bilbaíno* del 25 de octubre de 1886. Este cuento es una idealización de su noviazgo. Siempre elogió Unamuno los ojos de Concepción Lizárraga y su alegría. En el relato son los ojos y la alegría de Magdalena [Concha] los protagonistas. Con la inicial M firma otros artículos en *El Norte de Bilbao* de 21 y 22 de marzo y 13 de abril de aquel año. Firmando *Tu amigo*, dio una carta abierta sobre el Orfeón de Iparraguirre, dirigida a Bartolomé Ercilla, el mismo año de 1886 en *El noticiero bilbaíno*.

Debut teatral

Debió ser en esta época, con motivo de sus frecuentes excursiones a Guernica, cuando Unamuno debutó como autor teatral con una comedia de aldeanos o sainete jebo, titulado *El custión del galabasa* (El pleito de la calabaza). El profesor Correa Calderón desenterró la noticia de las *Memorias de un bilbaíno* de don José de Orueta, fijando la fecha aproximada de su representación en 1880, dato que acepta sin discusión García Blanco en su prólogo al *Teatro completo de Unamuno* y que mantiene en el tomo XII de las *Obras Completas*. Pero en 1880 tiene nuestro hombre dieciséis años; es —por añadidura— un bachiller poco notable que prepara sus maletas para la aventura de Madrid. Es difícil suponer que en una velada literario-musical de carácter benéfico, aunque sea en Guernica y no en Bilbao, se estrene —sin más— un sainete escrito por un niño. Miguel de Unamuno habría podido considerarse entonces como un niño prodigio y registrar, consecuentemente, este suceso en sus *Recuerdos de niñez y mocedad*, que concluyen precisamente en el año de 1880. Es más natural admitir que el estreno de este sainete tuviese lugar, por lo menos, al terminar la carrera, cuando vuelve a su tierra con el prestigio del título universitario.

Insistiendo en esta suposición, hay que notar que el manuscrito conservado entre los papeles de Unamuno presenta el tipo de letra ya formado, similar al de la tesis doctoral. Uno de los personajes alude a un viaje a Madrid, en la escena quinta, y —aunque ello sea un tópico aldeano— es presumible que el joven Miguel de Unamuno, que nunca se encontró a gusto en la villa y corte, aproveche la ocasión para burlarse de ella.

En 1887 —recordaba doce años más tarde— «tuve la osadía de dar una conferencia sobre la memoria y su mecanismo» en un círculo cultural de Bilbao y, confiesa: «¡Qué libresco era yo entonces! y

¡qué seco!» Por libresco también persiste en el uso del seudónimo, rasgo del escritor costumbrista, un poco aún escritor vergonzante, con ribetes cientifistas, que considera la literatura como divertimiento. Así, en 1888, recurrirá Unamuno al seudónimo de *Manu Ausari* en *El Norte de Bilbao*, hablando de «las fiestas eusqueras». Ya en Salamanca, le durará la costumbre del seudónimo por cierto tiempo, aun cuando ya guste de repetir la frase de Michelet: «¡Mi yo, que me roban mi yo!»

«La lucha de clases»

Por los soportales de la Plaza Nueva pasea Unamuno con sus amigos —Leopoldo Gutiérrez Abascal, Crescencio de Erquiza, Perico Sacristán, Enrique Areilza, Pedro Eguilor, Luis Díaz—, díscolos y rebeldes como él, aunque las raíces de su rebeldía sean harto dispares, y con algunos de ellos emprende la aventura periodística del semanario *La lucha de clases*, cuyo título ya explica suficientemente la orientación. Este semanario, que en alguna etapa llegó a dirigir don Miguel, fue de no muy larga vida, pero sí más dilatada que la permanencia de Unamuno en su tierra. Esta etapa es la de la inserción de Miguel en el socialismo militante.

«Baños de pureza juvenil»

Sin embargo, la vida de Miguel de Unamuno estos años en Bilbao no es, como podría acaso pensarse por todo lo dicho, la de un extravertido. Miguel ha vuelto a su tierra sin las firmes creencias católicas que alentaban su alma años atrás, al despedirse melancólicamente de la Peña de Orduña.

Ha sido un niño solitario y triste, acaso tímido, soñador, introvertido. Su sentido de la soledad, que le hizo extraño para sus compañeros de pensión, la gravedad precoz de su gesto, la naciente inquietud de su espíritu, lo singularizan. En este talante solitario es necesario ver una de las causas del naciente distanciamiento de su hermano Félix, que queda ahora en Madrid terminando los estudios de Farmacia. Además, Félix, en las cartas a casa, en sus comentarios de vacaciones —acuciado por las preguntas de doña Salomé—, le habrá dicho a su madre que Miguel no fuma, que bebe muy poco o casi nada, que estudia mucho, que no va con mujeres porque sólo piensa en su Conchita y hasta porque es un poco tímido, pero... que ha dejado de ir a misa en Madrid.

Años más tarde, en carta de 31 de mayo de 1895, fecha en que empieza a incubarse la más dramática crisis religiosa de su vida, le dice Unamuno a *Clarín* que proyecta escribir un cuento sobre un muchacho que llega a Madrid «llevando en su alma una honda educación religiosa y sentimientos de delicada religiosidad... En puro querer racionalizar su fe, la pierde (así me sucedió a mí)... Pero va al mundo —continúa—, choca con uno y con otro, tiene que luchar

y lucha y sus energías y sentimientos morales van desfalleciendo y
siente cansancio y que el mundo le devora el alma. Entra un día en
una iglesia a oír misa y el recinto, las luces, los niños junto a él,
la muchedumbre que oye en silencio una cosa silenciosa, el ambiente
todo, le transporta a sus años de sencillez, le saca de las honduras
del alma, estados de conciencia enterrados en su subconsciencia, le
devuelve a una edad pasada... Y cobra fe nueva y oye misa sin ser
creyente oficial, se toma baños de pureza juvenil».

Esta debió ser la experiencia vivida por Miguel al poco de su regreso a Bilbao. Sánchez Barbudo ha hablado apresuradamente de
conversión chateaubrianesca. No basta con saber que por aquellos
años Unamuno leyese a Chateaubriand. Es un gesto inútil querer
restarle sinceridad. No es personaje de influjo chateaubrianesco.
Unamuno, con su madre viva, sometido a un régimen efectivo y familiar de orden matriarcal, no tiene por qué acudir a literaturas por
muy libresco que sea. La influencia de la madre es decisiva. Esta influencia es muy natural y muy lógica en el caso de Unamuno, que
apenas si tiene algún recuerdo de su padre. Incluso, sin necesidad
de la orfandad, es fenómeno que se viene produciendo en la especie
humana desde mucho antes de que el vizconde francés pensase en
su conversión por el recuerdo de la madre muerta. Dentro del mundo
cristiano es más antiguo y más ejemplar el caso de San Agustín, que
ya conocía por entonces Unamuno.

Es indudable —y el lector podrá verlo más claramente a medida
que se avance en esta biografía— que la influencia de doña Salomé
y de la novia llevan a Unamuno a tener conciencia dramática de su
situación religiosa. En Madrid no se ha producido desgarrón alguno.
En Madrid ha roto con una rutina. En Bilbao tiene que aceptar la
rutina, y no por hipocresía, sino por ver si en ella encuentra la posibilidad de guardar en su alma un mundo que se le está escapando
y que es el mundo de su madre y de su novia.

Pero cuando una práctica religiosa es sentida y vivida como rutina, se hace patente entonces el silencio del dios y este silencio comienza desazonando y termina produciendo angustia. En 1886 Miguel
escribe un poema, el más antiguo de los conocidos suyos, que publicó Zubizarreta y no figura en sus obras, que es un claro exponente
de este talante de la angustia:

> «*La frente sobre el polvo del camino*
> *junto a la inmensa mar,*
> *muriéndose de sed un peregrino*
> *clamaba a más clamar.*
> *"¡Pide! ¿De mí qué quieres"* —*le decía*
> *a Dios. "¡Pide! Tuyo es mi corazón."*
> *Callábase el Señor y el mar seguía*
> *con monótono ritmo su canción.*»

Intenta Miguel escuchar y comprender el silencio de Dios. Tiene
aún la esperanza de llegar a ello. A principios de 1886, a sus veinte

años, comienza a redactar una *Filosofía lógica*, o *Metafísica positivista*, o *Filosofía nominalista* —que en todos estos títulos pensó, aunque se decidiese por el primero—. Cuando Unamuno estudiaba bachiller y leía a Balmes a la luz de una vela de esperma en la biblioteca de su padre, también proyectó escribir un tratado de filosofía en un cuaderno de a real. El universitario de esta hora lo hace más dolorosamente: para responder a una problemática desde un cientifismo y un positivismo radicales.

En Alcalá de Henares

El día de Todos los Santos del año siguiente lo pasa Unamuno en Alcalá de Henares, con el P. Juan José de Lecanda. En 1888 repite la experiencia y prolonga un día más la estancia en la ciudad complutense. De este último viaje sale su artículo «En Alcalá de Henares», aparecido en *El noticiero bilbaíno* del lunes 18 de noviembre de 1888, incluido años después en *De mi país* y refundido, casi textualmente, en uno de los cinco ensayos de *En torno al casticismo*. Se trata de un escrito juvenil sobre el cual ha pasado la crítica como sobre ascuas, pero de gran interés biográfico. Correa Calderón fue el primero que señaló cómo Unamuno no es ganado aún por Castilla en estos contactos iniciales. Por mi parte, en mi ensayo *El primer asedio de Unamuno al Quijote* indiqué, y creo que demostré cumplidamente, que este artículo es clave para comprender toda su exégesis posterior del libro cervantino. Pero este libro es una biografía y no un comentario exegético.

El artículo está dedicado a «mi querido amigo don Juan José de Lecanda», prepósito del Oratorio de Alcalá de Henares y que ha sido director de la Congregación de San Luis Gonzaga en Bilbao, y quien apoyó la candidatura de Unamuno para secretario de los Luises. ¡Son curiosos estos dos viajes, mucho más reveladores si sabemos que, tras la crisis de 1897, Unamuno vuelve a Alcalá para pasar la Semana Santa junto a su viejo amigo! ¡Son muchas coincidencias y siempre en momentos de íntima congoja o de superación de la angustia!

Leer, conociendo estos detalles, el artículo «En Alcalá de Henares» permite ver en él mucho más que una comparación de valores estéticos entre Castilla y Vizcaya, y es extraño que Zubizarreta, tan agudo y meticuloso, conocedor de la identidad del P. Lecanda y de estos viajes, así como de los posteriores de 1895 y 1897, no apure la interpretación de este escrito juvenil, que es algo más que un alarde de interpretación estética.

«El sueño y la muerte —escribe Miguel en este artículo, que es un monodiálogo con el P. Lecanda— tienen su poesía, a la que prefiero la poesía de la vigilia y la vida... Yo soy menos grave, menos melancólico que usted... Mi corazón es, por fortuna o por desgracia, de carne, y prefiere a esta austera poesía [la del paisaje de Castilla] el lirismo ramplón de nuestras montañas.»

¿Qué Unamuno desconocido es éste, casi pagano, que sólo siente el goce de vivir, entregado a su cenestesia? Creo que es el Unamuno que ha logrado —por poco tiempo, pero lo tiene a mano— la paz interior que ha estado anhelando antes, que volverá a buscar después desesperadamente. Pero ahora está en paz y disfruta de la tregua.

«Usted, mi buen amigo, tiene ya trazada la carrera de su vida y puesto su fin; yo gusto mucho de la tierra, donde quisiera vivir mucho y donde se encuentran las pajitas de mi nido» (Usted ya decidió el destino de su vida haciéndose sacerdote y viniendo a Castilla; yo prefiero volver al país vasco, donde me espera mi novia para casarnos). Este dilema apareció de nuevo a su regreso a Bilbao, cuando por la novia y la madre se sumió —otra vez— en las prácticas religiosas de la niñez.

Ha logrado paz en su espíritu y es posible que el P. Lecanda, en Alcalá de Henares, en 1887, le haya explicado que, sin mandato expreso, no es *iusio* la vocación sacerdotal, sino *invitatio*. No ha habido señal alguna que pueda interpretarse como sobrenatural y, según la Iglesia católica, la no aceptación de esta llamada *invitatio* no representa el cierre de las demás posibilidades de salvación. Parte del drama de Unamuno reside en no haber visto claro, desde la perspectiva católica, este problema. El llegó a creer en muchos momentos de su vida, en los que creía o quería creer, que se había cerrado todas las puertas y derivó por ello hacia un apostolado laico y protestizante que le haría compatible su matrimonio y su vocación sacerdotal.

Entre la redacción de la *Filosofía lógica*, donde Unamuno «se ha quedado —dice Zubizarreta— encerrado en el mundo de los hechos y las ideas, en la conciencia, en la existencia sin alma y sin Dios», y la primera visita a Lecanda, seguramente se produjo la superación cordial del problema y, por esto, no concluye la redacción de su inquisición raciocinante de la fe.

Médico de San Ignacio

Mientras da clases, mientras escribe, mientras va encontrado la solución provisoria de su problema, Miguel acude al estudio del pintor Lecuona, que vive en la misma casa que él, en la calle de la Cruz, y del que ha sido alumno particular ya en los años de bachillerato. Lecuona tiene el estudio en la buhardilla de la casa. No es un pintor genial, pero Miguel se entretiene trabajando con él, haciendo copias de cuadros y desarrollando su sentido del dibujo, aunque siga encontrándose poco dotado para el color.

Allí, en el estudio de Lecuona, conoce a Antonio de Trueba, *Antón el de los cantares*, «aquel espíritu sencillo y bueno que tanto daño nos hizo (a los vascongados) con sus aldeanitos de nacimiento de cartón», pero que —dijo antes don Miguel— «sintió por el pueblo, con el pueblo y para el pueblo». Cuando Miguel publica su artículo

«Guernica», Trueba le apostilló en el periódico: «Simpatizamos con el talento del autor de este artículo, pero no con el tono en que lo emplea.» Trueba visitaba a Lecuona todos los jueves, y así le fue conociendo y tratando el joven Miguel de Unamuno. También conoce en aquel estudio a Iparraguirre y hace amistad, hacia 1890, con Vicente de Arana.

En la buhardilla del pintor Lecuona sucede algo más importante: Miguel, opositor ya más de una vez descalabrado, posa como modelo del maestro pintor para el cuadro que representa a San Ignacio de Loyola, todavía capitán de los tercios imperiales, herido por los franceses en el sitio de Pamplona. Miguel es el cirujano, con su gorra de terciopelo y plumas, su jubón y sus calzas, su camisa multicolor. que sostiene la pierna del santo, mientras éste, con la mano levantada sobre la cabeza del médico, parece bendecirle (3). El cuadro adorna actualmente —al menos lo recordaban así no hace muchos años José María de Areilza y el hijo del pintor— una de las paredes de la escalera principal de la casa de Loyola.

¿Qué pasó por el alma de Miguel cuando posaba para aquel cuadro? Nunca dio noticia de aquel suceso y su silencio sólo puede explicarse por sus choques posteriores con la Compañía de Jesús. Areilza y el hijo de Lecuona lo identificaron sin dificultad.

Sin embargo, este era período de paz espiritual. Cuando Miguel había vuelto a sus prácticas religiosas, aquella colaboración en la exaltación de un santo, vasco por añadidura, era un acto piadoso más. De este sosiego que vive entonces y presiden su madre, su novia, el P. Lecanda y el reencuentro con la tierra vasca, al fin logrado, sale —sin duda— el estado sereno del ánimo que en 1891 habrá de llevarle a dos actos decisivos en su vida: el matrimonio y las oposiciones a cátedra, que por fin logrará.

---

(3) Hernán Benítez, con su acostumbrada precipitación, en *El drama religioso de Unamuno*, no leyó bien el artículo de José María de Areilza, «Una anécdota pictórica. Iñigo de Loyala y Miguel de Unamuno», en *La estafeta literaria*, núm. 18, Madrid, 15-XII-1944. Nunca dijo Areilza que Unamuno fuese modelo para la figura de San Ignacio, sino sólo para la del cirujano que le atiende.

5

Los gitanos de Gavinet
y las ranas de Unamuno

En la primavera de 1891 tornó a Madrid, como opositor, una vez más, Miguel de Unamuno. Su ánimo está más sereno, acallada su angustia en parte por el P. Lecanda y por el matrimonio, que le ha llevado nuevamente a la práctica religiosa.

Viaje a Italia

Ha vivido también una experiencia importante: la primera salida al extranjero, el voluntario y temporal exilio del alevín de catedrático y escritor, que vive el consejo de Baltasar Gracián de pasar a la otra orilla para ver mejor desde allí. Viajar a otros países, para un universitario, es —por encima de todo— ejercicio espiritual de soledad, balance y examen de lo realizado, perspectiva para mirar hacia el mundo que deja y al que ha de volver. En su encuentro con lo otro y con los otros, buscará el paisaje que le recuerde, por afinidad o contraste, el horizonte habitual. Y la persona desconocida y nueva es —sin saberlo— medida por el módulo de los otros que forman ya su mundo y circunstancia cotidianos.

Con los duros ahorrados gracias a sus trabajos de profesor particular y con el viático que doña Salomé le habrá preparado para tan largo viaje, sale en julio de 1889 para Italia y Francia. Va a Florencia, Roma, Nápoles, Milán, regresa a Florencia, torna a pasar por Pisa, donde no se detuvo ni al ir ni al volver, y, luego, por mar, hasta Marsella, Lyon y París y vuelta a Bilbao.

Unamuno lleva entonces un puntual diario de su viaje. ¿Qué universitario no intenta registrar y salvar del olvido las impresiones de su primera salida al extranjero? En 1892 publica en *El Nervión* un artículo sobre Pompeya, que puede leerse en *Paisajes del alma*. En 1911, a petición del hispanista italiano Beccari, rehace parte de este diario que se publica con el título de *La mia visione di Firenze*, en el volumen *Impressioni italiana di scritori spagnoli*, aparecido en 1913 y, que yo sepa, no es conocido en español. De este diario, o de su recuerdo, debió sacar también el artículo «Mon souvenir de Marseille», publicado en *Le soleil du Midi* el 13 de octubre de 1935.

Cerca de Pisa, el *spagnoletto* Miguel de Unamuno, desvelado por el largo viaje, ve salir el sol en Italia por vez primera y evoca a Guernica contemplando los picos que flanquean el camino de hierro y piensa en la novia. Ante la llanura del Arno se acuerda de Aníbal. En Florencia se hospeda en una casita junto al río «que lleva los suspiros del Dante» y descubre a Fray Angélico y los bronces de Benvenutto Cellini y Juan de Bolonia, que le gustarán ya siempre mucho más que los mármoles de Nápoles y Roma. Los Apeninos le recuerdan los montes de su tierra nativa. «¡Salgo mañana, y tal vez no te veré más, Florencia mía! Llevo a Roma en la cabeza, grabada en mi fantasía; llevo a Nápoles en mis ojos, grabada en mis pupilas; te llevo, Florencia, diluida en mi espíritu y en mi corazón», escribía en aquel cuaderno de viaje al terminar su segunda estadía en Florencia, camino de Francia, de vuelta a su país vasco. ¡Y cuánto le acompañará ya el recuerdo del gran florentino, el gran desdeñoso, el enamorado de Beatriz! ¡Y cómo debían haber pensado muchos de sus exégetas en que su *dulcineísmo* de comentador quijotesco es un eco del Dante!

Desde Nápoles había ido Miguel a Pompeya, conducido por un cochero llamado Genaro, *molto chichiorone*, que no le deja hablar, que le lleva costeando el golfo y tragando polvo a través de San Giovanni, Portici, Resina, Torre del Greco y Torre Anunciata. En el viaje siente Miguel que le «entran ganas de derretirse en el sol y diluirse en el aire, se pierde el espíritu en el ambiente y —sigue— se disipa la intimidad del recogimiento». En Pompeya, ante su belleza y soledad, no puede representarse la idea de la muerte, «ni evocar el horror de aquel día de la catástrofe». Y al pie del Vesubio surge la evocación, acaso la primera cita que de él hace en su vida, del nombre de Leopardi, cuya sombra no le abandonará nunca, compañero del gran viaje en torno de su alma atormentada.

Estreno de la Torre Eiffel

Después, Marsella, Lyon, donde comprará libros, y, por último, París, en plena Gran Exposición Universal, donde Unamuno estrena la Torre Eiffel y sube a su último piso para ver la ciudad sin fin, mar sin orillas, invadida por bosques bajo el cielo azul que agranda su llana perspectiva. Es un *jebo* que asiste al espectáculo que aún hoy algunos parisienses se hurtan por mor de pecar en *paysans*.

Miguel consigna en su diario estas dos semanas y aparece más veces el nombre de Guernica, donde su novia le espera, que el de

la ciudad en que está tan pasajeramente viviendo. Se aloja en la
Place Vendome, no muy lejos de la Place Jean D'Arc, frente al Louvre,
que tanto recuerda a la Plaza Mayor de Salamanca, con sus soportales. Miguel ve sólo la columna monumental, desde el balcón del
hotel, mientras escribe a Concha con una pluma de vidrio que ha
comprado como recuerdo de la Exposición.

Al regresar a París, fugitivo del confinamiento de Fuerteventura,
donde había sido recluido por el general Primo de Rivera, recordó
aquella experiencia: «Entonces, en 1889, llegué, un muchacho soñador y melancólico, sin pasado y, por lo tanto, sin porvenir; sin recuerdos apenas y, por lo tanto, sin esperanzas... Entonces, en 1889,
vine de mi Bilbao nativo cuando todo mi ensueño se cifraba en
fundar un hogar, una familia.»

Confirmado en su vasquismo —no se hable aún de españolismo
e iberismo—, Miguel ha vuelto a Madrid con ánimo bien dispar del
que tuvo en 1880, cuando fue a estudiar su carrera. Ha vivido en la
corte casi cinco años, ha vuelto más veces para hacer oposiciones
y el mundo y la vida han seguido su marcha.

En el tiempo...

*Vivió en Madrid, como estudiante, el turno en los partidos y las
aficiones (Cánovas-Sagasta, Lagartijo-Frascuelo) de que se habló en
el capítulo 3. El mismo año en que termina su carrera, como pupilo
de la calle de Mesonero Romanos, habló con sus compañeros de los
anarquistas de la Mano negra, recién nacidos a la historia de España, y del viaje a tierra tudesca que hizo el rey Alfonso XII y que
pareció tan mal a los franceses. En 1884, cuando leyó su tesis doctoral, se produjo el motín universitario de la Santa Isabel y, un año
más tarde, desde Bilbao, supo de la muerte de Alfonso XII, aquel
rey al que pensó matar siendo un niño porque había autorizado la
suspensión de los Fueros de Vizcaya. Después, el Pacto del Pardo,
el motín del brigadier Villacampa, el nacimiento de Alfonso XIII,
con quien se enfrentará violentamente años más tarde. En 1888 se
funda la U. G. T. Al año siguiente se promulga en España el Código Civil y otro más tarde se aprueba la Ley del Sufragio Universal.
Este año de 1891, en que Miguel torna a Madrid, es el de la muerte
de Sor Patrocinio, la monja de las llagas.*

*Fuera de España se viven aventuras colonialistas: la fundación
por los belgas de Leopoldville en el Congo en 1882; la ocupación de
Eritrea por Italia; la limitación de la inmigración por los Estados
Unidos. En 1883, la ocupación de Madagascar por los franceses. En
1888, la proclamación de Guillermo II como emperador de Alemania,
que no tardará en prescindir del canciller de Hierro, artífice de su
imperio. La fundación de la Segunda Internacional en 1889 y la en-
cíclica* Rerum Novarum *de León XIII en el año 1891, tan decisivo
en la vida de nuestro personaje.*

Aquel año de 1880 en que llegó el bachiller vasco por vez primera

a *Madrid, Mesonero Romanos publicó las* Memorias de un sesentón
(vid cap. 3), y don José Zorrilla, viejo y acabado, daba semanalmente
en Los Lunes del Imparcial *los recuerdos apolillados de su romanticismo prolongado más tiempo del que la sociedad y la historia podían digerir.*

En la Universidad Central, el pipiolo vasco recién llegado supo
que el catedrático que tenía más prestigio de sabio, don Marcelino
Menéndez Pelayo, había empezado a publicar la Historia de los he-
terodoxos españoles. Detrás vendrían El gran galeote, del político,
matemático y dramaturgo don José de Echegaray; El señorito Octavio, de Palacio Valdés; El capitán Veneno, de Pedro Antonio de
Alarcón; Codera empieza la publicación de su Biblioteca arábigo-
hispánica; la Historia de las ideas estéticas, de Menéndez Pelayo; La
cuestión palpitante, de Emilia Pardo Bazán; La Regenta, de Clarín;
Sotileza, de Pereda; Fortunata y Jacinta, de Galdós; las Humoradas,
de Campoamor; Canigó, de Verdaguer; Azul, de Rubén Darío, en
1888, y, por último, el acabado, el superviviente Zorrilla, es coronado
en Granada en 1889.*

Juan Ramón Jiménez *nace en 1881, el mismo año que Pablo Picasso, cuyos dibujos interesarán tempranamente a Unamuno, y Daniel Vázquez Díaz, autor del que es, posiblemente, el mejor retrato
de don Miguel. Eugenio D'Ors nace en 1882 y, a un año de distancia,
José Ortega y Gasset, que será el capitán («hermano enemigo», como
él dijo de Unamuno) de la generación hija del 98. José Gutiérrez
Solana ,autor de otro gran retrato unamunesco, nace en 1886; al año
siguiente, el doctor Marañón, y otro más tarde, Ramón Gómez de
la Serna.*

En idiomas distintos al nuestro se ha publicado el Zaratustra de
Nietzsche, *el grito desesperado de «¡Dios ha muerto!» y el* Diario
íntimo, *de Enrique Federico Amiel, en 1883. Conan Doyle inventa la
novela policíaca de Sherlock Holmes en 1887, el mismo año en que
se inventa la linotipia. Zola lanza en 1889* La bête humaine; *en 1900
Verlaine, Bonheur, y Oscar Wilde, El retrato de Dorian Gray, en 1891.
Junto a la literatura, la ciencia: Deprez ha logrado transmitir a distancia la energía eléctrica; los hermanos Renard han construido el
primer globo dirigible; Pasteur ha encontrado la vacuna contra la
rabia; Hertz habla por vez primera de ondas electromagnéticas y se
dice que un español llamado Isaac Peral anda a vueltas con un barco
que navega bajo el agua.*

Angel Ganivet, compañero de oposiciones

Madrid sigue siendo el poblachón que Angel Ganivet describe en
Los trabajos del infatigable creador Pío Cid o, años después, Pío
Baroja en *La dama errante.* Es el Madrid chato y pueblerino de la
restauración y la regencia, que se prepara para el paleto progresis-
mo de *La Gran Vía.*

La primavera de 1891, en el mes de mayo, reúne en Madrid, en un mismo menester, definido por el españolísimo verbo «opositar», a dos españoles singulares: Angel Ganivet y Miguel de Unamuno. El granadino tiene ojos negros y gesto de simio, con su «barba negra muy larga, con melena como los artistas... que parecía un militar porque no le caía bien el traje de paisano», como se describe a sí mismo en la estampa de su *alter ego* Pío Cid. El vasco es de ojos azules, claros, incipientemente miopes, con gesto de águila y barba aún no muy pronunciada, también descuidado en el vestir, que parecía más un cura que un seglar, y cada día de su vida, en su atuendo, se acentúan estas notas.

Angel Ganivet ha estudiado en Granada la carrera de Letras, que terminó en 1888, y la de Derecho, a la que dio fin en 1890. Se doctoró en Letras, con premio extraordinario, en Madrid, al tiempo que hacía oposiciones al cuerpo de Archiveros, Bibliotecarios y Anticuarios (*arqueólogo* era mote aún no inventado administrativamente en España). El 20 de mayo de 1890 fue destinado a la Biblioteca del Ministerio de Fomento. Aquella primavera de 1891 oposita a cátedra de lengua griega y entre sus compañeros sólo distingue a Miguel de Unamuno, hasta el punto de hacerle su amigo y confidente durante aquellas jornadas inciertas e inquietantes.

Ante el altar del pueblo

Es posible que Unamuno ofrezca a Angel Ganivet un interés especial no sólo por su aspecto, sus palabras, su saber, sino por otra circunstancia humana: Miguel es el opositor que no ha querido esperar y viene buscando una cátedra ya casado.

Unamuno se casó con Concepción Lizárraga el 31 de enero de 1891 y puso esta fecha como recuerdo en un ejemplar de la *Imitación de Cristo* (4). El 18 de diciembre de 1890, anunciando la boda a Juan

---

(4) En el libro de Moeller (cito por la edición española, más asequible a todos) se cita este pormenor en la página 95 del tomo IV, añadiendo en nota que debe su conocimiento a la información de Armando Zubizarreta y Felisa Unamuno. Pues bien, en la página 84 Moeller dice —y conste que me parece de los más solventes y sin duda honrados críticos de don Miguel— «que la obtención de la cátedra de griego permitió a Unamuno casarse...». ¡Cuidado! En enero de 1891 aún no ha obtenido la cátedra. Cito este ejemplo como prueba de la ligereza con que se ha tratado la biografía de Unamuno. Hay textos claros de don Miguel («Nicolás Achúcarro. In memorian», en *Sensaciones de Bilbao*) y alguna mención clara, como la de Manuel García Blanca en *El mundo clásico de Miguel de Unamuno*, posterior al libro de Moeller, pero que no disculpa la contradicción cronológica e interpretativa, inexplicablemente ligera, del ilustre profesor de Lovaina.

Hernán Benítez, superligero (páginas 80 y siguientes de *El drama religioso de Unamuno*), cita la carta a Arzadun que doy luego en el texto y ¡tampoco! se da cuenta del fallo cronológico y llega a decir: «En enero de 1891, no bien obtuvo cátedra de griego, contrajo matrimonio religioso en Guernica, donde residía la familia de su novia» (pág. 83). ¿Es que la gente es incapaz de comprobar los datos más elementales? Unamuno se casó en enero de 1891, pero todavía no era catedrático; lo fue meses después, tras ganar las oposiciones. El mismo error comete Juan Arzadun, amigo de aquellos tiempos de Unamuno: «Sólo esperaba para casarse ganar unas oposiciones o alguna cátedra, la que fuere. ¡Estaba preparado para tantas! Necesitaba un sueldo que le permitiera tener un hogar.» De acuerdo, pero esta evocación de 1944 no responde a la

Arzadum «para el 25 o el 31 de enero» (fue la segunda fecha, como
queda dicho), le confiesa: «No puedo con toda esa escoria de paga-
nismo que ha venido a parar a fórmulas hueras. Todo ello debería
ser: Una bendición pública, un juramento público ante el altar del
Dios del pueblo, dos firmas en el registro civil y se acabó.»

Es la época en que Unamuno está afiliado al partido socialista
y funda y dirige el periódico *La lucha de clases.* En su *Diario* recordará esta etapa y su labor anónima en aquel periódico: «Esa constante propaganda por el socialismo elevado, noble, caritativo; esa
campaña sin pensar en mí, ocultándome, esa campaña ha sido una
bendición para mi alma.»

En aquella misma carta a Juan Ardazum le dice: «...yo, firme
en mi ideal de cuáquero, despreciador de la etiqueta, tallado para
casa, y ella, empeñada en domesticarme... Que me ha civilizado
—añade después— es indudable. Pero aunque el oso es susceptible
de cultura, queda siempre oso, y yo siempre cuáquero». Y todavía
añadirá: «Para mis aficiones y trabajos me ha de convenir casarme.
Recuerdo haberte oído que necesito válvula de seguridad, y creo sea
así: podrá salir con menos ímpetu y erupción la idea, pero saldrá
más pura entre beso y beso. Me parece imposible que mis ideas, mis
imaginaciones no se refresquen y purifiquen en mi cabeza, cuando
descanse, domado por la dicha, junto a su cabecita rubia. Me parece
que un solo beso suyo en mi frente ha de separar el hierro de la
escoria. ¡Y, luego, es un freno que obliga a ir despacito y con buena
letra!...»

El brindis de Pío Cid

Volviendo al encuentro con Angel Ganivet, es difícil bucear en
las causas de su amistad. ¿Cómo —cuestión aparte de su distinta
situación— pudo surgir la amistad entre los dos individualistas? Es
necesario pensar en una afinidad temperamental entre ambos. No
fueron complementarios, sino semejantes.

Bastaría recordar que a Ganivet don Nicolás Salmerón le tumbó
su primera tesis doctoral, sobre *España filosófica contemporánea,*
proponiéndole otra sobre *Doctrinas varias de la Filosofía sobre el
concepto de causa y verdadero origen y subjetivo valor de este concepto,* porque en la primera Ganivet era, según don Nicolás Salmerón, demasiado personal. Tan personal fue que optó por otro tema
y otro ponente, leyendo el 28 de octubre de 1889 su tesis doctoral
sobre *Importancia de la Lengua Sánscrita y servicios que su estudio
ha prestado a la ciencia del lenguaje en general y a la Gramática en
particular.*

A Unamuno en todas sus oposiciones anteriores le había sucedido algo semejante, y los recuerdos de sus amigos dan testimonio

_____

realidad, porque Unamuno se casó ya sin esperar, contando con sus clases
particulares y la decisión de sacar cátedra. Hernán Benítez y Moeller usan
este texto de Arzadun y él debe ser el que les produjo desorientación.

Con la clara

Dibujos de Unamuno para ilustrar su
traducción de «La Batracomiomaquia».

1891. La casa de los azulejos. Primera morada salmantina.
(Dibujo de José Cueto.)

1934. Don Miguel sobre el pretil del Campo de San Francisco, junto
a la casa de los azulejos, ante su primera visión del «alto soto de torres».

de ello. El vasco respondía a los temas con serenidad y aplomo, se las sabía todas, echaba mano de abundante bibliografía en varios idiomas, alardeaba de la más completa erudición y, de repente, cuando estaba consumiendo su turno, decía: «Pese a estas autorizadas opiniones, yo digo...», y venía la catástrofe.

Los tribunales, el mismo para Granada que para Salamanca, pero que actuaban separadamente, los presidió Menéndez Pelayo y eran vocales el cáustico don Juan Valera y su antiguo profesor de griego don Lázaro Bardón. Ganivet asiste a los ejercicios de oposición de Unamuno, que, en principio, había firmado las dos cátedras; pero se presenta sólo a la salmantina. Miguel asiste también como espectador a los ejercicios de su compañero. Se dan ánimos y conversan.

Angel Ganivet vive en una pensión del número 15 de la calle de Tetuán, y no en Jacometrezo, como dice de Pío Cid. De la morada madrileña de Unamuno en esta ocasión nada se sabe. Pero no es difícil pensar que no puede estar lejos. La zona de aquel viejo Madrid ya desaparecido por el trazado de la Gran Vía fue la habitual de Miguel. ¿Viviría en Jacometrezo? Acaso.

Después de almorzar se reunían en un café de la Red de San Luis. Por la tarde tomaban un helado en una horchatería de la Carrera de San Jerónimo y, desde allí, iban a pasear por el Retiro, hablando de mil cosas. Ganivet no era muy locuaz y Unamuno empezaba a ejercer ya el monodiálogo. «Era yo, por lo tanto, quien de ordinario llevaba la palabra», recordó don Miguel en 1912.

Sentados en la mesa del café o paseando hablaron varias veces del destino que podrían dar a sus vidas. Miguel recuerda a Concha y la escribe confiando en que esta vez no fracasará. La separación de la esposa al medio año de matrimonio era dura. Le confesaría al granadino que no tenía más noticia de Salamanca que lo leido en los libros, el nombre moribundo de su universidad y los relatos de su antiguo condiscípulo y paisano Julio Guiard, que había estudiado con beca en la ciudad del Tormes y había sido rival suyo en las oposiciones a la cátedra de Filosofía del Instituto bilbaíno.

Hablaron también varias veces del amor. Aquí chocaban estos dos temperamentos, que eran tan semejantes en otros campos. Para Ganivet, la sensación pura del amor hay que separarla de las demás sensaciones y es lo más importante. Para Unamuno (¡cuánto de don Miguel hay enmascarado en el Orellana de *Los trabajos del infatigable creador Pío Cid!*) «lo primero es mi fe y por ella sacrificaría todo». Y el granadino replica: «Brindo porque al amigo Orellana (Unamuno) no le falte la fe jamás.»

Ranas y gitanos

Ganivet habla de gitanos, de sus costumbres y supersticiones, de su jerga, y Unamuno le cuenta que tiene el proyecto de ilustrar la *Batracomiomaquia* (5); sobre el mármol de los veladores dibuja

(5) En mi ensayo *El primer asedio de Unamuno al Quijote* mostré ya

ranas y ratones, en diversos actitudes, y le confiesa a Ganivet que ha estudiado la anatomía de estos bichos cuidadosamente, pero que pretende que tengan algo de forma humana para responder mejor al espíritu del poema. Una rana, de ojos saltones, impresiona a Ganivet, y la recordará después en su correspondencia con el catedrático de Salamanca. No llegó Miguel a realizar este proyecto, pero en su archivo he encontrado numerosos dibujos de ranas.

En junio terminan las oposiciones. Unamuno obtiene la cátedra de Salamanca y Angel Ganivet se queda fuera, desplazado por otro compañero, José Alemany. Años más tarde, desde Helsinfords, escribirá Ganivet el 29 de agosto de 1896 a su amigo Nicolás María López: «Si me diesen diez millones y la seguridad de ser catedrático de la Central, no entraría más en oposiciones a cátedras.» La desilusión se ha adueñado de él.

Se cuenta que cuando a don Juan Valera le preguntaron en el Ateneo por la cátedra de Salamanca contestó: «Ninguno sabe griego, pero hemos dado la cátedra al único que podrá saberlo.» La anécdota puede haber sido amañada en los tiempos en que empezó a discutirse el saber helénico de don Miguel. Aunque fuese cierta, nada quita a lo que Unamuno fue después como profesor de griego, ni al hecho de que fuera, pese a todo, el mejor opositor.

Ganivet debió quedar en Madrid viviendo la experiencia de Pío Cid y sus trabajos. Unamuno volvió a Bilbao, donde le esperaba su mujer, y el 13 de julio de 1891 pisaba Salamanca por vez primera para tomar posesión de su cátedra.

---

cómo decide en su obra la vocación frustrada de pintor. Dos cuadros que recuerda le llevan a emparejar la idea de religión con el mito de don Quijote en una de sus visitas a Alcalá de Henares de que se habla en el capítulo anterior; una ilustración en que don Quijote se parece a San Ignacio le hace pensar en unas vidas paralelas; la contemplación del Cristo de Velázquez le lleva a escribir su poema. La impresión plástica, visual, puramente sensorial y estética condiciona no pocas veces su pensamiento y no es este el lugar de hacer un comentario pormenorizado. Recordemos sólo el caso de dos esculturas o imágenes: el Cristo de Cabrera y el de las Claras de Palencia. El mismo cementerio castellano del famoso poema, ¿no responde a la temática de la pintura romántica?

6.

En Salamanca

Extraño junto al Tormes

MIGUEL de Unamuno, nuevo y flamante catedrático de la vieja universidad salmantina, pisó por primera vez Salamanca el 13 de junio de 1891, para tomar posesión de la cátedra ante el rector don Mamés Esperabé Lozano. Salamanca era entonces un poblachón al que le resultaba grande su Plaza Mayor y su diminuto Campo de San Francisco, lugares preferentes del paseo de los salmantinos. Se conoce todo el mundo y la presencia de un forastero se advierte fácilmente. Aquel hombre alto, moreno, de puntiaguda barba, lentes de oro sobre la nariz aguileña, traje oscuro con alto cuello y puños almidonados y salientes bajo las mangas de la chaqueta, no llama la atención por el atuendo, que es el de todos, sino porque es nuevo y en Salamanca se notan las caras forasteras.

Tiene Salamanca entonces 23.000 habitantes. Hace un año ha muerto don Mariano Arés y Sanz, catedrático de la Universidad, y ha sido enterrado civilmente. El escándalo aún dura y no faltó la disputa sobre su cadáver. Pedro Dorado Montero, discípulo de don Mariano Arés y profesor auxiliar entonces de la Universidad; Enrique Soms y Castelín, Lorenzo Benito Endara, el joven bibliotecario Manuel Castillo y otros, reciben el anatema del obispo Padre Cámara por haber participado en aquel enterramiento laico. No muchos días antes de la llegada de Unamuno, la ciudad se ha conmovido de nuevo por el suicidio de uno de sus más ilustres hijos, el historiador don Manuel Villar y Macías, al que visitaba en Salamanca Pedro Antonio de Alarcón. Se dice que el periodista Juan Barco (que luego será un entrañable amigo de Unamuno) tiene la culpa, por un artículo que escribió en *El Adelanto*, discutiéndole una fecha al pundonoroso historiador. Un año antes se ha inaugurado la línea de ferrocarril a

Portugal, que tanto usará en sus andanzas ibéricas el nuevo catedrático.

No debió agradarle mucho esta primera visión de Salamanca; bastaría recordar lo cercana que está su contraposición Castilla-Vizcaya, vivida en Alcalá de Henares junto a su amigo el P. Juan José de Lecanda, impresiones que aún perduran en 1895, cuando refunde aquel antiguo artículo en las páginas de *En torno al casticismo*. Es muy posible que no parase más de una jornada y volviera rápidamente a Bilbao, donde seguía sola Concha, que, aunque amiga de toda la vida de la familia, no cayó bien a la hora del matrimonio, según algunos de los amigos de Unamuno entonces, como Enrique Areilza, a quien tampoco le hacía mucha gracia Concepción Lizárraga, por muy bonitos que fuesen sus ojos, ya que carecía de fortuna y no parecía la adecuada esposa de un catedrático.

Miguel piensa en su matrimonio de forma muy distinta; está convencido de que Concha es un freno y un estímulo. No es la reciente señora de Unamuno una mujer de letras o estudios, especie biológica casi desconocida entonces en España. «He sondeado el sentimiento estético de Concha, su gusto literario, y he visto con gozo cómo le gusta lo vivo, lo fresco, lo sanote, aunque sea rudo, inculto y tosco», le decía a su amigo Juan Arzadum en diciembre de 1890, pocos días antes de la boda.

Aquel verano fue feliz, empañada la felicidad por la idea de que, pasado el estío, hay que regresar a Salamanca para quedarse y dejar de ver el verde de los montes de Vizcaya, llenando el corazón con ecos de nostalgia.

Las torres salmantinas

El 2 de octubre de 1891 vuelve Unamuno a Salamanca, solo aún, y le espera en la estación un joven bibliotecario, Manuel Castillo, que en 1934 recordó las primeras andanzas salmantinas de don Miguel. Unamuno llegó de madrugada. Castillo le acompañó en las visitas protocolarias. Hasta es posible, por su testimonio, que la fecha de toma de posesión, muy a la española, fuese falseada y resultase ser esta de octubre la primer jornada salmantina del catedrático de griego.

Poco después viene doña Concha y se instala el matrimonio en una casa junto al Campo de San Francisco, esquina al Paseo de las Carmelitas, en las afueras de San Bernardo. Aún subsiste, con su mirador sobre el viejo parque y la fachada de azulejos en el paseo. El sol de otoño se filtraba por el espeso y romántico Campo de San Francisco, de enhiestos cipreses.

Miguel va a clase por las mañanas y, al salir de casa, camino de la Universidad, sobre el repecho del parque tiene la visión primera del «alto soto de Torres», las Ursulas, Monterrey, el Cimborrio de las Agustinas, más allá las torres gemelas de la Clerecía, la de la catedral nueva. Salamanca está llena de torres, las va descubriendo en los primeros paseos: la torre del Gallo en la catedral vieja; la torre del Clavero, la de la iglesia de San Julián, la del palacio de los Fermoselle.

La Facultad de Letras está instalada en la planta noble de la vieja edificación universitaria, que, a falta de torre, tiene en su patio un gallardo campanil y un sequoia, extraño árbol en estas latitudes, regalado por un pariente del bibliotecario don José María de Onís, que ha sido el primer embajador de España en los Estados Unidos. El Patio de Escuelas no hace mucho que luce la estatua de fray Luis de León y hace honor a su nombre animado por las voces estudiantiles de universitarios y bachilleres en la hora del recreo.

«Salamanca está en peligro»

El señor Unamuno, así empieza a llamársele, pasa a diario ante la estatua de su colega —también catedrático, también poeta, fray Luis de León. Es seguro que le dirigiría el mismo callado saludo, desbordado de extraña ternura consuetudinaria que nosotros dirigimos ahora al busto que hizo Victorio Macho de don Miguel, cuando a diario subimos la gran escalinata del palacio de Anaya, que era entonces Gobierno civil y cuya ruina alarmante había comenzado en agosto de 1891, al hundirse la cúpula de lo que es iglesia de San Sebastián y que, meses antes, había hecho lanzar en Madrid al senador salmantino Fermín Hernández Iglesias la exclamación de: «¡El Gobierno se hunde!», ante el susto y el pasmo de los diputados.

Unamuno se ha instalado en una ciudad que, al principio, tiene que desconcertarle no poco. Nada más llegar, en los periódicos ha leido que la ciudad lamenta que su plaza de toros es muy pequeña, sólo hace 7.100 localidades, y Salamanca necesita un coso más amplio. En el café Suizo, en una tertulia, ha surgido la idea renovadora. Se hace una suscripción que crece a diario. No hay familia salmantina que no quiera contribuir, y la plaza, cuando fue edificada en la Glorieta, llegó a llamarse «de las doscientas familias». Junto a esta furia, Miguel lee con pasmo un periódico del 2 de noviembre de 1891 que dice que «Salamanca está en peligro». En el mes de octubre se han producido noventa y seis defunciones, 91 nacimientos y 13 matrimonios (6). Las condiciones sanitarias de la ciudad son pésimas. Los periódicos luchan porque el Ayuntamiento y el Gobierno arreglen esto, y animan también, con más calor, a las familias salmantinas a que den su dinero para construir la nueva plaza de toros, ya que los duelos con toros son menos.

---

(6) Casimiro Hernández, funcionario de estadística y escritor de garbo que se oculta tras el seudónimo de *Estadísticus*, me comunica que Salamanca tenía en 1897 22.199 habitantes y 23.000 en 1891, como ya se ha dicho en el texto. En el censo de 1897 la ciudad ha aumentado a 24.156 habitantes, pero los índices de mortandad siguen siendo elevadísimos. Este ligero incremento de la población viene dado por la emigración del campo a la ciudad. Hasta comienzos de siglo no disminuye la alarmante desproporción entre muertes y nacimientos.

En 1892 les entra a los salmantinos la furia de conmemorar el
IV Centenario del descubrimiento de América y deciden hacer una
estatua a Colón en la plaza de los Menores, a la que cambian de
nombre, poniéndola el del descubridor. Todo está dispuesto en 1893,
un año después del centenario, lo que es motivo del pasmo y orgullo
colectivo. Dicen que Cuba es cada día más difícil de conservar; pero
no importa: Salamanca, sucia e insalubre —ya don Antonio Ponz
un siglo antes habló de la suciedad de la «perla del Tormes»—,
tendrá nueva plaza de toros, un monumento a Colón y, en las ferias
de 1895, niños de todas las familias de la ciudad forman un batallón
uniformado que desfila por las calles mal empedradas y, en todas
partes, se hace exhibición de disciplina militar. Salamanca, España
y América, el mundo entero están a salvo.

«El que está fuera»

Esta es una cara de la Salamanca que Unamuno encuentra y
vive en sus primeros años salmantinos. Miguel da sus clases a los
pocos alumnos que en la muerta Universidad estudian Letras. Escribe, sobre todo, porque escribir es una forma de seguir ligándose
a su país vasco, enviando a *El Nervión* y *El noticiero bilbaíno* sus
correspondencias y cuentos, amasados con nostalgias y recuerdos
vascongados.

En 1893 algunas de estas correspondencias van firmadas con el
seudónimo *Exóristo*, compuesto a base del griego, con la significación de «el que está fuera», y se refiere a cuestiones locales de
Bilbao. Estas meditaciones de *Exóristo* tienen por tema las elecciones municipales, el proyecto de un parque, problemas de urbanización y el porvenir de la villa. Por entonces colabora también en la
prensa salmantina con el seudónimo *Unusquisque*, en *El diario de
Salamanca*. Entre el 11 de enero y el 12 de mayo de 1893 escribe
Unamuno en *El fomento* de Salamanca unos cuantos artículos para
reírse de los tradicionalistas e integristas de la vieja ciudad, que
hablaban del peligro judaico en España; les toma el pelo y les mete
miedo desde este diario republicano con una serie sobre *La liga anti-
semítica salmantina*, firmados con las iniciales A. S. G. y R. M. C.
Cuarenta años más tarde, don Miguel recordaba jovialmente su tra-
vesura periodística de entonces.

No hacen falta helenistas

Pero el debut periodístico de don Miguel en Salamanca tuvo lugar
a los pocos días de su llegada. Don Enrique Gil y Robles, catedrático
de Derecho político, había leído la oración inaugural sobre el tema
El Absolutismo y la Democracia. Desde el periódico salmantino *La
libertad*, el recién llegado tomó partido con una serie de artículos
titulados *Un nocedalino desquiciado*, criticando duramente al cate-

drático salmantino, discutiendo sus ideas y hasta la exactitud de las
citas de Padres de la Iglesia que figuraban en el discurso académico.
Poco tiempo después fue Unamuno director accidental de este periódico y se vio procesado por un artículo que no escribió él, sino
Enrique Soms y Castelín, fundador del diario *La libertad*, al que sucedió *La democracia*, fundado por el mismo Soms y Castelín, que
fue luego procesado por un artículo que había escrito Unamuno.

Un colega universitario —¿Valera, don Marcelino?— le recomien-
da dedique su vida docente al helenismo y a desenterrar y publicar
«yo no sé qué manuscritos griegos que dicen que hay en el monasterio de El Escorial». Miguel no le hace caso, convencido de que
no eran tan necesarios los helenistas como otro tipo de profesores.
Esto no quiere decir que, desde el primer momento, se desentendiese
de la enseñanza de su asignatura. La repugnancia unamuniana a
dedicarse al cultivo de su filología griega es el resultado de una
actitud consciente.

> «En un país hecho —decía en su ensayo *Sobre la erudición
> y la crítica*—, en que cada uno está en su puesto y la máquina
> social marcha a compás y en toda regla, puede un ciudadano
> dedicarse a esas curiosas investigaciones; pero aquí hay demasia-
> da gente que se dedica al tresillo, para que los que sentimos an-
> sias de renovación espiritual vayamos a enfrascarnos en otra
> especie de tresillo. No; mi sueldo sale del trabajo de mis con-
> ciudadanos; es España la que por mediación del Estado me da
> el pan que mis hijos comen, y sé bien cuáles son mis deberes
> para con la patria.»

No había renunciado a hacer ciencia, ocupado en la lingüística
vasca hasta ahora y asomándose a la historia de la lengua española,
que estaban mal estudiadas. Pero helenistas los había en el mundo
entero y, a juicio de Unamuno, no era precisamente helenistas lo
que necesitaba España.

Miguel ha pasado ya, definitivamente —el primer paso fue su matrimonio—, la frontera que separa la mocedad de la hombredad y
se encuentra afincado en este poblachón universitario sin sospechar
aún que será para toda su vida. Mirará hacia atrás para verse hombre despidiéndose del mozo que hasta hace poco ha sido. Es significativo que en 1891 y 1892 publique en las columnas de *El Nervión*
una serie de artículos bajo el título de *Tiempos antiguos y medios*,
los mismos que en 1908 formarán el volumen *Recuerdos de niñez
y mocedad*.

Muerte de Julio Guiard

Al poco de vivir en esta casa del Campo de San Francisco tiene
noticia de la muerte de Julio Guiard, y el 19 de diciembre de 1891
escribe un artículo necrológico sobre el antiguo condiscípulo, su

rival victorioso en la oposiciones a la cátedra de Psicología del Instituto de Bilbao, que había estudiado Letras y Derecho en Salamanca, de quien tuvo las primeras noticias de esta ciudad. Miguel esperaba a las vacaciones para hablar con Julio y contarle de Salamanca. En su lucha de opositores se había reafirmado la amistad. Miguel declaró que habían ganado los dos: Julio una cátedra y él un amigo. «Aún recuerdo —decía— el momento en que me dio la noticia de su triunfo, turbada la natural satisfacción que le producía éste por el hondo y sincero pesar de que, siendo dos las cátedras, no hubiera quedado yo con la segunda.» Julio le animó luego, como compañero, en el Instituto Vizcaíno, a opositar a la cátedra de Salamanca. Pero con su muerte ha empezado para Unamuno el desfile de la *santa compaña:* poco antes ha muerto Ortueta, un común amigo de los dos (¿suicidado acaso?, «bien trágicamente»); también Julián Riveras, un condiscípulo que fue a América en busca de fortuna y encontró los palmos de tierra precisos para la sepultura.

El primer hijo

Terminado el primer curso salmantino, de vuelta a Bilbao, Concha le da su primer hijo, Fernando, el 3 de agosto de 1892, el único que nacerá fuera de Salamanca. Este acceso de Unamuno a la paternidad —auténtica prueba de fuego de la hombría— es la más exacta divisoria en la vida del hombre.

Aquel verano Miguel recoge datos sobre la última Guerra Carlista, que tantos recuerdos le levanta en su corazón de la infancia perdida y que le bulle dentro desde que en 1899 publicó en *La ilustración de Alava* un cuento titulado *Solitaña* que, por el procedimiento ovíparo, llegará a ser, en 1897, *Paz en la guerra.* Le baila en la cabeza la necesidad de escribir una novela y se le ofrecen dos temas: de un lado, su infancia, con el recuerdo de la guerra civil, y, de otro, su crisis religiosa vivida en Madrid; para la primera necesita documentarse, para la segunda —tan sólo— penetrar en su corazón.

Y llega el segundo curso, cuando Miguel y Concha regresan a Salamanca con su primer hijo. La ciudad no ha cambiado: continúan las farolas de petróleo en las calles en competencia con las eléctricas que, desde 1889, viene instalando don Carlos de Luna, industrial de la localidad. En los dos teatros, el del Hospital (hoy teatro Bretón) y el del Liceo, hay semanas en que hasta se dan funciones diarias, pero no siempre. Siguen los mismos casinos: «El de los señores», al que va Unamuno, al que seguirá acudiendo y manteniendo la tertulia hasta los incidentes del 12 de octubre de 1936; el Círculo de la Unión Mercantil, al que también acude en ocasiones y que estaba situado sobre el actual Banco Hispanoamericano, y el de «La Perla», en la calle del Prior. Los cafés conservan sus nombres del año anterior: «Oporto», «Cuatro Estaciones» y, sobre todo, «El Suizo». La única novedad es que, concluido el pleito en torno a la expropiación de las casas de la plaza de San Mateo, Salamanca, abundosa por siempre en iglesias y conventos, empieza a construir la de San Juan de Sahagún, obra del arquitecto don Joaquín de Vargas y empresa decidida del obispo Padre Cámara.

Dorado Montero

Entre los compañeros de universidad, Miguel de Unamuno encuentra a otro solitario, el salmantino Pedro Dorado Montero, nacido en Navacarros en 1861, que estudió derecho en Salamanca como becario del colegio de San Bartolomé, porque es lo único que puede hacer el niño campesino al que un cerdo le devoró la mano derecha cuando estaba en la cuna.

Dorado estudió luego en Italia, en Bolonia, en el colegio de San Clemente. «Asistía todos los domingos a la capilla del colegio —cuenta Luis Maldonado—, oyendo misa desde la tribuna y reprendía a algunos de aquéllos [compañeros de residencia] por faltas de devoción que le distraían de la suya. Dos o tres domingos seguidos notaron que se acentuaba su fervor, que graves preocupaciones embargaban su espíritu y... Luego no volvió a aparecer por la capilla ni volvió a asistir a ningún acto religioso.»

Estuvo en Italia y «volvió ateo, de donde entró creyente», como dijo en verso el poeta Cándido Rodríguez Pinilla. Dorado es un hombre hermético, de menuda figura, que gusta de estar solo y sale al campo con unas alforjitas repletas de libros. Su silencio se compensa con la locuacidad de Unamuno. Don Pedro, que fue profesor auxiliar, es catedrático reciente y sucesor de su maestro, don Mariano Arés, y siente simpatía por el socialismo, en que milita el nuevo catedrático. Aquí puede residir el motivo especial del mutuo acercamiento.

Para Unamuno, Dorado tiene la atracción del abismo. Dorado parece haber llegado a la *sagese*, serenidad y sabiduría, de un ateísmo al que adapta su vida austera y casi monástica. Para él ya no es problema Dios ni el más allá tampoco. Dorado, krausista en cierta forma (fue discípulo indirecto de don Francisco Giner) encarna un ideal ético equiparable al del cuáquero Unamuno. «No parece muy acertado juzgar a nadie sino metiéndose uno, todo lo posible, en el pellejo del juzgado», escribió el penalista.

La amistad entre estos dos hombres no ha sido suficientemente estudiada todavía. Se interesan mutuamente, más por el «otro» que por su obra. Unamuno le confiesa a *Clarín* que no lee a Dorado, y en la biblioteca del penalista, hoy en la Universidad de Salamanca, sólo he encontrado dos escritos unamunescos, dos folletos: la ponencia presentada en 1905 en Barcelona a la II Asamblea Universitaria y la conferencia *Lo que debe ser un rector en España*, ejemplares en que por vez primera leí estos escritos unamunescos hará ya más de diez años.

En 1891, en la primavera, don Pedro ganó la oposición a la cá-

tedra de Derecho Político de Granada, y el 22 de setiembre de aquel
año, por permuta, volvía a Salamanca a ocupar la cátedra de Derecho penal, para lo que él se había preparado en Italia. No voy
aquí a intentar valorar su obra de penalista, lo ha hecho ya magistralmente José Antón Oneca en *La utopía penal de Dorado Montero;* me importa sólo señalar que el serrano —de la sierra de Béjar
era el penalista manco— se sabía a Leopardi de memoria, la gran
pasión unamunesca de aquellos años.

Pero la amistad entre estos dos hombres tuvo sus altos y sus
bajos. Cuando en 1900 dejó de ser rector don Mamés Esperabé, Unamuno y Dorado fueron candidatos al rectorado. Pudo más el prestigio literario del vasco y se produjo un distanciamiento que no fue
total. En 1903, en su libro *Valor social de leyes y autoridades,* no
tiene empacho don Pedro en señalar a Unamuno como máximo conocedor de la mística española, y don Miguel, ante la tumba del salmantino, en 1919, en el cementerio civil de Salamanca, pronunció
estas palabras que merece la pena reproducir: «Enterramos hoy,
ciudadanos de Salamanca, a este hombre civil, amigo nuestro y consejero de todos; a este hombre virtuoso, austero y honrado; a este
hombre que trabajó por la redención de los delincuentes porque
sabía entender mejor que nadie aquellos versículos de *No juzguéis
y no seréis juzgados, porque con la medida que juzgáreis seréis juzgados.* Y lo enterramos en esta tierra, sagrada y bendita por los que
aquí reposan bajo el mismo cielo, bajo su luz que a todos ilumina
por igual. Desaparece este hombre en los momentos de mayor dolor
para España, cuando más falta hacía, cuando España lo necesitaba,
llevándose acaso el dolor de la patria y el del mundo entero a su
tumba. Recojamos el ejemplo de su vida y la enseñanza de sus obras
ya tierra, para hacerlas, dentro de nosotros, semillas que fructifiquen
con ansias de libertad.»

El gaucho Martín Fierro y el ciego de Robliza

Pero no conviene dar saltos en el tiempo. Dorado no es el único
amigo con que cuenta Unamuno. Está don Luis Maldonado, cuatro
años mayor que él y que aún no era catedrático en 1891. Maldonado
fue uno de los más sinceros amigos de don Miguel. Fue también
el abogado que le defendió, logrando su absolución, cuando Unamuno
fue procesado como director accidental de *La libertad.*

En 1894 don Miguel andaba entusiasmado con el *Martín Fierro*
y leyó en la tertulia el ensayo sobre el poema gauchesco que había
escrito para el primer número de la *Revista española,* de Madrid,
y que dedicó a don Juan Valera, el único español que hasta entonces
se había preocupado de la literatura hispanoamericana. El entusiasmo de Unamuno tenía ya mucho de ardiente apostolado y su amigo
le gastó la broma de decirle que había encontrado en Robliza —riñón
de la charrería— a un ciego que componía versos. Unamuno cayó
en el garlito, interesándose, y se entusiasmó cuando el salmantino le

presentó la *Querella del ciego de Robliza*, diciéndole que se había servido de un criado para recoger el texto. El propio Maldonado tuvo que frenar el entusiasmo del vasco para evitarle un patinazo, confesándole la verdad. Después Maldonado escribió otras *querellas* y con todas hizo un tomito que prologó Unamuno contando el incidente y hasta escribió un romance, no concluido, que se encontró entre sus papeles, imitando el estilo del poeta martinfierrocharruno:

«*¡Oh tú que quedaste ciego*
de puro largo de vista
charro de genuina cepa
a pesar de la levita!
¡Buena la charrada ha sido!
¡Buena de verdad, muy fina!
Me la has pegado de veras
con el ciego de Robliza...»

Los hermanos Rodríguez Pinilla

Cándido Rodríguez Pinilla, ciego desde muy niño, nacido en Ledesma, era poeta al que ya había prologado un libro Campoamor. Unamuno hizo pronto amistad con él y con su hermano Hipólito, catedrático de Hidrología Médica de la Universidad de Salamanca. Del ciego fue toda su vida entrañable lazarillo y le leía libros y artículos, adiestrándose, sin casi darse cuenta, en lo que fue luego su maestría en el arte de leer.

Juan y Ramón Barco

Los hermanos Barco fueron también pronto amigos de Unamuno. Ramón dirigía la plana literaria de *El adelanto*, en que colaboró don Miguel. Pero Juan fue el más entrañable, y en su correspondencia con Jiménez Ilundaín, cuando Juan Barco ya no está en Salamanca, habla en tonos claros del valor que para él tiene esta amistad.

Cuando Juan Barco venía a Salamanca sólo veía a Unamuno, con el que paseaba, y don Miguel le acompañaba luego hasta la estación o el coche de línea en que huía de la ciudad que tan dolorosos recuerdos tenía para él.

Ya se ha dicho que Juan Barco motivó el suicidio del historiador Villar y Macías. No era este el peor recuerdo. La familia de los Barco tuvo un modesto negocio de relojería en la calle de Toro, casi junto a la Plaza Mayor. El negocio fue mal y, en vísperas de embargo, intentaron salvar lo que pudieran. En un carrito, de noche, sacaban los padres de Juan y Ramón Barco, ayudados por éstos, unos cuantos relojes para intentar rehacer su vida, y varios despertadores se pusieron en marcha, alborotando al vecindario. Con amarga ironía relató este suceso Juan Barco, años después, en uno de sus artículos.

Juan fue un buen escritor y Unamuno gustó de sus evocaciones del paisaje castellano.

Socialismo en la casa de los miradores

En 1894 el matrimonio Unamuno dejó la casa de las afueras de San Bernardo, junto al Campo de San Francisco. Posiblemente este cambio se produjo a mediados de 1893. No puede precisarse. La nueva morada salmantina de los Unamuno está muy cerca de la plaza de toros que los salmantinos están dispuestos a demoler porque es pequeña para sus entusiasmos taurinos. La casa, que ha terminado de ser derruida en el mes de mayo de 1963, tenía galerías exteriores a lo que hoy es plaza de Gabriel y Galán y un pequeño jardín. En el mismo edificio estaban las oficinas del ferrocarril de Medina a Salamanca y la vivienda de monsieur Louis, director de la compañía.

Aquí escribe las cinco entregas mensuales, de febrero a junio de 1895, de *En torno al casticismo*, para *La España moderna* (números 74 a 78), de Lázaro Galdiano. Redacta su *Vida del Romance castellano*, que había concebido antes (carta a F. Rodríguez Marín de 11 de noviembre de 1894) como «larga introducción» a «un estudio acerca del romance del *Poema del Cid*». En aquella época trabaja incansablemente asomándose a revistas de Madrid y Barcelona y es traducido al alemán. En 1895 publica tres ensayos en la revista *Sozialisticher Akademiker*. Son éstos: *Einleitung zu sinigen Betrachtungen über die bürgerliche Erziehung* (Introducción a unas consideraciones sobre la educación cívica), *Der absolute Wert des Menschen und die Krankheit des Jahrhunderts* (El valor absoluto del hombre y el mal del siglo) y *Die erste Bedingung einer wahrhaft freien Arbeit* (La primera condición de un trabajo verdaderamente libre), y en 1897, en la revista *Socialistische Monatsheffe*, continuadora de la anterior, todavía con otro artículo titulado *Der Sozialismus in Spanien*.

La preocupación socialista de Unamuno ya se había manifestado con el periódico bilbaíno *La lucha de clases*, en que sigue colaborando. Fue hacia esta confesión política (que en él tiene todo el valor de una actitud ética y es posiblemente la única vez en su vida que se afilió a un partido) llevado por sus lecturas de economía, aunque reconoce: «Mi fondo era y es, ante todo, anarquista», pero detesta el significado sectario de esta denominación y dice (¡tantos años antes de Albert Camus, otro hombre ético!): «El dinamitismo me produce repugnancia.»

El 31 de mayo de 1895 escribía a *Clarín*, de quien buscaba, sin conseguirlo, que parase mientes en su obra (7), hablándole de su ideal socialista: «Sueño con que el socialismo sea una verdadera reforma religiosa cuando se marchite el dogmatismo marxiano y se

---

(7) Vid. E. Salcedo: «Clarín, Menéndez Pelayo y Unamuno», en *Insula*, número 76, Madrid, 15-IV-1952.

vea algo más que lo puramente económico. ¡Qué tristeza el ver lo que se llama socialismo! ¡Qué falta de fe en el progreso, y qué falta de *humanidad!*»

Sombra en los miradores

Esta casa, posiblemente, le aproximó a la carretera de Zamora, que empezaba entonces donde ahora recibe el nombre de paseo de Torres Villarroel. En invierno el sol ilumina el camino hacia las llanuras de la Armuña, que, en forma pintoresca, había entrevisto de niño en un libro ilustrado de la biblioteca paterna.

Miguel, en esta casa de los miradores, abierta al sol, tendrá a veces el convencimiento de que vive en una mansión sombría. En 1894 nace su segundo hijo, Pablo, y en 1896, Raimundo Jenaro, el 7 de enero, y con él llega la gran prueba.

El pequeño es bautizado en la parroquia de San Boal, absorbida luego por la de San Juan de Sahagún, que es consagrada solemnemente en octubre de 1896. A los pocos meses, el niño sufre un ataque de meningitis, se le paraliza una mano y empieza a desarrollársele la hidrocefalia. Hacia final de aquel año el niño empeora y, aunque aún no muere, queda ya entregado en brazos de la muerte, que, lenta, inexorablemente, ha de llevárselo.

Es la presencia de la muerte en la casa y el cumplimiento de un temor hace años presentido. En una carta a su mujer, sin fecha, pero que es de la etapa de su noviazgo, esto es, anterior a 1891, escribe a Concha este estremecedor relato de un sueño de pesadilla que ha tenido: «Una noche bajó a mi mente uno de esos sueños oscuros, tristes y lúgubres que no puedo apartar de mí, que de día soy alegre. Soñé que estaba casado, que tuve un hijo, que aquel hijo se murió y que sobre su cadáver, que parecía de cera, dije a mi mujer: "¡Mira nuestro amor; dentro de poco se pudrirá; así acaba todo!"...»

Junto a su mesa de trabajo coloca Unamuno la cuna de Raimundín muchas veces y, cuando el niño crece, juega torpemente a sus pies, contemplándole con sus enormes ojos. «No hace más que reirse Raimundín», dirá desgarradoramente en su *Diario*. Algunos años después —el niño murió en 1902—, Unamuno dibujó dos retratos que llevó siempre en su cartera, uno de perfil y otro de frente; en el último hizo también un apunte de la mano paralítica. Con los dibujos, un poema que quiso conservar inédito y hoy puede leerse en el tomo XIV de sus *Obras Completas*. A Raimundín le dedicó Unamuno otros versos, entre ellos la *canción de cuna al niño enfermo*, de que habló a Rubén Darío en una carta de 1900.

«*Duerme, flor de mi vida,*
duerme tranquilo,
que es del dolor el sueño
tu único asilo.

Duerme, mi pobre niño,
goza sin duelo
lo que te da la Muerte
como consuelo.
Como consuelo y prenda
de su cariño,
de que te quiere mucho,
mi pobre niño.
Pronto vendrá con ansia
de recogerte
la que te quiere tanto,
la dulce Muerte.
Dormirás en sus brazos
el sueño eterno,
y para ti, mi niño,
no habrá ya invierno.
No habrá invierno ni nieve
mi flor tronchada,
te cantará en silencio
dulce tonada.
Oh qué triste sonrisa
riza tu boca...
tu corazón acaso
su mano toca.
Oh qué sonrisa triste
tu boca riza,
qué es lo que en sueños dices
a tu nodriza?
A tu nodriza eterna
siempre piadosa,
la Tierra en que paz santa
todo reposa.
Cuando el sol se levante
mi pobre estrella,
derretida en el alba
te irás con ella.
Morirás con la aurora,
flor de la muerte,
te rechaza la vida
¡qué hermosa suerte!
El sueño que no acaba
duerme tranquilo,
que es del dolor la muerte
tu único asilo.»

Pocas veces la viril ternura de un padre ha encontrado expresión poética más justa. Es posible que la *canción de cuna* de que Unamuno habla a Rubén Darío terminase en la penúltima estrofa y la final sea un añadido al morir el pequeño. No lo sé, ni tengo información para asegurarlo. Un indicio puede ser que cuando en 1907 va en el tomo *Poesías*, editado en Bilbao, ha reducido su título —ya no existe la denominación de «canción de cuna»—, y este libro aparece cinco años después de la muerte del niño. En el mismo volumen hay otro poema titulado *En la muerte de un hijo*, y éste fue el único que se les murió a Miguel y Concha cuando ya tenían la esperanza de otro:

> *Abrázame, mi bien, se nos ha muerto*
> *el fruto del amor;*
> *abrázame, el deseo está a cubierto*
> *en surco de dolor.*
> *Sobre la huesa de ese bien perdido*
> *que se fue a todo ir*
> *la cuna rodará del bien nacido*
> *del que está por venir.*

Unamuno vive la más dolorosa experiencia de su vida ante este hijo que va hacia la muerte, desde el pañal a la mortaja casi sin transición. Se desespera, no puede explicarse el motivo de esta dura desgracia. Se considera culpable. Investiga las leyes de la herencia y encuentra la única explicación en la consanguinidad frecuente en los matrimonios habidos en su familia. Esto no satisface al intelectualista de antaño que ha superado el humanismo ateo que le llevó a escribir la *Filosofía Lógica*, que dejó inconclusa y de que ya se habló en el capítulo 4.

En este suceso es ineludible ver el origen de sus nuevas crisis religiosas. ¿Por qué el niño? ¿Qué pecado ha cometido él, Unamuno, que tenga que pagar la pobre criaturita? ¿Por qué el castigo a los inocentes? Miguel, contemplando a su hijo, amándole con desolada ternura, empieza a sentir el vértigo de la desesperación, de la angustia que ya no le abandonará nunca. Pero su desesperación, como ha visto acertadamente Laín Entralgo, es la «desesperación esperanzada».

«Lo terrible —escribía a su amigo Mario Sagarduy el 29 de mayo de 1897— debe ser verlos [a los hijos] sufrir y luchar con la muerte; una vez que descansan empieza tu descanso. El dolor que te quede será otro dolor, más sereno y más fructuoso.» Y otro amigo, Timoteo Orbe, le decía a don Miguel por aquellas fechas: «La obsesión de su pobre hijo enfermo ha revuelto lo más hondo de su espíritu.»

¡Hijo mío!

E L Unamuno socialista, colaborador de periódicos republicanos que cumple su primer quinquenio de dedicación en la Universidad de Salamanca ,ha vuelto a mantener una postura religiosa un tanto tibia e indiferente. Dejó de lado, hace tiempo, las prácticas piadosas a que su madre y su entonces novia le empujaban en Bilbao. En Salamanca se han hecho preguntas sobre él. El doctor don Fernando Rodríguez Fornos, rector con la República de la Universidad de Valencia y entonces un chiquillo salmantino, evocó en 1934 el impacto en la ciudad de aquellas preocupaciones religiosas del catedrático aún no aclimatado a Salamanca. «Comenzaron a susurrar las gentes —decía el doctor Rodríguez Fornos— las más diversas opiniones. Que si Unamuno pasea con los sacerdotes y no es un creyente. Que si es un creyente. Que si es un ateo. Que si es un loco. Que si es un sabio. Que si es un ególatra. Que si su compañía y sus doctrinas son peligrosas para la juventud.» Y, entre tanto, Unamuno se está consumiendo por un problema interior, por la enfermedad de su tercer hijo, que se le aparece como un castigo, una maldición de su abandono de la piedad católica.

El silencio de Dios

A la pregunta desesperada por el silencio de Dios se une el silencio del niño. Hay todavía una última esperanza: pedir a Dios que se manifieste. Su voz es el milagro. ¿Será posible?

> *Pero en mí se quedó, y es de mis hijos*
> *el que acaso me ha dado más idea,*

pues oigo en su silencio aquel silencio
con que responde Dios a nuestra encuesta,

dice en un poema estremecedor, que llevó durante toda su vida en la cartera junto a los retratos de Raimundín.

Miguel reconsidera su vida, su obra, su pensamiento. Ha sido la razón la gran enemiga. ¿Podrá encontrarse la fe volviendo a sentir la emoción de la liturgia? La inteligencia no sirve, hay que dar paso al corazón.

Queda, sin embargo, un obstáculo. «Existe —ha escrito Zubizarreta— un Unamuno tímido, de vergonzosidad vasca, que por motivos familiares cela en gran parte su convinción socialista y que, por ciertas seguridades interiores, no se atreve a hacer pública su evolución hacia el cristianismo.» Su editor y amigo Bernardo Rodríguez Serra le invita, en una carta de mayo de 1885, a que no se preocupe de lo que diga nadie: «¿A usted qué le importa? ¿No tiene ya el bien supremo? ¿La fe?»

Y, sin embargo, Unamuno no está tranquilo. Rodríguez Serra le proponía que «cuando un hombre como nosotros cambia, no ha de cambiar como un cualquiera, no ha de ser uno de tantos católicos de palabra y oración sólo, sino que todos los actos de la vida han de inspirarse en la gloriosa de Jesús, más digna de admirarse como hombre que como hijo de Dios».

En mayo de 1895 vuelve, como ya hemos apuntado, el antiguo congregante de San Luis Gonzaga a buscar la voz y el consejo del que fue director de la Congregación en Bilbao, el prepósito de Alcalá de Henares P. Juan José de Lecanda. El sacerdote vasco no es muy discreto y hasta por la prensa de Barcelona se entera Rodríguez Serra de esta estancia de Unamuno en la muerta ciudad complutense. Y él, don Miguel, preocupado todavía, le escribía a *Clarín* el 26 de junio de 1895: «Mi fe en el catolicismo íntimo, orgánico, hecho masa y fuente de actos reflejos, es lo que más me hace volverme contra él concretado en fórmulas y conceptos.» Una nueva crisis se incuba en esta lucha.

«Paz en la guerra»

Aquel verano de 1896, en su tierra vasca, da fin Unamuno a la redacción de *Paz en la guerra*. Es una novela en la que aparece con doble personalidad: es Ignacio y es Pachico. La infancia de Ignacio, su primera comunión («Ignacio se quedaba mirando, sin saber por qué, a Rafaela»), sus lecturas, son las de Miguel. Y toda la historia de Pachico también. Acaso Ignacio sea el adolescente Unamuno exterior y Pachico Zabalbide el Unamuno interior. Ignacio, muerto en la guerra, un yo ex-futuro. La casa de Ignacio es la casa de Miguel y la confitería de los Iturrabide es la de Félix de Aranzadi, tío de Unamuno.

Escribir este libro le ha obligado a mirarse en el espejo de sus recuerdos y de su corazón. Se lanza a editarlo por su cuenta, el primer libro gordo e importante que hace, con el nombre comercial del editor madrileño Fernando Fe. «Con este libro —le escribía a *Clarín* el último día del año 1896— me echo a la palestra saliendo de artículos de revista y de periódico.» Y le añadía: «Si cae bien, y aunque no caiga bien, daré pronto a luz otro: *El reino del hombre.*»

«Nuevo mundo»

¿Qué clase de libro es éste que anuncia y no ha visto nadie? Una novela. Armando Zubizarreta ha husmeado con fino olfato este rastro, descubriéndonos sus cambios de título, sus lectores amistosos, los juicios que mereció a éstos. Pero, ¿cuál era el tema de esta novela? ¿De qué trataba *El reino del hombre, Nuevo mundo, Eugenio Rodero, El reino de Dios,* que todos estos títulos tuvo?

Es lástima que Zubizarreta, tan perspicaz siempre, escriba sólo para unamunólogos, dejando sobreentendidos detalles y datos que, para el lector general, necesitan de la cita expresa. Porque él sospecha, y yo creo que con toda la razón, que el argumento de esta novela, con todo su peso autobiográfico, está en una carta a *Clarín* que cita, pero no reproduce.

La carta, fechada en Salamanca el 31 de mayo de 1895, cuando *Nuevo mundo* era proyecto, es también importantísima, por su valor biográfico, para el conocimiento del catedrático vasco que, lentamente, se va habituando a la pequeña ciudad salmantina.

«Hace tiempo —dice— que tengo en proyecto escribir un cuento que se reduzca a esto: Llega a Madrid un muchacho llevando en su alma una educación religiosa y sentimientos de delicada religiosidad; bajo esa capa protectora que les aisla de cierto ambiente se robustecen sus sentimientos morales de profunda seriedad de la vida, y llega un día en que no necesitando de la cubierta y resultando pequeña ésta la rompen. En puro querer racionalizar su fe la pierde (así me sucedió). Como lleva a Dios en la médula del alma, no necesita creer en él, es acto reflejo; todo ello ha sido labor interna, es hondamente religioso y no necesita ser creyente. Pero va al mundo, choca con uno y con otro, tiene que luchar y lucha y sus energías y sentimientos morales van desfalleciendo, y siente cansancio y que el mundo le devora el alma. Entra un día en una iglesia a oír misa y el recinto, las luces, los niños junto a él, la muchedumbre que *oye* en silencio una cosa silenciosa, el ambiente todo, le transporta a sus años de sencillez, le saca de las honduras del alma estados de conciencia enterrados en la subconsciencia, le vuelve a una edad pasada, le evoca por asociación un mundo de pureza *adolescente,* y siente que sus sentimientos morales se vigorizan al contacto de la vieja capa tibia aún con el calor antiguo. Sus energías morales se corroboran envolviéndose en sus pañales, volviendo a la tierra que subrió sus raíces. Y cobra una fe nueva y oye misa sin ser creyente oficial, se toma baños de pureza juvenil.»

Esta era la novela para la que buscó lectores amigos: Bernardo Rodríguez Serra, Leopoldo Gutiérrez Abascal, José María Soltura, José Verdes Montenegro, Juan Arzadún, Fernández Oller, Timoteo Orbe, etc. También intenta publicarla y es curioso que en 30 de octubre de 1897 le diga a Juan Arzadún: «Duerme y dormirá el manuscrito de *El reino del hombre,* que ya el año pasado terminé. Si lo repaso será para refundirlo en *El reino de Dios.»*

Toda esta reconsideración de su propia vida va dejando a Unamuno en la más terrible soledad, consigo mismo. Y hace el balance. Tras aquel balance y sus consecuencias, podrán entenderse mejor las palabras que, dirigidas a Arzadún, acabamos de citar.

Una noche de marzo de 1897

En la soleada casa de las afueras de los hoteles de Mirat se están viviendo horas angustiosas: Raimundín, el tercer hijo del matrimonio, no ha superado aún el ataque de meningitis tuberculosa, la hidrocefalia ha empezado a desarrollarse y, por si fuera poco, hacia fin de año, el niño está a punto de muerte.

Miguel ha vivido una nueva crisis de retroceso y este golpe pone ante su conciencia, más desesperadamente, todo lo que ha sido y ha hecho. Pero, ¿por qué el niño? Ha sido madrina en el bautizo de Raimundín, Susana, la hermana monja de Miguel, y éste, en una nota inédita, desesperado, sarcástico, reprocha a la hermana la «buena mano que tuvo», pero no tarda en preguntarse si no será toda esta desgracia una expiación de sus culpas, un castigo a su soberbia.

Y todo lo rumia en su corazón. Se le levantan los fantasmas de su pasado y, entre ellos, el Unamuno ex futuro encerrado en un claustro. Ha perdido el sueño, siente palpitaciones y hasta un dolor en el pecho que se le extiende por el brazo. Concha, muchas noches, le siente rebullir inquieto en la cama y lamenta no encontrar las palabras que puedan darle la paz.

Una noche, el 21 o el 22 de marzo de 1897, atormentado por los recuerdos de lo que pudo ser su vida, tiene conciencia del vacío de la nada, se siente no existiendo, y nacen en él la angustia, las congojas de muerte, la sensación y el dolor del *angor pectoris,* como materialización de su preocupación ética que le lleva a sentirse culpable, y un llanto incontenible le desborda los ojos y el corazón. Doña Concha, asustada, cuando venció el temor que aquella situación le imponía, le abraza, le acaricia, le pregunta: «¿Qué tienes, hijo mío?»

Los sollozos no le dejan hablar. Su conciencia le pone una mordaza. Tras la sensación de acabamiento, el vértigo de la nada, el sentirse culpable de la larga e inconciente agonía del pobre Raimundín, culpable de la entrada de la muerte en su hogar. No puede hablar. Se levanta y sale por las calles de la ciudad dormida en madrugada camino del convento de los dominicos.

No es difícil imaginar la sorpresa del hermano portero ante el catedrático que, a aquellas horas, aporrea la puerta. En su casa se vive la angustia de no saber dónde pueda encontrarse. En la Universidad falta a sus clases tres días. ¿Dónde está Unamuno? En una celda del convento de San Esteban ha rezado de cara a la pared, como en castigo infantil, y ha rezado buscando encontrar la fe de su infancia, la fe del secretario de los Luises, la fe del chico que se creyó llamado por Dios al leer el Evangelio, y piensa que Dios le castiga ahora en su hijo por haber desatendido la llamada.

«He tentado al Señor...»

Con el ánimo más sereno vuelve a la casa. Siente la fiebre inquisitiva de descubrirse a sí mismo y con el arrebato infantil de tantas veces echa mano a un cuaderno de hule, con las páginas cuadriculadas, que quizá ya usa para sus notas, y empieza a verter las impresiones que le salen del alma. Surgen recuerdos: una vez en Munitibar, creyendo que no tenía fe, «cuando el apuro del parto de Ceferina me salí a la carretera, y sólo se me ocurrió rezar». Los nombres de Leopardi, de Amiel y el *Obermann* de Senancour saltan como apuntaciones, y Nietzsche, para convertir su superhombre en una «visión de la gloria del bienaventurado de la gracia eterna».

Y apunta algo más importante:

> «Con la razón buscaba un Dios racional, que iba desvaneciéndose por ser pura idea, y así paraba en el Dios Nada a que el panteísmo conduce, y en puro fenomenismo, raíz de todo mi sentimiento de vacío. Y no sentía al Dios vivo, que habita en nosotros, y que se nos revela por actos de caridad y no por vanos conceptos de soberbia. Hasta que llamó a mi corazón y me metió en angustias de muerte.»

No puede reconstruirse la cronología de estas primeras apuntaciones. El día en que se publique este *Diario* podrá apreciarse más claramente toda la zozobra y congoja de Unamuno en esta hora, su llamada a la humildad, su deseo de despojarse del Unamuno oficial que empieza a ser.

En estas apuntaciones primeras, sin fecha, se encuentra la dolorida llamada, el deseo de romper con el silencio de Dios: «He tentado al Señor pidiéndole un prodigio —escribe—, un milagro patente, cerrados los ojos al milagro vivo del universo y al milagro de mi mudanza.» ¿Qué milagro pedía? El niño enfermo, con su sonrisa babeante, su cabeza cada vez más deformada por el líquido cefalorraquídeo, piden el milagro.

La crisis le lleva a reconocer algo: habla con Dios, se dirige a Dios, le pide a Dios, espera en Dios. Por eso puede decir que «al rezar reconocía con el corazón a mi Dios, que con mi razón negaba». Pero analizando la crisis, confiesa: «Lo que lloré... fueron lágrimas de angustia, no de arrepentimiento. Y éstas son las que lavan; aquellas irritan y excitan.»

Lectura del P. Faber

En torno a los días en que se incuba la crisis, algo antes del estallido, escribe Unamuno a su viejo amigo el P. Juan José de Lecanda, que sigue en Alcalá de Henares, y éste le contesta en seguida, el 23 de marzo de 1897, cuando aún sigue Unamuno encerrado en el convento de los dominicos: «Te espero aquí sin falta, en cuanto tomes las vacaciones de Semana Santa... Entretanto, prohibición absoluta y terminante de ponerte a pensar sobre la situación de tu espíritu y de estudiar y de escribir de nada.» ¿Comenzó realmente el *Diario* antes? Creo que sí. Era un cuaderno de notas, sin más intención. Tras esta carta debió quedar en paz el cuaderno. Luego, en Alcalá... Algo de lo ya citado se escribió, desde luego, en la ciudad complutense.

Lee Unamuno antes de ir a Alcalá algunos libros del P. Faber, el converso inglés vinculado al llamado movimiento de Oxford. En el *Diario* registra don Miguel su entusiasmo: «Leí gran parte de la vida del P. Faber. ¡Qué alma! ¡Y qué conversión! En puro religión se fue al catolicismo. Decía antes de convertirse: Antes de un año seré católico o estaré loco. ¿No puedo decir lo mismo?» Ha leido, antes del viaje, *Todo por Jesús*, que no acaba de llenarle, y *La preciosa sangre de nuestro Señor Jesucristo*, que sigue leyendo en Alcalá y cita en su *Diario* más veces que las *Confesiones* de San Agustín o la *Imitación de Cristo* (8). Pero importa más su grito: «¡Sencillez, sencillez! Dame, Señor, sencillez. Que no represente la comedia de la conversión, ni la haga para espectáculo, sino para mí», o su reconocimiento, lleno de ternura: «He llegado hasta el ateísmo intelectual, hasta imaginar un mundo sin Dios, pero ahora veo que siempre conservé una oculta fe en la Virgen María. En momentos de apuro se me escapaba maquinalmente del pecho esta exclamación: Madre de Misericordia, favoréceme.» Tras una cita del P. Faber sobre la muerte, declara que ya puede pensar en ella con calma. Aún algo más importante y que determina su vida religiosa futura: anota un pasaje del P. Faber, aquel que dice: «La costumbre de creer debe llegar a ser más fuerte que la de apoyarse en el conocimiento.»

Semana de pasión en Alcalá de Henares

Y así empieza su Semana Santa en Alcalá. El miércoles es el primer día fechada en el *Diario*, en que Miguel, enfermo de sequedad, sólo ve intelectualmente su asunto. El Jueves Santo anota: «Mi terror ha sido el aniquilamiento, la anulación, la nada más allá de la tumba.» Y piensa que la razón humana, «abandonada a sí misma»,

---

(8) Es interesante el trabajo de Armando Zubizarreta «Don Miguel de Unamuno, lector atento del P. Faber», en *Salmanticensis*, vol. 7, fasc. 3, Salamanca, 1960.

lleva al absoluto fenomenismo, al nihilismo». Continúa buscándose a sí mismo con alternativas de fervor y de sequedad espiritual. «Anoche, sábado santo —escribe—, a la hora de los ejercicios, lucha interior. Luego no he podido pegar ojo apenas. Una sequedad enorme.» «Hoy —continúa—, domingo de resurrección, y yo no he resucitado todavía a la comunión de los fieles.»

El lunes de Pascua piensa que su continua rumia espiritual le podría haber conducido a excesos nocivos en el caso de haberse dedicado a la vida contemplativa. El es un escritor y decide «hacer de la pluma un arma de combate por Cristo».

Lucha contra tres fantasmas

Al volver a Salamanca es cuando más duramente se riñe la batalla interior. Comienza el segundo cuaderno del *Diario* con unas citas de la *Imitatio Christi* y, de seguido: «Tengo que vivir en el mundo y en él, ¿no puede alcanzarse la perfección ascética?» El 25 de abril, domingo de Quasimodo, siguen las apuntaciones y compara el intelectualismo a la locura o el idiotismo y añade: «No hace más que reirse Raimundín.»

No ha progresado realmente mucho. A su regreso, allí sigue el niño, acusando no sabe de qué, sufriendo tampoco sabe qué pecado de su padre. La muerte es un ritornello en el *Diario* y lo será ya siempre en la vida de Unamuno. Años después, el 6 de abril de 1899, Pedro Corominas le escribía a don Miguel: «Si la obsesión de la muerte en medio de la vida fuese un caso patológico, fiebre de un alma enferma, habría en las reflexiones filosóficas de usted una especie de espejismo interior.» Junto a la muerte, el infierno. ¿Basta el milagro de la fe? ¿No siente la necesidad de otro milagro como señal de Dios? ¿O es que este milagro no se produce porque la conversión es una comedia? Ardiente, desesperada, angustiadamente, lucha Unamuno porque su conversión sea sincera, porque su *Diario*, llevado a escondidas de la familia, no sea espectáculo y toda su angustia representación. Piensa ir a ver al párroco, pero difiere el encuentro; va a misa todos los días y se marca, como deber y rito, la cotidiana lectura de pasajes del Evangelio.

Es muy dura esta etapa de su vida en la que le acechan tres terribles fantasmas. «Cada vez que vuelvo a mi sueño, cada vez que siento un retroceso y me pongo en mi modo de pensar y sentir de los años pasados, se me ocurre esta idea: ¿estaré loco?», anotaba el 28 de abril. El segundo fantasma es la gente: «¿Por qué me han de inquietar las habladurías de los demás, sus miradas de indiscreta curiosidad y los juicios que puedan hacer acerca de mi resurrección ya anunciada?», se pregunta un día después. Y el 10 de mayo el más desgarrador grito: «Esto es insufrible. Ahora me persigue la idea del suicidio.»

Recordará después que había proyectado una *Filosofía de la Religión* y se engolfó en la lectura de la *Historia de los dogmas*, de

Harnack. «Yo no sé lo que me pasa. No sé si mi pobre cabeza va
a poder resistir estos embates. Que me cuide, que me serene, que
me tranquilice, que hago falta a los demás, que no abandone mis
tareas literarias. A mí mismo me hago falta y si Dios me cura, ¡que
mi curación sea principio de otras! Ya no podré trabajar nada para
los demás hasta haberme borrado yo, hasta haber matado mi vanidad.»

Meditaciones evangélicas

De mayo de 1897 salta el Diario, en breve apuntación, a mayo
de 1899 y luego al 15 de enero de 1902, con el propósito no cumplido
de continuación. Podía haberse dado aquí, en estas páginas, más
amplia noticia del *Diario*, pero no creo deba hacerlo hasta tanto no
haya sido publicado y esté al alcance de todos los lectores. Unica-
mente, para presentar la honda y humanísima preocupación de este
Unamuno que oficialmente se desconoce, no me resisto a reproducir
este fragmento del cuarto cuaderno (mayo de 1897):

«Sí, he procurado siempre obrar bien, y el bien que haya podido hacer a los demás me ha merecido la gracia de volver en
mí y despertar. Lo bueno, lo divino que hay en mí, como en
todos, me ha llevado a poner mi pluma y mi palabra al servicio
de causas nobles; pero lo humano, lo diabólico más bien, me
tenía sumido en una refinadísima forma de orgullo, en un orgullo
interiorísimo y secreto, guardado celosamente para mí solo, en
una íntima delectación en mí mismo y en mis obras, en una verdadera masturbación espiritual.»

El horizonte no se aclara. La lectura continuada del Evangelio
le sugiere escribir unas *Meditaciones evangélicas* que anuncia por
carta a sus amigos. El P. Lecanda no ha sido muy discreto y ya
saben varios amigos bilbaínos que Unamuno ha pasado con él la
Semana Santa. Valentín Hernández le escribe a don Miguel el 18 de
abril de 1897: «Ha bastado... una carta del fraile señor de Lecanda
dando cuenta de su estancia en Alcalá a algún amigo a quien habrá
escrito por otro motivo.» Y Enrique Areilza, el 20 de mayo de aquel
año, le escribe: «Ya se ha hecho pública su nueva evolución hacia
Damasco, y se lo recuerdo porque el periódico *La avanzada* se ha
ocupado del asunto.» ¡Y Unamuno no quería convertir en espectáculo
su conversión, llevando a escondidas el *Diario!* Es precisamente a
estos amigos a quienes, años después, y en plan de justificación,
presta aquellos cuadernos para que comprendan su evolución.

Las preocupaciones por la cátedra, la familia, la necesidad de escribir y con ello mantener a los suyos, le traen algo de calma al
espíritu. Así van madurando las *Meditaciones evangélicas*. El plan
de las mismas era el siguiente:

I) El mal del siglo.
II) Jesús y la samaritana.
III) Nicodemo el fariseo.
IV) La oración de Dimas.
V) San Pablo en el Aerópago.
VI) El reinado social de Jesús.

Parece ser que sólo redactó las tres primeras, aunque puedan rastrearse huellas de todas en las páginas del *Diario*. *Nicodemo* es la única publicada de las tres que concluyó. El contenido de todas ellas, años más tarde, está refundido en *Del sentimiento trágico de la vida*.

La paz triste

No ha puesto realmente ante sí nada en claro. Su vuelta a las prácticas religiosas trae algo de paz a su espíritu. Entre la familia, como le cuenta a *Clarín*, se vive una auténtica fiesta: su madre, su mujer, sus hermanas, están contentas. En su corazón se vive la agonía, la lucha entre el creer, el querer creer, el creer que se cree y el creer que se quiere creer.

Doña Salomé, contenta, ha exclamado: «¡Hijo mío!», dando al grito el júbilo de su mentalidad de vieja cristiana y madre; «¡Hijo mío!», con desvelo de consuelo, ha exclamado en el momento más crítico su mujer, y Unamuno también dice, con amarga ternura: «¡Hijo mío!», cuando tiene junto a su mesa de trabajo la cuna de Raimundín, que le mira con sus grandes ojos, sus desolados, sus tiernos ojos de niño enfermo y marcado por la muerte del alma, cuando él está leyendo el capítulo de los Evangelios que se ha marcado previamente como ejercicio espiritual. En el silencio de su despacho, Miguel quisiera escuchar la voz de Dios, ya que no el milagro, y espera que esta voz resuene en su corazón llamándole también hijo.

8.

La voz en el pozo

E L silencio de Dios continúa para Miguel. Sigue dictando sus clases de griego en la Universidad y mantiene la actividad epistolar con los amigos; a veces encabeza las cartas con una cruz. El manuscrito de *Nuevo mundo* se va al diablo, decidido a una nueva redacción bajo el título de *El reino de Dios,* después de las incidencias que ya hemos contado; pero el empeño no llegó a cogüelmo. La primer obra dramática le bulle en el alma y se pone a escribir *La muerte es paz,* tan distinta de su primer tanteo, aquel sainete jebo titulado *El custión de galabasa.* Este drama, que escribe al salir de la crisis, reflejándola en él, lo conocemos con el título que en 1908 le puso el actor Federico Oliver: *La esfinge.*

El hambre de la Esfinge

Por las cartas a *Clarín* de años más tarde podemos reconstruir lo que fue de Unamuno en este tiempo. «Después de una crisis —dice hablando de sí mismo en tercera persona— en que lloró más de una vez y hubiera sido un infierno su vida a no tener mujer e hijos, creyó en realidad haber vuelto a la fe de su infancia, y aunque sin creer en realidad empezó a practicar, hundiéndose hasta en las devociones más rutinarias, para sugerir su propia infancia. Fue una fiesta en su casa, vio gozar a su madre (que es el único freno que le contiene de escribir muchas cosas que piensa); su hermana, recién salida del convento por dolencia, fue a vivir con él hasta que, repuesta, tornó a profesar ya. Pero se percató de que aquella era falso, y volvió a encontrarse desorientado, preso otra vez de la sed de gloria, del ansia de sobrevivir en la historia.»

El *Diario* queda abandonado como empeño autoanalizador y se convierte un poco en literatura y va a parar a manos de varios amigos con quienes discute epistolarmente su crisis de 1897. El año anterior ha sido bastante activo, redactando los ensayos *La regeneración del teatro español, El caballero de la triste figura, Acerca de la reforma de la ortografía castellana, La dignidad humana, La crisis del patriotismo español, La juventud «intelectual» española* y *Civilización y cultura,* este último de sus más importantes páginas, en que expone su teoría de la historia universal reflejada en un lugarejo insignificante. En Avila Arnold Toynbe se interesó por este antecedente de su doctrina cuando se lo comunicó el profesor García Blanco hace ya algunos años, con motivo del viaje a España del historiador británico.

El año de la *crisis* es activo, pero de otra forma. El *Diario* absorbe tiempo y las *Meditaciones evangélicas* y *Paz en la guerra* y *La Esfinge.* Sobre todo, prevalece, además, un sentido de humildad claro como *self-control* que se impone a sí mismo buscando paz a su espíritu.

Al regreso de Alcalá de Henares llama la atención en Salamanca la figura del catedrático señor Unamuno, que se mete por las iglesias y se pasa largos ratos en ellas en oración. Es la época de sus mejores relaciones con el obispo P. Cámara. Frecuenta también el convento de los dominicos y dialoga con el P. Arintero, a quien desea elegir como director espiritual, dolido y escarmentado por la falta de reserva del P. Lecanda.

Con Arintero empezó Unamuno la exposición de sus dudas, y el dominico le daba razones teológicas que no siempre satisfacían al presunto converso, que muchas veces, junto al P. Faber (no olvidemos que procedía de la Iglesia anglicana), le traía a colación las citas de teólogos luteranos, lo que no debía hacer ni pizca de gracia al teólogo de San Esteban. Al llegar al Dogma y los misterios de la divinidad, la cosa era aún más compleja. Para Unamuno, como antes lo había sido para Pascal, la razón no era suficiente para llegar al conocimiento de Dios: no servía para demostrar su existencia. El P. Arintero no olvidaba que el Concilio Vaticano (1869-1870) había anatematizado la negación de que la existencia de Dios pueda ser probada científica y racionalmente.

Arintero se impacienta. Unamuno porfía:

—Yo quiero penetrar el misterio de la Esfinge.

—No penetrarás ese misterio y la Esfinge te tragará —le respondió malhumorado el dominico.

Tras la decepción que le produjo la falta de discreción del P. Lecanda, vino esta nueva, por la imposibilidad del diálogo con el P. Arintero. En el convento de San Esteban, en sus claustros, sobre todo en el sencillo y solemne claustro de los algibes, debió sentir Unamuno profundamente la soledad, y allí, asomado al pozo de agua transparente y fría, con profundidad de abismo y resonancia de eternidad, de bruces sobre el brocal, Unamuno lanzó el grito desesperado:

«¡Dios, Dios, Dios!», que el eco le repetía y casi le transformaba en un «¡Yo, yo, yo!», que terminaría por ser su grito en aquel algibe.

La Historia como remedio

No es fácil el camino. Unamuno desfallece. Ha encontrado el Cristo histórico y, bajo él, el Cristo eterno. La lectura de los *Evangelios* le conforta, pero nada más. Su vanidad —en las cartas a los amigos habla de su «condenada vanidad»— le impide el silencio. En los momentos de duda piensa que si no hay un más allá, esta vida no merece la pena de ser vivida, pero necesita de la inmortalidad. En noviembre de 1898, casi al final de su ensayo *La vida es sueño*, está seguro de que es lo único que puede hacer y buscar. «Hay que inmortalizar —escribe— nuestro fantasma aquí abajo, tenemos que pasar a la Historia. ¡Hay que alcanzar los favores de la sin par Dulcinea, la Gloria!» Y más adelante: «A medida que se pierde la fe cristiana en la realidad eterna, búscase un remedio de inmortalidad en la Historia, esos campos Elíseos en que vaga la sombra de los que fueron.»

Las preocupaciones familiares, la necesidad de ganar dinero para sostener dígnamente a la familia, agobiada por la enfermedad de Raimundín y el nacimiento de otros hijos; la insoslayable obligación de seguir abasteciendo su biblioteca, le apartan un tanto de sus congojas, ponen al menos sordina a los gritos que se le escapan del alma.

Las razones del suicidio

Poco antes del estallido de la crisis, el catedrático de Derecho Civil de Salamanca, José María Segura, que es granadino, le recuerda a su colega Unamuno el nombre de Angel Ganivet, que escribe artículos en *El defensor de Granada*. El vasco se encuentra con un hombre distinto del que él creía haber conocido en la etapa de las oposiciones. Le escribe. Ganivet contesta.

En 1895 Unamuno ha publicado en *La España moderna* los cinco ensayos que forman *En torno al casticismo*, y, dos años después, el granadino, su *Idearium español*. En 1897 confiesa Unamuno en su *Diario* que le obsesiona la idea del suicidio. En 1898, Angel Ganivet se suicida. Se conoce mal el epistolario de estos dos españoles singulares y es arriesgada la reconstrucción sin conocer más cartas privadas que las tres que publicó Gallego Morel de Unamuno a Ganivet, sabiendo que la última no llegó a leerla el autor de *Pío Cid*.

Desde 1891, aunque se encontraron epistolarmente, nunca volvieron a verse. Separados y unidos por el recuerdo y la insatisfacción, sufren el mismo mal de España. En 1893, recrudecido el problema del regionalismo, se vive la guerra de Melilla, que termina al año siguiente, cuando Martínez Campos firma el convenio de Marraquex.

En 1895 ha comenzado la guerra separatista de Cuba; Martínez Campos, primero, y después, Weyler, van a la isla. En 1896 las Filipinas inician el movimiento secesionista, empujados contra España, como Cuba, por los Estados Unidos del Norte de América. En 1897, el año de la crisis religiosa de Unamuno, Fernando Primo de Rivera sustituye a Polavieja en el gobierno de Filipinas y firma el pacto de Biac-Na-Bató. Cánovas del Castillo es asesinado por entonces. En 1898 se producen los incidentes de Dupuy-de-Lôme y de *El Maine*. El presidente Mac Kinley reconoce la independencia cubana, lo que provoca la guerra de España contra los Estados Unidos. En París se firma la liquidación del Imperio español.

Cuando llega el desastre, Unamuno descansa en una dehesa salmantina, estudiando matemáticas y dibujando ranas, como las que diseñó ocho años antes en Madrid ante Angel Ganivet. No lee periódicos y no quiere saber nada de una calamidad de la que ya se había ocupado, y bien crudamente por cierto, al redactar en 1896 las páginas de *La crisis del patriotismo español*.

Poco antes del desastre, empezando a literaturizar sus actividades íntimas y espontáneas, mantiene de cara al público lector, en las columnas de *El defensor de Granada*, su diálogo epistolar con Angel Ganivet sobre *El porvenir de España*. El suicidio del granadino impresiona al vasco tanto o más que el suicidio de España. La dimisión histórica del país era algo que se esperaba como consecuencia natural de una serie de sucesos universales, más allá de la voluntad nacional y personal; la fuga de la propia existencia, realizada por un amigo, era desazonante para quien había sentido la misma tentación.

El 20 de noviembre de 1898 escribe Unamuno una carta a Angel Ganivet que no recibió éste. La noticia del suicidio del amigo distante levanta los fantasmas de congoja en el corazón de don Miguel. Hace casi un año, en el *Diario*, ha escrito estas palabras:

«Es una cosa en que se piensa poco en lo frecuente que es el que un hombre "viva huyendo" de sí mismo. ¿A dónde irá que no se encuentre consigo? Corre y más corre, huye desesperado y trata siempre de no sentirse. Se echa al mundo y al sueño del engaño para libertarse de sí y sin conciencia propia soñar su vida. ¡Cuántos de los que se suicidan lo harán por libertarse de sí mismos y no de una vida gravosa! El suicida quiere despojarse de sí, no de su vida; de su alma y su conciencia, no del miserable cuerpo de muerte que pedía verse libre el apóstol. Y hay muchos suicidas morales que se esfuerzan por ahogar su alma en el bullicio y la disipación como esos desgraciados que beben y se emborrachan para entorpecer su conocimiento y abotargarse. ¡Infelices almas que viven huyéndose! ¿Dónde encontrarán reposo?»

¿Dónde habrá encontrado reposo Angel Ganivet? Las responsabilidades que se piden a unos y a otros carecen de importancia junto al drama íntimo de un hombre que, como Ganivet, ha huido, desesperadamente, de sí mismo. ¡Y tenían los dos tanto en común!

Unamuno se suma al coro fúnebre; pero entre sus papeles, esbozada, quedó una carta, cuyo destino era la eternidad y no la de la fama, sino la de otra eternidad silenciosa del valle de la muerte.

«Mi querido amigo: Todavía no he contestado a la interesantísima carta que me escribió usted días antes de desaparecer para siempre de este mundo, único que conocemos. He oído muy diferentes versiones de esa su definitiva desaparición; pero lo que sí he de decirle es que me parece un golpe magistral y que lo hizo usted muy a tiempo, por lo de "muérete y verás". No crea que voy a meterme a hablarle de lo que por esos nuevos mundos haya usted podido ver o vislumbrar de nuevo. Dejo toda frasca de ultratumberías y me vengo a cosas de bajo-cielo.»

Es notable apuntar que las notas incompletas que siguen empiezan con estas palabras: «Si usted resucitara...» Quizá el drama de España estaba allí, en el meollo de la tragedia del suicida Angel Ganivet, del drama del suicida en potencia Miguel de Unamuno.

Aprendiendo el danés

Ganivet, atendiendo a un ruego de Unamuno, le ha proporcionado libros para leer en su lengua a Ibsen y a Brandes. Ellos volverán a despertar en él el interés por Kierkegaard, hombre y nombre extraños, que aparecieron en su horizonte vital cuando daba en Bilbao clases de español a unos marinos norso-daneses, uno de los cuales le dio la primer noticia del autor de *Temor y temblor*. Leyendo a Brandes sabrá que Kierkegaard vivió un problema semejante al suyo y que habló del Cristianismo que juega a la Cristiandad. Esto excita su interés tanto, que Unamuno, de cara al público, dirá que estudió el danés para leer a Kierkegaard, lo que no es exacto. El 26 de enero de 1900 dice en carta a su amigo Jiménez Ilundain: «Para perfeccionarme en el dano-noruego, no norso-danés, pedí la obra de Brandes acerca de Ibsen. Me ha levantado el corazón. ¡Qué hombre! Desde 1850, en que se presentó en Cristiania su primera obra (el drama en un acto *Kjaempehjen*), ¡qué lucha!; y siempre solo, retirado, terco. Creo que el vizcaíno lo es tanto como el noruego.»

¡Qué interesante documento!, podemos decir nosotros. El 26 de enero de 1900, Unamuno aún no habla a sus amigos íntimos de Kierkegaard. Aunque sea el pionero de los descubridores del pensador danés, conviene no olvidar que, al filo del siglo, cuando lo fundamental de su pensamiento está configurado, aún no se había producido el encuentro con el compañero de viaje espiritual, camarada y hermano, Sören Kierkegaard. Y esto es importante, porque casi toda la crítica unamuniana está basada en la idea del préstamo o imitación y no en la auténtica de la afinidad.

Opositor con Menéndez Pidal

España se recoge en sí misma y Unamuno busca su almendra espiritual en la niñez, en 1898, cuando anuncia a sus amigos que piensa reelaborar los artículos de la serie *Tiempos viejos y medios,* bajo el título de *Celajes y paisajes,* que son los que conocemos como *Recuerdos de niñez y mocedad.* Es entonces cuando confiesa: «La moda ahora es lo de la regeneración, moda a que no he podido sustraerme. También yo he echado mi cuarto a espadas. Pero la verdad es que estos dramas nacionales me interesan mucho menos que los que se desarrollan en la conciencia de uno.» La carta, dirigida a Jiménez Ilundain, es del 23 de diciembre de 1898.

Y la vida sigue siendo dura para Miguel. Esta dureza aparta a veces de su lado al fantasma de las congojas íntimas. Aumenta la familia continuamente: a Raimundín, aún vivo, inconscientemente agonizante, han seguido Pablo, María, José. El catedrático Miguel de Unamuno gana unos doce mil reales, con descuento al año, tres mil pesetas, y este dinero no es suficiente para mantener a cinco hijos, uno de ellos terriblemente enfermo.

En la frontera del mundo y del espíritu vive el acongojado Miguel, que habla a un amigo, en carta, de «el estado de mis asuntos, nada prósperos en este año que está al morir [1898]. Ahora parece —añadía— que se aclara algo el horizonte; pero temo que si los cuidados de orden temporal y familiar se me alivian, resurjan más potentes mis hondas preocupaciones, las de orden *inmaterial* y *eterno.* Ni un momento dejo de sentir, en lo hondo de mi espíritu, el rumor de estas aguas».

Son muchas las angustias que pesan sobre él. Piensa, según dice a su amigo Jiménez Ilundain el 23 de diciembre de 1898, que su vida en el modorro poblachón salmantino no le permite apenas cubrir las necesidades familiares. En Madrid se ha convocado por vez primera la oposición a la Cátedra de Filología comparada de Latín y el Castellano, una cátedra que Unamuno viene urgiendo a que se cree. El ha pensado estudiar el *Poema de Mío Cid,* ha iniciado una *Vida del romance castellano;* en su ensayo sobre *La enseñanza del latín en España,* aparecido en octubre de 1894 en *La España Moderna,* ha propugnado la creación de esta cátedra y ha sentado también las bases científicas sobre las que ha de apoyarse el estudio del mal llamado latín vulgar para hacer una auténtica historia de la lengua española.

Unamuno firma estas oposiciones, y al tiempo que él, las firma, entre otros, Ramón Menéndez Pidal. El catedrático de Salamanca prepara a conciencia el programa. No le ha ganado aún del todo la ciudad del Tormes. Recuerda acaso su primera visita y sigue viviendo y padeciendo la lucha de los liberales, entre quienes figura, y los integristas «que iban, más que a recibir instrucciones, a confortarse a los claustros de la Clerecía». José Martínez Ruiz, a quien ha conocido en Salamanca, bulle ya en Madrid, la ciudad que le trae malos recuerdos, pero en la cual puede lograrse nombre.

La lucha está duramente entablada dentro de sí mismo. El nombre, la gloria, la fama, vanidad de vanidades. ¿Y los deseos de humildad expresados en el *Diario?* Duros días de indecisión, rumiados tristemente al sol de invierno que baña la carretera de Zamora. Raimundín sigue enfermo. Dios no habla. Hay más hijos en el hogar, y don Miguel, cuando estudia, con más ahínco que nunca, hace alto muchas veces para iniciar a sus otros hijos en el trato delicado con el pobre hermano enfermo.

Una mañana de diciembre de 1899, en el caserón de San Bernardo, está reunido el tribunal que preside don Eduardo Saavedra. Menéndez Pidal, opositor por primera vez, está nervioso y teme al terrible adversario que aún no ha llegado. Era, ha recordado don Ramón, «el opositor más temible para todos. Un par de años antes había impresionado al público con la novela *Paz en la guerra;* era ensayista ya discutido y, sobre todo, hacía ya ocho años que era catedrático de griego en Salamanca, puesto que había ocupado con fama de opositor formidable por su gran cultura, por su habilidad discursiva y por sus genialidades desconcertantes».

Pero Unamuno no llegaba. Rufino Lanchetas, otro opositor (autor luego de un vocabulario de Berceo), estaba más tranquilo, porque sabía de buena tinta que Unamuno pensaba regresar aquel mismo día a Salamanca. Se acercaba la hora en que los opositores serían llamados por el tribunal, cuando el catedrático de Salamanca apareció. Menéndez Pidal, con su enorme y humanísima sinceridad, ha confesado que nunca vio aparición tan indeseada. Lanchetas, receloso, alarmado por la naturalidad de Unamuno, que les saluda como a coopositores cuando él había jurado y perjurado que no se presentaba ya, intenta tirarle de la lengua.

—Vengo —dijo don Miguel— a presentarme al tribunal, porque tengo derecho a tomar parte en estas oposiciones que he firmado, pero no pienso seguirlas; me vuelvo esta tarde a Salamanca. Sólo vengo porque nunca se debe dejar de ejercer un derecho que se tiene.

Ramón Menéndez Pidal, triunfador en la prueba, recuerda que respiró «muy satisfecho al oir aquella salida». Allí nació la auténtica y entrañable amistad entre los dos grandes hombres.

Primer encuentro con Ortega

Unos meses antes, en mayo de 1899, el catedrático de Salamanca fue a Madrid; posiblemente para firmar las oposiciones. Entró entonces en contacto con *El Imparcial,* el periódico que dirigía José Ortega y Munilla, donde se le garantiza una asidua colaboración. El año anterior, sin poder medir aún los dos protagonistas la importancia del suceso, ha presidido el tribunal, por cuyo tamiz han pasado los estudiantes de Filosofía y Letras del colegio jesuístico de

Deusto; entre ellos se encontraba el hijo del director de *El impar-*
cial, que se examinó de Metafísica, Literatura general y española,
Historia crítica de España y lengua griega, logrando sobresaliente
en todas, salvo un notable en literatura. Trasladado su expediente
a Madrid el curso de 1899, vuelve a Salamanca en setiembre de aquel
año para examinarse de literatura griega. El mozo aquel era José
Ortega y Gasset.

Junto a *El imparcial*, en aquella coyuntura, le ofrecen a Unamuno sus páginas *El heraldo, La ilustración española; Las noticias,*
de Barcelona, le pide tres artículos mensuales. Y Unamuno se lanza, además, a escribir poesías. Su quehacer poético ya sabemos que
empezó en la etapa de su reencuentro con Bilbao; pero ahora, más
responsablemente, ofrece sus primicias en *Revista nueva*, con «La
flor tronchada».

Romería en Cabrera

El 21 de mayo de 1899 va Unamuno a la romería de Cabrera, en
tierras salmantinas, donde descubre su primer cristo, el primero de
su larga cristología poética. Se deja impresionar por la impasibilidad
solemne de la imagen, por los exvotos que llenan la ermita y dirigen
su oración

> *al pobre Cristo*
> *amasado con penas,*
> *al Cristo campesino*
> *del valle de Cabrera,*

ante el que ha sentido que

> *Aquí el morir un derretirse dulce*
> *en reposo infinito debe ser,*
> *en el río que fluye*
> *del mar eterno,*
> *un henchirse en su seno*
> *de vida soberana,*
> *en que se anega el alma,*
> *en un retorno a la fuente del ser...*

Unamuno, a quien le duele España, está por encima de España
en aquella ocasión, porque todo lo ha previsto años antes en sus escritos, se ocupa casi exclusivamente de su problema personal, del
negocio de su salvación. Ha gritado en 1898: «¡Muera don Quijote!»,
pero realmente ha soltado este grito en 1895, sin que nadie se escan-
dalizara entonces. Y su grito lleva implicado el vivificador deseo de
que Alonso el Bueno practique sus sanas locuras (9).

---

(9) Véase mi ya citado estudio *El primer asedio de Unamuno al Quijote.*

Oirse pensar

De aquel grito fúnebre y revolucionario de 1898 se ocupó Rubén Darío en las columnas de *La nación,* de Buenos Aires, el 2 de febrero de 1899, y le llama ya a Unamuno «el fuerte vasco». Rubén Darío será luego quien lleve, en 1900, a las columnas del diario bonaerense la firma de Unamuno y también quien primero, responsablemente, le considere por cima de todo poeta. En marzo o abril de aquel año, con motivo del segundo viaje a España de Rubén, se conocieron en Madrid, presentados posiblemente por Ramiro de Maeztu o por Valle Inclán. Rubén cuenta en su *Autobiografía* este encuentro y cómo los amigos comunes, por referencia, le dijeron del vasco: «Es genial y no usa corbata» (10).

No fue, desde luego, un encuentro amistoso, de plena y total entrega. Para Rubén fue Unamuno un «pelotari en Patmos». Para el catedrático, al nicaragüense se le veían las plumas de indio. Y, sin embargo..., el 16 de abril de 1899 se empezaba entre ellos una interesante comunicación epistolar. A Rubén es a quien Unamuno declara, por vez primera, lo que Salamanca representa en su vida. «A mí —le escribe el 16 de abril de 1899— me ha ganado este poblachón el afecto; su vida claustral me seduce... Aquí nada perturba la rumia espiritual, y aquí se oye uno pensar.»

Resulta necesario ver en esta confesión, junto a la preocupación por el hijo enfermo, uno de los motivos fundamentales de su renuncia a la cátedra de Madrid. Nunca más en su vida volvió Unamuno a opositar.

Nicodemo en el Ateneo

Un mes antes de las oposiciones, Unamuno ha sido invitado por vez primera a hablar en el Ateneo y es ésta su primer aparición en público desde que es catedrático. En el viejo blasfemadero —se le sigue llamando así aunque no esté ya en la calle de la Montera— don Miguel pronuncia un sermón: *Nicodemo el fariseo.*

Lleva en el bolsillo el manuscrito de las *Meditaciones evangélicas* y antepone a esta que elige sólo unas palabras. El público del Ateneo, entre curioso y desconcertado, escucha a aquel vasco alto, de voz aguda y aire clerical, cosas que no esperaba oír allí.

«...No consiste tanto la fe, señores, en creer lo que no vimos cuanto en creer lo que no vemos». ¡Paradoja, paradoja!, grita algún ateneísta estupefacto desde su corazón y sin palabras. El catedrático de Salamanca, inmutable, sigue leyendo y les habla de que tiende

---

(10) Esta sería la primer referencia al atuendo de Unamuno, tipo Clergyman, pero hay retratos y hasta autorretratos posteriores que testimonian una vacilación, enfrentándose en este tiempo con un Unamuno que no ha realizado aún su personaje.

a hacer oración de su trabajo, de que el intelectualismo es una enfermedad terrible, el mal del siglo, y, de pronto, aunque les hable de una historia que sucedió hace mucho tiempo, todos comprenden que Unamuno habla de sí mismo, en forma emocionada e inconfundible. Nicodemo es el corazón del conferenciante que denuncia cómo su prestigio le está agarrotando el alma. Les pide también que sean buenos y ataca despiadadamente a los moralismos farisíacos, para terminar deseándoles la paz a todos.

Miguel de Unamuno se ha desnudado —con la desnudez del alma— ante los ateneístas. ¿Dónde quiere ir a parar? Nicodemo, vergonzante, se acerca a Cristo para servirle. Unamuno hace autobiografía espiritual y cuenta la historia de su encuentro con los Evangelios, alimentado antes por el calor de la polémica de su corazón.

El falso Unamuno

Como contrapunto, cómico incluso, apartándole de sus congojas espirituales, Unamuno es víctima de una broma. Cuando salía para Madrid, dispuesto a soltar su *Nicodemo* en el Ateneo, recibe una invitación del diario *El pueblo*, de Valencia, para atender una colaboración regular. No tiene tiempo de responder a la oferta que le hacen Vicente Blasco Ibáñez, Rodrigo Soriano y Roberto Castrovido. Pero en el periódico se recibe un artículo titulado «Premio y castigo» que, sin más, se da a componer y se publica. Cuando aparece en las columnas de *El pueblo*, en el número del 8 de noviembre, les parece a todos muy flojo. Sólo vale la firma, el nombre de Miguel de Unamuno. Una semana después se recibe otro artículo, peor aún que el primero, pero que se publica, comentando entre Blasco Ibáñez, Soriano y Castrovido que el tal Unamuno les está saliendo rana. El segundo artículo se titulaba «Caridad».

Al regresar don Miguel a Salamanca, tras soltar su sermón laico en el Ateneo, revisa la correspondencia y se encuentra con un artículo que lleva su nombre, pero que no ha escrito, y manda una carta furibunda a la redacción de *El pueblo*, y, nada más enviada ésta, recibe el segundo artículo. ¡Es demasiado! Escribe más cartas a los periódicos de Madrid, aclarando que nada tiene que ver con aquel lío, en que le roban el nombre.

La historia se aclara después. *El pueblo* de 21 de noviembre y *El correo*, también de Valencia, de 3 de diciembre de 1899 dan la explicación de este timo literario. «Ya apareció el falso Unamuno —dice este último diario—. Es un señor vecino de Algar, llamado don Miguel Becir Andrés. Tiene afán por escribir y, según nos dice, unos amigos cuyos nombres omite le dijeron que enviara artículos con el seudónimo Miguel de Unamuno. Así lo hizo y en una carta en la cual nos cuenta el caso dice que lamenta el disgusto que nos ha dado, pero que él ignoraba que existiese un señor que se llamara Miguel de Unamuno.» Es fácil imaginar el berrinche de don Miguel. Hay cosas que con azúcar están peor.

9

Omnium scientiarum princeps

Pequeños cuidados

AL borde del siglo, en 1899, cuando Unamuno —a sus treinta y cinco años— es opositor sin opositar, su existencia pública va perfilándose día a día .«De mi carrera literaria estoy satisfecho —escribe a Ilundaín—. Empieza para mí la época de la siega y la cosecha, y aparte del interés mundano que mis cinco hijos (desde hace ocho días tengo cinco) me obligan a abrigar, me complace el que mi voz se oiga con atención por mayor número de personas, porque así podré verter mi espíritu en mas espíritus y unir mejor mi voz, "que aunque pobre es mía", al coro universal.»

Ya sabemos que sólo gana tres mil pesetas anuales un catedrático de universidad, ¡y tiene cinco hijos! Los últimos años han sido especialmente duros por la enfermedad de Raimundín. El milagro no ha llegado. Dios sigue en silencio. Queda sólo el humilde, callado y sufrido soportar. Unamuno debe dinero, el que ha tenido que pedir prestado a varios amigos para sostener humildemente a su familia, y, al final, ha unificado las deudas a cargo de un pariente. Espera únicamente poder ponerse al día.

No puede dejar de escribir, porque este menester es su portillo de emergencia. Escribiendo huye de sus congojas personales y de sus problemas de familia. Es una especie de suicidio mental. Por entonces surge en él la idea de *La ciega*, que luego, como cuento y como drama, se llamará *La venda*. Piensa en escribir (agosto de 1899) *La muerte de Sancho*, la historia de cómo el escudero «murió loco, soñando ser verdad cuanto fantaseó Don Quijote».

Vuelve a Madrid como vocal de un tribunal de oposiciones en enero de 1900 y regresa a Salamanca, convencido de que Madrid ni le conviene ni le gusta. Traduce, como ejercicio, el *Brand* de Ibsen, sin hablar aún de Kierkegaard. Trabaja intensamente, con más ardor que nunca, en la *Vida del romance castellano*, que avanza lentamente; los *Diálogos filosóficos*, punto de arranque de sus *Soliloquios y conversaciones*, y le remeje los entresijos del alma, bullendo por salir, su ensayo *¡Adentro!*

Rubén Darío ha traido a España, en su segundo viaje, el encargo de buscar colaboradores ilustres para el diario bonaerense *La nación*. Una de las firmas españolas que Rubén elige es la de Unamuno, cuyo nombre empieza a sonar en Hispanoamérica. Cuando se conocieron en Madrid no había pasado aún el vasco la etapa de su ardiente apostolado por el *Martín Fierro*, que tuvo como consecuencia el nacimiento de la literatura regional salmantina con las *Querellas del ciego de Robliza*, de Luis Maldonado, primero, y, después, con la poesía de Baldomero y de José María Gabriel y Galán.

Unamuno empieza a descubrir América en su literatura y escribe para *La nación*. Su quebrantada economía se repone un tanto con los treinta duros que le pagan en Buenos Aires. *El imparcial*, de Madrid, le paga cincuenta pesetas. El 1 de enero de 1900, con el título «Mi raza», publica su primer artículo en la capital del Plata y piensa que las cosas se le van arreglando. «Si consigo colaboración asidua de ese diario habré adelantado mucho», confesaba a su amigo Jiménez Iludaín.

Pero no todo es bueno. Su crisis no está plenamente superada. En su carta a Ilundaín le confiesa que está bien de salud, que espera a un hijo y que siente «una molestia, no dolor, al corazón». Estos fueron los signos que le arrancaron lágrimas en 1897 y le hicieron huir en la búsqueda de sí mismo. Sólo la atención por el mundo exterior puede liberarle en cierta medida.

Su preocupación universitaria ha sido un medio más para huir del drama que en su corazón se vive ya angustiadamente. La enseñanza del latín, la enseñanza superior, la necesidad de una cátedra que explique el origen de la lengua española, son urgencias vividas sinceramente por Unamuno, aunque más ardientemente cuanto más le alejan de sus preocupaciones íntimas que el gesto, detenido entre la vida y la muerte, de su hijo Raimundín, le reaviva en el ánimo. Rubén Darío le elogia en sus cartas «la campaña universitaria que usted con tanto vigor ha emprendido».

Un discurso memorable

El 1 de octubre de 1900 se celebra en el Paraninfo de la Universidad de Salamanca la apertura del curso académico, bajo la presidencia del rector don Mamés Esperabé Lozano. El catedrático a quien le corresponde pronunciar la oración inaugural es Miguel de Unamuno.

El catedrático vasco, con su voz aguda, incisiva, va leyendo el discurso. Su voz llena el Paraninfo ante sus colegas de claustro; los integristas y los liberales, las fuerzas vivas de la ciudad muerta ocupan los puestos de honor; los primeros bancos están ocupados por los invitados: señores de sombrero hongo, puños almidonados y cuello de pajarita, bastón y guantes de cabritilla, acompañados de sus esposas, que lucen encopetados tocados de gasas y plumas. Detrás, los estudiantes. El catedrático oficiante —la apertura de curso en la Universidad de Salamanca ha sido siempre un rito— olvida a todos y se dirige a los estudiantes, a los pipiolos y a los veteranos, a aquellos mozalbetes, molestos por la obligación del bigote engomado, el cuello duro y la extraña corbata.

«A vosotros, los jóvenes —les dice el catedrático que pronuncia la académica lección inaugural—, toca disipar la plúmbea nube de desaliento y desesperanza que a tantos cela la ruta del porvenir. Sois vosotros los que tenéis que descubrirnos a España y marcarla luego un fin, que no lo es ella en sí misma.»

Estas palabras primeras darían posiblemente la impresión de un discurso de circunstancias en que se hace uso de todos los recursos demagógicos. ¿Qué mayor demagogia que el halago de la juventud, considerada siempre como carne de cañón para toda clase de guerras, incluso las culturales? Pero, al poco, decía Unamuno que la patria no era un fin sustantivo, sino un medio para cumplir el propio destino. Y nombraba después a los jóvenes estudiantes «ministros de la reflexión común», pidiéndoles descubran al pueblo «tal como por debajo de la historia vive, trabaja, espera, ora, sufre y goza».

Y anuncia en público, de voz viva, su interpretación de la Historia Universal, la que había expuesto en 1896 en su ensayo *Civilización y cultura*. En esta ocasión resume Unamuno, con un dicho salmantino —«Quien vio Frades, vio todos los lugares»—, que la historia del mundo se refleja en el lugar más insignificante del planeta y que, desde él, puede escribirse la Historia Universal. Y añadirá a los estudiantes que Historia es lo que en torno a ellos sucede: «Sólo con el *hoy aquí* entenderéis rectamente el *ayer allí*, y no a la inversa.»

No faltarán las fuerzas vivas y los invitados adormilados en este acto. Como prueba de ello basta comprobar la reseña de *El adelanto*, que se detiene en señalar que el discurso fue como una piedra preciosa, que el señor Unamuno, muy sincero, predicó la educación al aire libre y que su discurso se recordaría para gloria del orador y de la Universidad (¿?). Los filólogos insisten, con razón, en que hay que leer los textos con los mismos ojos de quienes por vez primera los miraron sin pretender ver en ellos otra especie. De acuerdo. Sólo que, aunque el medio oficial, catedráticos y fuerzas vivas, escucharan sólo un discurso bonito en aquella ocasión, con recelo e inquietud, es posible pensar que hubo otra clase de oídos: los jóvenes interesados por esta nueva manera de hablar en una Universidad tan vieja, tan muerta y tan tradicional.

Algunos murmullos se levantarían seguramente cuando el señor Unamuno les dijo a los estudiantes: «Bueno es el estudio de reflejo en libros y ajenas lecciones, muy bueno sin duda; pero sólo en cuanto a la realidad directamente intuida nos guíe. Más sucede con harta frecuencia, por desgracia, que el libro os aparte de la realidad, del texto vivo el muerto, en vez de descubrírosla.»

Aquel discurso era un canto de vida y esperanza, y también —eco de sus crisis— de las palabras vertidas en el *Diario*, un canto de sincera humildad. «Vosotros nos habéis de hacer catedráticos, maestros», les decía a los estudiantes. Es posible que la frase, leída, resbalase en las mentes de quienes escuchaban. ¿Resbaló lo que había dicho antes?: «La rebusca de la verdad con estricta sujeción a los hechos y sin tesis previa es la mejor escuela de humildad, de modestia y de tolerancia; el aprenderse estampadas afirmaciones redondas y escuetas, fórmulas y apotegmas definidos *ex-cathedra*, lo es de soberbia intolerante.»

Por si fuera poco, aquel catedrático casi nuevo terminaba echando pestes de los exámenes, y de cara a los estudiantes. Estaba convencido de que el interés de un catedrático por examinar está en proporción inversa a su interés por enseñar.

Tras las palabras del señor Unamuno se producía, como era tradicional, la consabida entrega de premios académicos. Entre los premiados figuraban, en Filosofía y Letras, por la Literatura general, con mención de Historia Universal y de Metafísica, Modesto Pérez Hernández, alumno dilecto de don Miguel, que —en colaboración con Pío Baroja y escudados ambos en el seudónimo *Julián Sorel*— haría verdad el dicho de «al maestro, cuchillada», escribiendo años más tarde uno de los más populares libelos contra Unamuno. Por la Facultad de Medicina fue premiado en el primer curso de Anatomía descriptiva Casimiro Población Sánchez, luego contertulio de don Miguel, compañero de claustro y de andanzas por las tierras de España. Entre los bachilleres fueron distinguidos Antonio García Boiza (por su primer curso de Latín y de Castellano) y Federico de Onís Sánchez (en Retórica y Poética, con mención en segundo curso de Francés). Nombres todos en los que entraba, decisivamente para sus vidas, el de Unamuno.

La prensa madrileña, más aguda que la local, concedió especial importancia a todos estos discursos universitarios, que reprodujo con fotografías de los catedráticos discursantes. Este interés puede explicarse porque la Universidad está en vísperas de una reforma planeada por el ministro de Instrucción Pública, señor García Alix. Hay que añadir que la regencia de doña María Cristina se acerca ya a su liquidación y es natural que el equipo en el poder intente, antes de la coronación de Alfonso XIII, sondear en el pensamiento de los intelectuales para ver de seguir medrando al margen del poder real, pero a su amparo.

Por lo que se refiere a Unamuno, *El heraldo de Madrid* daba esta noticia: «... el sabio catedrático de Literatura griega ha sido encargado de leer el discurso de apertura de curso en la histórica y gloriosa Universidad salmantina. Ingenio privilegiado el del insigne profesor; espíritu ávido de penetrar no sólo en el sentido de las lecciones que el pasado y su cultura nos ofrecen, sino en el porvenir en que han de afirmarse los destinos de la patria española; su disertación se aparta por completo de lo que suele constituir, no sólo en el fondo, sino hasta en la forma, esta clase de trabajo».

En 1948 Azorín, recordando aquel discurso, evoca la posible espectación de entonces: «Unamuno se dirige a la juventud...; en estas pocas páginas está expuesta la doctrina que ha de empapar toda la vida de Unamuno.» Azorín termina preguntándose, y con razón (ya hemos visto cómo reflejaba el discurso un periódico local), si aquellos jóvenes de 1900 respondieron al llamamiento del catedrático vasco. Esta respuesta, parcial si se quiere, puede ir en algunos de los testimonios recogidos en este libro.

Pese a todo, Unamuno considera este trabajo suyo como de pura circunstancia, de lo más flojo que hasta entonces ha hecho. Pero el eco de su prédica ha resonado haciendo brotar el manantial de la esperanza: Unamuno puede ser rector. Unamuno rechaza el banquete homenaje que le quieren rendir en Salamanca. El 13 de octubre de 1900 los periódicos locales publican este suelto:

«Enterado el señor Unamuno de los propósitos de algunos de sus amigos de obsequiarle con un banquete, como homenaje a su variada y constante labor literaria, les ha rogado desistan de su empeño en evitación de que pudiera dar lugar a torcidas interpretaciones.

En vista de los ruegos del ilustre catedrático, sus amigos han desistido por ahora de tal pensamiento.»

La jubilación de don Mamés

Nadie ignora en la ciudad que el rector, don Mamés Esperabé Lozano, ha cumplido la edad reglamentaria de la jubilación. Es una buena oportunidad. El ministro de Instrucción Pública, señor García Alix, anuncia que firmará la jubilación de todos los catedráticos que pasen de los setenta años. El discurso de Unamuno, publicado en la prensa de Madrid, revela un espíritu joven, sincero, ideas nuevas en cierto sentido; tiene, además, prestigio en España y se sabe que escribe en los periódicos de América, y en Salamanca le dan muchas vueltas por entonces a la posible creación de una Universidad Iberoamericana. El Gobierno es conservador, y Unamuno, socialista; pero éste parece haber evolucionado mucho hablando en sus escritos de temas religiosos. Los informes que de Salamanca envían al ministro coinciden indudablemente en hablar de una conversión.

En Salamanca no cae muy bien la noticia. Aunque la ciudad sospecha —según un diario del 10 de octubre— que «Salamanca está siendo casi presa de la fiebre del automovilismo», porque han pasado por sus calles los coches de los vizcondes de Garci-Grande y del conde de Cabrillas, únicos que hay, tiene tiempo de ocuparse un poco de las cosas de la Universidad. Por lo pronto, es casi unánime el sentimiento por la jubilación de don Mamés. Era rector desde hacía treinta y un años —¡dos generaciones!—, y un rector conservador y benévolo, que no creaba grandes problemas.

Todas las comisiones docentes se movilizan en su deseo de desagraviar al jubilado. Catedráticos y profesores de universidad, acaudillados por Enrique Gil y Robles y Enrique Esperabé Arteaga, hijo de don Mamés, deciden pedir al Ministerio que don Mamés, como catedrático honorario, siga en la Universidad y, además, de rector. Le llevan el pliego de firmas a Unamuno y éste, sin dudarlo, estampa su nombre y añade una aclaración: «Por la continuación del actual rector, don Mamés Esperabé, mas disconforme con las demás consideraciones de esta solicitud.» La apostilla debió molestar a todos, porque la recoge la prensa salmantina con cierto retintín, y la actitud de Unamuno era clara: no tenía inconveniente en renunciar al rectorado, que ya le había ofrecido el ministro, noticia que se conocía en Salamanca, pero mantenía el criterio de que un hombre jubilado no debe seguir dando clases aunque rija en la Universidad.

Unamuno, rector

La guerra contra Unamuno, dentro del claustro, estaba declarada definitivamente. Para todos, menos para los estudiantes y unos pocos izquierdistas y liberales, Unamuno, el socialista que ha sido procesado como director de *La democracia*, es un intruso y el responsable del atropello cometido en un hombre que llevaba treinta y un años de rector y a quien no debía sacarse de tal cargo por nada del mundo. «Dícese —se lee en un suelto de *El Adelanto* del 27 de octubre de aquel año—, no sabemos con qué fundamento, que si el señor Unamuno es nombrado rector de la Universidad, le será difícil al Gobierno hallar catedrático de la misma que acepte el cargo de vicerrector.» Pero el día antes, por Real Decreto, don Miguel de Unamuno y Jugo había sido nombrado rector magnífico de la Universidad de Salamanca. Andaban retrasados de noticias los periódicos salmantinos.

Grandes signos catastróficos, a juicio de las buenas gentes del poblachón charro, que aplaudían al paso del coche de los vizcondes de Garci-Grande, habían anunciado la catástrofe universitaria. Era el *acabóse*. El 12 de febrero crecía el Tormes, inundando las Tenerías, la fábrica de harinas, la aceña del Arrabal y, como decía la prensa, «a las dos y media salió a caballo el gobernador, señor Baztan, con dirección a la Aldehuela» para ver de remediar los daños. El 28 de mayo el eclipse de sol, que Unamuno contempló en Plasencia, escribiendo días después una correspondencia para *La nación*, de Buenos Aires, que tituló «La leyenda del eclipse», la historia de cómo se hace una leyenda, anticipo del procedimiento de cómo se hace una novela. En el parque de la Alamedilla, y en la calle de Juan del Rey, se han cometido sendos crímenes y los panaderos salmantinos empiezan a hablar de ir a la huelga, cuando por si fuera poco sobreviene la afrenta de nombrar rector de la Universidad de

Salamanca a un forastero. Don Mamés era, bueno, era de Zaragoza, pero, después de tanto tiempo, parecía un charro más, no un extraño.

El día 30 de octubre Miguel de Unamuno y Jugo toma posesión del cargo. La Universidad hacía treinta y un años que no había vuelto a vivir una solemnidad semejante. Había curiosidad, un poco malsana, naturalmente, y el «todo Salamanca» no quiere perderse el festejo. Y la sorpresa desagradable es que sólo se invita al claustro, las fuerzas vivas y no todas. El acto no se celebra en el Paraninfo, ni en el salón de grados, sino en un aula, y, además, don Mamés Esperabé Lozano, rector saliente, no acude, aunque sí su hijo, que es profesor auxiliar de la Facultad de Filosofía y Letras.

El acto es breve. Unamuno se excusa de hacer el elogio del rector saliente, porque ya le conocen todos. De sí les dice que espera poder hacer algo, que lo creía posible y que la única manera de saberlo era comprobándolo al frente de la Universidad. Terminó pidiendo leal colaboración, «la misma —dijo— que yo hubiese prestado a cualquiera otro en este puesto».

Al salir del aula, los estudiantes aclaman a Unamuno, le aplauden y piden a gritos que vaya al Paraninfo. Y allá van. El rector ya es Unamuno; el rector dirige a los estudiantes unas breves palabras. «No es cosa —les dice— de repetir lo que hace poco os dije aquí mismo al inaugurar el curso. Trabajad.» Y termina, contemplando el rostro de algunos compañeros de claustro, presintiendo la dura lucha que se le avecina: «Huid de albergar en vuestra alma la envidia y la soberbia.»

10

En el fragor de la batalla

Mudanza

La envidia principalmente está acechando a Miguel de Unamuno. Es cosa natural en una ciudad tan pequeña como Salamanca. El nuevo rector ha dejado la casa de las galerías luminosas y la sombra en el alma, con la vecindad de monsieur Louis, el de los ferrocarriles, y por unos meses ocupa una vivienda paredeña propiedad de la familia Martín Bazán, el *rincón*, como se llamaba entonces y que era algo más soportable para su quebrantada economía familiar.

Al ser nombrado rector tiene derecho Unamuno a ocupar la casa rectoral, un edificio de hermosa fachada dieciochesca, sobrio e inhóspito en su interior, donde ahora está instalado el museo unamuniano. El traslado es noticia que se comenta y se critica duramente en la ciudad. Don Mamés nunca vivió en la casa rectoral; era todo un señor propietario de su magnífica casa, llena de cristales, de cara al Tormes, en el paseo que hoy, en su recuerdo y como resultado de una actitud hostil a Unamuno, no se llama «Paseo de don Mamés Esperabé», sino «Paseo del rector Esperabé» (11). Y Unamuno es un advenedizo, un vasco, un pobretón cargado de hijos que empieza a *comerse* la Universidad.

Don Miguel se va a vivir y a sufrir a la casa rectoral, «sin miedo de la lengua que malsina», como dijo en verso feliz el gran Antonio

---

(11) En esta lucha de toponimia ciudadana no cabe duda de que los enemigos de Unamuno tuvieron verdadero éxito. La calle dedicada a don Miguel, cuya denominación se ratificó oficialmente con motivo del 25 aniversario de su muerte, es una calle humildísima, en las afueras de la ciudad, entre la carretera de Valladolid y la calzada de Toro. Fue llamada así porque, al poco de muerto don Miguel, cuando en aquella calle no había más de dos casas, uno de los vecinos —sin contar con nadie, pensando sólo en el futuro— rindió ejemplar homenaje al escritor pintando sobre la pared de su casa estas palabras: «Calle de Unamuno», sin títulos, bastaba. El humilde y anónimo admirador replicaba, sin saberlo acaso, a los envidiosos de 1900.

Machado. Traslada sus libros y sus papeles y, entre ellos, el manuscrito iniciado de una novela, *Todo un hombre*, según se titula entonces y que publicará más tarde con el título de *Amor y pedagogía*. A la nueva casa, para morir en ella en 1902, va también Raimundín, la clave viva de la angustia unamuniana.

Es este el momento en que se hace la figura exterior e histórica de Unamuno. El 6 de noviembre de 1900 *El adelanto* publica en su primera página un artículo titulado con el nombre del nuevo rector, que firma *Crotontilo*, seudónimo del médico José González Castro, que fue entrañable amigo de José María Gabriel y Galán. *Crotontilo* habla sólo de la postura religiosa de don Miguel, de su crisis de 1897, que era del dominio público en Salamanca y la crítica unamuniana no descubrió hasta que Sánchez Barbudo, en 1950, dio noticia del testimonio de Pedro Corominas, que era de 1937. ¡Y en 1900 era asunto conocido de todos! *Crotontilo* identifica la crisis unamuniana con otra suya propia, y es tan cariñoso el panegírico de este colaborador del periódico salmantino, que la dirección dedica otra plana al día siguiente (con una semana de retraso sobre la fecha del suceso) al ex rector para no echarse encima a la opinión pública. El artículo, cariñoso, no tiene quizá más interés que el puramente documental. *Crotontilo* cita un párrafo de una carta que un socialista bilbaíno, cuyo nombre silencia, le escribe a él por entonces: «... yo no creo —dice el anónimo corresponsal— en esa conversión de que se habla con insistencia por aquí, y más bien atribuyo la actitud de nuestro amigo a un trastorno intelectual, que ojalá pase pronto, como todos deseamos, pues es el paladín de más valor que tiene nuestra causa».

El atuendo unamunesco

Tras la conversión, tras su «inserción en el cristianismo», si aceptamos la terminología de Armando Zubizarreta, empieza a fijarse la personalidad de Unamuno, que se completa con su acceso al rectorado de la Universidad de Salamanca. Se ha producido ya su ruptura con el socialismo como partido, no como intención, claro está. Unamuno será ya, siempre, hombre de ningún partido y también, para la posteridad, en todo momento, el rector de Salamanca.

Su aspecto físico, invariable luego, empieza a fijarse a raíz de su nombramiento de rector. Envejeció prematuramente. Cuando era estudiante parecía viejo a sus compañeros. Ya anciano extrañó a todos con el brío juvenil de su figura venerable, brío que conservó hasta la muerte de su mujer. En 1900, a sus treinta y seis años, el negro pelo le blanquea ceniciento en las guedejas, y la barba se le ha puesto gris.

Empieza, pensando en la comodidad y en la economía, porque no puede distraer dinero en sí mismo, a simplificar su indumentaria. A Rubén Darío, como ya se ha dicho, le dieron como dato notable de Unamuno que no usaba corbata. No era exacto del todo: usó cor-

bata con cuello de pajarita cuando fue nombrado rector y usó corbata cuando su jubilación, aunque habitualmente prescindía de ella y
siempre del abrigo al poco tiempo de su llegada a Salamanca. Sus
discípulos Federico de Onís y Francisco Maldonado le han evocado
con su personal atuendo: chaleco cerrado, zapatos anchos de buen
andarín, sombrero redondo y traje azul marino, el color de la vestimenta habitual en su tierra nativa.

El sombrero —recuerda Francisco Maldonado— «consistía en un
fieltro negro muy flexible y tratable, de superficie mínima aunque
suficiente. Lo eligió don Miguel de entre lo que en su tiempo se hallaba fácilmente en el comercio, por la facilidad con que, sin defor-
marse, se arrollaba en el puño y se confiaba al bolso». Su imagen
de entonces es la del retrato de Losada que hoy se encuentra en la
casa-museo sobre la chimenea de la sala grande y la del retrato de
Zubiaurre, que ha ido a parar a un museo norteamericano. Este es
el aspecto externo del morábito insigne, el sacerdote laico, el predicador protestante, imagen fija de Unamuno.

En la casa rectoral

Aquellos días de traslado, desde la avenida de Mirat a la calle
de Libreros, debieron ser expresión clara de un mundo catastró-
fico: libros, papeles y niños, sus hijos Fernando, Pablo, Raimundín,
Salomé y Felisa, con sólo un año esta última, y Pepe, dentro de su
madre, primer hijo de Unamuno que nace en la casa rectoral.

«Del rectorado —escribe a Jiménez Ilundaín— no sé qué decirle. Quiero hacer algo desde él, y como el querer es mucho,
algo creo que haré. Sobre todo, en la Junta de Colegios... Lo
único que siento es que me roba horas de mis trabajos. Sorpren-
dióme cuando más enfrascado me hallaba en una novela peda-
gógico-humorística, fusión de grotesco, trágico y sentimental.»

La casa es la misma que hoy guarda toda su biblioteca (6.000 volúmenes) y su archivo (unas 40.000 cartas), varios manuscritos y la
casi totalidad de todos sus escritos volanderos. Todo lo fundamental del ambiente de aquella casa se ha conservado. El despacho, con
la camilla y la vieja lámpara pendiente del techo con un contrapeso
para graduar su altura, el cartapacio de cuero negro, las plumas de
caña y la papelera en que don Miguel echaba pocos papeles, pero
depositaba largas cañas esperando a que se secasen para seguir fa-
bricándose plumas.

La gran sala que hoy es biblioteca era el comedor. Junto al fuego
de la chimenea se sentaba don Miguel en la mecedora, a rumiar sus
monólogos, mientras su hijo mayor, Fernando, leía *Quintin Durward*,
o su segundo hijo, Pablo, salía a jugar al Patio de Escuelas, donde
le preguntaban los estudiantes si sabía de quién era aquella estatua
y él contestaba que sí, que era fray Luis de León, y cuando le insis-

tían respondía: «Me lo ha dicho mi papá, y mi papá lo sabe todo.»

De aquel tiempo, Felisa Unamuno me ha contado cómo su padre los invitaba a todos a jugar delante de su hermano Raimundín para distraerle. No se ha destacado nunca suficientemente la faceta del Unamuno afectivo. Menéndez Pidal y Pérez de Ayala han recordado cómo don Miguel se entendía magníficamente con los niños y, niño yo y él anciano jubilado, le conocí y tal es mi recuerdo.

En el recibidor, hoy zaguán del museo, en el perchero, colgaban los hijos de Unamuno los gorros de papel que éste, infatigablemente, les hacía. A veces los visitantes se asombraban y don Miguel advertía que tan sombreros eran aquellos de papel como los de trapo y que tanto derecho tenían los niños a colgar allí sus gorros como las personas mayores.

Comienzan, en el recinto del hogar, años de sosiego. Fuera, la lucha está entablada y no podrá ya detenerse Unamuno. Pero en casa hay paz. Raimundín sigue siendo la principal preocupación. Del dolor, del pensar en un Raimundín adulto, ¿no habrá nacido el poema que escribe a finales de 1900, *El idiota y su perro*, que se ha publicado póstumamente?

> *mira el cielo embebido y se ríe,*
> *y en el aire el eco de su risa escucha;*
> *todo con él ríe;*
> *su alegría es mucha...*
> *Todo el universo ríe con su risa,*
> *con el pobre idiota;*
> *es flor de inocencia*
> *que de su alma brota...*
> *Es la risa franca*
> *que sencilla y pura*
> *desde su alma blanca*
> *como dulce oración sube a la altura...*

En la casa rectoral nacen los últimos cuatro hijos del matrimonio Unamuno: José, al poco de instalarse en la nueva morada, en 1900; meses después de la muerte del pobre Raimundín, en 1902, nace María; en 1905, un varón, al que, en recuerdo de su hermano muerto, se le llamará Raimundo, aun cuando luego toda la familia —acaso por querer apartar el recuerdo— le aplique el segundo nombre, Rafael; por último, en 1910, Ramón, el benjamín.

El nuevo rector continúa escribiendo. «Tengo ya seis hijos —contaba en octubre de 1901—. Espiritualmente entro en un período de calmosa navegación, dispuesto a llevar a cabo mis proyectos, todos literarios.» Y poco antes, al mismo amigo le decía: «Me siento entrar en la madurez. Físicamente se me van llenando de canas cabeza y barba y voy cobrando más carnes de lo que quisiera (¡peso 78 kilos!)»

La casa rectoral es un remanso de paz, la tienda de campaña de este beduino del espíritu que es Unamuno. Allí, junto a sus hijos y junto a su mujer encuentra algo de sosiego. Fuera, en la lucha, la

La casa de los miradores, ya derruida, escenario de la gran crisis de 1897. (Dibujo de José Cueto.)

Desde la casa de los miradores: San Juan de Sahagún, iglesia nueva de Salamanca. (Aún llegaba la vista hasta los Dominicos). (Dibujo de Unamuno.)

La casa rectoral. (Dibujo de José Cueto.)

polémica encarnizada en la Universidad y en otros ámbitos de la vida local y nacional.

Reorganización de la Universidad

Al poco de tomar posesión del rectorado, preside Unamuno la primera reunión del claustro, en la que se discute la ponencia sobre el proyecto de Ley de autonomía de las universidades, que ha redactado el catedrático don Enrique Gil y Robles y que se aprueba por unanimidad y tramita el rector. Estamos a 4 de noviembre de 1900. De momento, los catedráticos quedan satisfechos del rector. Por esta vez les ha secundado. Pero...

El 1 de diciembre de 1900 el rector anuncia en los periódicos locales la reorganización de la Universidad, rompiendo con la confusión que toleraba su antecesor entre catedráticos y auxiliares. Unamuno anuncia todas las cátedras vacantes y también la creación de la cátedra de Filología comparada del latín y el castellano, que, acumulada, desempeñará él. ¡No importa que Unamuno sea el único que sabe de esta disciplina en Salamanca, que haya publicado algunos trabajos más los que prepara, que hubiese renunciado voluntariamente a la cátedra firmada en Madrid! No es bastante. Para los compañeros de claustro es ya —como casi todos, muchos de ellos, habían pensado ser en el caso de llegar al rectorado— un chupón, un aprovechado. Por si fuera poco, su religiosidad parece entibiarse un tanto. Le ven en misa, pero no comulgar. Algo de lo que escribe en Madrid no parece muy ortodoxo. ¡Este rector, este rector!...

Las banderas de la Universidad

Una de las primeras salidas que Unamuno hace como rector, según sabemos por sus cartas a Juan Ardazún, es a Galicia, a Vigo, donde en la segunda quincena de enero de 1901 ha de dar conferencias. «Me llaman de Vigo —le dice a su paisano— y, en vez de soltar seis conferencias de economía política o de lingüística, haré una seisena, seis sermones laicos con su tinta de protestante.» A Francisco de Gradmontagne, en otra carta, le dio el esquema: «1. Introducción; 2. El problema de la patria; 3. El problema político; 4. El problema pedagógico; 5. El problema económico; 6. El problema religioso.»

Aunque no tengamos noticia de dónde y cómo se celebraron estas conferencias, si es que llegaron a tener lugar, hay que anotar cómo Unamuno acepta sus treguas para seguir nuevas batallas.

En febrero de 1901 el ministro de Instrucción pública, García Alix, anuncia la próxima supresión de las Facultades libres, que en Salamanca son las de Ciencias y Medicina, sostenidas por el Ayuntamiento y la Diputación. La ciudad se indigna. En la casa consistorial se celebra el 22 de noviembre una reunión, de la que sale constituida una comisión de defensa de las Facultades libres, bajo la presidencia del senador don Juan de la Fuente y Alvarez Cedrón. Al día siguiente el rector acude a Madrid y el ministro le promete encontrar una fórmula de compromiso.

Una crisis ministerial hunde todo. García Alix, encima, hace unas declaraciones impertinentes a *El heraldo de Madrid* que recrudecen la indignación de los salmantinos. El 1 de marzo la prensa de Salamanca, no habituada a los grandes titulares, emplea éstos para llamar a toda la población a una manifestación de protesta contra el ex ministro. Algo parecido sucede en Madrid, en Barcelona y otras ciudades. Los ánimos están excitados, se jalean y achuchan unos a otros. ¿Se atreverá el rector a enfrentarse con un ministro caido cuyos planes a lo peor continúa el sucesor? Además, se le culpa a Unamuno de haber sido poco enérgico en su entrevista con García Alix, de conformarse con medias palabras. Si es tan sabio, ¿cómo es que se dejó engañar?

Los estudiantes, a quienes gustan los jolgorios, van a Unamuno exigiéndole la entrega de las viejas banderas universitarias para hacerlas ondear al frente de la manifestación. En el despacho rectoral, invadido por los escolares, se escuchan gritos. El rector, colérico, les despide a cajas destempladas, les reprocha que lo que menos les importa es la Universidad y sí sólo el jaleo y la juerga, y para juergas no da las banderas. En aquel punto la manifestación, por poco cambia de signo contra Unamuno y no contra García Alix. Durante días los estudiantes no se hurtaron de mostrar su descontento con el rector, que otros se apresurarán a seguir alentando.

Superada la crisis, es el conde de Romanones el nuevo ministro de Instrucción Pública. El 7 de marzo la comisión de defensa de las Facultades libres de Salamanca solicita del nuevo ministro que deje sin efecto la decisión de su antecesor. En Consejo de Ministros, el día 13 del mismo mes, se acuerda reformar el Decreto de García Alix, y la reina regente refrenda el nuevo acuerdo. Todo está solucionado. Unamuno ha hecho sus gestiones, pero ¿qué pueden valer las gestiones del rector? Han sido los buenos salmantinos quienes lo han hecho todo. Si ahora el conde de Romanones quisiera destituir al señor Unamuno... Sería la felicidad de muchos en Salamanca. Pero tanta suerte, ¿podrán lograrla? Los «buenos» salmantinos confían y esperan que Unamuno caiga para poder celebrarlo.

Escándalo en Bilbao

Las vacaciones son una tregua. Don Miguel, con su familia, regresa a Bilbao para descansar. En agosto hay juegos florales en su ciudad natal y le han elegido a él como mantenedor. El 26 de agosto don Miguel, con su uniforme civil, rehusando el obligado traje de etiqueta, da el brazo a la reina de los juegos, doña Angela Oriol de Ibarra, y penetra en el teatro Arriaga, que está atestado de público, más por escucharle a él que por oir el poema premiado con la flor

natural —*Las noches de estío*—, del poeta orensano Manuel Núñez
González, que no acude a la fiesta y habrá de leer por él don Julio
Enciso. Don Miguel, con calma, se dirige a su puesto y empieza a
hablar.

«Habló Unamuno —contaba Ramiro de Maeztu en *El imparcial*, reseñando el acto— como él sólo puede hacerlo en Vizcaya,
de arriba abajo, como maestro que explica y predicador que per-
suade. Era encalmada y grave su palabra, sin enfatismos ni fuegos
de artificio, sobria, precisa, matemática. Cuando el griterío le
impuso silencio, Unamuno se sentaba, con las piernas abiertas,
las cuartillas en la mano y los ojos orgullosos fijos en las alturas
donde se libraba la batalla. Aplaudíamos entonces los amigos de
su sinceridad, y Unamuno volvía a levantarse, sin nerviosismos
ni precipitaciones. Acallaban su voz los gritos, y nuevos aplausos
le hacían levantarse. Así cinco veces, hasta que sus amigos, apo-
yados por las simpatías del auditorio, lograron apagar el vocerío,
y prosiguió la lectura con palabra inmutable recalcando las síla-
bas, hasta el final del discurso.»

Cuando Miguel de Unamuno empieza a hablar se enfrenta con el
hecho de que han pasado ya diez años desde que marchó de Bilbao
para explicar griego en Salamanca. «En aquella ciudad de Salamanca, selva de talladas piedras, en que apenas se siente fluir el tiempo,
he dejado granar lo que este Bilbao me dio (...). De mi Vizcaya, de
mi Bilbao, la simiente; de mi Castilla, de mi Salamanca, el fruto.»
Hizo después una sucinta historia de la raza vasca y predicó el deber
del vasco a extenderse por el mundo, fundando, como San Ignacio
había fundado la Compañía de Jesús, la Compañía del Hombre. Se
preguntó luego: «¿Para qué España?», y abordó el tema de escándalo de su discurso.
«El vascuence se extingue —continuó diciendo— sin que haya
fuerza humana que pueda impedir su extinción; muere por ley de
vida.» No es difícil imaginar el estupor, la indignación de los vizcai-
tarras: era el resentido, el envidioso, el forastero ya, que arremetía
contra lo más sagrado de la sangre de Aitor. Algunos, entre ellos
Ramiro de Maeztu, comprendían el hondo, generoso y dolorido amor
al país vasco de aquellas palabras.
Don Miguel, lingüista sobre todo, continúa hablando como tal:
«En el milenario eúskera no cabe el pensamiento moderno; Bilbao,
hablando vascuence, es un contrasentido. Y esto nos da ventaja sobre otros, pues nos encierra menos en nuestra privativa personalidad,
a riesgo de empobrecerla.» «Tenemos que olvidarlo —seguía— e irrum-
pir en el castellano...» Los oídos no estaban hechos para escuchar
aquellas palabras. Y don Miguel continuó hablando, para concluir
con la afirmación de la diversidad hispánica, la unidad de las regiones de España en una tarea común.
Muchos años después se dolió Unamuno de que no había sido
rectamente interpretado aquel discurso. En 1911, en un artículo apa-

recido en *La noche*, de Madrid, bajo el título tan significativo de
«¡Barrurá, neure anájeak, bárrurá!», decía: «Ni quisieron, al pronto,
al menos, darse cuenta de que yo actuaba allí de ultrabizcaitarra,
o, mejor dicho, de ultrabilbotarra, que yo iba a predicarles el que
sacudiendo el espíritu receloso y meramente defensivo del aislamiento
se lanzaran a un cierto imperialismo, a tratar de ser en España el
núcleo dirigente. Medía a todos mis paisanos por mis propios arres-
tos y aspiraciones. Pero, visto cómo respondieron a mi voz, temí haberme equivocado.»

Juegos florales en Salamanca

Y siguen los juegos florales, ahora en Salamanca, en vísperas de
la inauguración de curso: el 1 de setiembre de 1901. En la ciudad
era tenido como buen poeta el abogado del Estado Baldomero Gabriel y Galán. En mayo de 1901 el periódico *El lábaro*, del obispo
Padre Cámara, publica un poema, «Castellana», de un maestro hermano del abogado salmantino, José María. Este poema se publica
porque poco tiempo antes el maestro ha enviado a su hermano el
abogado el poema «El Cristu benditu», y cuando éste lo lleva en el
bolsillo se encuentra con Unamuno, se lo muestra; don Miguel lo
lee, le gustan los versos y —como contó después el autor del poema—
«le dijo a mi hermano que iba a darlos a la imprenta. Mi hermano
le detuvo..., pero Unamuno dijo que los publicaba, aunque yo le
llevase a los tribunales».

Don Manuel Gómez Moreno ha recordado el entusiasmo unamuniano por este poema. Don Miguel, en sus escapadas a Madrid,
lee «El Cristu benditu» en el Ateneo a Federico Balart y a Salvador
Rueda. Pero no le fue posible publicar los versos del novel poeta,
cuando éste, además, ponía reparos a los periódicos en que Unamuno tenía ascendiente, por considerarlos un tanto izquierdistas. Don
Miguel, aún (y por poco tiempo ya), está en buenas relaciones con
el obispo P. Cámara; le habla del poeta y el grupo de *El lábaro* lo
toma bajo su patrocinio, no sin comentar que Unamuno, que empieza a escribir versos, anda amarillo de envidia y que todo eso de
querer publicar «El Cristu benditu» eran pretextos.

En aquellos juegos florales preside Unamuno el jurado y se concede la flor natural a «El ama», de José María Gabriel y Galán, que
todavía es en Salamanca el «hermano de don Baldomero, que también hace versos». Mariano Núñez Alegría, secretario del jurado, le
envía el acta a don Miguel y le escribe al tiempo anunciándole que
han premiado «a su poeta», el hermano de don Baldomero.

Los juegos florales han nacido como consecuencia del afán rege-
neracionista, pero también se produce, al tiempo —como ha obser-
bado Tierno Galván en su libro *Costa y el regeneracionismo*—, «la
subida de precios de la inteligencia como bien en el mercado. Parece
—continúa el profesor Tierno—, a juzgar por los datos reunidos de
Barcelona y Madrid, que a partir de 1900 las obras intelectuales se

pagaban bastante más que en los decenios anteriores.» Y así en Salamanca se arbitran medios para premiar trabajos, como dijo el mantenedor Joaquín Costa, sobre asuntos históricos y «prosaicas cuestiones de industria, agricultura, de pedagogía, de psicología colectiva y de legislación», aunque lo primero continuase siendo la poesía, en este caso el único poeta aceptable surgido en España de unos juegos florales.

Joaquín Costa, que pronunció en Salamanca uno de sus más importantes discursos, lloró al final de sus palabras. El triunfo de Gabriel y Galán fue rotundo. «La gente —recordó el escritor salmantino José Sánchez Rojas— le aclamaba, porque el pueblo adivinaba con certero instinto que le faltaba algo y ese algo era precisamente un poeta... Con un político como Alba y un poeta como Galán, Castilla se salvaba.» La velada del teatro Bretón había sido completa: los republicanos y los izquierdistas y liberales habían honrado a un poeta que los *neos* —don Enrique Gil y Robles al frente— reputaban como suyo. El rector no había tenido más remedio que reconocer lo que era indudable e indiscutible (12).

Romanones, en la rectoral

A mediados de setiembre se sabe en la ciudad que el ministro de Instrucción Pública, conde de Romanones, vendrá a inaugurar el curso académico. Se ha puesto su nombre a la universitaria calle de Libreros como señal de gratitud por haber salvado las Facultades libres de Medicina y Ciencias. Pero si no viniera, con tal de dar en las narices al rector, sería preferible. Don Manuel Gómez Moreno, que cataloga por entonces las riquezas monumentales de esta provincia vive en Salamanca y anota el 30 de setiembre en su diario: «Respecto a la venida de Romanones, la última noticia es que ya no viene, porque su consorte está mala. Aquí la gente echada para atrás se regocija con esto, pues como era cosa del rector Unamuno, a quien no pueden ver, *velay.»* El 1 de octubre vuelve a anotar: «El ministro cojo no viene, como me ha ratificado hoy el rector.»

Huyendo quizá del regocijo de la ciudad, Unamuno fue a Alba de Tormes, donde residía entonces su amigo el poeta ciego Cándido Rodríguez Pinilla y adonde le gustaba también ir al obispo P. Cámara. Vuelve luego a Salamanca y espera. Al fin, el 28 de octubre, curada la dolencia de su mujer, viene el ministro de Instrucción Pública y se puede inagurar el curso bajo su presidencia.

Fue un golpe fuerte para los que ya habían contado con este fracaso del rector. Pero ahora, sabiendo que el ministro va a hospedarse en la casa rectoral, ya no cabe duda de que Unamuno va a volverle la cabeza loca. Pero la ciudad ha recibido a Romanones como a un héroe, con arcos de triunfo y todo, en señal de gratitud por haber

---

(12) E. Salcedo: *Salvación del poeta (Gabriel y Galán en su tiempo y en el nuestro)* y *Literatura salmantina del siglo XX.*

enmendado el atentado de García Alix. En la Plaza Mayor el conde tiene que salir al balcón del Ayuntamiento para recibir los vítores de los salmantinos. Lo malo es que, por el cargo, tenga que estar a su lado el rector de la universidad.

Dentro del claustro universitario se sigue pensando en la forma de echar a Unamuno del rectorado. Pero cumple puntualmente con sus clases, atiende el despacho rectoral y, ¡lo que es peor!, trae a todos de cabeza con eso del abandono de clases, lo que hoy se llama guadalajarismo. El viaja mucho, pero aprovecha sábados, días de fiesta, vacaciones. No hay por dónde cogerle.

Desfalco en la Universidad

Al comenzar el año de 1902 brota el escándalo en la Universidad y trasciende a todos los rincones de Salamanca. ¿Qué hará ahora el rector? Sus enemigos del claustro, que son los más, se frotan las manos. Unamuno, angustiado, que acaba de perder a su hijo Raimundín y de tener otro hijo, una niña, María, piensa en su pobre y desmedrada economía familiar. Mejor que contar aquéllo es escuchar su propio testimonio: «He pasado una temporada de disgustos, sinsabores y algo más. Se descubrió en esta Secretaría (la de la Universidad) una filtración de fondos de las Facultades libres que iban a parar al bolsillo del oficial primero. Filtración que arranca de quince años. ¡Cosa de doce mil duros! Todos teníamos puesta en él confianza absoluta y ni el Ayuntamiento, que es el principal perjudicado, lo sospechaba. Quise arreglarlo; le llamé, le di un plazo; fue a Madrid; mandé prenderle allí; se le soltó; vino, y está en la cárcel. A todo ello, conferencias, intervención intempestiva del Juzgado, liquidación, sesiones municipales, etc., y lo peor de todo que me coge el daño. Era tal, en efecto, el engaño en que vivíamos que, para cubrir atrasos justificados de material, autoricé un adelanto de cinco mil pesetas de los fondos universitarios, y ahora me encuentro con que tendré que responder de ellos. Ese pellizco de mil duros me ha partido y me atrasa lo menos en un par de años. Me ha caído cuando empezaba a nivelar mi presupuesto familiar, a arreglar mis asuntos (satisfechas unas deuditas) y cuando me ha venido el séptimo retoño, una hija.»

Publica su novela *Amor y pedagogía* y sigue trabajando en su *Tratado del amor de Dios;* su espíritu religioso va sintiéndose cada vez más cerca de la teología protestante. A su amigo Jiménez Ilundáin, a quien narra las cuitas antes transcritas, hablándole de un libro que piensa escribir, titulado *Religión y Ciencia* y que con el anterior refundirá en *Del sentimiento trágico,* le dice: «Si Francia [donde se encuentra a la sazón su corresponsal] quiere salvarse, tiene que protestantizarse. No se puede pasar al racionalismo vivífico sino por el protestantismo.»

Cuando el mundo exterior le deja, Unamuno se adentra en sí, a la rumia íntima de sus congojas trascendentes. «Yo no digo —escri-

be en agosto de 1902 a Jiménez Ilundaín— que merecemos un más
allá, ni que la lógica nos lo muestre; digo que lo necesito, merézcalo
o no, y nada más. Digo que lo que pasa no me satisface, que tengo
sed de eternidad y que sin ella me es todo igual. Yo necesito eso,
¡lo *ne-ce-si-to!* Y sin ello ni hay alegría de vivir ni la alegría de vivir
quiere decir nada. Es muy cómodo eso de decir: "¡Hay que vivir,
hay que contentarse con la vida!" ¿Y los que no nos contentamos
con ella?»

Ante S. M. el rey

Meses antes de esta carta, el 17 de mayo de 1902, a los dieciséis
años, se hizo cargo Alfonso XIII del poder real, liquidándose la regencia. Días después, el 24 de mayo, conocía Unamuno al joven rey,
en la solemne sesión en que las Universidades de España se presentaron ante él en el Palacio de Bibliotecas y Museos Nacionales, leyendo un discurso en nombre de la Universidad que regía. Tras hacer
la historia de las pasadas grandezas y de la posterior miseria de la
Universidad salmantina, Unamuno es enérgico en sus palabras: «No
cabe reversión al pasado —dice— ni reclamar privilegios que cadu-
caron.» Y el universitario Unamuno, con visión de zahorí, después
de sentar que es necesaria la ayuda del Estado para el desarrollo de
la inteligencia, advierte de un peligro que aún sigue en pie: «Teme-
mos, Señor, no fuera que, relegando la enseñanza a función social
meramente privada, corriese riesgo de caer en manos que hiciesen
de ella lucro o la subordinasen, lo que es peor aún, a fines que no
sean lo de la cultura y el progreso humanos, porque, desgraciada-
mente, no son siempre los padres los que mejor saben lo que a sus
hijos conviene aprender, y menos aún lo que de ellos la patria necesita y tiene derecho a exigir.»

Unamuno, que acaba de cumplir un acto protocolario que la dedicación académica le exigía, volvió tan tranquilo a Salamanca, donde
seguía acechándole el mismo enemigo de siempre: la envidia. ¡Más
de un catedrático hubiese dado media vida por ser rector aquel único
día para hablar ante su majestad el rey! Era una ocasión de luci-
miento como se viven pocas en la vida, y el rector, entrometido y
forastero, se la había hurtado a todos. Tenía, sí, ya sus amigos que
paseaban con él por la carretera de Zamora y le hacían la tertulia
para escucharle la lectura de sus artículos. Pero quedaban los otros...

La amistad de Unamuno y Galán

Y en Zaragoza se les ocurre dar la flor natural en unos juegos
florales a José María Gabriel y Galán y tienen la pretensión, además,
de que el diploma le sea entregado en el Paraninfo de la Universidad
en solemne sesión académica. Unamuno recibe el pergamino y, sin
mirarlo más, se lo manda a su amigo el abogado del Estado don

Baldomero Gabriel y Galán, para que lo haga llegar a su hermano
José María. Don Baldomero, que renuncia por entonces a seguir escribiendo versos, no perdona la afrenta y no valen las disculpas del
rector. «Cualquiera que conozca lo que es una oficina —confesaba
Unamuno— encontrará naturalísimo que un jefe no se fije en semejantes cosas.» No valía la disculpa.

De nuevo estaba declarada la guerra. Enrique Gil y Robles y los
integristas piensan, con Enrique Esperabé, ya catedrático, que es
buena la ocasión para vengar a don Mamés. En *El lábaro* —neos e
integristas de común concordia— publicaron un manifiesto de desagravio a la «Muy Noble, Leal, Invicta y siempre Heroica ciudad de
Zaragoza», importándoles un rábano de Galán y de la ciudad del
Ebro, pero sí mucho el meterse con Unamuno y su gestión rectoral.
Don Miguel tuvo el buen acuerdo de guardar silencio, pero, como
el P. Cámara era el inspirador de *El lábaro*, se distancia ya definit-
tivamente de él, después del choque que anteriormente ha tenido
cuando el obispo pretendió interferir las explicaciones de cátedra
del penalista don Pedro Dorado Montero.

Si don Miguel conservó la calma en esta ocasión lo mismo debe
decirse de José María Gabriel y Galán, que le escribió una carta
llena de humanidad, prueba clara de que no logró nadie empañar la
sincera amistad que les unía. He aquí la carta:

«Mi querido amigo: Recibiría usted mi última extensa carta,
en la que, después de contestar a su grata, le anunciaba la respuesta oficial —que adjunto le remito— al traslado que me hizo
de los mensajes.

Veo, con más disgusto cada día, que el desdichado asunto no
reposa todavía siete estados bajo tierra. Acabo de regresar a esta
su casa y aún he tenido que leer en los periódicos de estos días
las palabras Mensajes, Zaragoza, etc., etc., que suenan hace tiempo a lo mismo que es mejor no calificar.

Hoy ya supongo definitivamente terminado el asunto, pues el
espectáculo de la división del claustro, último término a que podía
haber llegado, ya llegó.

Por eso, y porque no hubieran sido leidos con el mismo buen
espíritu con que yo los escribí, acabo de echar a la lumbre unos
versos que ya tenía bajo sobre para enviarlos a *El adelanto*. Y
para lo que habían de haber servido, mejor están donde están.

No me toca hablar de cosas que, en definitiva, no son mías;
pero al ver que soplan en Salamanca vientos de discordias chicas,
cualquiera tiene el derecho a decir que nada hay tan bueno como
la paz; pero si lucha ha de haber, que sea grande, generosa y en
el terreno correspondiente...»

La respuesta oficial de Gabriel y Galán, no esta carta privada
que se conoció años después, fue una modestísima tregua. Llegaban, también, de nuevo, las vacaciones y con ellas la auténtica paz
universitaria, cuando ni catedráticos ni estudiantes acuden a ella.

Unamuno es otra vez mantenedor de juegos florales, ahora en Cartagena, donde el 8 de agosto de 1902 pronuncia su discurso, que se edita luego bajo el título de *España y los españoles*.

En Cartagena dijo Unamuno que había que españolizarse aún más y confesó: «Juzgo de mi España por mí mismo», y luego: «Peleo sin descanso, peleo por descubrir en mí al hombre universal y eterno, y en esta pelea siento españolizarse cuando de menos castizo se me tilda.»

El año 1903 se anuncia algo más tranquilo, aunque el caso Gabriel y Galán sigue siendo tema en las tertulias salmantinas. El Padre Cámara ha costeado la edición de unas poesías del poeta campesino, las que le quedan después de atender al compromiso editorial de *Castellanas* y *Extremeñas*, no de las mejores, y se distribuyen entre los obispos españoles. «A mis venerables hermanos de episcopado», reza la dedicatoria. También llega a todos los correligionarios políticos para ir creando la leyenda del poeta. Este tomito —debo su noticia al profesor García Blanco— es lo único del poeta salmantino que figura en la biblioteca de Menéndez Pelayo y va acompañado de un *saluda* del obispo de Salamanca, que, es indudable, procuraba colocar bien los versos de su protegido.

2 de abril de 1903

En pleno Gobierno de Silvela, cuando ha nacido la Unión Republicana, en Salamanca, un problema de simple orden municipal toma inusitada importancia y cuesta la vida a dos estudiantes. El 1 de abril de 1903 un estudiante discute con otra persona en la Plaza Mayor. Interviene la policía. Al día siguiente sus compañeros, descontentos por el trato que el estudiante ha recibido, solicitan audiencia en Gobierno civil para protestar ante el gobernador. El Gobierno civil estaba instalado en el Antiguo Colegio de San Bartolomé, o Palacio de Anaya. Al frente de los estudiantes se encuentra el presidente de su Asociación, alumno de la Facultad de Medicina, Filiberto Villalobos, que luego sería ministro de Instrucción Pública con la Segunda República. El gobernador civil se niega a recibir a los universitarios. La comisión, consternada, se lo comunica a sus compañeros, que aguardan sin entrar a clase. La respuesta no se hace esperar. Nadie pudo saber quién tiró la primera piedra, pero no quedó cristal sano en el Gobierno civil.

Tras aquella agresión, el gobernador llama a los guardias, que acuden con sus caballos y sus sables. Las calles son desempedradas en un santiamén. Los catedráticos han desaparecido y sólo está el rector que —como recordaba Sánchez Rojas, uno de los que participaron en la revuelta—, «agitado, nervioso, con el rostro completamente enrojecido por la emoción, nos mandó que entremos en el Paraninfo».

Los estudiantes no le hacen mucho caso y el rector insiste: «Contened vuestros arrebatos. Esto no puede ser. Se os hará justicia.

Calmaos. Os pido, os suplico que os calmeis. Contra la razón de la fuerza oponed vosotros, muchachos, la fuerza de la razón.» Unamuno coge a los estudiantes por donde puede y los mete en la Universidad. Una piedra le da en el pecho rompiéndole un botón de su chaqueta rectoral. Hay cristales que se rompen. Unamuno, con la mente clara pese a su tensión, sigue metiendo estudiantes en la Universidad. La Guardia Civil, a caballo —según nos cuentan los periódicos locales de la época—, entró en el claustro del venerable edificio. Allí se recrudece la pelea, defendiéndose los estudiantes con los adoquines que han arrancado de la calle. Los guardias hacen una descarga cerrada contra los universitarios, les atacan desde la planta noble de la Universidad. Cae mortalmente herido el estudiante de Derecho Federico García Gómez.

En el Patio de Escuelas hay otro contingente de la fuerza pública, que abre fuego, y sus tiros logran otra víctima: el estudiante de Medicina Hipólito Vicente. Se producen, además, cuatro heridos. Cuando la fuerza pública se retira, todavía el rector, que ha arriesgado su vida, sigue recomendando a los estudiantes que tengan calma y se vayan a sus casas. El también ve a la suya y lo primero que hace es tomar pluma y papel y escribe:

«Hoy es un día de luto para nuestra escuela, atropellada, y para la ciudad toda de Salamanca.

... ...

La gravedad misma de los sucesos, la sangre derramada y los infelices que han perdido la vida os exigen la mayor prudencia.

Sobre todo, yo, que sólo tengo recibidas de vosotros pruebas de cordura y que he visto esta misma mañana cómo cesábais en vuestra actitud con sólo mi presencia, sin más arma que ella, os ruego que depongáis toda actitud levantisca y que confiéis en nosotros, en vuestros profesores, que como a hijos os consideramos y tomamos como nuestra la ofensa que habéis recibido.

Retiraos a vuestras casas, ya que mañana mismo, viernes de Dolores, empiezan aquí, por antiquísima costumbre, las vacaciones de la Semana de Pasión, que para vosotros ha comenzado ya.»

Las vacaciones empezaron. Aquel mismo día, antes que la prensa de la tarde publicase el llamamiento del rector a los estudiantes, su dirigente, Filiberto Villalobos, tuvo la desgracia de encontrarse con el hijo del anterior rector y contarle lo que había sucedido. Vuelto Unamuno del destierro, todavía Enrique Esperabé seguía considerándole culpable de la muerte de aquellos dos infortunados estudiantes.

El entierro de Federico García Gómez y de Hipólito Vicente fue una manifestación. La Universidad, el Ayuntamiento y la Cámara de Comercio envían telegramas de urgencia al ministro de la Gobernación, don Antonio Maura, para que destituya al gobernador civil. A vuelta de telegrama, don Antonio destituye al gobernador, que huye disfrazado hasta el cuartel de la Guardia Civil, donde se refugia y sale de noche en coche cerrado hasta Alba de Tormes, donde tomó al día siguiente el tren para Madrid. Le sustituye en sus funciones el presidente de la Audiencia.

Cuando los salmantinos reconocieron al jefe de vigilancia en la Plaza Mayor, fue golpeado por la multitud y escapó con vida a duras penas refugiándose en una farmacia. El había dado la orden de fuego contra los estudiantes.

Aquellos sucesos de Salamanca resonaron en toda España. Los estudiantes de Madrid, en colaboración con obreros, se manifestaron multitudinariamente, chocando con la fuerza pública ante la Fábrica de Tabacos, donde murió un vendedor de frutas, apodado *El Hospicia*, que no sabía qué estaba sucediendo.

Dos años después de aquellos incidentes, cuando todos querían hacer bandera de los cadáveres de los estudiantes inmolados en aquella circunstancia, mártires acaso por pura casualidad, Unamuno, en la revista universitaria salmantina *Gente joven* (número 18, 1 de abril de 1905), firmaba estas palabras: «El 2 de abril de 1903 tuvieron efecto en esta ciudad sucesos que todos recuerdan. Pero yo espero y confío en que luego de haber sacado del recuerdo de aquellos sucesos toda la enseñanza que aquéllos encerraban, conviene olvidar los sucesos mismos. Porque el recuerdo de éstos llegaría a enturbiar y falsear las enseñanzas que de su ya olvidado recuerdo se hubieren deducido...»

En Galicia, con doña Emilia

Tras aquellos lamentables incidentes, recibe Unamuno la invitación de don Salvador Padilla, andaluz que es catedrático del Instituto general y técnico de Orense, para que presida un concurso pedagógico. La invitación oficial va refrendada por los nombres de don José de Echegaray y doña Emilia Pardo Bazán. El acto se celebró el 13 de junio de 1903.

Las palabras iniciales del rector de Salamanca hacen pensar que posiblemente no se cumplió el proyecto de las seis conferencias en Vigo: «Al anhelo, en mí ya antiguo, de conocer esta tierra gallega, hase juntado, para traerme acá ahora, vuestra honrosísima invitación...» Y no pensemos en cortesías, pues en Unamuno lo cortés jamás mermó lo insultantemente sincero.

El discurso que en Orense pronunció don Miguel es una de sus más hermosas piezas oratorias. En su conferencia saltan todos sus temas fundamentales. Bastaría leer sólo estas palabras: «Es menester despertar y avivar el culto a la infancia y el respeto al niño, ese respeto a que se les falta cuando se les toma de medio para satisfacer vanidades paternas o de juguete para divertirse con ellos.» «Conservemos nuestra niñez y si, por desgracia, la hubiéramos perdido, vayamos a buscarla al fondo de nuestra alma, a reconquistar el paraíso perdido.»

Allí recomendó lo que había hecho en Salamanca, desde su llegada, envolviendo en la aventura a Luis Maldonado y a José María
Gabriel y Galán: «El estudio de nuestro pueblo (...) lenguaje popular, creencias y supersticiones, costumbres y hábitos, fiestas, maneras de vivir y sentir la vida, cantares, consejas y leyendas, derecho
consuetudinario, medicina casera, todo género, en fin, de vida íntima, de persistencia de infancia social.»

En 1895, en las páginas de *En torno al casticismo*, había dicho:
«España está por descubrir.» Luis Maldonado, en el posterior homenaje a Menéndez Pidal, recordó el ardor y entusiasmo en esta búsqueda, cuando don Ramón pidió datos sobre el dialecto leonés y
Salillas y Puyol solicitaron para el Ateneo información «sobre costumbres relativas al nacimiento, el matrimonio, la muerte (...). Se
enviaron a Madrid —sigue Maldonado— miles de papeletas curiosísimas, que revelaron el fondo de la raza con todo su lastre consuetudinario; Fernández de Gata y Lamano comenzaron sus trabajos
lingüísticos y, animados por el interés que despertaba la vida charruna, aparecieron esbozos de literatura regional». Y de estos empeños, como he mostrado en otro lugar (13) no estuvo ausente Gabriel y Galán, impulsado por el motor esencial de aquella hora salmantina, aquel catedrático vasco apenas aclimatado en la ciudad del
Tormes.

Pero volvamos a Galicia. En aquel viaje nacen los escritos que
publica luego en *Los lunes de El imparcial*, titulados con el nombre
de aquella región y que reprodujo en 1911 en su libro *Por tierras de
Portugal y de España*.

La conferencia de Orense fue un éxito. Seis días después, el 19 de
junio, habló en La Coruña, invitado por la *Reunión de Artesanos*,
en el Teatro Principal. Don Miguel entró triunfalmente dando el
brazo a la condesa de Pardo Bazán. Doña Emilia presentó luego al
conferenciante, a quien llamó «gran pedagogo». Después Unamuno
—y lo haría muchas más veces— pidió permiso para hablar sentado,
a lo profesor, y no de pie, a lo demagogo, y les habló, entre otras
muchas cosas, del fracaso del liberalismo, ¡en 1903!

Al día siguiente don Miguel visita la redacción del periódico
coruñés *El norte* y, por la noche, es objeto de un banquete homenaje, en compañía de la condesa, y es nombrado miembro honorario
de la *Reunión de Artesanos*. Don Miguel, hogareño, que no cena
nunca fuera de casa, está inquieto y alguien que lo advierte tiene la
feliz idea de enviar un telegrama a doña Concha, que quedó en Salamanca, sin marchar aún a Bilbao, pese a ser tiempo de vacaciones
escolares. Terminada la cena, los comensales, entusiastas, acompañan a doña Emilia Pardo Bazán hasta su casa y luego a Unamuno
hasta su hotel, y a ambos les hacen salir al balcón para que les dirijan unas palabras y reciban sus aplausos.

El 21 de junio, terminada la apoteosis pública, don Miguel fue

---

(13) Para este capítulo uso, fundamentalmente, no poca documentación de
la reunida para mi libro (inédito) sobre Gabriel y Galán. Véase nota anterior.

a El Ferrol, donde pasó el día con un antiguo condiscípulo, y luego fue a Betanzos, para volver a Salamanca.

Aquel verano, todavía en agosto, el día 27, aparece como mantenedor de juegos florales en Almería, donde reafirma su deseo de que desaparezcan de España todas las hablas regionales «para que no se hablase sino un solo idioma, pero que en él cupiese el pensar y el sentir de todos los españoles, y —aconsejaba— para conseguirlo metámonos de rondón en el lenguaje que nos da la personalidad como a pueblo ante las demás naciones y hagámoslo todos a nuestro modo, sin respeto a gramáticas casticistas, y descoyuntándolo si fuera preciso».

Tres días después, el 30 de agosto, da otra conferencia en Almería, en el Círculo literario, donde habla de la enseñanza, la cuestión social, la evolución de las ideas, las supersticiones, el temor a lo sencillo, y aborda de frente los problemas sociales de las huelgas y el salario justo.

El banquete de la discordia

De nuevo en Salamanca, le recibe el rumor sordo del descontento por el episodio de José María Gabriel y Galán y los juegos florales de Zaragoza. La tregua sólo ha servido para que los adversarios de Unamuno tomen posiciones. El poeta ciego Cándido Rodríguez Pinilla y el catedrático Luis Maldonado deciden hacer un llamamiento a tirios y troyanos en un banquete de la concordia que seguirá siendo campo de Agramante.

«Este obsequio —escribía Maldonado en la convocatoria— no implica solidaridad alguna con los festejados, sino un *sursum corda* que nos haga olvidar nuestras discordias y una tregua en nuestras luchas intestinas. Dios nos libre de pensar, de creer, ni siquiera de obrar como Unamuno; pero esto no es parte para que admire su poderosa inteligencia, su gran cultura y el arte peregrino con que presenta las cosas más distantes del común sentir; y en cuanto a *nuestro Galán* (nuestro, sí, en el sentido más hondo de la frase es, a saber: nacido de la entraña de nuestra raza), ¿qué tiene que ver el que tire un poco a *neo* para deleitarse en la frescura y lozanía de sus hermosísimos versos?»

Y el 18 de octubre de 1903 se celebró el banquete de la fracasada concordia, con ciento ochenta comensales, entre los que brillaron por su ausencia los del desagravio a la «Muy noble, leal y siempre heroica ciudad de Zaragoza». Sánchez Rojas, al recordar este acto en 1916, desde su ya impenitente bohemia, confesaba que «aquello fue graciosísimo. Cantaron a Galán en progresista, en republicano, en rojo, en todo menos en neo, y el hombre se dio cuenta de que el peral no puede producir más que peras y que la tolerancia no es fruta que se recoja en los jardines del sectarismo».

Unamuno pronunció un breve discurso arremetiendo contra los *neutros*, y el pobre Gabriel y Galán leyó unos versos de desigual factura, los del «Brindis» que figuran en sus *Obras Completas*, hablando de los *cucos* (y fueron muchos los que se dieron por aludidos en Salamanca), y al final dedicó estos versos a quien todos, empezando por su hermano Baldomero, querían hacer enemigo suyo:

> «*Entre hermanos, sí, señores,*
> *que aunque vos, señor rector,*
> *de quien son estos honores,*
> *tengáis muy lejos amores*
> *que hermanos son de este amor,*
> *yo tengo a otro amor sujeto*
> *mi corazón de cristiano,*
> *un corazón que discreto*
> *os llama sabio en secreto*
> *y en público os llama hermano.*»

Como colofón de aquel acto, bueno será recordar lo que José María Gabriel y Galán escribió a su alumno Mariano Santiago de Cividanes: «No estuvo mal el banquete. Se abstuvieron muchos de los de la extrema derecha y los catedráticos de la Universidad, porque no digieren a Unamuno. Estos de la extrema derecha me tienen muy sin cuidado, y el día que me tiren de la lengua ya les diré yo por qué, entre otras razones, me dieron ellos alguna para aceptar el banquete que se les indigestó.»

Anatemas

El año de 1904 fue casi un año de paz. El 17 de mayo murió el obispo fray Tomás de la Cámara, en el balneario de Villahasta, de la provincia de Córdoba. Distanciado de él y de su diálogo, don Miguel ha continuado en soledad toda la honda guerra civil que vive en su espíritu. Ya en 1902 escribía a Ilundáin: «Lo del protestantismo, ¿no le parece a usted solución eficaz y posible en España? Yo creo que es acaso la única que puede salvarnos de irreligiosismo y de la indiferencia o del olvido de la otra vida. Y esto lo dice uno que no usa *disfraz*, que reza todas las noches, que resiste con todo su corazón y todas sus fuerzas la invasión del positivismo y que no quiere caer en (a falta de otro nombre), la *joie de vivre*, porque se alimenta de *l'esperance de son vivre*.»

En el fragor de la lucha como Unamuno vive ha olvidado muchas necesidades perentorias en su hogar. Vive humildemente y con no pocos apuros y piensa que, si se muere, su familia no tendrá más amparo que el de su madre, una miserable viudedad —de aquel tiempo— para su mujer y la pobre renta de su póliza de seguros. «Eres pobre, Miguel, muy pobre —se dice a sí mismo—, pero tu trabajo lo haces alegremente y te brota espontáneamente.» El año de

1903 lo ha cerrado, como siempre, con déficit. Escribe una serie para *El imparcial* bajo el título genérico de *Glosas de la vida* y otros ensayos, como *La locura del doctor Montarco*, en que este fantasmagórico y quijotesco doctor es él mismo, y *Sobre la filosofía española* e *Intelectualidad y espiritualidad,* continuando sus traducciones para *La España moderna.*

¿De dónde saca el tiempo este hombre que se está quemando en la lucha espiritual, en la lucha cívica y en su trabajo? Por si fuera poco, para que la paz de su hogar se alterase más, su antiguo amigo el P. Cámara hacia 1903 pensó en condenar todos sus escritos, impulsado en no poco por los adversarios del rector, «para lograr así mi destitución». Se cruzan cartas entre los dos y «previniendo que si él cumplía la amenaza que me hizo se armaría aquí una *Electra* —¡con lo que ganaría!—, me había preparado el libro de batalla con que entrar en liza». ¿Qué libro sería éste? ¿*Religión y ciencia*? ¿*El tratado del amor de Dios*? Y todavía más inquietudes: por un artículo de *El imparcial,* pide su fusilamiento *El siglo futuro* y «Nocedal, en el Congreso, se ha lamentado de que siga yo de rector, "siendo un mal español". Continuaré en mi labor». Y, desde luego, don Miguel continuó en el tajo. Desde que fue nombrado rector sacó tiempo, no se sabe cómo ni de dónde, para sus artículos periodísticos, sus críticas de literatura hispanoamericana en *La lectura,* edita en un tomo los cinco ensayos de *En torno al casticismo,* la novela *Amor y pedagogía,* el tomito *Paisajes* y *De mi país,* y discursos y ensayos sueltos y los poemas que ya ha pensado en reunir, mientras avanza lentamente su *Tratado del amor de Dios,* que se llamará luego *Del sentimiento trágico de la vida en los hombres y los pueblos.*

El atuendo unamuniano queda
fijado ya cuando es rector.
(Cuadro de Losada, reproducción C. Ansede.)

Unamuno en la colina de
los Olmos, Residencia de
Estudiantes.

La familia del rector.
(Foto V. Gombau.)

II

«*La del alba sería...*»

Con el «Quijote»

Las vacaciones de 1904, en Bilbao, fueron de trabajo intenso. Un día de junio, acaso todavía en Salamanca, Unamuno ha tomado papel, un ejemplar de *El ingenioso hidalgo don Quijote de la Mancha* y ha escrito, con rasgo decidido: *Las vidas de don Quijote y Sancho, según Miguel de Cervantes Saavedra, explicada y comentada por Miguel de Unamuno.* Después anota, entre paréntesis, su punto de partida: «Cide Hamete Benegáli, ¿es o no una ficción de Cervantes?» Y empieza a escribir. Ha terminado el curso. Viene siempre una pausa en las luchas políticas y universitarias. Es el momento del recogimiento en sí mismo, de la vuelta a las luchas del espíritu, y esas luchas, su eco, dará el tono religioso a su libro.

Ya en 1900, el 4 de diciembre, escribe al uruguayo Nín y Frías: «Proyecto publicar unas *Meditaciones del Quijote,* escritas según lo leo y releo.» Ahora, casi cuatro años después, dispone de tiempo, y el 2 de junio pone la última palabra a su manuscrito. Ha corregido algo el texto y el 15 de agosto de 1904 le dice a Nín y Frías: «Estoy muy contento, contentísimo, porque creo haber escrito mi obra capital y comprensiva, aquella en que he puesto más alma, más pensamiento y más vida, y a la vez un ensayo de genuina filosofía española.» Ha habido días en que he dedicado cinco horas a la redacción del libro, pero ya está terminado.

Vuelve a Salamanca y entrega el manuscrito a la imprenta de sus amigos Alamaraz y Compañía, porque una vez más editará por su cuenta, acudiendo luego a la distribución de algún librero de Madrid, Fernando Fe en este caso.

Mientras los impresores hacen el presupuesto, don Miguel no anda ayuno, otra vez, de preocupaciones. Tiene que preparar el recibimiento al rey, que viene a presidir la apertura del curso académico. Es la segunda vez que Alfonso XIII y Unamuno van a encontrarse personalmente.

Alfonso XIII, en Salamanca

El 29 de setiembre de 1904 S. M. el rey de España, don Alfonso XIII, un mozalbete, llega a Salamanca por la estación de Medina. Al entrar en Salamanca ha tenido que detenerse un momento en Cantalapiedra, donde la improvisada banda municipal, llena de buenos deseos, le recibe con todos los honores al pisar tierra charra, interpretando la marcha real. El rey, aturdido, suelta un comentario: «¿Habrá en el mundo una banda que toque peor que esta?» Un cortesano, solícito y gracioso, como corresponde a los cortesanos tiralevitas, da rápidamente la razón al rey: «Sí, majestad; esta misma al año que viene.»

Ante el parque de La Alamedilla, donde termina el camino de la estación, se ha levantado un arco triunfal. Los salmantinos, que aún no tienen agua corriente, se apelotonan en las aceras para recibir al rey, que pasa en coche de caballos en compañía del alcalde, don Antonio Díez. En la Plaza Mayor hay más gente esperando. Algunos caballos de la escolta armada se espantan y el susto es luego de los mirones que ocupan las primeras filas. La comitiva continúa hasta la catedral, donde se canta un Te Deum. Vuelve el cortejo al Ayuntamiento y, en la obligada recepción, el rector Unamuno saluda al joven rey. Don Alfonso se aloja en el palacio episcopal, donde aún es patente la ausencia del fallecido P. Cámara, cuya silla continúa vacante.

El 1 de octubre S. M. Alfonso XIII ocupa a las once de la mañana el sillón presidencial del Paraninfo de la Universidad. A su derecha está sentado el rector; a su izquierda, el ministro de Instrucción Pública, señor La Cierva. El catedrático don Mariano Amador Andréu lee el discurso oficial de apertura de curso.

Después se levanta don Miguel para hablar. El rey ha precedido su viaje de la dotación económica de un aula, a la que se da el nombre de Alfonso XIII, para la paupérrima Facultad de Medicina. (La Facultad estaba situada entonces en el actual colegio de las Siervas de San José, en la plaza de Marquesa de Almarza, la noble dama salmantina que estuvo a punto de ser enterrada viva y que fue salvada por la codicia de un sacristán que quiso robar a su cadáver una valiosa sortija, según se sigue contando en la ciudad, y algo de cierto hubo en aquella vieja historia.) Las palabras de Unamuno son breves. Acepta, respetuoso, el protocolo. Evoca las palabras que figuran en la fachada de la Universidad, costeada por los Reyes Católicos —«Los reyes, a la Universidad; la Universidad, a los reyes»—, tópica repetición del «Tanto monta, monta tanto», y declara que Salamanca, en su estudio, es casi todo nada más que pasado, y termina: «Esta escuela, en efecto, no pide privilegio gratuito alguno, ni fundado en cosas pasadas, pues sabe que pasó, afortunadamente, el tiempo de ello. Sólo pide la protección, el presente indispensable, para que pueda prosperar en ella la obra de la alta cultura patria, que sin el apoyo del Estado, que S. M. representa, sin ese apoyo como garantía de la libertad de la ciencia, perecería hoy nuestra escuela, dejada al libre concurso de los elementos populares. Sólo pedimos se nos ponga al igual de los demás centros docentes, en condiciones de poder cumplir debidamente con nuestro cometido. Dar la vida por la patria, no de una vez, sino día a día, es incesante servicio a su cultura y su progreso, es nuestro deber.» Luego, el rey lee un discurso que le ha escrito el mismo rector.

Desde 1902 anda Unamuno metido con una novela, *La tía*, «historia de una joven que rechazando novios se queda soltera para cuidar a unos sobrinos, hijos de una hermana que se le muere», como le cuenta a Juan Maragall en una carta. Dice que «conoce el caso». Pero han de dar largas al proyecto y lo abandona. Cuando más tarde escribe *La tía Tula*, poco tiene que ver con este intento.

Asamblea universitaria

En enero de 1905 se celebra en Barcelona la II Asamblea Universitaria, y Unamuno presenta una ponencia en que llama, con sobrada razón, a las universidades «oficinas del Estado para la administración de la enseñanza pública superior». Y como su crítica es severa, afirma que a las universidades «o se las considera como centros en que se reparte la ciencia ya hecha y en disponibilidad de ser aplicada a casos concretos de la vida, o como centros en que se fragua ciencia, o se concilia ambos menesteres, ya que, en rigor, ni cabe dar ciencia hecha, si se da bien, sin hacerla de un modo o de otro, ni cabe hacerla sin que resulte hecha y aplicable. La separación entre la teoría y la práctica —sigue—, lo mismo que la separación entre la investigación y la transmisión de la verdad, es cosa enteramente absurda, pero no cabe duda de que, según el profesor se acueste a preferir una u otra tendencia, sacrifica uno u otro de los ramales en que la enseñanza universitaria puede juzgarse se divide».

Aún añadiría más don Miguel: «Me da pena y vergüenza, al enviar universidades extranjeras a esta de Salamanca sus Anales, revistas, Memorias o publicaciones de cualquier clase, en demanda de cambio, hay que contestarles que nuestras publicaciones se reducen a la Memoria estadística anual, puramente burocrática, y al discurso de apertura que tiene que leer cada año, por mandato de ley, el profesor a quien por turno le corresponda hacerlo.»

El texto de esta ponencia lo ha redactado a su regreso a Salamanca, tras la *Vida de don Quijote y Sancho* y antes de la llegada del rey. Poco después de inaugurado el curso, el 6 de enero de 1905, cuando Unamuno está en Barcelona, muere en Frades de la Sierra su amigo José María Gabriel y Galán, al que él recomendaba leer a más poetas, escribir cuentos y hasta una novela, ampliar su horizonte. Pero Galán ha muerto y Unamuno participa en su homenaje en el teatro Bretón el 26 de marzo de 1905. Doña Emilia Pardo Bazán ha venido a Salamanca para participar en el homenaje y se hospeda en la casa rectoral, donde llama su atención poderosamente la personalidad sencilla y callada de doña Concha Lizárraga, la rectora.

III Centenario del «Quijote»

El curso sigue, con sus luchas de cada día, y don Miguel logra, en la primavera, ver terminada la edición de su *Vida de don Quijote y Sancho*, que sale plagada de erratas, y, después de hacer una larga fe de las mismas, tiene aún que añadir —de su puño y letra— otras erratas más que se han escapado. Pero eso no tiene casi importancia. ¿Qué va a decir la gente de este libro? El desencanto de Unamuno es completo. ¿Qué van a decir? ¿Leen acaso el libro de Cervantes? Asusta ahora comprobar el silencio con que se acogió este libro capital en la bibliografía unamunesca. Unos pocos comentarios desperdigados, interés de jóvenes estudiantes que empiezan a ver un evangelio que no comprenden plenamente. La importancia del libro no se compadece con este casi silencio en torno suyo. ¿Silencio sólo? Lo peor es que muchos que no han callado, tampoco comprenden bien. Antonio Machado, grande, generoso, un mucho hechura unamuniana, desborda su verso en la dedicatoria famosa:

> Este donquijotesco
> don Miguel de Unamuno, fuerte vasco,
> lleva el arnés grotesco
> y el irrisorio casco
> del buen manchego. Don Miguel camina,
> jinete de quimérica montura,
> metiendo espuela de oro a su locura,
> sin miedo de la lengua que malsina.
> A un pueblo de arrieros,
> lechuzos y tahures y logreros
> dicta lecciones de Caballería.
> Y el alma desalmada de su raza,
> que bajo el golpe de su férrea maza
> aún duerme, puede que despierte un día.
> Quiere enseñar el ceño de la duda,
> antes de que cabalgue, el caballero;
> cual nuevo Hamlet, a mirar desnuda
> cerca del corazón la hoja de acero.
> Tiene el aliento de una estirpe fuerte
> que soñó más allá de sus hogares
> y que el oro buscó tras de los mares
> El señala la gloria tras la muerte.
> Quiere ser fundador, y dice: Creo;
> Dios y adelante el ánima española...
> Y es tan bueno y mejor que fue Loyola:
> sabe a Jesús y escupe al fariseo.

Otro importante eco del libro es la conmemoración en Salamanca del III Centenario del Quijote. El 28 de mayo comienzan los actos y en la universidad toman parte un grupo de estudiantes, mozos animosos que hablan unamunianamente del libro cervantino. Perdigón, de la Facultad de Letras; Bondía, de la de Medicina; Julio Salcedo, de la de Medicina y la de Ciencias; Sánchez Rojas, de la de Derecho; José de Onís, de la de Letras; Iscar Peyra, de Derecho, y Federico de Onís, de la de Letras .Este fue su orden de intervención. Cerró el acto Unamuno con un breve discurso. La revista *Gente joven*, que publicaban aquellos muchachos, dedicó dos números al *Quijote*, recogiendo los artículos y discursos de algunos catedráticos. Cerraban su segundo número quijotesco, el 24 de la revista, con un fragmento del libro de Unamuno.

Reconciliación con Bilbao

Aquel verano, en Bilbao, invitado por la Municipalidad de la villa, con motivo de la Exposición Escolar, da el 11 de agosto una conferencia sobre *La enseñanza de la gramática*. Días antes se ha puesto a refundir unos ya viejos artículos, escritos a poco de su llegada a Salamanca, y piensa hacer con ellos un libro titulado *Escuela e Instituto*, que después será *Recuerdos de niñez y mocedad*, libro del que ya hemos conocido más intentos de titulación. La conferencia fue un éxito y le quitó añejas espinas, aunque algunos de sus paisanos ni se dan cuenta de que su perorata es continuación de aquel discurso de juegos florales de 1901 que tanto les escandalizó. Ahora Unamuno no hace sino aplicar su vieja teoría de que, como el vascuence ha muerto, el vasco ha de imponerse al castellano. Aquella conferencia fue publicada un año más tarde en el *Boletín de la Institución libre de enseñanza* y después en *La lectura*.

Pasado el verano, le tocaba bregar a Unamuno con los quijotescos y unamunescos muchachos de *Gente joven*. Don Miguel, en su villa natal, no quiso ni enterarse de lo que andaban tramando, para no ver turbadas sus vacaciones. Los de *Gente joven* habían organizado unos Juegos Florales y armaron, entre Sánchez Rojas, Iscar Peyra y Federico de Onís, un lío enorme con los presuntos mantenedores —Grandmontagne y González Besada—. «Dirá usted —le escribía Onís a Bilbao el 10 de agosto— que somos unos chiquillos sin formalidad ni discreción y que no debía usted hacernos caso nunca, porque nuestras inconveniencias e informalidades podían poner a usted en alguna situación comprometida alguna vez. Tiene usted razón. Las cosas que hacemos nosotros no las hace nadie.»

El resultado fue que ni Grandmontagne ni Besada acudieron como mantenedores, que Unamuno tuvo que mediar para que el poeta portugués Eugenio de Castro compartiese con él y con el joven Federico de Onís, al alimón, el papel de mantener aquellos inmantenibles Juegos Florales. A la ciudad le vino bien aquéllo, porque **servía** para olvidar que el 19 de junio la multitud asaltó el Ayuntamiento en la Plaza Mayor, en señal de protesta por el arriendo a una empresa particular del impuesto de Consumos.

¡Más cuarteles!

Ha comenzado el curso y los estudiantes han vuelto, como los vencejos, a la ciudad, y con su presencia se pone de nuevo al rojo vivo una vieja cuestión salmantina: no hay cuarteles y el que ocupa el regimiento de Albuera en el viejo colegio de Trilingüe es insuficiente. A los salmantinos les convienen más cuarteles: quieren traerse a Salamanca el Gobierno militar, radicado en Ciudad Rodrigo; que no trasladen el regimiento de Albuera. A los comerciantes les interesa. Los padres de los mozos próximos a entrar en quintas piensan que, si en Salamanca hay cuarteles, no será necesario redimir económicamente a sus hijos, que quedarán, además, en casa. Anima el cotarro Diego Martín Veloz, un hombre asombroso que parece re-encarnación del capitán Contreras. Martín Veloz controla el juego en Salamanca y, en buena medida, la política. Es militar retirado. Vino a Salamanca, desde Cuba, donde tuvo el mando, y sigue con los hábitos de mandar a la gente sumisa. Pronto se hace un gran propietario en la Armuña y con sus desplantes y majezas atemoriza rápidamente a más de media ciudad. Martín Veloz tiene influencias y pide que la Universidad entregue más edificios para cuarteles. Unamuno no acepta. El obispo P. Cámara logró antes de morir que se le devolviera la iglesia de San Sebastián. El rector sigue viendo con desagrado que el palacio de Anaya sea Delegación de Hacienda y Gobierno civil aunque pertenece a la Universidad. No está dispuesto a ceder.

Los estudiantes de Medicina y Ciencias, animados por sus padres, por los rivales de Unamuno en el claustro, por los hombres de Martín Veloz, se lanzan a la huelga nada más empezar el curso. Los futuros médicos continúan la huelga protestando primero por la detención en Madrid de un tal señor Carrillo. Piden al rector un aula para reunirse y Unamuno se la niega, les dice que vayan a clase como es su obligación. Se citan en el parque de la Alamedilla y el comité de huelga, como es la hora del chamelo, no acude. Pero dos días después, el 29 de noviembre, estalla un motín estudiantil en la Facultad de Medicina, tomando como pretexto unas oposiciones de médicos titulares de la provincia que tienen que suspenderse. El decano de Medicina, el benemérito doctor don Isidro Segovia, acude a Unamuno en demanda de ayuda. Hay que esperar. Los estudiantes empiezan a aburrirse. Pero volverán a la brecha más veces, movidos como marionetas por los mismos intereses, y Diego Martín Veloz, con beneplácito o cobarde complicidad de todos, llega a pasear por las calles de Salamanca un magnífico caballo capón al que ha puesto Unamuno de nombre.

En noviembre de 1905 se celebraron en Salamanca elecciones municipales, que terminaron con una clara victoria de la clase obrera.

El rector, de quien no se olvida su filiación socialista, tuvo que hablar en el Hogar de la Federación Obrera Salmantina, donde años antes había conocido a Pablo Iglesias. «Nacemos con hambre y con sueño —dijo a los obreros Unamuno—, y no es lo peor que no se trabaje, sino la manera enfermiza con que se trabaja, cuando hay trabajo. El mayor sacrificio que se le puede pedir a un hombre es la asiduidad...»

Ganas les quedan a los compañeros de claustro de buscar un pretexto suficiente para su destitución del rectorado; pero aunque se suceden los ministros de Instrucción pública (Andrés Mellado en el Gobierno Montero Ríos, luego el vasco Manuel de Eguilior en el mes de octubre, Vicente Santa María de Paredes en diciembre con el Gobierno Moret), no parece posible moverle del puesto.

El mitin de la Zarzuela

En febrero de 1906 sucede algo más importante que alienta las esperanzas de los adversarios de Unamuno: la discusión de la Ley de jurisdicciones. Es un paso hacia una posible dictadura. Sin aunar aún nombres después de este incidente que tiene se celebra en el marzo de 1906, a la distancia que nos da el tiempo, bueno es saber que el coronel don Miguel Primo de Rivera se ha batido con un intelectual que ha tenido ya contactos con Unamuno, Rodrigo Soriano, y le ha herido en el duelo. Aquel escritor socialista-republicano había criticado al capitán general de Cataluña, don Fernando Primo de Rivera, y su sobrino Miguel, futuro dictador, le ha vengado. Don Miguel Primo de Rivera es un buen amigo de don Diego Martín Veloz, compañero de armas en Cuba. Unamuno necesitaría un apoyo semejante para sus desplantes. ¡Quién sabe! El tiempo tiene siempre la palabra. En enero ha comenzado la conferencia de Algeciras y Unamuno no ha hablado jamás bien de la campaña que se ha iniciado en Africa. Ha defendido, además, a un obispo de las acusaciones de los militares por su actuación en Filipinas; ha dicho que fue un crimen fusilar al doctor Rizal, de quien comenta, emocionado, sus escritos.

Y Unamuno, colmando la medida, el 25 de febrero de 1906 ha dado un mitin en el teatro de la Zarzuela. Ha sido por invitación de un amigo suyo, el diputado José Martínez Ruiz. Don Miguel llegó —como aquel mismo día contaba Azorín en la prensa madrileña— a las ocho de la mañana a la estación de las Delicias, en un vagón de tercera. «Vimos todos entre los anchos sombreros de labriegos castellanos aparecer el redondo sombrerillo que él lleva siempre y lucir los redondos espejuelos de sus gafas.» Unamuno iba, como siempre, con su traje de lanilla azul, sin abrigo, con guantes como única prenda de invierno. Al mediodía fue al Congreso en busca de Azorín, y un silencio expectante se produjo a su paso.

A la mañana siguiente fue el acto en la Zarzuela. «En la presidencia —evoca Ramón Gómez de la Serna, que fue testigo presencial del acto—, detrás de una mesa cubierta por un tapete de peluche rojo con galón dorado —vestida de macero—, estaba Junoy presidiendo el acto; a su diestra, Candamo, uno de los organizadores del mitin; a su izquierda, Azorín, vestido de negro, pálido, con esas ojeras de rebelde que le salen en los actos graves.» Tras la presidencia, «en el coro, como de pésame», que era de rigor en tales situaciones: Zulueta, Castrovido, Mayner, Catalina, Mariano de Cavia, Francos Rodríguez, González Blanco, Leyda, Mata, Camba, Albacete, Jordán, Cantín, Marquina, Alejandro Sawa, Morote y Lerroux. En un palco de honor, la condesa de Pardo Bazán con Gloria Laguna.

Esperaban todos algo distinto en aquel discurso de Unamuno, y esto demuestra que no conocían bien su independencia. Buscaban un guía, un jefe de partido. Antes, el 14 de marzo de 1904, había ya escrito a Azorín: «Ayudaré a ustedes siempre que mis ocupaciones me lo permitan, donde quieran, como quieran y cuando quieran, y estaré a su lado; pero por mi parte me reservo yo otra campaña, para la que vengo preparándome hace años (...). Ahora, con esta reserva, como yo creo que lo que ustedes proyectan es bueno y que no empece a lo otro, sino que tal vez lo prepara, cuenten conmigo.»

Pero se espera una especie de explosivo de sus palabras. El ministro de la Guerra, general Luque, como medida de precaución, se constituyó —sin atribuciones legales— en censor y envió al teatro de la Zarzuela a un auditor de guerra, dos jefes de Estado Mayor y dos taquígrafos. La postura de Unamuno ya estaba clara en su escrito anterior a esta fecha sobre *La crisis actual del patriotismo español*. Después del mitin publicaría dos ensayos aún: *Más sobre la crisis del patriotismo* y *La patria y el ejército*.

Don Miguel tiene noticia de la decisión del general Luque y aceptó el reto: al comenzar dijo que podía haberlo hecho mejor en un centro militar y luego, dirigiéndose al auditor: «Como el oficio de auditor es oír, yo, que he cultivado siempre mis explicaderas, cuento con que los que tengan el oficio de oír tendrán bien cultivadas las entendederas.» Y su discurso no fue —y no por miedo— un discurso contra el ejército, como algunos habían ido a escuchar .Las palabras de Unamuno eran, simplemente, una apelación a la conciencia nacional y a la conciencia individual. Unamuno, con su habitual manera de exponer los problemas, no habló *contra nada*, sino que quiso que sus oyentes pudieran enfrentarse con aquel problema, como con todos, desde una dimensión individual, desinteresada, sin rencor, sin resentimiento, sin envidia.

«¿Remedios?, me diréis; hay gentes que hablan de revolución; yo no creo en la revolución desde arriba, ni en la revolución desde abajo, ni en la revolución desde en medio; no creo más que en la revolución interior, en la personal, en el culto a la verdad; no creo que las cosas se hacen a golpes, y eso sólo puede sucederle a un pueblo epiléptico, que procede por ataques, o a un pueblo en que todo se hace intermitentemente como por tercianas.»

Cuando años después recordó Unamuno aquel mitin, reafirmó que llevaba todo bien pensado y que no omitió nada. «Todo eso de que se ejerciera presión sobre mí, de que se me amenazara, de que obré bajo la acción de temores es una pura leyenda. Y si no di gusto a los que me llevaron pensando que yo habría de decir otras cosas —cosas que ya había escrito y no era menester, por lo tanto, repetirlas allí, y entonces— hay que atribuirlo a muy otro motivo.» Y tenía razón. Habían querido un Unamuno incendiario y no tuvieron ojos para ver que el fuego estaba en su corazón.

Hubo quien osó decirle que, si se atreve, se hubiera levantado con el poder. Nunca quiso ser Unamuno jefe de partido político alguno. «Eso que llaman el poder —comentaba—, y que no pocas veces no pasa de ser la importancia... Pero es que yo creo —añadía— que lo que más puedo y debo hacer en bien de mis prójimos, que son mis lectores, y de mi patria misma, está en otro campo. Si hubiese hecho entonces, cuando lo de la Zarzuela, lo que me dicen que debí haber hecho, no habría podido hacer luego lo que he hecho». Estas palabras de 1914, recordando aquel acto de 1906, son importantes. Muchos enemigos de Unamuno, y no menor cantidad de torpes admiradores, le colgaron durante toda su vida absurdas ambiciones políticas —¡hasta el deseo de ser presidente de la República!— que estaban íntimamente reñidas con la idiosincrasia unamuniana.

Sin embargo, la leyenda se formó entonces y, pese al descontento que su conferencia pudo provocar entre algún que otro organizador, lo cierto es que —a finales de año— circula por Madrid el rumor de que Unamuno es ministrable y el rumor se corre por toda España. Desde Alba de Tormes, su discípulo Sánchez Rojas le escribe el 29 de noviembre: «Por aquí hizo circular Eduardo Alvarez la especie de que usted iba a ser ministro, "para dentro de cuatro o seis días" todo lo más. Y Zúñiga, que a pesar de su talento acostumbra a mirar el valor de las gentes por el uniforme que llevan, se apresuró, por lo visto, a escribir a usted. A casa vino Eduardo a darme seriamente la enhorabuena, porque creía que usted iba a colocarnos a todos. Esta gente hasta para felicitar insulta.» Y Sánchez Rojas, discípulo de Unamuno que se malogró arrastrado a la bohemia por una parálisis progresiva, añadía con buen sentido: «A mí me agradan infinitamente más las noticias que me proporciona de los comentaristas que le han salido por ahí. Mejor quiero verlo de *maestro* que de ministro; mejor alentando a los muchachos con su calor, que no formando parte de las huestes de los viejos. ¿Usted en la cuerda de los Saint-Aubin, Gallego, Canalejas y Francos? Eso es sencillamente absurdo.»

Entre tanto se suceden otros dos ministros de Instrucción Pública a los que Unamuno, posiblemente, ni llega a conocer en función de tales: el doctor San Martín, en el Gobierno Moret, y, el 5 de junio, el señor Gimeno, en el gabinete de López Domínguez. Y llegaban las vacaciones.

Tiempo de remordimientos

Durante el verano de 1906 casi no tuvo tiempo Unamuno de descansar en Bilbao, y fue a Málaga a pronunciar conferencias: En el teatro Cervantes el 21 de agosto, en el Círculo Mercantil al día siguiente y en la Sociedad de Ciencias de Málaga el día 23. Del éxito de aquellas conferencias da fe el folleto en que se recogieron y que fue impreso en la tipografía madrileña «La ibérica» y la semblanza unamuniana, firmada por Manuel García Morente, aparecida en *La publicidad*, de Málaga, el 26 de agosto de 1906. «... Unamuno —dice Morente— es profundamente religioso y místico, porque sólo la fe es capaz de *hacer*, de levantar montañas; los que no tienen fe, los espíritus ligeros y escépticos, no pueden sino comprender y construir, pero no crear».

«Como si en torno me rondase, cautelosa, la muerte»

En octubre de 1906 pasa Unamuno tres semanas en Barcelona. El 15 de octubre, en el teatro Novedades, bajo el título de *Solidaridad española*, pronuncia una conferencia que reproduce al día siguiente *La publicidad*. Don Miguel habla de economía, de religión, de españolidad. Del aspecto externo de la ciudad no quedará muy contento y dirá luego que allí sólo hay fachadas; pero su estancia en Barcelona es de importancia grande en su vida espiritual. Ama, sobre todo, la lengua y la poesía catalanas y en esta ocasión conoce y anuda entrañable, fraterna y ejemplar amistad con el poeta Juan Maragall.

La catedral de Barcelona es mudo testigo de la tristeza espiritual de Unamuno. Sus congojas no han terminado. El vértigo de la vida exterior y pública, el escribir a diario, le distraen a veces, pero no siempre, de sus congojas espirituales. En las horas de paz se remeje al rescoldo de la guerra en su corazón. Es la eterna dicotomía: la lucha, la guerra en la paz, y el sosiego, la paz en la guerra. Juan Maragall, en sus conversaciones, comprende hondamente a Miguel de Unamuno; después, en sus cartas, anudan más sólidamente su diálogo y su amistad. Junto a Maragall, Unamuno encuentra paz y desde su paz comprende poéticamente la liturgia plástica del arte gótico en su poema «La catedral de Barcelona», y la catedral, silente testigo con la muda voz de su forma que expresa una fe sin silogismos, le dice a Unamuno algo que remueve y resucita toda la guerra en su corazón:

> *Venid a mí cuando en la lid cerrada*
> *al corazón os lleguen las heridas,*
> *en mi sombra divino bebedizo*
> *para olvidar rencores de la tierra,*
> *filtro de paz, eterno manadero*
> *que del cielo nos trae consolaciones.*
> *Venid a mí, que todos en mí caben,*
> *entre mis brazos todos sois hermanos,*
> *tienda del cielo soy acá en la tierra*
> *del cielo, patria universal del hombre.*

En Barcelona un día con Maragall y Pedro Corominas ha visitado el taller del pintor Ramón Casas. Al salir, Corominas, que ha sido confidente de su terrible crisis de 1897, cuando Unamuno habla de cuestiones religiosas le espeta: «Usted no ha llegado *aún* al Evangelio; se ha quedado en el libro de Job.» Corominas pensó siempre —para poder justificarse su propia actitud— que Unamuno era un farsante, que se movía dentro de un ateísmo semejante al suyo. Usted no ha llegado a la verdad y el amor se ha quedado en las lamentaciones, le viene a decir. Y Unamuno, bien intencionado, no recoge la onda. «Tal vez —le escribe a Maragall el 18 de noviembre, comentando aquella frase de Corominas—. Siento cuanto me rodea como una esfinge terrible.» Precisamente en aquella carta, para explicar al poeta catalán su posición, empieza a copiar un fragmento de su *Tratado de amor de Dios*, fragmento que pertenece íntegro al *Diario*, a su testimonio de la crisis, señal inequívoca de un retroceso en sus angustias y preocupaciones. La superación de aquella nueva coyuntura crítica fue el abandono del *Tratado* para escribir *Del sentimiento trágico*.

Los signos del viejo desasosiego, de la angustia, han vuelto a manifestarse: insomnio, despertar sobresaltado descubriendo que la mano y el brazo izquierdos están dormidos cuando el alma vela, palpitaciones, fatiga, dolores musculares que parecen heraldos de la angina de pecho, trastornos gástricos de carácter nervioso similares a la úlcera de estómago. Es la duda, la inquietud y el vértigo de la nada que vuelven a hacer presa en su espíritu.

Tendido en la cama —el profesor Hipólito Rodríguez Pinilla le ha recomendado que haga reposo—, don Miguel, que no es trasnochador, escucha el bisbiseo del rosario que rezan su mujer, su madre y su hermana. Muchas noches, hasta la hora de la cena, trabaja en su despacho, casi recién instalado en la planta baja de la casa rectoral. La nochevieja de 1906, en las sombras de su estudio, siente la presencia de la muerte y de la nada. Toma unas cuartillas y empieza a escribir:

> Es de noche en mi estudio.
> Profunda soledad; oigo el latido
> de mi pecho agitado,
> —es que se siente solo,
> y es que se siente blanco de mi mente—
> y oigo a la sangre
> cuyo leve susurro
> llena el silencio
> Diríase que cae el hilo líquido
> de la clepsidra al fondo
> Aquí, de noche, solo, este es mi estudio;
> los libros callan;
> mi lámpara de aceite
> baña en lumbre de paz estas cuartillas,
> lumbre cual de sagrario;
> los libros callan;
> de los poetas, pensadores, doctos,
> los espíritus duermen;
> y ello es como si en torno me rondase
> cautelosa la muerte.
> Me vuelvo a ratos para ver si acecha
> escudriño lo oscuro,
> trato de descubrir entre las sombras
> su sombra vaga,
> pienso en la angina;
> pienso en mi edad viril; de los cuarenta
> pasé ha dos años.
> Es una tentación dominadora
> que aquí, en la soledad, es el silencio
> quien me la asesta;
> el silencio y las sombras.
> Y me digo: «tal vez cuando muy pronto
> vengan para anunciarme
> que me espera la cena,
> encuentren aquí un cuerpo
> pálido y frío,
> —la cosa que fui yo, este que espera—
> como esos libros silencioso y yerto
> parada ya la sangre,
> yeldándose en las venas,

> *el pecho silencioso*
> *bajo la dulce luz del blando aceite,*
> *lámpara funeraria».*
> *Tiemblo de terminar estos renglones*
> *que no parezcan*
> *extraño testamento,*
> *más bien presentimiento misterioso*
> *del allende sombrío,*
> *dictados por el ansia*
> *de vida eterna.*
> *Los terminé y aún vivo.*

Pocos días después —el 8 de enero de 1907— cuenta a Francisco Antón la nueva crisis que está viviendo: «Estoy pasando una temporada tormentosa, acongojado por la visión de la nada de ultratumba. No sé cómo se me ha venido esto encima. Busco consuelo haciendo versos, pero éstos me salen cada vez más desconsoladores.» Y es así como su viejo proyecto, siempre demorado, de publicar unas pocas poesías en un folleto, toma vida y es un grueso tomo con su obra poética lo que no tardará en enviar a la imprenta de un paisano suyo en Bilbao.

«¿He dado mal ejemplo?»

La crisis se acentúa en otros varios aspectos. Lleva ya quince años de catedrático en Salamanca; tiene cuarenta y tres. Su pelo y su barba se han encanecido prematuramente. Son quince años de luchas en la Universidad y han desfilado por sus clases quince menguadas promociones de estudiantes; algunos, los más queridos, empiezan a campar por sus respetos. Y los alumnos, a él, que se ha dedicado con toda su voluntad a sus discípulos, empiezan a inquietarle. El 4 de diciembre de 1907 escribe a su discípulo Federico de Onís esta carta que merece, por su interés, reproducirse en su integridad. Y es la primera vez que se publica.

«Querido Federico: Ya le he dicho a tu padre que me ponga el borrador de la comunicación y acabo de cerrar la carta a Silió en que le recomiendo tu asunto.
Yo me alegraré mucho que te trasladen acá y sé que cumplirás y serás útil, pero no debo ocultarte que lo de no estar en León me parece mal. *Aunque allí no hicieras nada de provecho.* Es cuestión de ética social. Y no sirve presentarse como excepción. Cristo, que vino a abolir la circuncisión de la ley judaica, fue circuncidado. Tu huida de León me ha parecido mal. Las cosas se ponen de tal modo que lo primero es dar ejemplo de disciplina social. Me parece rematadamente mal que Castillejo, verbigracia, esté en la Junta esa y no en Sevilla, a pesar de los sofismas institucionales. Si de mí dependiera, Nombela estaba aquí o sin cá-

tedra. Acabo de impedir que Fernández de Córdoba se vaya a Granada.

Ayer escribí a Rojas una carta que no sé el efecto que le hará. Me temo no conseguir nada.

Está aquí Modesto Pérez, atacado más que de indigencia de anarquismo imposible. Todo el mundo se cree excepcional.

¿Tengo yo en parte la culpa de esto? ¿He dado mal ejemplo? Pero es el caso que a la edad de Rojas, Modesto y otros que se dicen discípulos míos, yo no escribía y estudiaba alemán día tras día, y leía al Dante, a Hegel, etc., en vez de mariposear.

Todo lo entienden al revés.

Estoy en la época de los remordimientos. Empiezo a ver con dolor que, fuera de unos pocos —tú uno—, los más han tomado al revés cuanto he predicado y están desacreditándome. Así hay quien cree que en mi clase no se aprende griego y sí desorientación e indisciplina. Y esto me apena, créemelo.

Dile a Rojas de mi parte que vaya al extranjero a estudiar algo y no a escribir correspondencias para diarios ni revistas.

Díez Canedo me ha mandado un libro suyo. Le escribiré. Tú sabes cuán buena idea tengo de él. Por sus poesías adiviné que era buena persona, de alma limpia y noble. Consuela ver gentes que a elevación de mente unen limpieza de corazón y sanidad de conciencia. Y es un profundo poeta.

A Ortega y Gasset dile que escribiré pronto; que ando atareadísimo, sobre todo en leer. Que la historia del pietismo de Ritschl me está siendo luminosísima, y que estoy volviendo a chapuzarme en Platón.

Basta.

Un abrazo de tu amigo que te quiere

Miguel de Unamuno.

¿Y tu hermano? ¿Se aburre? ¿Se acuerda de esto? ¿Sigue con las melopeas zorrillo-sanmartinescas y *eiusden furfuris?* ¿Se va curando de la misantropía? Dile que si llega a ser un buen bibliotecario se habrá salvado, y no le pedirá más a Dios, que se lo aseguro. Pero un buen bibliotecario.»

Tales eran los remordimientos de don Miguel. Los discípulos importaban tanto como la obra toda, más aún. Es ahora cuando alcanza la madurez de su magisterio. Conmueve leer en su archivo las cartas de todos estos discípulos que le confían sus problemas intelectuales y familiares. Se le ha discutido su labor docente y, aunque enseñó y bien sus asignaturas (¿bastará el testimonio de Onís, de Martín Alonso, de González Trilla, de fray Albino Menéndez Reigada, de Francisco Maldonado, de Manuel García Blanco?), llevó el magisterio hasta la forma ejemplar de la unión y total convivencia con el alumno.

No faltó quien, sin haber sido discípulo directo, como José Ortega y Gasset, que no asistió a sus clases, pero que —como ya se ha dicho— se examinó con él como alumno libre procedente de la Universidad de Deusto, sienta el mismo influjo. Bastará leer el comienzo de esta carta fechada en Marburgo el 30 de diciembre de 1906: «Mi querido amigo don Miguel: he estado fuera y por eso no le he contestado antes, siendo, como es, para mí escribirle una de las cosas más agradables del mundo. Y no deja de ser curioso que las únicas cartas que me llegan de España, además de las de la novia y de la familia, son las de usted.»

Pero hablamos de que Unamuno está viviendo una crisis de retroceso en estas fechas. Algo, en esta misma carta, intuye el joven Ortega. «Vamos a ver —le escribe—, ¿por qué no se dedica usted más de lleno a la Filosofía y a la Religión y le hacemos catedrático de nueva creación con máximo de sueldo en Madrid? Creo que le hace falta a usted, mi buen don Miguel, una continencia, una cejuela, un cilicillo; si no, nos vamos de cabeza al misticismo energuménico, y por ese mero hecho nos colocamos fuera de Europa, flor del universo. ¿Cree de verdad que se puede vivir sin una presión? ¿Cree que se puede llegar a parte alguna y principalmente a lo arbitrario por otro camino que el de la ciencia?»

El caso Ferrer

Al concluir el año de 1906 el rectorado de Unamuno parece ya intangible en Salamanca. No falta quien piense que habrá ya rector hasta la jubilación, como pasó con don Mamés. Han seguido cambiando los ministros de Instrucción pública: Gimeno ha vuelto a ocupar la cartera en el Gobierno del viejo marqués de Vega Armijo. También, por Real Decreto de 11 de enero de 1907, se crea la Junta para ampliación de Estudios e Investigaciones Científicas, que se pone bajo la presidencia de Santiago Ramón y Cajal y que colma una de las aspiraciones de la mente rectora de la Institución Libre de Enseñanza con que Unamuno, heredero directo del krausismo, anda en buenas relaciones.

Rodríguez Sampedro es primer ministro de Instrucción pública en el gabinete de Maura. Nadie piensa ya en Salamanca en una caída de Unamuno como rector. Don Miguel no ha ocultado nunca su simpatía por el nuevo primer ministro. Tras los sucesos de la semana trágica de Barcelona, cuyo epílogo fue el fusilamiento de Francisco Ferrer Guardia, se desata en toda España, y en Europa, una feroz campaña. Es la versión española del proceso Dreyfus, un ensayo o estreno en provincias. El nombre de Unamuno aparece en la polémica. Posiblemente es un error, pero ¿cómo saberlo sin remover toneladas de documentos secretos a los que es difícil llegar? El proceso Ferrer es un síntoma de lo que pasa en España, de lo que va a suceder en Europa. ¿Inocente, culpable? Casi no importa esto. Hay detrás algo informulado, no visto acaso por quienes viven la trágica escenografía. Pero la historia manda... Ferrer, dependiente de comercio, revisor de ferrocarril, viajante o comisionista de vinos, autodidacta, creador de la llamada Escuela Moderna, era una figura desconcertante. Se le juzgó y fue fusilado. Salillas y Unamuno se negaron a aceptar que el país se encontrase ante un genio arrastrado hasta el martirio por quienes detentaban el poder. Unamuno había dejado claro, incluso, que él no se pronunciaba ni por la inocencia ni por la culpabilidad. La voz del doctor Simarro defendía a Ferrer. La izquierda monárquica defendió también al ajusticiado y en Salamanca le defendían todos, que eran muchos, cuantos no estaban con Unamuno. Libelos posteriores contra el escritor vasco, como el que hicieron al alimón su antiguo discípulo Modesto Pérez y Pío Baroja, con el seudónimo *Julián Sorel*, es este uno de los pretextos fundamentales de que echan mano para atacar a Unamuno.

Años más tarde, en diciembre de 1917, en un artículo que Unamuno tituló «Confesión y culpa», reconocía que «pequé y pequé gravemente contra la santidad de la justicia». Don Miguel explicaba su actitud de años atrás: «Me era profundamente antipática la obra de la escuela moderna de Francisco Ferrer Guardia y sigue siéndomela (...). Me repugnaba, con la mayor repugnancia que en mí cabe, la obra de incultura y de barbarización de aquel frío energúmeno, de aquel fanático ignorante. Nunca he podido soportar el dogmatismo docente del ateísmo más incivil y grosero, de un ateísmo a su modo trogoldítico.» Unamuno explicaba después cómo le había herido vivamente la campaña organizada en todo el mundo contra España con este pretexto. ¿Cuál era entonces el motivo de su rectificación? Sólo uno: «Ni la supuesta salud de la patria autoriza el fallar por razones que han de mantenerse secretas. Lo secreto es siempre la infamia y la inhumanidad.»

Y han continuado los cambios de ministros de Instrucción pública: al volver Moret es Barroso el de turno, en octubre de 1909, y en 1910, con Canalejas, torna el conde de Romanones, y en julio de 1911, con el mismo Canalejas, vuelve Gimeno, y en marzo de 1912 es Santiago Alba. Canalejas parece representar la seguridad y el orden en el país, también la seguridad del rector; pero a Canalejas le asesinan en la Puerta del Sol, ante una librería, la de San Martín, en que se han vendido ya no pocos ejemplares de los libros de Unamuno, y le sucede Romanones como primer ministro, nombrando a López Muñoz para la cartera de Instrucción Pública. En 1912 Eduardo Dato sube el soñado y deseado escalón que le deja sentarse temporalmente en la poltrona de primer ministro; Dato lleva a la cartera de Instrucción pública a Bergamín.

Un elogio de Rubén Darío

Entre tanto, Unamuno ha seguido sus luchas, su vida y sus escritos. Su personalidad va cristalizando. Decididamente deja a un lado el *Tratado del amor de Dios*. No; el propósito no ha sido dado de lado; se trata de un libro nuevo que, en entregas mensuales, em-

pieza a publicar *La España moderna* y ahora se titula *Del sentimiento trágico de la vida en los hombres y en los pueblos.* ¿Un libro de
filosofía? ¡No! Un libro poético. En 1907, en la imprenta bilbaína
de Rojas, ha editado su tomo *Poesías,* y en él sí que está, plenamente,
Unamuno. Aunque ya ha publicado versos en periódicos y revistas,
la sorpresa es inevitable. ¿Unamuno poeta? Sí; Unamuno es, fundamentalmente, acaso únicamente, un poeta. Sólo Rubén Darío, antes
que nadie, sabe verlo. «Poeta es —decía el bardo hispánico— asomarse a las puertas del misterio y volver de él con una vislumbre de lo
desconocido en los ojos. Y pocos como ese vasco meten su alma
en lo más hondo del corazón de la vida y de la muerte. Su mística
está llena de poesía, como la de Novalis.» Y estudia y elogia la poesía
de don Miguel desde su estética distante y dispar. «En Unamuno
—sigue diciendo— se ve la necesidad que urge el alma del verdadero
poeta de expresarse rítmicamente, de decir sus pensares y sentires
de modo musical.» Y todavía añade: «Unamuno sabe bien que el
verso, por la virtud demiúrgica, tiene algo de nuestra alma al salir
de ella, que es uno de los grandes misterios del espíritu, que es un
rito mortal para el cual la iniciación viene de una voluntad divina.»
Saliendo al paso de las consabidas malas interpretaciones, Rubén
añade: «Malignamente, aquí donde es habitual jugar con el vocablo,
he oído decir que los versos de Unamuno, como él quiere, son *pe-
sados.* También el hierro y el oro lo son.» Y Rubén Darío, para terminar, añade todavía: «El canto quizá duro de Unamuno me place
tras tanta meliflua lira que acabo de escuchar, que todavía no acabo
de escuchar. Y ciertos versos que suenan como martillazos me hacen
pensar en el buen obrero del pensamiento que, con la fragua encen-
dida, el pecho encendido y transparente el alma, lanza su himno, o su
plegaria, al amanecer, a buscar a Dios en el infinito.»
    1907, ha señalado Guillermo Díaz Plaja en su libro *Modernismo
frente a Noventa y ocho,* significa una reacción frente a la estética
modernista, que es la que impera. Cita hasta la *Vida de don Quijote
y Sancho,* que es de 1905, o el *Don Quijote, don Juan y la Celestina,*
de Ramiro de Maeztu, de 1926, pero na alude al tomo *Poesías* de
Unamuno, del mismo año, la más fuerte y perdurable reacción que
no escapó a la fina sensibilidad de Rubén, quien no pasó por alto
la oposición unamuniana a su evangelio poético, aprendido en Verlaine:

            de la musique avant toute chose.

De todas formas vale el diagnóstico. Pero es que ahora, 1912, Unamuno, tras su nueva crisis, cuando lanza al público en entregas
mensuales un nuevo libro, hace también una nueva forma poética,
que no se entiende bien, pero que es consustancial con su propia
existencia.

13

Ensayos liberales

El mirador de Bilbao

EL 15 de agosto de 1908, festividad de la Virgen de Begoña, doña Salomé Jugo, viuda del comerciante Félix de Unamuno, contempla desde el mirador del segundo piso de la casa número 7 de la calle de la Cruz el hormigueo de los peregrinos camino del Santuario. Hace ya mucho tiempo que vive en aquella casa y en ella se han criado todos sus hijos; ha muerto su esposo y han pasado los años de la ya lejana guerra carlista. El tiempo ha ido arando sus surcos indelebles en el cuerpo y en el alma de doña Salomé. Dos nietos, los dos hijos mayores de Miguel, están veraneando con ella. Miguel, su mujer y los otros nietos están lejos: en Portugal, en Espinho. Doña Salomé queda sola en el mirador: sus hijos Félix y María viven con ella, pero ahora está sola en el mirador, viendo pasar a la gente. A veces la mirada se le escapa en dirección a San Nicolás, hacia el cerrado cementerio de Mallona, donde fue enterrado su marido. Sabe que no podrán enterrarla allí. Posiblemente no piensa ahora en ello. Algo se rompe en su cuerpo y sus ojos ya no ven y sus manos son incapaces de apartarse de los hierros del mirador. Tienen que retirarla de allí, donde ha sufrido un ataque de apoplejía.

Miguel, en Espinho, ha conocido al médico y escritor Manuel Laranjeira y se siente atraído por su rica personalidad y por la desesperada tristeza que parece emanar de él. El 13 de junio, desde Espinho, le confiesa a José María de Onís, bibliotecario de la Universidad y padre de su alumno predilecto: «Estoy aquí mejor de lo que esperaba. Se me ha pasado la jaqueca. Como y duermo bien y leo y trabajo. Me entretengo en ver la pesca (...). La colonia es aún aquí, por fortuna, escasa. Yo apenas me rozo con ella. Paseo algo con Hipólito [Rodríguez Pinilla] y nada más. Me interesan más los portugueses.» Portugal le viene bien y puede comprenderse ahora el porqué de su afecto a esta tierra. Allí encontraba paz. Pero esta vez la paz se rompe.

Sale de Espinho sin despedirse de Laranjeira, al recibir un telegrama en que sus hermanos le velan piadosamente la verdad. Llega a Bilbao sólo a tiempo de asistir a los funerales: su madre ha sido enterrada hace horas en Derio. Miguel evoca los cipreses de Mallona y el recuerdo de su padre y siente clausurado todo el mundo de su infancia y de su juventud.

Para Unamuno, que ha vivido sus primeros años junto a dos viudas —su madre y su abuela— en régimen familiar de auténtico matriarcado, el impacto debió ser sin duda enorme. Hay pocas alusiones en su obra a esta situación concreta, pero la figura de la madre es siempre un eje de su pensamiento: la madre envuelve y determina todo el ámbito vital y por eso la esposa es madre, España es matria en vez de patria y sus entes de ficción femeninos se consumen en ansias de maternidad. Su madre, él lo ha confesado, con su sola presencia le contiene de escribir algunas cosas. Pero su madre ha muerto y la casa de la calle de la Cruz se cierra. María va a Salamanca. Un año después desalojan el piso y cuando Unamuno vuelve a Bilbao contempla melancólico el mirador en que su madre dejó de existir, el mirador de su infancia. Félix, distante, solitario, se queda en Bilbao.

Unamuno, «campidoctor»

En setiembre de 1908, el día 5, Unamuno ha vuelto a su villa natal y habla en *El Sitio* sobre «La conciencia liberal y española de Bilbao». Días después, en las columnas de *El imparcial*, de Madrid, el joven José Ortega y Gasset le dedica unas glosas a este discurso. «De cuando en cuando —escribe—, don Miguel de Unamuno abandona las piedras sublimes de Salamanca, rojas de místico fervor, y va a buscar por la muerta campiña del alma española una liza donde romper algunas lanzas en pro de la libertad y de la cultura. Y acaso haya de causarle grave enojo diciendo que sus poesías y sus comentarios al Quijote, con ser bellos y muy dignos de lectura, serán, probablemente, olvidados por los españoles en 1950, en cuya memoria habrá, en cambio, de perdurar este otro Unamuno *Campidoctor*.»

Don Miguel, en su conferencia, había removido una vez más la conciencia de sus paisanos, y arremete contra «los avances de la memez» y contra la insidia, definiendo al Estado como expresión de la conciencia liberal, porque «la libertad es la conciencia de la Ley y la Ley es social»; proclama la santidad de la ciencia y, al final, se deja ganar por la emoción evocando el recuerdo de su padre y reconociendo su situación de desarraigo con respecto a la tierra nativa:

«Cuando vuelvo acá, a mi pueblo, cada año, me encuentro como extranjero en mi patria, siento el desarraigo. Es que formé nido en lejanas tierras, es también que me llama acaso la patria eterna cuyas raíces prenden en Dios. Un tormento, una congoja de eternidad me persigue donde quiera. Y esa eternidad, ¿no podemos en algún modo lograrla aquí abajo, en la tierra?»

Ortega, en sus glosas, protesta de la inquina de Unamuno contra Madrid, que ha salido, una vez más, disparada en esta conferencia. «Quisiéramos —dice— que viniera a Madrid y aquí predicara también su nueva alianza liberal. Nuestra ciudad no tiene grandes virtudes; pero a despecho de cuanto quiera echársele en cara, sigue siendo el aparato de expansión intelectual más poderoso con que contamos en España.» Sí, Ortega quiso siempre a Unamuno en Madrid. El 27 de enero de aquel año le escribía desde Marburgo: «Porque estoy empeñado en meterle a usted por la cátedra de Filosofía de la Religión. Ahí puede ser usted utilísimo como enreciador de conciencias y al mismo tiempo hallará usted una presión que es necesaria para toda cristalización perfecta. Además, podríamos formar entre algunos hombres honrados una como isla donde salvarnos del energumenismo. Seamos lakistas y nuestro lago... sea la charca de Madrid.» No era la primera vez que Ortega insistía sobre lo mismo.

Ya hablé en otro sitio (14) sobre las relaciones entre las dos figuras, y en este libro habrá que seguir insistiendo. En esta valoración de la estrategia cultural de Madrid se apoya una de sus principales discrepancias, pero las cosas no fueron tan sencillas como la pereza de los comentaristas de turno ha venido admitiendo. Por ahora bastará sólo recordar la valoración que Ortega hace de Kierkegaard en uno de sus libros póstumos, *La idea de principio en Leibnitz*: es el provinciano, «histrión superlativo de sí mismo». «Con esta hinchazón, esa tumescencia moral que suele padecer el intelectual adscrito a la gleba provincial, que sabe no poder abandonar nunca, necesita (...) absolutamente ser "la excepción", "el extraordinario"...» Y añade: «Yo he conocido a otro hombre sumamente parejo a Kierkegaard y por eso conozco a éste muy bien», y todavía insiste: «En provincias nadie puede pasar por inteligente ni sentirse tal a sí mismo, si no representa un papel.»

Pero Unamuno no parece ya dispuesto a marchar de Salamanca. Sus intentos anteriores para incorporarse a la vida académica madrileña han fracasado. En 1895 y en 1897 pretendió la permuta de su cátedra de griego de Salamanca con las vacantes de la Universidad Central. Preparó las oposiciones a la nueva cátedra de Filología comparada del Latín y el Castellano, pero no se presentó, como ya se ha contado. Unamuno quedaba anclado en Salamanca, varado en la gleba provinciana, en parte porque se sentía contento al comprobar que su voz era escuchada desde su rincón. Posiblemente por eso, cuestión aparte de que no fue reclamado tampoco, desoye el ruego de Ortega de hablar de liberalismo en Madrid.

Al año siguiente, el 3 de enero, Unamuno vuelve a predicar su

---

(14) E. SALCEDO: *Unamuno y Ortega y Gasset. Diálogo de dos españoles*, en *Cuadernos de la Cátedra de Miguel de Unamuno*, VI, Salamanca, 1956.

doctrina liberal. Esta vez en Valladolid habla de «La esencia del liberalismo», y es más explícito que en la anterior prédica ante sus paisanos los vascos. «El contenido doctrinal de nuestro partido liberal o progresista histórico —dice ya al comienzo de su discurso— se ha agotado.» Unamuno pretende «sustituir la estéril definición negativa de la libertad por otra positiva», ya que «la libertad es carga más que beneficio, deber más que derecho y engendra responsabilidades». El rector de Salamanca se opone a la «santa gana» predicando su liberalismo socialista, de un socialismo que no es puramente económico. «No se trata —confiesa— de cuestión de estómago, sino del hombre entero; no de reparto de riqueza, sino de cultura.»

En aquella ocasión Unamuno arriesgó mucho en su discurso, y él no lo ignoraba, afirmando que no era posible pedir a un pueblo sacrificios en nombre de la felicidad, pero sí en el nombre de la cultura y que no podía identificarse el liberalismo con la democracia, porque en España no había pueblo —demos— auténtico, organizado. «Hay que hacer de la masa un pueblo —decía a los vallisoletanos— y un pueblo que tienda a realizar la cultura, el reino de Dios aquí abajo, considerando esto no como cárcel o posada en que se viene a pasarlo bien mientras llega el día de la partida a la morada de la queda eterna.» Y es más tajante cuando afirma que «no cabe ser liberal y católico», y propone la descatolización de España, la superación institucional de Iglesia y Estado, para «que la heterodoxia no sea ilegal». ¿Dónde quiere ir a parar Unamuno? No se trata, como podía parecer, de un pleito personal. Conviene no echar en olvido que las instituciones políticas españolas aparecen amasadas con agua bendita frecuentemente y no debe ser éste el destino de tal agua. Para Unamuno, la redención colectiva —no la personal— es sólo posible a través de la cultura, «que es el combate por arrancar a Dios el secreto del bien y del mal», y de ahí su voluntad de una España «ideal, universal y eterna» extraída de la España «militante y temporal».

Un mes más tarde está Unamuno en Valencia, en cuya Universidad pronuncia una conferencia sobre Darwin con motivo de su centenario, el 22 de febrero. De aquel discurso es interesante recordar sus palabras finales: «Dentro de muy pocos días la Iglesia nos dirá: "Acuérdate, hombre, de que eres polvo y has de volver al polvo." Pues yo, para concluir, os digo: «Acuérdate, polvo, de que eres hombre y de que por la humanidad has de volver a Dios, puesto que a Dios llevas en el alma.» Estas palabras, este deseo de dar una carga espiritualista a las teorías de la evolución, ahora —tras Pierre Theillard de Chardin y su concepción de El fenómeno humano—, no producen extrañeza, pero sí debieron alarmar, y mucho, entonces, cuando la obra de Darwin era aceptada o rechazada simplemente como expresión materialista.

Ross Mugica y Laranjeira, dos amigos perdidos

Parecen adormecerse los problemas de Unamuno, entregado a una activa vida pública activa. Pero... Hacia 1905 llamaron su atención las cartas que desde Chile le envía Luis Ross Mugica, escritor hoy olvidado y que despertó el más sincero entusiasmo y la más entrañable amistad del rector. En 1908 vino a España Luis Ross, en viaje de bodas, y tras una temporada en Galicia pasó mes y medio en Salamanca, junto a su admirado don Miguel. A Unamuno le gustaba que sus convecinos le repitieran que Luis Ross no parecía americano. «Y es que aquí —comentaba— estamos acostumbrados a recibir visitas de jóvenes literatos más o menos melenudos y más o menos bohemios, muy estetas, muy elegantes, muy pagados de sí mismos... que venían a la conquista de la gloria, de paso para París. El otro tipo del americano, el sólido, el grave, el noble, apenas lo conocíamos.»

Nunca tuvo suerte don Miguel con sus más entrañables amigos. Sobre la existencia de Luis Ross sopla un viento fuerte de tragedia. En Madrid, el escritor chileno espera su primer hijo y éste le llega muerto. Tiempo después el joven Luis Ross cae enfermo y es sometido a una intervención quirúrgica en que pierde la vida. Unamuno escribe a *La nación*, de Buenos Aires, sobre el amigo malogrado y prologa su libro póstumo, titulado *Más allá del Atlántico*.

A fines de 1909, en noviembre, don Miguel acompaña hasta Lisboa a la viuda de Ross, que embarca para Chile. Unamuno da la noticia de esta su primera visita a Lisboa en carta a Teixeira de Pascoes y con el recuerdo de Ross amasa el que tiene del doctor Laranjeira: «En Espinho —cuenta al poeta portugués— conocí a un hombre interesantísimo y muy inteligente, el doctor Manuel Laranjeira. Sus cartas son admirables.» Y añade después: «Ahora me interesa el fenómeno de la frecuencia con que se dan suicidios en Portugal, tierra trágica.»

El 28 de octubre de 1908, cuando Luis Ross Mugica llamaba, sin saberlo, a las puertas de la muerte en plena juventud, Unamuno, que había sentido varias veces la tentación agobiante del suicidio, recibe estas líneas de su amigo portugués: «Essas estranhas figuras de trágica desesperaçao irrompen espontâneamente, como árvores envenenadas, do seio da Terra Portuguesa. Sâo nossas: são portuguesas: pagaram por todos: expiaram o desgraça de todos nós. Dir-se-ia que foi tôda uma raça que se siicidou.» «En Portugal —continúa— chegou-se a este principio de filosofía desesperada —o suicidio é um recurso nobre, é uma espécie de redençao moral. Neste malfadado país, tudo o que é nobre siicida-se; tudo o que é canalha tirunfa»... «O nosso mal é uma espécie de cansanço moral, de tedio moral, o cansanço é o tedio de todos os que fartaram-de creer.» «Creer...! En Portugal, a única crença ainda digna de respeito é a crença na morte libertadora.»

En los días angustiosos de la crisis de 1897, en su *Diario*, Unamuno confesó que le perseguía el fantasma del suicidio. En 1898 se suicidó su amigo Angel Ganivet sin llegar a recibir la última carta que le escribió don Miguel. El 22 de febrero de 1912 llegó a Espinho el *Rosario de sonetos líricos*, cuando el cadáver del suicida doctor Laranjeira está aún caliente. En 1914 comenta Unamuno un libro de Manuel Machado, *La guerra literaria*, y escribe entonces: «Y ahora, amigo Machado, aquí, para entre los dos, y al oído, que no lo oiga otro: Mire, a mí se me ha ocurrido cien veces lo mismo; pero si no me he pegado un tiro es porque tengo mujer y ocho hijos que mantener, porque no me va tal mal en la vida, gracias a mi pesimismo, que ahorra desengaños, y sobre todo porque abrigo muchas dudas de que la muerte, y más si es voluntaria, sea medio de salir de la duda, de la única que vale.»

En el verano de 1912, acaso con el recuerdo de Larenjeira, escribe un poema a su mujer y que se ha conocido en 1958:

> *... De no haber anudado nuestras vidas,*
> *¿es que hoy yo viviría?*
> *¡Estos mis ocho hijos que me has dado*
> *son mis raíces!*
> *Aquel viejo enemigo de mi pecho*
> *habríame vencido.*
> *O en un rincón de un claustro,*
> *en una triste celda,*
> *en brega con la fe que se me escapa,*
> *luchando con la acedia;*
> *o en un rincón de un camposanto oscuro,*
> *allí, en lo no bendito,*
> *¡donde se guarda a los que no supieron*
> *esperar a la muerte!*

Polémica con Maeztu

De las congojas íntimas siempre hay urgencias que le apartan o distraen. El Campidoctor que diría Ortega se impone a veces sobre su vida íntima. Y entre estas urgencias figuraron en ocasiones sus polémicas con amigos y discípulos: tal el caso de Ramiro de Maeztu y de José Ortega y Gasset.

Don Carlos de Sena, salmantino, es médico de Boada, un pequeño lugarejo de la provincia salmantina. Don Carlos es un hombre atrabiliario, naturista, progresista, cree en la hermandad posible de todos los hombres y escribe aforismos con el seudónimo de *Adeodato Paz*. Pero él es, sobre todo, un gran batallador, pese al seudónimo que se ha buscado. Como médico de Boada, indignado por la indigencia de la localidad, mete en danza al secretario del pueblo, Emilio Regidor, y al del Juzgado, Juan Rodríguez, lanzándose con ellos a la aventura de pedir al presidente de la República Argentina su ayuda para emigrar en masa. El lío que arma don Carlos de Sena es de los sonados y Ramiro de Maeztu uno de los primeros en hacerse eco de él. La crónica del periodista vasco se reproduce en la prensa salmantina y días después, el 10 de diciembre de 1905, Unamuno va con Manuel Rubio a Boada para conocer la exacta dimensión del problema. Posiblemente se trata de un encargo oficial. El asunto de Boada se paraliza y Maeztu, campeón improvisado de aquella aventura, no ha logrado el diálogo que en esta ocasión ha buscado con Unamuno.

Dos años más tarde sí tiene esta oportunidad deseada, y el tema, aunque no se hable del pobre pueblo salmantino, tiene un punto de partida ideológico muy semejante. El escritor Enrique Gómez Carrillo ha publicado dos libros que se titulan *De Marsella a Tokio* y *El alma japonesa*, y Unamuno glosa sus páginas en un artículo titulado «El problema religioso del Japón». No alude para nada a Maeztu y habla sólo de su preocupación en torno a «qué es lo que un japonés del pueblo, un japonés sencillo y a la antigua, un japonés no estropeado por el intelectualismo científico y nacionalista de la vieja y cansada y escéptica Europa, piensa y siente respecto a su vida futura y al destino de su propia conciencia individual».

Resulta curioso que este artículo, dirigido a lectores argentinos, levante la indignación de Maeztu en la prensa española. Y así fue. El periodista vasco, sin duda, le tenía ya ganas a su paisano el rector y se agarró a la ocasión por los pelos, por eso de que la pintan calva. «La rosa y la flor de cerezo» es el título del artículo que Maeztu publica el 3 de junio en *Nuevo Mundo*. No es nada nuevo, es la vuelta a algo que aquel mismo año ya ha publicado el 18 de mayo, bajo el título de «El camino para imponerse», y que empezaba así:

«A don Miguel de Unamuno no le ha gustado que en estas columnas se le haya aconsejado que se ocupe algo menos de sí mismo y algo más del país en que vive. Unamuno padece el ansia loca de inmortalizarse, y lo confiesa a todas horas, en su prosa, en sus versos y en sus discursos.»

Maeztu había sufrido el mismo espejismo. Precisamente, y ya van bastantes testimonios de ello, buscaba ocuparse del país en que vivía para no tener que sufrir sus congojas personales. No sin dolorida ironía recibió Unamuno los ataques de su joven paisano. Guardó silencio al primero y contestó al segundo ataque, también desde *La nación*, de Buenos Aires, hablando nuevamente de los japoneses. «El al parecer frenético individualista de aquellos años se nos ha vuelto un al parecer no menos frenético antiindividualista y pone en la causa que ahora sustenta el mismo ahinco y la misma sutileza e ingenio que ponía entonces en aquélla.» No debió de agradarle mucho a Maeztu aquéllo y redobló sus ataques con otro artículo sobre el japonesismo y, por último, con toda una serie de cinco «sobre el egotismo».

Pero, pese a todo, las relaciones entre ambos escritores, que

pueden parecer tirantes, aún no se enfrían, pese a que se está iniciando la evolución política de Ramiro de Maeztu. La amistad familiar se mantiene. La madre de Maeztu ha acudido más de una vez
en petición de ayuda a Unamuno: intenta a veces ser profesora de
idiomas. Otras es su hija María, que va a estudiar a Salamanca la
carrera de Filosofía y Letras y ha vivido en casa de don Miguel como
una hija más. Exactamente: hacía las comidas en la casa rectoral,
donde Unamuno la daba luego clase particular. María de Maeztu
dormía en casa de un bedel de la Universidad, porque en el hogar
del rector no había sitio. Todos estos son datos suficientes para
comprender unas relaciones. El espíritu liberal que impregnaba a
todos bastaba para salvar las diferencias de discusión, que casi únicamente tenían el aire de un deporte dialéctico.

¡Que inventen ellos!

En 1908 inicia Ortega y Gasset sus aventuras editoriales con la
revista *Faro* y pide a Unamuno «algo sobre América, donde se venderá también [la revista]. Yo personalmente quisiera sobre Facundo: héroe de la conciencia política» (carta sin fecha, 1908). No es
esto lo que más puede interesarnos todavía.

Tras esta carta van otras, casi siempre sin datar, pero que es
fácil situar en este año por los temas y hasta por la misma clase
de papel usado por el corresponsal. En una de ellas, la número 7 de
las conservadas en el Museo Unamuno, puede leerse este elocuente
párrafo con que termina y que es clave de cuanto sucedió después:

«El amor a la ciencia, a lo claro, a la ley, nos reúne, nos hermana. Juremos que de hoy en más concluirá el pecado secular
español, el pecado contra el Espíritu Santo, el horror a la ciencia.
¿Que son transitorios los resultados de la ciencia? ¿Que son más
cómodos los de la mística? ¿Y qué?: Ciencia no son los resultados, sino el método: el método de la honradez espiritual, la veracidad virtud masculina frente a la femenina sinceridad.»

Entre tanto, el ventarrón de la polémica se dispone a soplar.
Azorín sintió la necesidad de defender a España cuando Haeckel,
Maeterlink, Anatole France y otros escritores, casi todos franceses,
se unen ante Europa para protestar de la barbarie española. Azorín
publica un artículo en *A B C* el 12 de setiembre de 1909 cuyo título,
«Colección de farsantes», habla expresivamente del tono y de la
pasión del nacionalismo herido que desborda su escrito. Don Miguel
está en Bilbao, lee el artículo de Azorín, toma la pluma y escribe
una carta privada que, pese a ello, se publica en el *A B C* del 15 de
aquel mismo mes.

«Mi querido amigo —dice don Miguel—: vuelvo a tomar la
pluma para escribirle, y esta vez con felicitación. Acabo de leer

«Colección de farsantes». ¡Bien, muy bien, muy bien! Hora es de reaccionar. Son muchos aquí los papanatas que están bajo la fascinación de esos *europeos*. Hora es ya de decir que en no pocas cosas valemos tanto como ellos y aún más (...). Dicen que no tenemos espíritu científico. ¡Si tenemos otro! Inventen ellos, y lo sabremos luego y lo aplicaremos. Acaso esto es más señor.»

Y añadirá:

«Si fuera imposible que un pueblo dé a Descartes y a San Juan de la Cruz, yo me quedaría con éste.»

Ortega y Gasset se ha sentido aludido; primero por Azorín, cuando el levantino dice en su artículo: «No necesitamos para nada, no lo queremos, el fingido gesto humanitario —desdén e ignorancia— con que un olímpico escritor, maravilloso y sutil, pretende redimirnos», después por Unamuno, al que poco antes le ha confiado que siente más incómodos, pero preferibles, los resultados de la ciencia a los de la mística. Por eso su explosión es sólo contra el vasco; también porque es la más dolorosa reacción que las circunstancias le dictan. «Yo soy —comienza Ortega— plenamente, íntegramente, uno de esos papanatas: apenas si he escrito, desde que escribo para el público, una sola cuartilla en que no aparezca, con agresividad simbólica, la palabra Europa. En esta palabra comienzan y acaban para mí todos los dolores de España.» Creo que el dolor de Ortega es auténtico. Hubiese guardado silencio ante otro cualquiera; buena prueba es que en este artículo, que titula «Unamuno y Europa, una fábula», ni alude a Azorín, que es el culpable de cuanto va a suceder. Llega Ortega al insulto contra Unamuno y ello por un poderoso motivo: «Puedo afirmar —escribe— que en esta ocasión don Miguel de Unamuno, energúmeno español, ha faltado a la verdad. Y no es la primera vez que hemos pensado si el matiz rojo y encendido de las torres salmantinas les vendrá de que las piedras venerables aquéllas se ruborizan oyendo lo que Unamuno dice cuando a la tarde pasea por ellas.» «Y, sin embargo —concluye casi con un sollozo—, un gran dolor nos sobrecoge ante los yerros de tan fuerte máquina espiritual, una melancolía honda... ¡Dios, qué buen vasallo si hobiese buen Señor!»

Unamuno no replicó al momento y encajó el golpe, como el que casi seguido le lanzó Ramiro de Maeztu, empeñado de un poco tiempo atrás en ser el anti-Unamuno (15). Desde Londres envía a *Nuevo Mundo* una crónica titulada «Europa y los europeistas» (21 de octubre de 1909), en que quiere ser irónico y arremete contra el llamado africanismo de don Miguel. Maeztu ha polemizado ya con Ortega, pero ha sido un diálogo amistoso y aún no se han distanciado. Le interesa ahora sólo aprovechar una vez más la ocasión y no repara

---

(15) No es, desde luego, decidido el propósito de Maeztu de ser un anti-Unamuno. Esta voluntad surgió sólo, de forma declarada, en Eugenio D'Ors, que llegó a firmar así algunas cartas a don Miguel.

en el valor del doloroso dramatismo del berrinche de Ortega frente a Unamuno.

Por aquellas fechas le piden a don Miguel unos artículos para la revista inglesa *The Englishwoman* y el rector insiste en que «el trascendentalismo de los españoles nos incapacita para la ciencia, el arte y la moralidad». Nuevamente Maeztu quiere ser irónico y describe desde Londres el diálogo de un estudiante español con su profesor de inglés. Así el profesor podrá hacer preguntas de Pero Grullo. «¿Y no se te ha ocurrido pensar —le dice a su discípulo— que el Espíritu es lo mismo en Carabanchel que en Cambridge?», y también hará decir al rector de Salamanca cosas que nunca dijo: «Pues si somos como somos porque así nos ha hecho el Espíritu de España, es inútil que tratemos de estudiar y de perfeccionarnos, pues somos lo que somos.» En la polémica intervinieron *Andrenio* y Baldomero Argente. El segundo fue «todo un profeta» (?) cuando escribió que: «El cerebro de Unamuno es muy ágil y muy culto, pero ni influye ni influirá nunca en el espíritu español por la absoluta desorientación de aquél.»

Pero Unamuno no contesta a Maeztu. Cuando redacta su libro capital, *Del sentimiento trágico*, sangra por la herida aludiendo al incidente y a las objeciones de Ortega, en forma tan clara y abundante que no puede uno menos de asombrarse porque no hayan sido señaladas nunca. En el epílogo de este libro unamunesco, fechado en la primavera de 1912, sorprende el empeño de don Miguel por hacer precisiones en torno a la cuestión. «No ha mucho —dice— hubo quien hizo como que se escandalizaba de que, respondiendo yo a los que nos reprochaban a los españoles nuestra incapacidad científica, dijese, después de hacer observar que la luz eléctrica luce aquí y corre aquí la locomotora tan bien como donde se inventaron, y nos servimos de los logaritmos tan bien como en el país donde fueron ideados ,aquello de "¡Que inventen ellos!", expresión paradójica a que no renuncio.» En realidad, el epílogo de este libro no es más que el desarrollo de la carta que escribió a Azorín. «Mas al decir "¡Que inventen ellos!", no quise decir que hayamos de contentarnos con un papel pasivo, no. Ellos, a la ciencia de que nos aprovecharemos; nosotros, a lo nuestro. No basta defenderse. Hay que atacar.»

Con José Ortega y Gasset no hubo ruptura. Antes de estas palabras epilogales del libro fundamental de Unamuno y después del famoso artículo que tanto se esgrime para no querer entender las cosas, el joven profesor ha vuelto a contar con el rector de Salamanca:

«Querido Unamuno: Recibí sus cartas y su tarjeta. Muy bien me parece que tercie usted en la disputa de Gabriel Maura y mía. De acuerdo por completo en lo que me dice del liberalismo como anticatolicismo y de la instrucción como centro de la educación. Todo eso es exactamente mi tema.

Hoy, en el fondo de *El Imparcial*, aparece destacada su frase a Cambó y su figura como *Aufklámer* de limpio corazón liberal. ¿Quiere hacer unas cuartillas sobre el camboismo para el número próximo de *Faro*? Si llegan aquí el sábado de mañana aún pueden salir.

Maura creo que contestará también en este número y si usted quiere puede ir su comentario en el número siguiente. Pero ahora lo de Cambó.

Tengo muchos proyectos con usted; creo que estamos en momentos precisos para resucitar el liberalismo y, ya que los de oficio no lo hacen, vamos a tener que echarnos nosotros, ideólogos, a la calle. No hay más remedio: es un deber. Hay que formar el partido de la cultura. Dígame qué piensa. *¿Y si empezáramos por Barcelona? ¿Sería útil como trait d'union* con el Parlamento Melquiades Alvarez? Ya sabe que pensamos lo mismo acerca de esta pobre criatura: sin embargo, insisto, ¿sería útil?

A ver qué me dice.

Un abrazo

José Ortega y Gasset.»

La carta es elocuente. La ruptura no se ha producido.

14

Horas de insomnio

L A crisis de 1897 fue decisiva en la existencia de Miguel de Unamuno y dejó honda huella en él. Su quehacer literario sufrió el impacto de aquellas congojas y así nacieron las *Meditaciones evangélicas*, de que ya hemos hablado, y su drama *La esfinge*. Es todo un síntoma de superación de aquella etapa que Unamuno transforme las *Meditaciones* en un *Tratado del amor de Dios* y después en su libro *Del sentimiento trágico de la vida en los hombres y en los pueblos*. En buena medida va superando su intimidad y ofrece al lector el fruto de sus congojas con un cierto distanciamiento temporal. *La esfinge* tiene mucho de autobiográfico, no argumentalmente, pero sí situacionalmente. Afortunadamente para Unamuno, se retrasa el estreno y cuando éste se produce, el 24 de febrero de 1909, ha pasado tiempo suficiente para que el rector, que mantiene, sin embargo, las mismas preocupaciones, comprenda que éstas están atenuadas por las urgencias del vivir cotidiano, por su escribir sin descanso, por sus luchas, la guerra de cada día en su ciudad y en su Universidad.

El bautismo de Unamuno como autor teatral tuvo lugar en las Islas Afortunadas, en el teatro Pérez Galdós, de las Palmas de Gran Canaria, el 24 de febrero. El rector no asistió al estreno y en Salamanca recibió las noticias que le daban del éxito obtenido, humilde y modesto éxito provinciano, extrapeninsular incluso. Reseñan el estreno el poeta Tomás Morales y un joven escritor: Manuel Macías Casanova. La compañía que estrenó el drama era la de Carmen Cobeña y su esposo, Federico Oliver. Es claro que no se atrevieron con la obra en Madrid o Barcelona, sino sólo en provincias: Canarias, Salamanca después, Zaragoza... Que el drama permaneciese inédito durante toda la vida de don Miguel no puede explicarse por el poco éxito obtenido, sino porque representara un pasado angustioso que su autor deseaba y necesitaba superar. No le importó por cuanto tenía de distante que en 1922 se publicara la edición italiana.

No ha escrito mucho teatro hasta entonces: sólo un drama en un acto, *La venda*, redactado en 1899, al salir de la crisis y también identificado con ella. *La venda* no se estrena por ahora (16), aunque el autor lo intentó y logró llegar a la etapa de ensayos en el Español. Pero no le afecta mucho. Sigue en el quehacer dramático animado por el estreno de *La esfinge* (título que, dicho sea de paso, es muy unamunesco, pero se lo puso Federico Oliver) y escribe *La princesa doña Lambra*, farsa que toma como pie la existencia en la catedral vieja salmantina del sepulcro de la infanta doña Mafalda, «que finó por casar», y que envía, sin éxito, al teatro Lara, de Madrid. No es una pieza cómica, como podría creerse; es una burla, autoburla, darse de bofetadas a sí mismo, riéndose de sus ansias de inmortalidad y de su temor a la muerte. Otra burla es *La difunta*, que va también al Lara, donde, igualmente, intenta tomar a broma sus temores de muerte. Y es el caso que, al terminar este año de 1909, escribe a Juan Maragall: «Proyectos tengo muchos; salud, como nunca.» Pero añade poco después: «Tengo así como un presentimiento de que voy a dar un salto en mi vida, en esta vida tan igual, tan regular, tan armónica, tan normalmente creciente en medio de sus tormentas interiores.»

La liquidación de aquel pasado de angustias parece continuar y en 1910 publica su libro *Mi religión y otros ensayos breves*, en que recoge trabajos anteriores. En Salamanca tiene que soportar unos días molestos, con indirectas, sonrisitas y cuchicheos, porque el 17 de mayo se inaugura en la plaza de Anaya el monumento al P. Cámara, su antiguo amigo, pero que pensó luego en condenar todos los escritos unamunianos y le escribió anunciándoselo, preocupado por la evolución de sus ideas.

Primer viaje a Canarias

Desde Canarias, donde está reciente el recuerdo del estreno de *La esfinge*, llaman a don Miguel como mantenedor de juegos florales. Allí conoce el rector a Rafael Romero, poeta que usó el seudónimo de Alonso de Quesada, a Manuel Macías Casanova, a Luis Millares, en cuya casa se hospeda. El primero es uno de los poetas premiados en aquellas justas, no muy afortunado lector de sus propios versos, que impresiona al principio desagradablemente al escritor vasco, como recordó años después al prologar su libro *El lino de los sueños*. Sobre todos le impresiona la figura callada y taciturna de Manuel Macías Casanova, que ha sido crítico entusiasta y penetrante del estreno de *La esfinge* en las columnas de *La ciudad*, de Las Palmas. Macías Casanova, callado, hermético, parece oír con los

_____

(16) Véase más adelante. Fue representada por aficionados en Las Palmas al tiempo que en Salamanca, en 1921.

ojos e impresiona a Unamuno por su silente compañía, por su apego casi canino. «Aún no me explico —recordaba en 1915— y aún me pregunto qué hice yo para merecer aquella adhesión ardorosa y taciturna.» Como en el caso de Luis Ross Mujica, un viento de tragedia amenaza esta vida joven. Cuando Unamuno regresa a la península, Manuel Macías Casanova le habla de ir a estudiar a Salamanca, junto a él, para «desaislarse». «Me lo traje en el alma. Era para mí —evocaba don Miguel— un misterio y una tremenda responsabilidad aquella alma joven y palpitante que quería confiarse a mí, entregarse a mis manos rudas y tal vez desdeñosas.» Y Manuel Macías Casanova murió no mucho después, al tocar un poste eléctrico de alta tensión. Cuando Unamuno recibió la noticia confesó: «Fue como si otra corriente me envolviese, y me abracé, mentalmente, a su recuerdo, y me quedó grabada en el alma aquella su mirada silenciosa y escrutadora que bebía mis palabras. No era yo, a lo que parece —sigue con amargura— digno de que viviera y se gozase y llegase a plenitud y diera su obra quien tan por entero se había entregado. ¿Qué misterio habrá en esto?»

En Canarias, en esta ocasión, descubre Unamuno poéticamente el mar:

> *Cuna de la vida,*
> *sé nuestro sepulcro,*
> *en el santo silencio de tu pecho*
> *acógenos, madre.*
> *Y que luego tus olas*
> *canten nuestra vida*
> *bajo el cielo impasible que te cubre*
> *y es reino de muerte.*

El día 20 de julio embarca en el *Rommey* rumbo a Oporto. Se despide de la angustiosa mirada de Manuel Macías Casanova, se despide acaso de la isla pensando en que nunca volverá y «En los cuatro días y medio, a razón de ocho millas por hora, que traje de las Palmas a Oporto y en mi estancia en Oporto no he hecho sino escribir versos: *El poema del mar*. Mire si vendré propicio a ellos», le confesaba el poeta López Picó en una carta a su llegada, el 29 de julio.

En la travesía, dentro del alma de Unamuno ha cantado el mar y se ocupa del compañero de viaje que pasa, con su pipa, «fumando cara al mar horas enteras», del que «se pasa el día dándole a las cartas», del que duerme continuamente, del que ahoga sus pensamientos aporreando el piano, del bebedor al que le da sed el mar, de la mujer que es «una pregunta siempre / como lo es el mar».

Vuelto a casa, queda el recuerdo del mar, que no había visto bien hasta ahora, pese a haber nacido y haberse criado a su arrullo.

> *Cuando a cerrados ojos, mar, hoy te imagino,*
> *cuando a solas en sueños te re-veo*
> *es cual cuajada bruma,*
> *suspendida del cielo.*

Un rosario de sonetos

Gilbert Beccari está metido con la traducción de los comentarios quijotescos de Unamuno al italiano y le pide un prólogo, que éste fecha en Salamanca en agosto de 1910, un prólogo para italianos que no aparece, con el libro, hasta tres años después. *El tratado del amor de Dios* —que aún se titula así— sigue absorbiendo el tiempo de don Miguel.

En setiembre de 1910, con la experiencia del breve diario poético llevado a bordo del *Rommey*, rumbo a Oporto, empieza otro, pero en sonetos. De ahí saldrá su *Rosario de sonetos líricos* y mantendrá la expresión poética para esos diarios posteriores que se llamaron *De Fuerteventura a París*, *Romancero del destierro* y *Cancionero*. «Ahora me ha dado por los sonetos; los hago casi todos los días», escribe a un amigo por entonces. No mucho después, a finales de octubre, le confiesa a Juan Arzadún: «Y hago sonetos. Pero sonetos clásicos de catorce endecasílabos y con todas las de la ley. Llevo ya hechos noventa y cinco. Cuando tenga unos pocos más publicaré un tomo de ciento y pico de sonetos.»

Este diario poético, el *Rosario de sonetos líricos*, se comienza en Bilbao, donde Unamuno redacta veinte de ellos. Posiblemente vuelve a encontrarse con su viejo amigo Pedro Eguilor y a su regreso a Salamanca escribe, aún en setiembre, el soneto ofertorio dedicado a su amigo bilbaíno.

Los retornos de Unamuno a Bilbao remejen siempre en su alma recuerdos de la niñez y mocedad. Es la vieja cama en que vuelve a acostarse; es la visión del Tilo del Arenal, a cuya sombra pensó los primeros versos de amor dedicados a su mujer, es la visita al caserío de Jugo en la anteiglesia de Galdácano. Todo se hace soneto estremecido, sentimiento puro cuando en esta ocasión vuelve a su Bilbao nativo para decir el discurso inaugural de la exposición póstuma de las esculturas de su paisano y amigo Nemesio Mogrobejo, que tiene lugar el 11 de setiembre de 1910.

El Dante, el gran desdeñoso, es una de las figuras que más han influido en Unamuno, y una de las que menos se recuerdan en relación con él a la hora de la crítica. El florentino es ahora el lazo de unión entre el escultor y el escritor, porque Mogrobejo «había hecho de la lectura de la *Divina Comedia* el pasto espiritual de su alma». Sus primeras palabras, con el recuerdo ya de Angel Ganivet, de Luis Ross Mujica; después serán Manuel Macías Casanova, Nicolás Achúcarro de Iturribarria, Leopoldo Gutiérrez Abascal... son estremecedoras: «Yo no sé la verdad que podrá haber en aquel clásico dicho de Menandro de que muere joven aquel a quien los dioses aman, pero es supremamente doloroso ver desaparecer a los que eran una promesa. Me es más que doloroso ver caer delante mío, en el camino de la vida, a los que entraron en él más tarde que yo, a los jóvenes.

Natural es que al fin la fruta se desprenda del árbol para pudrirse
en tierra, ¡pero ver caer las flores!»

El 20 de noviembre, lloviendo, sale Unamuno de su Bilbao, ansioso por regresar a casa. Sus sonetos son casi un horario y permi-
ten seguir las emociones del rector con la mejor precisión documental. Frente a Orduña, en el tren, piensa que

Es mi Vizcaya en Castilla mi consuelo
y añoro en mi Vizcaya mi Castilla;

años antes se había despedido de Vizcaya, camino de la Universidad
de Madrid, en aquel mismo sitio. En el trayecto de Pancorvo a Burgos va en su departamento una mujer que a Unamuno se le antoja
equívoca, luciendo sobre su escote una cruz de oro, y piensa que
«¡pues o sobra la cruz o sobra el oro!». Entre Burgos y Valladolid,
otro soneto. Entre Valladolid y Medina del Campo, «la agonía del
sol en el ocaso», y la espera en Medina. Es una fiebre creadora la
que se ha adueñado de don Miguel.

En Salamanca, de nuevo, la fiebre se aquieta, pero no hay prácticamente día sin soneto. Son sus temas cotidianos: los del alma
y también los de su paisaje, que gravitan sobre él de igual forma;
su amado río Tormes, la rectoral parra, los ojos sin luz de su fraternal amigo Cándido Rodríguez Pinilla, la desgarrada oración del
ateo como último asidero para la afirmación de la propia existencia (17), el cuadragésimo sexto aniversario, el Dios de España, la
noche de luna en Aldehuela de Yeltes junto a la laguna del Cristo
«en que el agua hace de cuna / de la más alta y más honda doctrina»,
las «terribles noches de insomnio en las que se cuenta / el toque de
las horas que van al vacío» y que reaparecen amenazadoramente en
los últimos días de octubre. Las clases han comenzado: explica
griego, y las citas de Hesíodo, Aristófanes, Esquilo sugieren el tema
del soneto como comentario a la hora de clase.

«... Y hace dos meses, terribles insomnios»

El 6 de octubre Unamuno está en Oviedo. Ha interrumpido durante diez días su diario poético de sonetos. Las necesidades del
viaje (no he localizado el motivo de este desplazamiento, que sería,
muy verosímidmente, alguna conferencia), sin duda, le impiden continuar. Pero los viajes son siempre fuerte prueba para solitarios
que han de reencontrarse consigo mismos, y para don Miguel reencontrarse es volver a su angustia. Por eso pregunta

Dime, Señor, tu nombre, pues la brega
toda esta noche de la vida dura,
y del albor la hora luego llega;

(17) E. SALCEDO: *El primer asedio de Unamuno al «Quijote»*, en *Anales Cervantinos*, VI, Madrid. Consejo Superior de Investigaciones Científicas, 1958.

me has desarmado ya de mi armadura
y el alma, así vencida, no sosiega
hasta que salga de esta senda oscura.

De Oviedo a León, descansa el día 8 en esta ciudad y en la pausa no escribe ningún soneto. Los reanuda al día siguiente, de Astorga a Zamora, donde le asaltan temores de muerte. De regreso a Salamanca sigue el insomnio. En la medianoche del 19 al 20 de octubre escribe un soneto cuyo título es elocuente: «Neurastenia». En diciembre ya tiene pensado, hace tiempo, publicar el libro de sonetos y se le hace más difícil continuar esta forma de expresión, que ahora empieza a realizar de cara al público. Hay también algo más.

El insomnio es, en esta época, un *ritornello* en su diario poético (128 sonetos en unos ciento sesenta días), pero este insomnio responde a algo. Unamuno siente, una vez más, que su corazón está envejecido. «Los médicos —le escribe a Naranjeira el 17 de marzo de 1911— llaman a esto aprensión; otros, neurastenia. ¡Palabras! El brazo izquierdo dolorido de continuo, y hace dos meses terribles insomnios. Ahora estoy mejor y me cuido. Me he tomado la presión arterial y un trazado esfigmográfico; tengo un estado hipertensivo. Y como todo cardiópata acaba en neurópata, mis nervios están de punta.»

En mayo continúa esta tensión angustiosa. El día 6 escribe unos sonetos que comenta y publica luego el 29 en *Los lunes del Imparcial* bajo el título de «En horas de insomnio», texto que desempolvó García Blanco, fragmentándolo, en su libro *Don Miguel de Unamuno y sus poesías* y luego en el tomo XIV de las *Obras Completas*. Por su importancia, creo que merece la pena, pese a su extensión, de ser reproducido por entero y tal como Unamuno lo escribió.

Horas de insomnio, anoche, 5 a 6, V. Es en estas horas, en que debiendo dormir no nos dormimos, cuando más en secreto y confidencia nos visita nuestro ángel o nuestro demonio de la guarda. Nos obliga a mirarnos a nosotros mismos.

Triste cosa es pasarse la vida contemplándose como un faquir; pero es más triste, acaso, mirar a los demás y no verse sino a sí mismo. Los demás, espejos nuestros, y como uno, a su vez, no es sino espejo, todo ello un reflejarse de espejos en espejos, sin nada intermedio; es decir, vacío. Y esta es la peor soledad.

Me voy de aquí, no quiero más oírme;
de mi voz toda voz suéname a eco,
y a falta así de confesor, si peco
se me escapa el poder arrepentirme.
No hallo fuera de mí en que me afirme
nada de humano y me resulta hueco;
si esta cárcel por otra al fin no trueco
en mi vacío acabaré de hundirme.

Oh triste soledad, la del engaño
de creerse en humana compañía
moviéndose entre espejos, ermitaño.
He ido muriendo hasta llegar el día
en que espejo de espejos, soime extraño
a mí mismo y descubro no vivía.

O, lo que es peor aún, vivía hecho teatro de mí propio, repre-
sentándome a mí mismo, autor, actor y público a la vez. ¿Autor?
¡Quién sabe! Y luego, en lucha entre los tres yos que, según el
humorista yanqui, encierra cada uno de nosotros: el que soy en
realidad, el que los demás creen que soy y el que me creo ser.
Y siempre bregando por no dejarme aprisionar de ese que me
creen ser.

Hecho teatro de mi propio vivo,
haciendo mi papel: rey del desierto;
en torno mío yace todo yerto,
y yo, yerto también, su toque esquivo.
En vez de hacer algo que valga, escribo;
al afirmarlo todo no estoy cierto
de cosa alguna y no descubro puerto
en que dé tierra al corazón altivo.
Me desentraño en lucha con el otro,
el que me creen, del que me creo potro,
y en esta lucha estriba mi comedia;
pasan los años sin traerme cura,
bien veo que es mi vida una locura
que sólo con la muerte se remedia.

¿Se remediará real y efectivamente con la muerte? Y en tanto,
¿qué nos queda? Quejarse, y no es poco. Sobre todo, si se acierta
en ello. Una queja íntima, arrancada del fondo de las entrañas,
allá donde nunca llega la luz del sol, vale más que cien sistemas
filosóficos. Y esa queja brota cuando el sol, la luz, penetra a ese
fondo. Grave, gravísimo es, sobre todo como síntoma, que el estómago se nos llene de aire; pero más grave es que nos llenen de
agua o de vino los pulmones. Que la belleza entre en la razón,
en vez de entrar en el sentimiento, es cosa grave y engendra estética, críticos y pedantes; pero que la verdad penetre en el sentimiento es lo más fatal. La vida de la esperanza no se mantiene
con definiciones.

Dejar un grito, nada más que un grito,
aquel del corazón cuando le quema
metiéndosele el sol, pues no hay sistema
que diga tanto. Dice el infinito
del desengaño, dice cómo el hito
cayó que nos marcaba la suprema
jornada de ilusión, dice la extrema
resignación a lo que estaba escrito.

¿Definiciones? Sí, buenas palabras,
que aunque presumen ser abracadabras
no nos abren tesoro verdadero;
*   no se cura la vida con razones,*
espacio, tiempo, lógica, sayones
sin compasión de todo cuanto espero.

*Porque es fuerte cosa esto de que no pueda estar si no en un
sitio ni pueda pasar sino en un momento a la vez y tenga que
sacar de un principio la consecuencia que de él se derive y no
la que me satisfaga. Y todo ello, en resolución, ¿para qué?*

La Tierra un día cruzará el espacio
celeste convertida en cementerio
de civilizaciones; el misterio
triunfará de la vida, pues reacio
*   fue siempre a la razón. Me pone lacio*
el ánimo al pensarlo. ¿Acaso es serio
del mundo así entregarse al loco imperio
de cuya vanidad nunca me sacio?
*   Cruzará, vanidad de vanidades,*
muerte, la soledad de soledades,
sin principio, sin fin y sin objeto;
*   mas entretanto, corazón, palea*
por esa vanidad; tal vez la idea
logre aplacarle, corazón inquieto.

*Sí, a ver si duerme el corazón a la sombra de la idea; a ver
si duerme y si sueña.*

Salamanca, entre tanto, sigue siendo el poblachón en que se cri-
tican las rarezas de Unamuno, que ha tenido que pronunciar un
discurso de circunstancias, en setiembre de 1910, con motivo del
centenario de las Cortes de Cádiz. En 1898, en la plaza de la Libertad, se había celebrado una fiesta aérea el 18 de noviembre, y que
consistió en la ascensión en globo de un piloto que aterrizó no muy
afortunadamente a 300 metros en la plaza de San Julián. La segunda
experiencia aérea que vive la ciudad, esta vez con aviones, tiene
lugar el 15 de setiembre de 1911 en el Prado Panaderos, al celebrarse el raid aéreo Salamanca-Valladolid. El señor Loygorri prepara su monoplano, alza el vuelo y tiene que aterrizar en seguida.
Monsieur Lacombe, a las siete y cinco de la mañana, consigue que
su aparato se remonte, y, cinco minutos después, monsieur Garnier
le sigue. El cuarto piloto, monsieur Poumet, no puede ni intentar el
despegue. Los dos pilotos victoriosos son aclamados por los millares de salmantinos que acuden a tan temprana hora al Prado Panaderos, a cuatro kilómetros de la ciudad.

Al lado de la Plaza Mayor, el 15 de mayo de 1909, ha sido inaugurado el horrible testaferro metálico del mercado de Abastos. El 23

de octubre de 1913 la ciudad estrena puente, cuando ya ha desechado la idea de ampliar el romano. Se sigue pensando en que la ciuuad
necesita alcantarillado, porque es la hora del progreso; pero el progreso en el poblachón salmantino, cuyo Ayuntamiento en 1913 no
llega aún en su presupuesto al millón de pesetas anuales, es algo que
lentamente va imponiéndose. Un ingeniero proyecta el ferrocarril
Ledesma-Salamanca, que aún hoy no ha llegado a hacerse, condenando a esta villa a una lenta muerte. Camilo José Cela situó en Ledesma el inicio de las nuevas aventuras de su *Lazarillo* y le puso
tren. Fue una excesiva generosidad del novelista que aún no conocía
esta «Toledo en miniatura» olvidada, patria de los hermanos Rodríguez Pinilla, tan amigos de Unamuno.

Libros y andanzas

Los versos de don Miguel, que forman el *Rosario de sonetos líricos*, fueron impresos en la Imprenta Española, calle del Olivar, 8,
de Madrid, y el volumen es distribuido por las librerías madrileñas
de Fernando Fe y Victoriano Suárez. Este año de 1911 publica Unamuno más libros, si bien éstos sean una recopilación de escritos
volanderos presentados bajo el título de *Soliloquios y conversaciones* y *Por tierras de Portugal y de España*. El primero recoge parte
de un proyecto abortado: unos *Diálogos filosóficos* que Unamuno
proyectó como volumen autónomo y no concluyó nunca. El segundo
son crónicas de viaje. Ahora está metido con la redacción definitiva
de su obra capital, *Del sentimiento trágico de la vida*, que empezará
a publicar por entregas mensuales en la revista de Lázaro Galdiano,
en el mes de diciembre de 1911, ocupando luego, número a número,
todo el año siguiente. Su teoría de escritor ovíparo se pone en práctica durante estos años. En 1912 saca a luz otra serie de escritos
volanderos bajo el no muy afortunado, pero sí —permítaseme el
americanismo— exitoso, título de *Contra esto y aquello*, y a instancias de Gregorio Martínez Sierra, que dirige la editorial Renacimiento, resucita al muerto Ganivet y prologa la correspondencia ya olvidada que ambos mantuvieron públicamente sobre *El porvenir de
España*. En 1913, mientras empieza a imaginar *Niebla*, saca en volumen la colección de cuentos *El espejo de la muerte*, e imprime
también en volumen los ensayos antes publicados en *La España
Moderna*, capítulo a capítulo, que forman su obra capital.

Mientras tanto ha iniciado una como fuga de sí mismo viajando
intensamente. Aprovecha los fines de semana, las fiestas escolares,
las vacaciones y empieza a descubrir verdaderamente a España. Ha
escrito ya algunos artículos de viaje, pero es ésta su etapa más
fecunda. En abril de 1911 visita la granja de Moreruela en Zamora,
y en agosto pasa dos noches «a dos mil quinientos metros de altura,
sobre la tierra y bajo el cielo»; trepa hasta la cumbre del Almanzor
y descansa al pie de un ventisquero «contemplando el imponente
espectáculo del anfiteatro que ciñe a la laguna grande de Gredos y

viendo el Ameal de Pablo levantarse como ara gigante de Castilla».
Días después vive jornadas de paz y silencio en la Peña de Francia
en compañía de Maurice Legendre y Jacques Chevalier y allí proyectan los tres el viaje a las Hurdes, que realizan dos años más
tarde. En 1912, en vacaciones de Semana Santa, va hasta San Lorenzo de El Escorial, por camino largo, desde Medina hasta Olmedo,
a pie la mayor parte del tiempo y a ratos en carro; luego a Arévalo.
El Vierne Santo llegó al Monasterio, que le parece hórrido panteón.
El 18 de agosto es mantenedor de juegos florales —una vez más—
en Pontevedra, por invitación de Víctor Sainz Armesto, y predica a
los gallegos lo que ya varias veces había predicado a sus paisanos
los vascos: «Salid e imponeos», y visita Santiago de Compostela,
y a orillas del Lérez traba conocimiento con la gaita gallega y con el
boticario don Perfecto Feijoo, gran tañedor de gaita, de quien dibuja
un retrato; y tiene la visión de Galicia como novia del Mar, ese mar
que ha descubierto en su viaje a las Islas Canarias. En estas andanzas, que siguen por León y tierras de Castilla, descubre Unamuno
que le duele España igual que pueden dolerle «el corazón, o la cabeza, o el vientre».

Antes, en Arévalo, ha tenido la visión estremecida de su cementerio arruinado, el que le inspira los versos sobrecogedores de aquel
corral de muertos entre tapias encerrado, y en Palencia, el Cristo
Yacente de Santa Clara da sentido a su trágica concepción del Cristo
de tierra, sujeto de su «feroz poema» —según sus propias palabras.

Entre abril y mayo de 1913 emprende campañas políticas en el
campo, pensando en ser diputado socialista, y recorre las tierras
salmantinas, escribiendo un poema, «Bienaventurados los pobres»,
que hace llorar al bueno y ejemplar de don Antonio Machado.

Cuando Maragall murió

Es preciso volver hacia atrás un poco. Está terminando el año
de 1911. Juan Maragall ha propuesto a Unamuno, en marzo de aquel
año, la publicación de una *Revista Ibérica* o *Celtibérica*. Es un proyecto que agrada a don Miguel, pero que se retrasa y no se cumple
por los imponderables de siempre.

Maragall ha impresionado a Unamuno. Comprende que el catalán es un gran poeta y, sobre todo, un hombre de bondad incalcu-
lable. La amistad que ya había nacido entre ellos se ha anudado
con una viril ternura que la hace fraterna. Un día Maragall dudó
de arrodillarse al oir la campanilla de un viático, y cuando Unamuno lo supo lamentó no haberse arrodillado él para evitar la tur-
bación del amigo. Cuando Fernando, el hijo mayor de don Miguel,
piensa iniciar los estudios de arquitectura, Unamuno hace proyectos
para su hijo en Barcelona junto a Maragall y le pide «que usted
le sea como un padre». El poeta catalán le contesta alborozado: «No
le digo nada de cómo he de recibir a su hijo: será como otro mío.
Tengo ya trece, serán catorce.»

Un triste sino rige todas las amistades entrañables de Unamuno. Maragall muere el 20 de diciembre de 1911 a los cincuenta y un años, y entonces exclama don Miguel: «¡Y se ha muerto, se ha muerto el que pudo haber llegado a ser otro padre de mi hijo!» Se ha escrito mucho sobre la amistad de estos dos hombres; pero acaso se ha insistido poco en lo entrañable de este homenaje paterno que representa el grito desolado, desamparado, del rector de la Universidad de Salamanca.

América, una esperanza

Desde que Rubén Darío brindó a Unamuno las columnas de *La nación*, de Buenos Aires, el prestigio del rector de Salamanca en Hispanoamérica ha crecido. Sus libros, los escritores de la otra orilla que le visitan en la ciudad del Tormes, su cordial epistolomanía, son razones suficientes para mantener en toda Sudamérica un sincero interés por su obra, que trasciende a la persona, y en las cartas de unos y otros menudean las alusiones, las invitaciones veladas para que Unamuno pase el charco y visite las repúblicas de la otra orilla, especialmente la del Plata.

En noviembre de 1908, don Miguel le escribe a su discípulo Federico de Onís: «Ahora voy a prepararme el viaje que dentro de algo más de un año emprenderé a la Argentina, donde cuento estar cuatro o cinco meses.» En 1912, Ricardo Rojas recibe noticias de Buenos Aires que le hablan de este proyecto y de que en 1910 ya era esperado allí Unamuno. El propio don Miguel, en *La nación*, habla de ello en un artículo aparecido el 11 de diciembre: «... de tiempo corre por los periódicos de esa república la noticia de que voy con mis remesas de conferencias bajo el brazo. Ganas tengo, es verdad, de conocer esa tierra y de visitarla, más para enterarme y aprender que para ir a enterar ni a enseñar a nadie; pero cuando vaya, si al fin se me logra mi anhelo de ir, quiero que conste que iré solo, no en comandita con nadie, que no iré contratado por empresario alguno como si fuese un oso o un acróbata, y que de ir a dar conferencias no será hasta que éstas hayan acabado de desacreditarme del todo.»

Ya veremos que el intento del viaje a América, como proyecto, surge años después de nuevo. ¿Por qué no va Unamuno ahora? ¿Qué se lo impide realmente? Creo que existe una contestación rotunda: su deber de rector de la Universidad de Salamanca. Por este tiempo, en las cartas a Federico de Onís, se lamenta de los catedráticos que no asisten a sus clases, que inventan disculpas para permisos y no cumplir su deber. El 18 de marzo de 1912 insistía en su criterio en una carta a su discípulo:

«Si yo fuese ministro me dejaba por *algún tiempo* de pensiones, comisiones e investigación y ponía la inspección técnica y obligaba a todo el mundo a estar en su puesto, y quitaba su cátedra al diputado perpetuo, y formaba expedientes por inepcia y me metía con ese escándalo de las Facultades de Medicina, donde los profesores se pelean a mordiscos por la clientela, y reducía el profesorado a la mitad o la tercera parte.»

Ha empezado su carta diciéndole a Onís que su punto de vista es «el de norma general ética de conducta». ¿Cómo abandonar entonces su puesto? El barco, único medio de llegar entonces a América, es lento y él no puede faltar a su deber de catedrático y de rector. No es cuestión de permisos, es cuestión de moral. Se consuela sólo proyectando un libro, que no escribe luego, sobre los *Tiranos de América*.

No, Unamuno no va a América aunque lo desee. Seguirá aprovechando su poco tiempo libre en España. En setiembre de 1912 habla en el Ateneo de Vitoria, donde propone con acierto, aún no vivido en nuestro país, que «una nación que logre descentralizar su cultura en un número de pequeños tales focos [como el Renacimiento italiano], la conseguirá más variada y rica». Pero, sobre todo, sigue en Salamanca y allí soporta, pacientemente, todo cuanto cae sobre sus espaldas, que, aunque sean anchas, son sensibles.

En la charca

El 11 de noviembre de 1912, los dependientes de comercio de Salamanca llaman a don Miguel para que les hable en una velada literaria. Unamuno lee su discurso y confiesa: «Doy a éste mi acto de dirigiros ahora la palabra, dependientes de comercio de Salamanca, la solemnidad de un discurso escrito, porque la amargura del mar que me rodea no me cabe ya dentro, se me rebosa del corazón y tengo que echarla fuera. Es, en efecto, el mar, o más bien pantano de aguas estancadas y mefíticas que nos rodea, tan amargo, que no hace sino aguzar más y más mi sed de verdad y de justicia.»

Unamuno, desesperadamente, pide a aquéllos, a quienes «los ımbéciles y los presuntuosos llaman neciamente horteras», que colaboren con él en la restauración moral de la ciudad. Los dependientes de comercio hace poco que han logrado de sus patronos el cierre a las siete de la tarde y aún no han conseguido el cierre dominical. Pero Salamanca es para don Miguel, que quiere entrañablemente a la ciudad, una charca. «Vivimos, señores —les dice—, en una ciudad henchida de recuerdos de espiritualidad, de arte y de gloria; pero que ha venido a ser parte hospicio, parte mesón, parte tumba, y acaso aquello, lo de hospicio, como compensación a lo otro.» Y más adelante: «Una terrible paz modorrienta, una paz de osario moral, pesa sobre nuestra ciudad, víctima de un triste compadrazgo de donde ni siquiera un eficaz y arrollador cacique surge. En todos los órdenes, acabando por el político, la consigna es no alterar lo que hay; es el sigilo, es la quietud.» Y la amargura continúa: «Si la universidad de una pequeña capital provinciana como ésta no sirve para hacerla una ciudad universitaria en el más noble sentido..., si no sirve más que para atraer a unos cientos de vecinos —consumidores y contribuyentes—, como profesores y alumnos, y para facilitar a los jóvenes de ella y su región la adquisición de un título académico; si no ha de servir de otra cosa, vale más que la supriman de una vez y conviertan su vieja casa en fábrica de cualquier cosa o en hotel de turistas.»

El viejo socialista dormido en Unamuno despierta con su indignación contra el achabacanamiento y la injusticia. Está próximo el recuerdo, y él no lo olvida en sus palabras, de una huelga de los albañiles contra la libertad de contratación. Don Miguel quiere mejorar la ciudad, pero ha perdido la esperanza de lograrlo desde la universidad. Acude por eso al hombre de la calle, al humilde dependiente de comercio, y propone la creación —sin reglamento, sin directivos— de «una asociación para el fomento de Salamanca».

Y aunque el rector vive en Salamanca y para Salamanca, su destino de escritor le lleva indefectiblemente más allá de los límites de esta zona terminal de la meseta. Su sentido del deber le impide, ciertamente, la aventura americana; pero su destino de escritor y lector, de intelectual, le lleva a salvar fronteras desde éste su refugio provinciano.

Amistad con Benedetto Croce

José Sánchez Rojas, que ha vuelto ya de Italia, recibe el encargo de traducir la *Estética*, de Benedetto Croce, a quien ha conocido en su aventura italiana. El, el indigente y piojoso, bohemio eterno, es quien pone a Unamuno en contacto con el filósofo italiano. El 24 de mayo de 1911 escribe a su maestro: «Recibo carta de Croce (Vía Afri, 23, Napoli), le contesto en el acto, le anuncio el prólogo de usted, y a guisa de presentación, que no hace falta, le digo quién es usted, la significación espiritual de usted en España, lo que mi corazón y mi cabeza pueden sentir y pensar de usted. No sabe cuánto celebro que, con motivo de mi traducción, se pongan en relación usted y él, que tanto me sugiere y enseña en sus libros y en su *Crítica*.»

Sánchez Rojas ha tenido la idea de que sea Unamuno el prologuista de su traducción del libro de Croce. Pero don Miguel, que conoce bien al escritor salmantino y sabe de su impenitente bohemia, manda a Croce el prólogo antes que a él. «Es mejor para mí que lo conozca usted antes que él», le dice al italiano. Por un curioso azar esta carta de Unamuno a Croce sale de Salamanca un día antes de recibir él la de Sánchez Rojas.

Pese a todo, Sánchez Rojas es quien puso a Unamuno en contacto con Croce y también con Papini. Este último escribía al salmantino el 26 de mayo de 1909: «Dica ad Unamuno che probabilmente publichero la traduccione della *Vida de Don Quijote* nelle biblioteca che io dirigo.» Esta traducción es la de Beccari, y fue

Rojas quien, en carta del 21 de enero de 1908, relaciona al traductor con don Miguel.

Croce, desde Nápoles, contesta a la carta de Unamuno el 5 de junio de 1911. Añade una curiosa postdata: «Sono venuto a Salamanca nel 1889, il 20 giugno, come leggo nel diario del mio *viaggio di Spagna*.» En esta misma fecha don Miguel, ignorante de que el destino le conduciría a la ciudad del Tormes, estaba en Nápoles.

Importa que Croce, en un pasaje de su libro, a propósito del krausismo, habla de «la siempre desventurada España». Unamuno protesta: «Nos duele siempre la compasión de los extraños, y más de los que, como Croce, parecen, en parte al menos, conocernos.» El italiano está luego dispuesto a suprimir la frase; pero es el vasco quien insiste en que se conserve, porque le da lugar a una apostilla en el prólogo.

Sánchez Rojas, que anda en Madrid a vueltas con la impresión del libro de Croce, está más contento que de su trabajo del prólogo de don Miguel, y se lo enseña a cuantos puede, entre ellos a Menéndez Pelayo. El 10 de junio de aquel año le escribe a don Miguel diciéndole que ha ido al café madrileño *Lion d'or*. «Allí —le cuenta— me encontré con don Marcelino y le leí el prólogo. Encontrólo de perlas; dijo que en usted había visto él siempre un escritor hondamente español y que aplaudía con toda su alma su evolución última; le pareció bien el ataque a los franceses positivistas que aún colean y elogió también la rectificación que su prólogo ha provocado en Croce.» Esta desconocida referencia es importante. Antonio Tovar, con fino olfato, supo encontrar en los *Orígenes de la novela española* una alusión muy clara a don Miguel, cuando don Marcelino, hablando de Salamanca, dice: «aquella ciudad, que no sé por qué siniestro influjo empieza a olvidar demasiado la investigación de su gloriosa historia». Y Tovar comentaba: «Habría que saber a qué se refiere eso del *siniestro influjo*. ¿No sería acaso Unamuno despreciador de la erudición?» La carta de Sánchez Rojas aclara bastante el asunto.

Sea como fuere, la *Estética* de Croce, con su larguísimo título, apareció en 1912, según la traducción de José Sánchez Rojas, revisada por el filósofo napolitano y con el prólogo del rector de la Universidad de Salamanca. Entre Croce y Unamuno nació entonces una relación epistolar y un intercambio de obras propias que se mantuvo largo tiempo.

Nuevos intentos dramáticos

Aunque Unamuno había logrado el humilde estreno en provincias, las más alejadas, de *La esfinge*, no desiste de su empeño teatral. Desde 1899 tiene escrita *La venda* y desde 1910 *El pasado que vuelve*, obras que no logra estrenar hasta 1921 y 1923, respectivamente. Varias compañías, Oliver, Díaz de Mendoza, rechazan los dramas. A este último le acusa recibo Unamuno de los manuscritos devueltos con palabras doloridas: «No discuto las razones que me da para no haberlos aceptado, pues cada cual entiende en su profesión. No puedo decir que soy ducho en teatro, pero me permito tener mis ideas respecto a él, fundadas también en la experiencia, aunque no la de us‧tedes, ni mucho menos.» Escribe también en aquel tiempo —otoño de 1910— su *Fedra*, la versión unamuniana del mito eterno, que envía a Galdós y éste pasa a Oliver y a otras compañías, sin gran suerte .En 1918, en el Ateneo, se estrenará al fin y *La venda* se publica antes de su estreno con *La princesa doña Lambra*, en 1913.

El pasado que vuelve tiene un interés especial en la vida de Unamuno, porque es un reflejo del vivir salmantino. Los Rodero de este drama viven realmente, con otro apellido, en la ciudad, y su historia, menos dramática naturalmente, sin llegar a la «situación límite» a que la lleva don Miguel, es conocida por todos los salmantinos, porque la universitaria ciudad sigue siendo un gran poblachón en el que se conocen hasta los secretos de alcoba.

Cuando don Miguel empieza a escribir *El pasado que vuelve*, un drama de generaciones, el último protagonista real de la historia es compañero de estudios en la Facultad de Medicina de Pablo de Unamuno, el segundo hijo del rector. Incluso otro compañero, los tres eran y fueron de por vida —ya que ahora sólo pervive el sujeto de la fabulación unamuniana— grandes y entrañables camaradas. Este otro compañero del joven Pablo de Unamuno y del «personaje» unamunesco era mi padre. Y si aludo a esta circunstancia es porque don Miguel mete en *El pasado que vuelve* a unos personajes que se apellidan Salcedo, apellido extraño en Salamanca, aunque los hubo en Ciudad Rodrigo en tiempos. La vivencia del escritor se manifiesta siempre en este aprovechar lo que tiene a mano. Y don Miguel lo sabía hacer a conciencia. Recuerdo (y perdóneme el lector esta referencia autobiográfica) cómo mi madre, que muy poco Unamuno leyó, y desde luego no su teatro, del que sí fue espectadora, me hablaba hace bastantes años de los personajes salmantinos que correspondían a *El pasado que vuelve*, aunque ella ignorase o hubiese olvidado la circunstancia de nuestro apellido, que don Miguel tomaba en préstamo para otros personajes, como me hablaba de los personajes reales de *Nada menos que todo un hombre*, y de la «novia de Unamuno», de que ya se hablará en su momento.

Si aludo a estas circunstancias es sólo con la intención de que se pueda ir viendo el Unamuno tan metido en la realidad circundante que en verdad fue. Salamanca pesaba mucho en su vida, y aunque a veces llegó a pagar un duro precio por ello, también la ciudad le dio pretexto para gran parte de su obra y cuesta trabajo concebirlos separados.

Pero volvemos a ese pasado en retorno. El 7 de febrero de 1913 José Sánchez Rojas, que estaba en Barcelona, lleva al actor José Tallaví el manuscrito de Unamuno y en la carta que le escribe al día siguiente le dice a don Miguel que «delante de Francos Rodríguez, de Thullier —que espera marcharse a América con la Xirgu— y de otras personas que conmigo estaban en su cuarto, anunció que estrenaría el drama de usted aquí, en Barcelona, porque aunque no respondía del éxito del gran público —eso dijo— le pareció que el drama de usted tenía mucha carne». Pero el actor no cumplió su palabra.

Fedra había ido en noviembre de 1911 a manos de Fernando Díaz de Mendoza. Unamuno no se desanima por el fracaso: «Soy, además, como vizcaíno, paciente y terco (...); he terminado otro tercer drama que se me figura le ha de convenir a usted más y, sobre todo, a su mujer, María Guerrero. Le creo más teatral, más rápido y más intenso. Se trata de *Fedra*, una Fedra moderna, cuya acción transcurre en nuestro tiempo.» Ante esta carta, Díaz de Mendoza se interesa, o pretende aparentar su interés, por la nueva obra unamuniana. Pero nada se consigue entonces.

El 12 de setiembre de 1912 está en Salamanca Jacinto Benavente, que pronuncia una conferencia en el teatro Bretón con motivo de un festival artístico-literario organizado por la Juventud Excursionista y presidido por los príncipes de Baviera. Don Jacinto está con Unamuno; asiste con él don Luis Maldonado y otros «literatos» de la localidad, a una jira campestre en «La Flecha», el huerto de fray Luis de León. Unamuno le hace al dramaturgo exitoso un retrato a pluma, hasta ahora inédito, y, sin duda, le habla de su teatro. *Fedra* va a manos de Pérez Galdós, pero en 1914 o el año antes ha estado en manos de don Jacinto, que se comprometió a ver de darle salida. «Nada sé de mi *Fedra*, que Benavente debió dar a la Xirgu», se le queja Unamuno a Federico de Onís en carta de mayo de 1914.

El desaliento atesorado día a día en su intento de asomarse al mundo del teatro dio pretexto a don Miguel para, temporalmente, retirarse discretamente por el foro de la producción teatral. Tenía bastantes urgencias familiares y los artículos de periódico suponían una remuneración menor, pero más segura y a más corto plazo que los dramas, cuyo estreno se dilataba siempre.

El «último canto»

Cuando en el teatro se siente fracasado, piensa don Miguel en seguir por otros rumbos, retornar por viejos caminos. La poesía parece una buena ruta, porque él se siente, sobre todo, poeta. Incluso ha concebido su *Sentimiento trágico de la vida en los hombres y en los pueblos* como obra magna en que se funden metafísica y poesía. Capítulo a capítulo ha llegado, en la revista *La España moderna*, con las páginas sobre «Don Quijote en la tragicomedia europea», al tomo 288, correspondiente al último mes de 1912. Se ha liberado de todo un peso de angustia.

La política le lleva —era una forma de evasión como otra cualquiera, perfectamente válida— a las campañas agrarias por la provincia. Entonces escribe versos. En abril de 1913 le anuncia al poeta chileno Ernesto A. Guzmán que va a lanzar un nuevo libro de poesías, y es entonces cuando, al regresar de Béjar a Salamanca, «a la hora en que el sol, fatigado, se arropaba en nubes sobre la sierra de Francia», le asalta el pensamiento de que «se me agotaba la virilidad espiritual y que la vena de la poesía se me acababa». Desesperadamente escribe su —entonces— último poema:

> Te he sentido pasar: escalofrío,
> metiéronme tus alas hasta dentro
> de tuétano vacío...
> ¿Qué decirme querías? Ya no encuentro
> para encarnar mi anhelo idea alguna...
> ....
> La edad viril devuélveme, Dios mío;
> sobre mi frente pon tu mano amiga;
> relléname el vacío;
> lo que tanto callé deja que diga;
> mas yo no sé lo que callaba tanto
> y esta mi queja es ya mi último canto.

Es esta la coyuntura en que publica, en junio de 1913, en la colección de *El libro popular,* que se vende a 20 céntimos, dos obras teatrales en un acto (*La venda* y *La princesa doña Lambra*), que no ha podido estrenar, y reúne los cuentos dispersos bajo el título del que sitúa en cabeza: *El espejo de la muerte.*

La redacción de su obra más ambiciosa, *Del sentimiento trágico,* ha sido, desde luego, el signo de la superación de aquella crisis religiosa de 1897. Esto es indudable y por ello don Miguel ha abandonado varias veces las formas de expresión que le parecían más fáciles, por demasiado personales. No es descabellada esta suposición, ya que, si recordamos que Unamuno pasa del *Diario* a las *Meditaciones evangélicas,* luego al *Tratado del amor de Dios* y desemboca por fin en *Del sentimiento...,* ha recorrido un largo camino en el que intenta liberarse de la necesidad de hacer pública la intimidad de su alcoba espiritual. Pero el esfuerzo ha sido grande. La redacción de cualquier libro deja exhausto por un tiempo a cualquier escritor, y don Miguel, aunque lo hubiese deseado, no podía ser una excepción en este caso.

El esfuerzo también deja su huella. Escribir un libro es, por lo menos, tan duro como parir un hijo. Y así don Miguel, por aquellas fechas en que ha sentido el acabamiento de su inspiración poética en el viaje de Béjar a Salamanca, siente también el cansancio físico, la postración a que le reduce el esfuerzo realizado.

El 9 de mayo de 1913 le confesaba en una carta a Armando Palacio Valdés: «Me dice que me conserve bueno, y que viva feliz y activo. Bueno... sí, no creo que estoy muy malo, aunque me tachan de aprensivo porque he llegado a saber que mi pobre corazón —el de carne— flaquea ya un poquito. Lo conozco en mi irritabilidad y en lo pronto que me excito.»

El doctor Hipólito Rodríguez Pinilla somete al rector a un reposo continuado, del que le quedará el hábito de leer en la cama. El insomnio ha vuelto y de este vivir desvelado surgirá una obra nueva buscando paz y sosiego: los versos iniciales de *El cristo de Velázquez,* y en las horas de desfallecimiento, las páginas de *Niebla.*

Don Miguel con don Pascual Meneo —izquierda—, compañero de Universidad
y otro amigo. (Hacia 1910.)

Unamuno y su amigo el señor
Aranaz. (Foto V. Gombau.)

Andanzas y visiones españolas. En la Alberca,
con Población, Cañizo y otros amigos.

Guerra europea, 1917. En Padua, con Santiago
Rusiñol, Manuel Azaña, Luis Bello, Américo
Castro y dos oficiales italianos.

15

Andanzas y pasiones

E L poeta portugués Teixeira de Pacoes recibía, en los últimos días del mes de julio de 1913, una carta de Unamuno en que éste le confesaba: «A mí me ha dado ahora por formular la fe de mi pueblo, su cristología realista, y... lo estoy haciendo en verso. Es un poema que se titulará *Ante el cristo de Velázquez*, y de que llevo escritos más de setecientos endecasílabos. Quiero hacer una cosa cristiana, bíblica y... española. Veremos.»

Miguel de Unamuno dobla ya la esquina que le aleja de ese momento que ha presentido en Béjar del acabamiento de su fuerza creadora y ha llegado a la circunstancia de repensar sobre la trágica y angustiada vivencia que queda atrás de aquel Cristo hecho tierra, terrible y estremecedor, de las Claras de Palencia y de la experiencia existencial que para él supone la publicación, ya en libro, de su obra capital *Del sentimiento trágico de la vida,* la que más ha de obligarle a mantenerse en su papel. Se pensaría, con este libro, en un Unamuno incapaz para la sonrisa y la paz del espíritu. Posiblemente, *Del sentimiento trágico de la vida en los hombres y en los pueblos,* así, con su largo título, sea uno de los últimos libros románticos españoles. Tierno Galván ha dicho que Unamuno «es un romántico con las angustias religiosas románticas del siglo xix». Y esto es exacto. No hay que olvidar que, mental y realmente, no había comenzado aún el siglo de las dos equis en Europa y que España no podía ser la excepción.

Al inicio del año de 1914, Unamuno —que hace cuatro que no va a Madrid— se presenta en el Ateneo con el primer manuscrito —mil quinientos versos— de *El Cristo de Velázquez.* Al salir de una crisis anterior, la de 1897, en esta misma tribuna ateneística leyó su sermón sobre *Nicodemo.* Ahora es su oración poetica sobre el

Cristo velazqueño, soñado, imaginado, entrevisto en reproducciones, porque —repito— hace cuatro años que no pisa Madrid y no ve, por tanto, el cuadro de Velázquez nada más que en estampas. Velázquez ahora, como lo fue Cervantes en 1905, es sólo un pretexto para el comentario.

En Salamanca, salvo a los amigos que conocían fragmentariamente el poema, la noticia de esta obra poética no cae bien. ¡Como que Gabriel y Galán tiene escrito un breve poema que se titula igual! La publicación, en las páginas de *La Esfera*, del 24 de enero, de algunos fragmentos unamunianos probaba la inexistencia de cualquier semejanza entre los dos poemas y los dos poetas; la valoración crítica quedaba abierta a la subasta de los juicios interesados y la vieja polémica renacía en las tertulias salmantinas.

Viaje a Las Hurdes

Cuando Unamuno redacta el primer millar de endecasílabos de su *Cristo de Velázquez*, momento que hay que situar inmediatamente después de aquella mala corazonada en Béjar, cuando creyó que se le había secado la fuente de la inspiración, continúa sus andanzas españolas. Posiblemente sean estos viajes un poco anteriores a la vuelta de la inspiración, meta más fácil de lograr en la vacación auténtica que le desliga, por días, de familia, de universidad, de ciudad y hasta de la España actual para sumirle en la que él llamó la España intrahistórica, y su amigo Maurice Legendre, «el corazón de España».

Desde Béjar —¿fue acaso en ese momento de desfallecimiento?— va Unamuno hacia Las Hurdes en compañía de Jacques Chevalier, profesor de Lyon entonces y discípulo de Henri Bergson y con Maurice Legendre, a quien ha conocido en Burgos hacia 1909, autor ya de un estudio sobre España y de una tesis doctoral que completa por entonces sobre Las Hurdes.

De Béjar fueron a Aldeanueva del Camino, desde donde, a pie, continúan por Abadía y Granadilla hasta Casar del Palomar. A Unamuno se le hace largo el camino en esta ocasión y eso que él es buen andarín. Muerto ya don Miguel, Legendre recordó este viaje y pensó que don Miguel no tenía otro entrenamiento montañero («entrainement peu montagnard») que sus paseos por la Plaza Mayor salmantina. Se equivocaba Legendre, y si esto podía pensarlo en 1913, con pocos elementos de juicio, era imperdonable que siguiera creyéndolo en sus recuerdos personales de 1948, cuando ya podía disponer de más información. En esta biografía se ha hablado ya varias veces del afán andariego, desde su juventud, de don Miguel de Unamuno. A Legendre le hubiera bastado con leer atentamente los últimos capítulos de *Paz en la guerra*.

Pero volvamos al viaje de Las Hurdes, del que don Miguel da pormenorizada versión no muchos días después, desde las columnas de *El Imparcial* de Madrid, en su suplemento de los lunes y que reprodujo en *Andanzas y visiones españolas*.

Compañero de viaje de los franceses y el español fue el tío Ignacio, un campesino hurdano entrado en la cincuentena y al que recordó Legendre toda su vida con auténtica emoción. De Casar del Palomar a Pinofranqueado se les une el maestro de aquel pueblo, don Feliciano Abad, quien les hace un croquis de Las Hurdes para que les sirva de guía. Duermen en las Erias, adonde les acompaña el secretario de Pinofranqueado, don Juan Pérez Martín, que ha relevado al maestro de Casar como cicerone de esta tierra sin pan. Atardecía cuando llegaron a las Erias. «Casi todo el pueblo nos rodeó: niños, mozos y viejos, y en torno a nosotros, a los forasteros, se hizo serano. ¡Pobres gentes! Hay que oirles quejarse de la triste y dura tierra que les ha caído en suerte.» Allí, en su primera noche hurdana, acuña Unamuno el adjetivo madrastra para la tierra, y el dolor de España se le hace dolor de su corazón.

Desde Erias a Horcajo Medianero, Gasco, Fragosa, Martilandrán, Cerca de Fragosa, se bañan y el pueblo acude al espectáculo de los forasteros, y mozos y mozas les rodean en tertulia. Don Miguel consigue un gran éxito haciendo dibujos. «¡Y lo hace sin máquina, como escribiendo!» Un muchacho quiere demostrarles que sabe leer, y un mozo, al oirles hablar en francés, les confiesa que él quiere saber lenguas para salir de aquella tierra sin pan.

Siguen a Nuñomoral, La Segur..., van evitando ya el espectáculo de la miseria, porque no se han propuesto hacer ni sociología ni estadística. Después a Casares y luego a Las Hurdes altas, hacia Río Malo de Arriba. Unamuno —y ello es buena prueba del inexacto juicio de Legendre— nos dice «Y desde allí [Casares] trasponer un alto para dar vista al otro valle, o mejor barranca, al de Las Hurdes altas. Y una vez más volví a gozar de la emoción, tan familiar a mis mocedades, de estas ascensiones lentas, en rodeos y vueltas, abriendo más cada vez el pecho, ganando más horizonte cada vez, viendo achicarse lo que abajo queda y mirando de rato en rato a la nítida línea en que la cumbre corta al cielo e imaginándose uno cómo será el otro mundo —porque es un mundo también— que del otro lado se extiende.» No son las reflexiones, desde luego, de un montañero de Plaza Mayor, pese a Legendre.

En Las Hurdes altas, junto a Río Malo, siente Unamuno paz y sosiego viendo a una guapa moza que se lava los pies. En el Ladrillar les rodean las mujerucas lamentándose de su vida y de su tierra. Un mocetón adusto exclamó que «estaba ya harto de oir tanto que aquélla era la peor tierra; que esto no era así, ni mucho menos; que él había corrido mundo, habiendo estado en el Canal —el de Panamá—, en el Brasil, en la Martinica, en Jamaica..., y que había visto tierras peores que las que ellos habitaban».

—¿Pero estas tierras están habitadas? —preguntó don Miguel.

—No, señor, porque no las cultivan.

—Esa es la diferencia; que allí no se empeñan en habitar lo que no lo merece.

Y le pesó luego esta respuesta, comprendiendo que, aunque justa, hería la sensibilidad de unas gentes tan apegadas al terruño. Aun hoy, con nuestra guerra civil atrás que ha sacado a la gente de su cubil, se encuentra uno hurdanos que han hecho varios oficios por España y por América y que, con sus cuartos ahorrados, vuelven a su Río Malo.

Del Ladrillar siguen al Cabezo, donde hacen noche, y Unamuno tiene suerte logrando cama. Legendre y Chevalier duermen al sereno bajo los porches de la iglesia. En el Cabezo intentan venderles un loro, y un vecino del lugar, que había trabajado —como muchos de sus paisanos— en el Canal de Panamá, fue a pedirle a Unamuno que le tradujese una carta en inglés que había recibido, hacía tiempo, de la compañía a cuyas órdenes trabajó. «Sin duda —comenta don Miguel—, el tío Ignacio le había dicho que yo sé lenguas de todos los reinos. Y esto da tanto prestigio como el saber dibujar un poco.»

Ya en las Mestas, las Batuecas son el paso a la provincia de Salamanca. Ascendiendo hacia el Portillo, por una carretera que parece sacada de una fotografía de las carreteras chinas, se va liberando uno de la pesantez de una atmósfera cargada por la lujuriante naturaleza del llamado Santo Desierto y retiro conventual. De las cimas de los montes se levanta siempre la humareda de los carboneros, pobres gentes que pasan una jornada entera de esfuerzo y de camino para hacer una saca de cisco.

Salamanca la blanca,
¿quién te mantiene?
Cuatro carboneritos
que van y vienen.

Desde el Portillo, las Batuecas son siempre una sombra, y casi una sima silenciosa sobre las que vuelan los milanos. He contemplado muchas veces este paisaje y he recordado ante él a Unamuno: creo que ante estos montes sin aristas, tierra petrificada y muerta, que semeja gigantescas dunas de un desierto hundido en la luz fría de los siglos, el silencio de todo el valle y las aves agoreras que desde la Peña del Huevo o de la Peña de Francia van hasta allí, para dibujar sus círculos en el aire, le harían pensar a Unamuno, sin duda, en el silencio de Dios que tantas veces le atormentaba.

En la Peña de Francia, gozando del silencio y la paz de la cumbre, de un horizonte inacabable, descansan los viajeros «de las visiones de miserias de los barrancos hurdanos» rumiando las imágenes y recuerdos. La Peña era ya familiar a Unamuno y volvió a ella en otras ocasiones de su vida. Don Miguel mantenía la relación con los padres dominicos y éstos le dejaban ir y venir. Unamuno se pasaba las horas metido en la iglesia del santuario, donde leía cualquier libro, paseaba luego y hasta tomaba baños de sol curtiendo su piel al contacto con el aire de altura.

Aparece Augusto Pérez

Al regreso a Salamanca reencuentra ya Unamuno su fuerza creadora y empieza a escribir *Niebla*, y se le salen de la pluma los endecasílabos de su *Cristo de Velázquez*. En 1914 *Niebla* está ya terminada y en la imprenta. Esta novela, sarcástica, de agrio humor, es hermana de *Amor y Pedagogía*. Alguno de sus personajes reaparece en la «nivola». Es un nuevo intento de autoburla y le salta, aquí y allá, una honda emoción autobiográfica que presta a sus entes de ficción.

Después de haber temido tener seca ya para siempre la fuente de la inspiración escribe esta novela, en la que derrocha originalidad. Aún Pirandello no ha sacado sus *Seis personajes en busca de autor* y Augusto Pérez va en busca de Unamuno para protestar del destino que le toca asumir en la novela. Otro personaje, Víctor Goti, toma entidad y firma el prólogo del libro. Tiene gracia la anécdota, triunfo de la ficción unamuniana, que he comprobado varias veces en la Biblioteca General de la Universidad de Salamanca. Víctor Goti, personaje, figura en su ficha correspondiente como prologuista de un libro de don Miguel.

Pero esta «originalidad» obedece a otro motivo que los puramente literarios. El capítulo en que don Miguel habla con su personaje es paralelo en su sentido el soneto titulado «La oración del ateo», sentido que he pretendido explicar en otra ocasión (18).

Guerra en Europa

Antes de que Niebla, *con sus 313 páginas, sea lanzada a las librerías españolas por la Editorial Renacimiento, la vida nacional va a sufrir una seria conmoción como eco de los sucesos que se desarrollan en Europa. El 28 de junio, en Sarajevo, se cometen dos atentados contra el archiduque Francisco Fernando y su esposa, Sofía de Hihenberg: una bomba que falla y dos tiros de pistola, pocos momentos después, que dan en los blancos apetecidos. El archiduque es el heredero del Imperio Austro-Húngaro y su muerte sirve de pretexto para una guerra, en que los principios nacionales son bandera, aunque el motivo exacto de la conflagración sea un problema de mercados. El 23 de julio envía Austria su ultimátum a Servia. El día 31, Jaurés es asesinado en París, el mismo día en que Rusia decreta la movilización general. El primero de agosto, Alemania declara la guerra a Rusia. Francia espera la decisión de Inglaterra, mientras los alemanes invaden el Luxemburgo y Bélgica. Al día siguiente, Alemania declara la guerra a los franceses, a Inglaterra. El día 11, la Gran Bretaña y Francia lanzan su reto a Austria*

---

(18) Vid. mi ensayo ya citado *El primer asedio...*

y sigue ya la desaforada zarabanda de las naciones en la última guerra de las nacionalidades.

España, oficialmente, opta por la neutralidad. Eduardo Dato es primer ministro y sueña con el papel de mediador entre los beligerantes en un —como se llamó entonces— «ministerio universal de la concordia». Un Real Decreto ordenó la neutralidad de la nación española. El 5 de agosto se celebra un consejo de ministros, que preside Su Majestad Alfonso XIII, en el que se adoptan varias precauciones, no todas llevadas a efecto. Una de las medidas precautorias previstas es la de una movilización general, llamando a filas a todos cuantos disfrutan de licencia y a los excedentes de cupo de las quintas de 1913 y 1914. El ministro de Instrucción Pública, don Francisco Bergamín, se opone a ello y logra que no se realice.

España, oficialmente, es neutral, pero no los españoles, y se empieza a vivir entonces, apasionadamente, en clima de guerra civil, la guerra europea de la que en principio estábamos apartados. El impacto recibido en la sociedad española es enorme. Bastaría como referencia un dato para mí muy familiar por cuestión de oficio: los periódicos cambian de técnica en sus titulares en este momento; ya no son las noticias, columna a columna, estilo sección de anuncios de la Prensa francesa o del Ya español actual, sino los grandes titulares a toda plana que llegan a imponerse incluso en los más modestos periódicos provincianos.

La Liga de Educación Política

En mayo de 1914, Federico de Onís escribe una larga carta a su maestro hablándole de las publicaciones de la Residencia de Estudiantes, de la recién nacida *Revista de Filología Española* que Menéndez Pidal ha fundado en el Centro de Estudios Históricos; le habla también de *La liga de Educación Política* fundada por Ortega y Gasset y proclamada en una conferencia en el Teatro de la Comedia de Madrid el 23 de marzo de 1914.

Algo antes de aquel acto, Ortega le escribe a Unamuno: «... De acuerdo por completo en lo que me dice del liberalismo como anticatolicismo y de la instrucción como centro de la educación. Todo eso es exactamente mi tema [...]. Tengo muchos proyectos con usted; creo que estamos en momentos precisos para resucitar el liberalismo, y ya que los de oficio no lo hacen vamos a tener que echarnos nosotros ideólogos a la calle. No hay más remedio: es un deber. Hay que formar el partido de la cultura. Dígame qué piensa.» Y en aquella conferencia fundacional decía Ortega: «Estamos ciertos de que un gran número de españoles concuerdan con nosotros en hallar ligada la suerte de España al avance del liberalismo.» Convendría no olvidar los comentarios orteguianos a las campañas liberales de Unamuno en Bilbao y Valladolid de pocos años atrás. Ya dimos algunos testimonios; valga otro de entonces, pero no citado todavía: «Hoy mismo —dice en su artículo de 1908 titulado «Sobre una apología de la inexactitud»— quiero cuanto antes quitarme este peso. He publicado unos párrafos en *El imparcial* acerca del último discurso de Unamuno. Creía haber compuesto en ellos una apología prudente de la acción política que con tanto nervio y firmeza va ejerciendo sobre la muerta nación el rector de Salamanca. Ni podía hacer yo otra cosa cuando las ideas políticas de Unamuno son exactamente las mismas que trato de defender con la ruin lancilla moderna de mi pluma.»

La liga de Educación Política está íntimamente ligada a Unamuno, aunque no figure entre sus 99 miembros, junto a Manuel Azaña, Ramón de Basterra, Américo Castro, Enrique Díez Canedo, Octavio Elorrieta, Manuel García Morente, Salvador de Madariaga, Ramiro de Maeztu, Antonio Machado, Enrique de Mesa, Tomás Navarro Tomás, Federico de Onís, Ramón Pérez de Ayala, Fernando de los Ríos, Pedro Salinas... Por entonces, Ortega hizo un viaje a Salamanca y cuentan que Unamuno le escuchó en la tertulia del café Novelty, y que al final le dijo: «De modo que usted quiere que sea el espíritu santo de esa liga de la que usted es el padre y el hijo. Pues no; yo o soy las tres personas o no soy nada.» La anécdota ha tenido singular fortuna; pero no faltan motivos para creer, como de tantas otras, que es radicalmente falsa.

En mayo de 1914 escribe don Miguel a Federico de Onís, contento por haberse visto libre de la necesidad de ser senador del Reino por la Universidad de Salamanca como rector de la misma. Al no aceptar, se le propuso el nombre de un romanonista que él no aceptó y resultó elegido don Luis Maldonado. No quería Unamuno figurar en política y malamente hubiese deseado ser presidente de la Liga, puesto que ni Ortega le hubiese disputado. Pero es que Unamuno quería ser independiente y desde muchos años atrás se había propuesto no ser hombre de partido. Hay más: en aquella misma carta, casi al principio, le dice a Onís: «De la Liga de Educación Política sé poco. Sólo temo, como te dije, que se duerma en la suerte de la propodeutica y que en la pregunta de "¿qué se debe hacer?" no haga nada. En los casos de urgencia —y el de España es uno— el cirujano no debe perder tiempo en inquisiciones complicadas y largas, sino hacerse una hipótesis y operar conforme a ella. También oí lo de la revista popular (se refiere a *España*); me lo dijo, creo que Elorrieta. Desde luego, si se cree que yo puedo ayudar en algo, aquí estoy. Son más las cosas que me unen con el espíritu de esa liga que las que pueden separarme de ella. (Y no sé cuáles sean éstas, tal vez me equivoque respecto a lo que sea.) Ayudaré, pues, en lo que me permitan mis trabajos obligados.» Y Unamuno cumplió su palabra colaborando en el semanario *España*, órgano de la Liga y que dirige Ortega y Gasset.

Don Miguel había logrado verse libre de la aceptación de cargos políticos. El 22 de junio de 1910 Ortega y Gasset, intermediario entre Burell, ministro de Instrucción Pública, y el rector de Salamanca le escribe esta breve carta, que no viene mal dar a conocer ahora:

«Amigo don Miguel: Si tuviera ocasión de ofrecer a usted uno de los nuevos cargos de inspector general de Instrucción Pública, con 10.000 pesetas —acaso pudiera ser más—, ¿aceptaría usted? Suyo

José Ortega y Gasset

Fíjese en que se trata de espiritualizar la enseñanza y que España tiene hartos pocos espiritualizadores entre quienes elegir.»

El texto es mecanografiado, urgente y nervioso, y la postdata, para hacer más fuerza en la voluntad de don Miguel, es autógrafa.

Aquellas elecciones universitarias

Estamos en 1914, cuando se habla de que los rectores de las universidades sean senadores por éstas, en vez de acudir a otros representantes. Don Juan Valera, que jamás pisó Salamanca, había sido en varias ocasiones senador por su universidad. «Bendigo la combinación que me libró de la senaduría», comentaba ya en mayo don Miguel en la carta a Federico de Onís ya citada. Las elecciones en el claustro resultaron un poco borrascosas: el candidato gubernamental don Ismael Calvo Madroño es derrotado y elegido el 22 de marzo don Luis Maldonado. Aquel acto electoral en que Unamuno se opuso a aceptar las presiones de Madrid, especialmente del conde de Romanones, que llamaba «romanonista» a su protegido, tuvo serias consecuencias en la vida de la Universidad salmantina y en la del rector. Otro suceso burocrático provocará que en el Congreso el señor Portela saque a luz pública la cuestión de la matrícula de un joven colombiano a quien se le ha convalidado el título de bachiller en la Universidad de Salamanca.

Al llegar las vacaciones, rehusa Unamuno asistir al curso de verano para extranjeros que organiza la Residencia de Estudiantes. Pese a su negativa, insisten sobre él y no sé si llegó a aceptar, si bien supongo que no. Onís le dice que la conferencia estaba ya anunciada, que le pagan los gastos de viaje y cien pesetas, además. Para no hacer el viaje tenía sobradas razones, que enumera a su antiguo discípulo: «No me entusiasman —le dice— estos cursos para extranjeros, pero por esta vez, al menos, no son pretextos las razones que me impiden ir. Hacia el 18 (de julio) se va mi familia toda a Figueira da Foz y he de acompañarles hasta dejarles instalados. ¡Y poco que le contraría a mi mujer que le he dicho que yo no puedo estar todo el mes de agosto!» Le retiene en Salamanca el ser secretario de la Junta de Patronos del Asilo de la Vega, fundación del salmantino Rodríguez Fabrés, que, por fin, va a ponerse en marcha. Los edificios de la granja ya están en pie, pero don Miguel ha de comprar mobiliario, ropas, hacer nombramientos, liquidar diez lentos años de testamentaría y poner en marcha la institución. Estas cosas se las cuenta a Federico de Onís el día 8, y dos días después, en su despacho rectoral, recibe una breve carta del ministro de Instrucción pública con la advertencia de «confidencial»:

«Ilustrísimo señor don Miguel de Unamuno.

Mi distinguido amigo: Ruego a usted que tenga la bondad de decirme qué origen puede tener la noticia dada en el Congreso por el señor Portela de haber declarado el rectorado de su digno cargo la validez académica de un título de bachiller expedido en Bogotá.

Le estimaré cuantas noticias y antecedentes pueda facilitarme en relación con este asunto y mande a su afectísimo amigo

Bergamín

9 julio 1914.»

El día 13 don Miguel responde al fin al ministro de Instrucción pública, sin poder ocultar su ingenua sorpresa:

«... Se presentó en esta un joven alumno de Deusto, don Manuel José Casas y Manrique, de Bogotá (Colombia), exhibiendo un título de bachiller refrendado por el ministro de Instrucción pública de Colombia, don Pedro M. Carreño, en 20 de noviembre de 1910 y legalizada su firma por el subsecretario del Ministerio de Relaciones Exteriores. Aquí obra un documento notarial sobre ello.

....

Y teniendo en cuenta el Real Decreto del señor Ruiz Jiménez [fue antecesor de Bergamín] dado con fecha 20 de setiembre de 1913, y habiendo satisfecho el interesado los derechos que devengan los de bachilleres españoles, se le admitió. Me pareció la cosa perfectamente legal como adecuada a ese Real Decreto.

....

Es un caso, pues, muy dentro del espíritu que dictó el decreto.

Hay, además, como usted sabrá bien, un convenio de reconocimiento mutuo de validez de títulos celebrado entre España y Colombia y firmado en Bogotá el 23 de enero de 1904».

Asunto, al parecer, zanjado. Don Miguel lleva a su familia hasta Figueira da Foz. A finales de agosto está en Portugal y regresa a Salamanca el día 30. En la Plaza Mayor cuelgan los periódicos locales unas carteleras en que dan avances de las noticias más salientes que van a publicar. Los titulares de la guerra europea llenan las planas de todos los diarios y la gente tiene avidez de noticias. Entre los telegramas de guerra, la agencia de información lanza una bomba auténtica: Bergamín ha destituido al rector. Y Unamuno se entera bajo los soportales de la Plaza Mayor de Salamanca, en la cartelera de un periódico.

El adelanto daba la noticia y añadía este comentario: «Ignoro, nos dijo el señor Unamuno, qué causas o pretextos se pueden alegar para destituirme, ya que hace dos meses que no he cruzado ninguna carta ni comunicación oficial con el Ministerio y hace veinticuatro horas que regresé de Portugal.» Acaso el periodista entendió dos meses en vez de uno, acaso don Miguel no recordaba ya el incidente del estudiante colombiano. De todas formas, aquel lunes, 31 de agosto, la ciudad estaba llena de la noticia que muchos habían conocido y saboreado ya durante su paseo dominguero por la Plaza Mayor.

16

El ex rector de Salamanca

E L 14 de setiembre de 1914, en plenas ferias salmantinas, se reúne con carácter de urgencia el claustro de la Universidad de Salamanca. La orden del día incluye dos asuntos: toma de posesión del nuevo rector y nombramiento de vicerrector. La prisa del claustro, sin esperar a la apertura oficial del curso, puede estar motivada por el hecho de que la destitución de Unamuno ha alcanzado demasiada resonancia en todo el país. En la ciudad han surgido pliegos de firmas. El Ayuntamiento se ha pronunciado por el escritor vasco. Se habla además de las cartas cruzadas entre Bergamín y don Miguel, que éste ha publicado en los periódicos locales. Circulan rumores de que las Facultades de Medicina y Ciencias serán trasladadas a Valladolid. Además, el rector destituido ha escrito al presidente del Consejo de Ministros, don Eduardo Dato, y le ha pedido que se le forme expediente, declarando que no rehuye responsabilidad alguna. «Que digan la verdad si son capaces de ello», apostrofa Unamuno en un escrito público en el que afirma:

1º [Cuenta cómo tuvo la noticia de su cese por la cartelera de un periódico en la Plaza Mayor.] No precedió a ella [la destitución] ni aviso ni amonestación, ni queja alguna de mi conducta como rector o particular; es decir, que no se me ha guardado absolutamente ninguna consideración personal.

2º Que a estas horas ignoro los verdaderos motivos de mi destitución, aunque los sospecho.»

Y termina citando el episodio del estudiante colombiano y el estado de las Facultades de Medicina y de Ciencias, que había sido precisamente uno de sus caballos de batalla como rector.

Las asociaciones obreras y los dependientes de comercio, a quienes tantas veces ha accedido a hablarles Unamuno en sus modestos centros sociales, se unen a las protestas.

Hay sobrados motivos de urgencia en esta sesión del claustro, cuyo clima es fácil explicar. Un catedrático propone que se haga constar en acta el sentimiento de la docta corporación por el cese de don Miguel de Unamuno, pero otro advierte que debe figurar también el júbilo por el nombramiento del nuevo rector, don Salvador Cuesta, y así queda escrito en el libro de actas. Toca discutir el nombramiento de vicerrector, que ha quedado vacante con el ascenso del señor Cuesta, y Unamuno toma la palabra, pero su sucesor, que ha permanecido callado demasiados años en su puesto de segundón, no le deja hablar y le ordena ásperamente que guarde silencio. Don Miguel, sin pronunciar ya una palabra, pero airadamente, abandonó el salón del claustro. No lo hace solo: le siguen los catedráticos Bernis, González de la Calle, José Giral y Luis Maldonado. La sesión del claustro continúa y se elige como vicerrector al catedrático de la Facultad de Filosofía y Letras, Enrique Esperabé de Arteaga, hijo del «rector Esperabé», a quien sucedió Unamuno en 1900, unido desde entonces a sus correligionarios los integristas en la lucha contra el intruso vasco. Para que no falte nada, Modesto Pérez, de quien tantas veces se ha hablado ya, es la pluma mercenaria encargada de elogiar la figura del nuevo vicerrector, no por sí misma, sino contra el ex rector.

No eran frecuentes entonces estos cambios, y ello hace comprensible el estupor de unos y el goce de otros. Los motivos de la destitución, de todas formas, no están claros. Hay que sumar muchos datos: la filiación socialista de Unamuno, que era sobradamente conocida a la hora de su nombramiento; sus campañas agrarias, que podían ir contra los intereses del gran latifundista conde de Romanones (19); las elecciones senatoriales; el incidente del estudiante colombiano; la lucha del rector por la libertad de cátedra y la obligación de los catedráticos de acudir a sus clases; su difícil posición religiosa... Realmente se trata de un capítulo no muy claro de la historia universitaria española y por ello no debe extrañar la reacción que se produjo y que el futuro administrativo de la Universidad de Salamanca importase por unos días más que el destino de Europa decidiéndose en el Marne.

«Están asustados de lo que han hecho»

Joaquín Ruiz Jiménez, que había sido ministro de Instrucción

---

(19) El propio Unamuno publica en *La Nación*, de Buenos Aires, dos artículos en 1914 explicando el sentido de su campaña. En el semanario *Nuevo Mundo*, de Madrid, el 13 de agosto de 1914 volvió sobre el tema en un artículo titulado «El automóvil y el arado romano», en el que afirma algo revelador sobre la intención y el espíritu de su campaña: «De lo que estoy profundamente convencido es de que el problema agrario en España se tiene que arreglar más desde el Ministerio de Hacienda que desde el de Fomento» [Gobernación].

pública en 1913, es uno de los primeros en escribir a Unamuno la-
mentando su destitución. Ortega y Gasset le ofrece «que cuente in-
condicionalmente conmigo, con mi pluma y con mi mal genio» (2 de
setiembre de 1914), y poco después, exponiéndole todo un plan de
batalla para su reposición, le dice: «Mi estado de perpetua polémica
con usted me da en este asunto una gran libertad de movimientos.
De un modo o de otro venceremos. Luego seguiremos nuestra polémica» (4 de setiembre de 1914).

Federico de Onís, que conocía mejor los problemas internos de
la Universidad de Salamanca, cree que el asunto «traerá cola» y se
mueve en Madrid entre la gente de la Institución libre de Enseñanza
y la Liga de Educación Política, planeando una campaña que no es
aún posible en un Madrid casi desierto. Luis de Zulueta es el cerebro
gris organizador y, junto a él, Manuel García Morente, Enrique Díez
Canedo, José Ortega y Gasset, Salvador de Madariaga y el senador
salmantino Luis Maldonado. En la sede del partido reformista se
celebran algunas reuniones.

Zulueta es quien logra que la prensa publique la carta de Unamuno a Dato pidiendo que se le forme expediente si se atreven.
Logran que el Ateneo dirija una nota de solidaridad con el ex rector
a la prensa y preparan una conferencia de Unamuno, la que se titulará *Lo que ha de ser un rector en España*. Reformistas, republicanos y mauristas son atraídos a la causa de don Miguel para que
echen en cara al Gobierno de Dato su salida de la prometida neutralidad.

Don Eloy Bullón, político salmantino que medra entonces en
Madrid, habla con Federico de Onís y escribe éste a Unamuno:
«Hablé casi tres horas seguidas con Bullón, sacando la impresión
de que están asustados de lo que han hecho. De su conducta y de
la del ministro no saqué, como es natural, más que explicaciones
oscuras.» En *El país* se publica una carta de Ortega y Gasset dirigida a Castrovido. García Morente publica también artículos. Don
Francisco Giner de los Ríos escribe a Unamuno y también a su hermano Hermenegildo, que es diputado a Cortes:

«Queridísimo hermano mío: Ya que hay tiempo te agradecería
ayudases algo a Unamuno; de lo que digan contra él, no todo
ciertamente será razonable ni mucho menos. Pero hay dos cosas
indiscutibles: que es una fuerza espiritual de las mayores que
esta pobre España tiene y que no podemos sin remordimiento
dejarlo abandonado a los cínicos del Congreso.

No tienes obligación alguna de intervenir; pero tu autoridad
puede hacer mucho en la conversación privada, etc. Y estamos
todos obligados a no dejarlo arrastrar por el suelo, tanto por lo
que él es —de Unamunos no hay cosecha— como por los principios. Y como puede haber muchos planos en este asunto (la relación con Romanones, la libertad de su propaganda agraria, socialista o como quiera, etc., etc.), deja a un lado los aspectos en

que U (namuno) no tenga razón; basta que tú pongas cierta fuerza
al lado para que puedas hacerle a él y a los principios mucho bien.
    Tuyo, P.»

Es muy posible que esta carta, de la que se publicó una fotocopia
en *El adelanto* de 29 de setiembre de 1934, sin fecha, sea anterior
a la destitución, expresión, por tanto, de que en la Institución Libre
de Enseñanza se barruntaba una ofensiva contra Unamuno. Pudo
muy bien ser escrita cuando don Miguel fue ya atacado por el asunto
del estudiante de Bogotá, con el recuerdo de sus campañas agrarias
a que se alude y con el convencimiento de que Romanones no per-
donaría en esta ocasión. De todos modos, demuestra el interés del
frente liberal y socialista por defender a Unamuno. Ramiro de
Maeztu, entonces izquierdista, desde Génova, el 15 de setiembre
de 1914, escribe a don Miguel una fogosa carta pareja al «mal genio»
a que aludía Ortega:

> Mi querido don Miguel:
> Un abrazo, don Miguel. Es una indignidad lo que se ha hecho
> con usted. Excuso decirle que pongo mi pluma a sus órdenes por
> si en algo puedo contribuir a repararla. Esos *golfos* han aprove-
> chado el momento en que la opinión se hallaba distraida con la
> guerra para dar el puesto de usted al recomendado de alguno de
> la taifa política. Si mañana los alemanes bombardean Madrid
> aprovecharían la ocasión para hacer desaparecer los cuadros del
> Museo del Prado.
> Por supuesto que usted se tiene parte de culpa. A fuerza de
> insurrecto y de «campeador» se ha olvidado usted demasiado
> de que había una causa común: la de imponer a los golfos el
> respeto a los valores culturales. Pero, ¡pelillos a la mar y un buen
> abrazo!

Lo que sigue son ya noticias de la Guerra Europa que aquí no
interesan. Días después, desde Madrid, E. Torralva, director del periódico *El socialista*, escribe al ex rector una carta que es buena
prueba del impacto que ha producido su destitución:

> «Muy distinguido señor mío: Aunque distanciados de usted en
> estos últimos tiempos, por las orientaciones extrañas a nuestro
> pensamiento que el de usted había tomado, no podemos olvidar
> que ha sido usted nuestro compañero en otros años y que ha
> luchado a nuestro lado. Especialmente los socialistas del norte
> recordamos siempre con amargura —y un poco de rencor, a decir
> verdad— al Unamuno de *La lucha de clases* y de la propaganda
> en las minas, tan diferente del Unamuno de la teología social
> y de las metafísicas personales de ahora. Perdone usted que se
> lo diga con esta franqueza, pero, si es así, o lo pensamos así, ¿a
> qué decirlo de otro modo? Así, pues, escribo (a) usted en estos
> momentos —nunca lo hubiera hecho en otros— para poner a su

disposición las columnas de *El Socialista* en defensa de la justicia atropellada en usted.
Suyo y de la Causa Socialista

E. Torralva

Madrid, 20-XI-14.»

Interpelación al Gobierno

Marcelino Domingo, conmilitón de Unamuno en las campañas
agrarias, interpeló a Bergamín en el Congreso, y Luis Maldonado,
en el Senado, se enfrenta con él en la sesión de 31 de octubre de 1914.
Momentos antes de su intervención, el senador por la Universidad
de Salamanca, que no ignora cuánto va a desagradar a sus correligionarios y a sus compañeros de claustro, escribe al ex rector: «A
mí no me importa lo que pueda ocurrir; yo vengo a decir la verdad
porque me la debo a mí, en primer término, y luego a usted, y después a todo el mundo.»
Tras los asuntos de trámite, la primera cuestión de importancia
es la destitución del rector de la Universidad de Salamanca. Don
Luis, oratoria del tiempo, comienza su exordio con la declaración
de humildad que corresponde a un senador que espera ser pulveri-
zado por el ministro de Instrucción pública, a cuyo partido, además,
pertenece. Pero es un charro inteligente, con la sana habilidad cazu-
rra de estas tierras, un charro lígrimo —esto es, decidido y acome-
tedor como un jabalí acosado— y sabe cómo atacar:

> «Yo tengo más que mediada mi vida —dice (tenía cincuenta y
> cuatro años a la sazón)—, y durante ella creo que he conocido
> cuatro o cinco Papas, seis o siete obispos de Salamanca, veinti-
> ocho ministros de Instrucción pública, sin contar los que lo fueron
> al mismo tiempo de Fomento, y ¡yo no sé cuántos, un número
> infinito!, de gobernadores civiles y militares de Salamanca. Y en
> todo ese tiempo yo no he conocido, señores senadores, más que
> dos rectores: el rector viejo, a cuya venerada memoria van unidas
> las tradiciones más gratas de la vieja Escuela, y el rector nuevo,
> en el cual cifrábamos los más todos nuestros ideales de resurgi-
> miento, nuestra modesta y perseverante labor, gracias a la cual,
> señores senadores (y perdonadme la vanidad), los extranjeros han
> vuelto a aprender en Salamanca.
> Pues bien —continúa—, a ese rector nuevo su señoría lo des-
> tituyó, su señoría lo arrojó del cargo como si fuera un bedel, sin
> la más leve frase de consideración.»

Siguió después con la defensa de Unamuno. Las explicaciones del
ministro no valían: las pretendidas «irregularidades administrativas»
eran argumento inadmisible, ya que, si eran tales, se referían a expedientes no cerrados cuando se decretó la destitución. Maldonado
no deja nada en pie; se refiere también a S. M. el rey: «Aquella

misma augusta mano que condecoró al señor Unamuno [el rey concedió e impuso personalmente al entonces rector la Gran Cruz de Alfonso XII en 1905] (20) firmó el Decreto de destitución refrendado después por su señoría.»

Maldonado vio claro que empezaba una nueva era en el régimen de los rectorados universitarios: una era política, al servicio de los gobernantes siempre y casi nunca al de la universidad. Se equivocaba acaso en creer que «los ministros pasan y las universidades quedan», porque entonces —no olvidemos que ha empezado la guerra europea, o sea el siglo XX— empiezan a determinar las formas de vida colectiva las ideologías, cuya vigencia se ha mantenido hasta hoy, en que los *programas* han llegado a sustituirlas.

El brío, el ejemplar, sorprendente y honrado valor de don Luis Maldonado llega a sus últimas consecuencias en las palabras finales de su intervención:

«... necesito hacer una manifestación categórica, y es que yo he pedido a su señoría cuáles son las razones de la destitución de Unamuno, pero no vengo a pedir su reposición. ¡Reponerle! Esa sería una gloria para cualquiera que estuviese en el puesto de su señoría; esa sería una gloria para cualquiera de los que han antecedido o sucedan a su señoría; pero su señoría no tiene ambición de reparaciones históricas. Estoy seguro de que su señoría no le repone, pero Unamuno, decapitado de derecho por su señoría, de hecho figura con otros cuantos a la cabeza de la intelectualidad española. Vea, pues, su señoría que no necesita Unamuno para su fama ser rector, sino haberlo sido ya de Salamanca. No le reponga su señoría; en cualquier sitio que esté estará en la cabecera»...

En el Congreso, Portela Valladares intentó su justificación; en el Senado, Bergamín, quien acaso —aparte la influencia de Romanones— pensó que la figura de Unamuno representaba un serio peligro para su idea de la neutralidad española ante la guerra europea. El se opuso a la movilización general, pero intentando amordazar al terco vizcaíno lo único que hacía era ponerle en el disparadero. De todos modos, parte de su objetivo lo había conseguido: durante unos días, como ya se ha dicho, los españoles no fueron aliadófilos o germanófilos, sino unamunistas o antiunamunistas.

Entre las felicitaciones que recibe Maldonado hay una muy significativa: un telegrama de Bilbao: «En nombre amigos Unamuno

(20) Una de las anécdotas inventadas al alimón por Modesto Pérez y Pío Baroja, que figura en el libro de Julián Sorel *Los hombres del 98. Unamuno* y que cobró singular fortuna, fue la versión de esta ceremonia en palacio. Según tal versión, don Miguel dijo al rey: «Gracias por esta condecoración que me merezco.» «No dicen lo mismo los otros a quienes se la he dado», comentó Alfonso XIII. «Y tienen razón», concluyó Unamuno. Este diálogo, chistoso de calendario, puede pasar si no se le saca de este ámbito. Don Pío, que tuvo siempre una inexplicable inquina contra Unamuno, y el desdichado Modesto Pérez confundían la vanidad con el orgullo. Don Miguel fue soberbio y orgulloso, pero nunca tonto y vanidoso.

31 de enero de 1916. (Foto V. Gombau.)

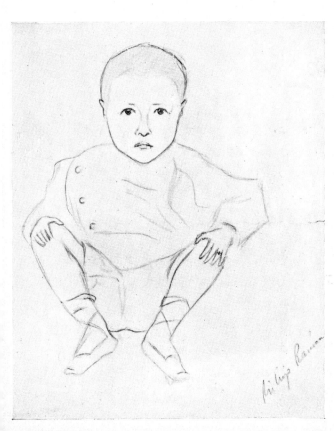

Mi hijo Ramón. (Dibujo de Unamuno.)

Confinado en Canarias. En camello, con Rodrigo Soriano.

Rodrigo Soriano y Unamuno en Canarias, atados y conducidos por un pastor. «Hecha en Zoto, en la finca de don Domingo Peña. ¡Si llega a conocimiento del Ganso Real esta broma! Aquí en Las Palmas ha obtenido un gran éxito», escribió don Miguel al reverso de la foto al enviarla a su casa.

A bordo del *Zeelandia*, con M. Dumay y su mujer y Rodrigo Soriano. Obsérvese que don Miguel lleva corbata de lazo. (Foto Fernando Unamuno.)

que secundan generosa campaña protesta iniciada Salamanca, envíole cariñoso por nobilísima interpelación digna de usted, caballero y maestro, a quien tanto entre nosotros recordamos. Por todos. *Eguilor.*»

«*Lo que ha de ser un rector en España*»

Los amigos de Unamuno, especialmente el grupo de Ortega y Gasset, no descansan. Ya se ha defendido a don Miguel en el Congreso y en el Senado, en la prensa. No basta. Ortega conoce muy bien a Unamuno y piensa que va llegando la hora de que sea él mismo quien, con la sensibilidad en carne viva, se defienda. En el Ateneo se prepara la palestra para que el recio luchador muestre sus armas. El 8 de noviembre de 1914 Salvador de Madariaga escribe a Unamuno:

«Encargado por el señor don José Ortega y Gasset, en nombre de un grupo de amigos y admiradores de usted, de coordinar fechas y aunar voluntades para que su próxima venida a Madrid sea una manifestación digna y fuerte de protesta contra el atropello de que ha sido usted víctima, me permito dirigirme a usted para enviarle la adjunta petición dirigida a la Junta de Gobierno del Ateneo de Madrid por más de un centenar de mis consocios. Estoy autorizado por el primer secretario del Ateneo para decir a usted que la Junta de Gobierno accede con mucho gusto...»

El 25 de noviembre tiene lugar la gran batalla ateneística. Se le ha pedido que hable sobre *Lo que ha de ser un rector en España*. «Y no puedo deciros cómo creo que debe ser un rector sin exponeros lo que como tal he querido ser, y mis esfuerzos por acomodar ese ideal de la rectoría al ideal del oficio.» ¿Cuál cree Unamuno que es la misión del rector de una universidad española? Su personalismo le obliga, en primer lugar, a hablar de sí mismo, a exponer lo que hizo, lo que quiso hacer, cuanto podía quedar de su gestión. Cuanto quiso hacer, a fin de cuentas, representaba su ideal.

Don Miguel, sin pelos en la lengua, imprudente hasta la temeridad si era preciso, no tiene inconveniente en tirar de la manta. Está seguro de que Bergamín, en el fondo, es hombre de paja del conde de Romanones, y es a éste a quien dirige sus ataques y plantea como deber de un rector el urgente trabajo de higiene social: limpiar la universidad de caciquismos. Tan convencido estaba de ello que, cuando en 1916 el señor Calvo Madroño sale al fin senador por la Universidad de Salamanca, felicita al conde:

«Está usted de enhorabuena. Ya le dio, en efecto, el fruto apetecido la doble coz que me asestó aquel grandísimo bergamín; el no menos grande Madroño, romanonista —así le llamó usted mismo delante de mí, que se me caería la cara de vergüenza antes de denigrar a un amigo llamándole unamunista—, es ya digno representante en el Senado de este pobre claustro de siervos y mendigos, al que tiene usted de nuevo enrredilado. Con la ayuda de Zamoranos, jaimistas y otros antiliberales y de la pordiosería académica a busca de quien les amañe los tribunales de oposiciones, ya tiene a *su* Calvo Madroño en el honorable Senado; le felicito pues, por la readquisición y felicito a ese Gobierno llamado, no sé por qué, liberal.» (Según un borrador existente en el museo de Unamuno.)

Pero sigamos con la conferencia de Unamuno en el Ateneo. Habla de que: «De la universidad española actual no cabe decir que es una ruina, porque no existe. Esas miserables fábricas de licenciados y colegios electorales no merecen semejante nombre.» Y no por eso abandona la postura de pensar que, aunque mala, la enseñanza oficial es la «menos peor». «Sé que si el Estado abandonara la docencia caería ésta en manos de instituciones que la ejercerían peor aún que él la ejerce. Porque he de decirlo una vez más, y sobre todo ahora en que no ejerzo ya autoridad administrativa en la enseñanza pública: la enseñanza pública, siendo, como es en España, mala, es no ya mejor, sino la única que merece el nombre de enseñanza. La otra es cien veces peor. Tiende a engañar, a hacer que se enseña no enseñando nada.»

Las lamentaciones de Unamuno no son una defensa, sino una acusación clara y decidida contra un sistema. El tiene presente lo que ha sido su lucha en la Universidad de Salamanca, y siente el desfallecimiento de la hora mala en que toda esperanza se pierde y sólo queda el grito, el derecho al pataleo. Después... no sucede nada... Bergamín cae del Ministerio, pero Unamuno llegará al final de su vida sin saber por qué se le destituyó. Su amigo Rafael Altamira intentó años más tarde bucear en los archivos del Ministerio, sin encontrar nada.

No pidió la reposición. Posiblemente advirtió ya a Luis Maldonado antes de su intervención frente a Bergamín en el Senado. «Acaso mi posición —le escribe a Julio Burell, ministro de Instrucción pública en 1916— le parezca morbosamente quijotesca, pero yo le digo que me avergüenzo de pertenecer a un país donde se puede poner y quitar y cambiar y trasladar funcionarios, aunque sean de cargos de confianza, sin advertirles antes y sin explicarles motivos.» En esta experiencia hay que ver la causa que explica la rectificación unamuniana en torno al caso Ferrer, de que ya se ha hablado.

Unamuno se niega a ser decano

Don Miguel de Unamuno ha quedado reducido a su condición de catedrático de griego y encargado de la cátedra de Historia de la Lengua española. El exigió un cumplimiento estricto a los catedráticos, y a lo que fue su norma rectora se sujeta. Renuncia a dar

conferencias fuera de Salamanca en fechas que no pueda compagi-
nar con su horario escolar, y en 1916 al propio ministro, Burell, le
rehusa la autorización que éste le ofrece. Renuncia al soñado viaje
a América que Ramón y Cajal, Menéndez Pidal y Onís le proponen
por cuenta de la Junta de Ampliación de Estudios, porque no está
dispuesto a pedir permisos.

Por entonces una junta de la Facultad de Letras acuerda nom-
brarle decano y el rector le transmite el nombramiento. El primer
oficio, del 5 de abril de 1916, no obtiene respuesta; el segundo, de
12 del mismo mes, logra contestación: «Tengo que comunicarle que
no debo encargarme del Decanato por hallarme moralmente descalificado para ello.» Y añade: «Conozco el artículo 14 del Reglamento
de las Universidades de 22 de mayo de 1859 y, en general, la ley, pero
sé también que por encima de ello hay normas augustas de dignidad
y honor personal y que no puede sustraerse ninguna persona digna,
y por tal me tengo. A fines de agosto de 1914 fui destituido del
cargo de rector que ocupaba, y hoy V. S. ocupa, sin que precediese
a tal medida ni amonestación meramente legal, ni queja de mi conducta, ni llamada al orden, ni invitación razonada ni no razonada
a dimitir, y sin que hasta hoy se me haya hecho saber, siquiera para
corrección caritativa, por qué se me trató como no se trata a persona digna y honrada y en forma que por legal que fuese era, según
las antes invocadas augustas formas, afrentosa.»

No; Unamuno es ya el ex rector y no está dispuesto a pactar.
Hubiera dimitido, se lo decía a Burell; pero sólo quería oponerse
a la arbitrariedad. Intentos no faltaron para lograr su reposición:
el propio Burell le explicaba su deseo de no crear más complicaciones y Unamuno le contestó que no era su restitución lo que pedía.
Ser rector, ser decano, no le importaba gran cosa. Sólo quería algo
elemental y, al parecer, imposible: justicia en forma de explicación.
Y esto no era posible.

17

El hombre del Cristo al pecho

Frente a las Ursulas

SALAMANCA es tierra difícil para vivir en ella la peripecia de un fracaso. Salamanca no es la Castilla escueta y ascética —aunque las tierras de la Armuña, el campo de Peñaranda, puedan ser la mejor expresión plástica de la llanura castellana—; es adusta y sensual, con una sensualidad que está más cerca del sadismo que de la voluptuosidad. Perteneciendo al reino de León, es más extremeña que leonesa, y fue tierra de nadie, escenario de los paseos de Almanzor durante la Reconquista, cuando se empezaba a formar el modo de ser, la «vividura», como dice Américo Castro, de los españoles... Fue repoblada por franceses, gallegos, moriscos y castellanos y, después, con su Universidad, fue siempre tierra de aluvión espiritual. Junto a Portugal, tiene no poco de este país, de su tristeza, pero nada de su ternura. Salamanca, que no figura casi en la historia, está desligada de todo, de espaldas a todo. Salamanca es el individualismo a ultranza que no tolera el individualismo de los demás; molesta con su pasado, desconcertada con su presente, ciega a su futuro. En Salamanca, «ca cual es ca cual» y no valen simulaciones, porque todo se sabe y cada uno conoce el pie de que cojean los demás: no se perdona la humillación que supone la presencia de un hombre ambicioso, pero tampoco hay piedad para la vergüenza del fracaso.

Se sigue paseando los domingos por el campo de San Francisco si hace buen tiempo, y todos los días por la Plaza Mayor. La «acera de correos», desde la calle del concejo a la iglesia de San Martín, es ya pequeña y se ensayan las vueltas completas a la Plaza, aún no pavimentada, siguiendo el sentido de las agujas del reloj los varones y el inverso las muchachas, con sus botas de orillo, y que aún han de ir acompañadas de la madre, la tía o la hermana que ya casó. Todos se conocen y se habla del matrimonio precipitado de los vástagos de dos ilustres familias, de la soledad de las hijas del Sastrín, aquel piropeador impenitente que se suicidó arrojándose a un pozo; de los dichos de Vidita, el joyero que sólo tiene en su comercio una custodia y no la vende para no tener que cerrar el establecimiento; de Turita, el borrachín, que fue amigo de Unamuno y murió abrazado a una bota de vino; de los episodios de juego en el Casino de los señores; de las señoras que, acompañadas de sus maridos —¡cuánto atrevimiento!—, empiezan a acudir a la hora del chocolate al Café de Fornos y a los no hace mucho abiertos de Torres y el de Villa, que tiene un nombre extranjero: Novelty.

En los paseos, en las tertulias, en los saraos familiares, que aún perviven y son los más apetecidos los de los marqueses de Castellanos, los marqueses de Albaida, el vizconde de Revilla, el banquero Rodríguez Vega, que tiene su casa de banca en el palacio de Garci-Grande, se habla de la guerra europea y del señor Unamuno, que ya no es el rector de la Universidad de Salamanca y que ha tenido que abandonar la casa rectoral para irse a vivir a la calle de Bordadores, junto a la deshabitada Casa de las Muertes, en el número 4, frente al Torreón de las Ursulas. Ya dejaba de chupar del bote aquel pelado, anarquista o socialista —daba igual— y además herejote. Ahora dejaba de aprovecharse del cargo y tenía que cambiarse de casa.

El traslado fue laborioso y un poco lento quizá: tantos hijos, el matrimonio, la hermana de don Miguel, las criadas y, sobre todo, los libros, carros de libros. ¿Cómo no iba a estar medio loco un hombre que leía tanto? No podía ser bueno aquéllo, saber tanto, querer saber tanto; era soberbia y tenía que llegar algún día el castigo.

Una novia para don Miguel

No era fácil para don Miguel esta nueva etapa de su vida salmantina. Unamuno no se retrae por ello. La casa rectoral tenía muchos balcones; antes vivió en casas abiertas al exterior, y esta que ocupa ahora no tiene más que un balcón, pero desde él puede contemplar la Torre de Monterrey y los negrillos de las Ursulas; el resto de la vivienda se pierde en el interior, con mucha luz, por cierto, pero sin horizonte.

Don Miguel mantiene su vida habitual. Ha cambiado sólo el itinerario camino de las clases en la Universidad. De madrugada saluda a la torre renacentista del palacio de Monterrey y por la calle de la Compañía, fría y severa, flaqueada por las torres gemelas de la Clerecía y de la Casa de las Conchas, va a la Universidad a dictar sus clases de griego y de historia de la lengua española.

Frente a la Torre de Monterrey vive la directora de la Escuela Normal de Maestras, doña Natividad Calvo Montealegre, joven, guapa y animosa maestra que ha comparecido ante algún tribunal presidido por don Miguel y a la que éste ha tratado siendo ya rector.

Doña Nati, como se la ha llamado hasta su muerte en Zamora en
1960, tiene el mismo itinerario que don Miguel: la calle de la Compañía, aunque luego haya de seguir hasta la plaza de Anaya. Muchas
mañanas coinciden en su camino hacia el trabajo. Hoy nos puede
hacer sonreir todo esto, o acaso indignarnos, que sería lo más justo.
Se levanta el rumor en la ciudad, quién sabe si atizado por engoma-
dos galanes a los que la maestra no ha prestado el consuelo de una
mirada de sus hermoso ojos, que todos alaban en Salamanca, y empiezan a decir que se entiende con don Miguel y se la llama sin re-
bozo alguno «la novia de Unamuno». Como siempre sucede, los
únicos que no conocen su «noviazgo» son don Miguel y la maestrita.
Pero a la ciudad ese pequeño detalle, la verdad en suma, le tiene sin
cuidado. Se ha lanzado la bola y corre porque es el momento propicio en que todo vale para intentar desacreditar al ex rector, aunque
sea a costa de la reputación de una maestra que tiene los terribles
defectos de ser honesta, guapa y además inteligente. ¿No sería bueno
pescar en un desliz a este hombre que alardea de su monogamia?
Y la ciudad esperaba, aguardaba con paciente impaciencia ese momento que podía servir de regocijo a todos por eso de que del árbol
caido todo el mundo hace leña.

Poesía catalana en Valladolid

Entre los papeles que el ex rector traslada a su nueva casa están
los endecasílabos de su *Cristo de Velázquez* y unas notas de lo que
proyecta ser un estudio sobre el poeta amado Juan Maragall. El 8
de mayo de 1915 en el teatro Lope de Vega, de Valladolid, usa estas
notas en una conferencia que titula *Lo que puede aprender Castilla
de los poetas catalanes*.

Don Miguel, que por tercera vez habla en Valladolid, no quiere
acudir al tema político, aunque no pueda evitar el recuerdo de
cuanto en el Círculo Liberal dijo del liberalismo, y confiesa la honda
preocupación que en él despierta el problema de la guerra europea.
«Quizá —dice— los combatientes mismos no lo sepan, pero es lo
cierto que combaten por la personalidad, por conservarla y afirmarla.
No son dos mercados los que están en pugna; son dos sentimientos,
en gran parte opuestos, de la personalidad humana», y explicaba
que «los que vemos en esta guerra una lucha más por la personalidad, nos preocupamos de la repercusión que en este orden ideal,
no en el otro, no en el estrictamente político internacional, puede
tener en España. También aquí puede llevarnos a plantear de una
manera más clara el problema de nuestra personalidad colectiva nacional, el problema de la personalidad de España».

Pero no habla de política, sino de poesía, porque «la poesía es
el pensar y el sentir de un pueblo hechos lengua, y ésta, la lengua,
es la sangre del espíritu». A causa de la guerra europea se está viviendo en España una auténtica guerra civil: es una lucha verbal
e ideológica entre dos bandos irreconciliables, y Unamuno, misoga-

lista, está claramente —pese a todo— al lado de los aliados, como
Maeztu, como Azorín, como el mismo germanizado Ortega, como
todas las izquierdas españolas de que empieza a aparecer Unamuno
como cabeza visible. Y en esta guerra civil él quiere un entendimiento de las regiones españolas más separadas, toda una armoni-
zación de los contrarios, y predica catalanismo en Castilla con el
emocionado recuerdo de su amigo del alma, el grande, el inmenso
poeta Juan Maragall.

«Hermano enemigo»

La campaña en pro de su restitución en el rectorado no ha tenido
éxito. Después de su conferencia en el Ateneo se le dio un banquete
en el que habló Ortega y Gasset, y con palabra sabia y cordial le ha
llamado «hermano enemigo». En Salamanca se celebran también algunos actos de desagravio y el propio Ortega da una conferencia en
defensa de los derechos del ex rector. Pero la guerra europea, a la
que Unamuno robó su importancia en la primera plana durante
tres días, ha vuelto a imponerse como tema de preocupación nacional.
Los amigos, a su modo, no descansan. El caso Unamuno ha logrado dimensiones insospechadas. Y, pese a todo, sólo en el campo
de la cultura es posible dar la batalla. Los hombres de la Institución
Libre de Enseñanza intentan animar a don Miguel. La Residencia
de Estudiantes, de que es director por entonces Federico de Onís,
ha empezado una serie de publicaciones al cuidado de Juan Ramón
Jiménez. José Ortega y Gasset escribe su primer libro, *Meditaciones
del Quijote,* que no puede explicarse si no es desde su amistosa,
filial e insobornable polémica con Unamuno. A don Miguel se le propone todo un homenaje sin precedentes: la edición de sus ensayos
en varios tomos, y él empieza a recontar los trabajos hechos, sin
poder prescindir de aquellos artículos que fueron su punto de partida en busca de la esencia de España, *En torno al casticismo.* Se
encuentra forzado a ir revisando su obra de 1894 a 1911, etapa que
recoge en estos *Ensayos,* especie de «ópera omnia» que no suponía
un corpus cerrado y completo como muchas veces se quiso suponer,
pero que, igual que su chaleco o la barba, pasaron a formar la imagen
aceptada de Unamuno. Desde entonces fue el autor de *Ensayos,* lo
que implicaba un haberse quedado a las puertas de la Filosofía.
Don Miguel echó mano, sobre todo, de sus colaboraciones en *La
España moderna;* prepara la reproducción de todos los ensayos que
ha publicado en la revista de Lázaro Galdiano y que entonces no
figuraban en libro —salvo los cinco ensayos del primer tomo—, pero
omite uno sólo, el titulado *Inteligencia y bondad,* que sigue dormido
en aquellas páginas. ¿Se olvidó Unamuno de este artículo publicado
en 1907? Se puede pensar que el olvido es voluntario. Este escrito,
que hace el número 34 de sus publicaciones en la revista, no es quizá
muy afortunado, pero interesa porque en él se desarrollan temas del
Diario y plantea, desde una dimensión metafísica, una cuestión que

le atormentó en su crisis de 1897, ante la presencia de su infortunado hijo Raimundín. Por eso comienza con la consideración evangélica, eco de sus *Meditaciones,* de que para Cristo el peor insulto
fue llamar *raca* —tonto— al hermano, al prójimo. De ahí partió él
para su distinción entre inteligencia y bondad. Releer aquel ensayo
para publicarlo de nuevo removía angustias pasadas.

América, más lejos

No es la publicación de estos *Ensayos* la única forma de homenaje y desagravio que le rinden sus amigos. Ortega y Gasset ha fundado el semanario *España* y le lleva a sus columnas como uno de
los colaboradores fundamentales. La Junta de Ampliación de Estudios piensa enviarle a América como conferenciante, pero don Miguel, que se ha tragado las ganas de este viaje cuando aún era rector,
no quiere pedir ahora permiso ni al rector de Salamanca, cuyo primer acto rectoral fue no dejarle hablar en la reunión del claustro
en que tomó posesión, ni al Ministerio de Instrucción Pública, que
sigue sin aclararle las causas de su destitución. Onís, desesperado
ante esta jira unamuniana por tierras de América que se malogra,
le escribe el 15 de marzo de 1916 a su maestro:

> «Querido don Miguel: He oído que, en vista de la actitud en
> que usted se coloca respecto a su viaje a América, la Junta [de
> Ampliación de Estudios, que presidía Ramón y Cajal] no ha en-
> contrado solución posible, va a desistir de él y piensa comuni-
> cárselo a usted si no se lo ha comunicado ya.
> Como creo que el estado de ánimo en que usted se encuentra
> no es lo más a propósito para que juzgue usted con serenidad
> acerca del camino que debe seguir, me atrevo a escribirle para
> decirle mi opinión acerca de este asunto. Mi opinión, que no es
> sólo mía, sino la de todos los amigos de usted con quienes he
> hablado. Todos estamos conformes en que este viaje sería enor-
> memente saludable para usted, porque le sacaría del aislamiento
> en que vive en el que las preocupaciones se convierten en obse-
> siones y las heridas se enconan, porque se pondría usted en con-
> tacto con un público entusiasta tan bien preparado para oírle
> y porque el respeto y la admiración que usted ha de encontrar
> allí desharían de rechazo la bárbara irrespetuosidad que momen-
> táneamente ha levantado la cabeza contra usted y por lo que, tan
> justamente, se siente usted herido.»

No acepta, sigue negándose a aceptar y admite sólo aquello que
pueda permitirle continuar su lucha. Los ferroviarios le pidieron en
1915 que fuese candidato a concejal del Ayuntamiento y aceptó. Al
ser proclamada su candidatura pronunció un discurso advirtiendo
que él no se presentaba, sino que le presentaban, y avisó algo más:
«No sé si haré mucho o poco. Lo que sí sé decir es que todo lo que

me cuenten en secreto lo diré en público. No cuenten con mi discreción, porque ni la tengo, ni quiero tenerla.» No fue elegido en aquella ocasión, pero sí dos años después y por la misma representación.

Germanófilos y aliadófilos

La guerra sigue en Europa y en España continúa la guerra civil, incruenta pero sin cuartel, entre los germanófilos y los aliadófilos, entre las derechas y las izquierdas, que así se dividen sobre la neutralidad decretada por el rey. Eduardo Dato, primer ministro, sueña —como ya se ha dicho— con ser el mediador, el árbitro supremo entre los beligerantes a la hora de la paz y el buen sentido y se ve cómo se esfuman sus esperanzas y la voluble «confianza real». Alejandro Lerroux, contestando a un periódico francés, afirma que él sabe de buena tinta que Alfonso XIII «desea que el Gobierno abandone la neutralidad, para intervenir en la contienda a favor de los aliados. Desearía —sigue diciendo Lerroux— ponerse al frente de dos o tres cuerpos de ejército para ayudar a los franceses y a los ingleses contra las hordas bárbaras. Su vuelta victoriosa, más tarde, a la cabeza de las tropas, pues tenemos confianza absoluta en la causa de los aliados, haría a don Alfonso más popular y retardaría la realización de nuestros ideales republicanos; pero la grandeza de España sobre todo».

Los llamados germanófilos y neutrales empezaron en Madrid y siguieron por toda España, lanzando por las calles sus gritos de muera contra Romanones y Lerroux. Los alemanes a las puertas de París; el embajador de España, marqués de Villa-Urrutia, caído en desgracia, presenta la dimisión y le sustituye el marqués de Valtierra, que casualmente es consuegro del presidente del Consejo de Ministros, don Eduardo Dato.

Mientras tanto, 19 de diciembre de 1914, al discutirse en las Cortes la Ley de Presupuestos, el conde de Romanones y Bergamín tienen fuertes disputas que llegan a ser cuestión personal, y el ministro de Instrucción pública dimite cuando aún no está acallado el clamor de las protestas de los intelectuales de izquierdas por la destitución de Unamuno. Sustituye a Bergamín don Manuel Burgos Mazo, de filiación derechista.

El año de 1915 empieza con las luchas parlamentarias obligadas: Cambó, Corominas y Lerroux median en ocasiones en las disputas de los catalanistas con el poder central y llegan a provocar la caída de Dato. Antonio Maura parece una promesa reafirmada para formar gobierno. Romanones reitera en Palma de Mallorca su aliadofilia y la de todo el grupo liberal que capitanea. Italia, tras el hundimiento del *Lusitania*, declara la guerra a Austria. En Portugal, país beligerante, se produce una nueva revolución, y España, neutral en la guerra de Europa, no lo pasa nada bien en su guerra particular de Africa, especialmente en Ceuta.

«Pasó el verano —escribe Melchor Fernández Almagro en su *Historia del reinado de don Alfonso XIII*—, pero no pasaron con él los sobresaltos que la guerra no cesaba de acarrear. Con el hundimiento de los barcos *Isidoro* y *Peña Castillo*, en aguas de Inglaterra (agosto), España sufrió las consecuencias de la lucha a vida o muerte en que Alemania se empeñaba para romper el cerco de sus adversarios, no alterándose nuestras relaciones con aquel Gobierno, que encontró en su descargo buenas palabras, ajustadas, seguramente, al deseo poco después manifestado, en gestión del embajador Ratibor, de que España cayera al lado de los imperios centrales, con tentadoras compensaciones. Se envenenó aún más la polémica nacional de aliadófilos y germanófilos, a la que tan eficazmente contribuía la prensa, lo mismo la antigua que la creada *ad hoc*. Convino a nuestro Gobierno que la mayor parte de la pasión pública derivase en esa disputa que los partes de todos los frentes alineaban de continuo: Expedición de los Dardanelos, retirada de los servicios de Salónica, entrada de Bulgaria en la guerra, reclamaciones de los Estados Unidos, triunfos de Alemania en Rusia: Varsovia, Nowo, Vilno; relevo del gran duque Nicolás; combate naval de Riga; victorias parciales de los aliados en Francia... Pero no se agravaba la herida del pueblo en la fibra de sus necesidades, y las huelgas no dejaron un día de alternar con los motines del hambre; huelgas de poco alcance, porque no las organizaba un interés político, sino agobios de oficio o localidad..., relativamente pacífica en su mayoría.»

Las gestiones de Burell

El 9 de diciembre de 1915 es Romanones por segunda vez presidente del Consejo de Ministros y lleva a la cartera de Instrucción pública a don Julio Burell y Luque, que representa un cambio importante en las relaciones del Gobierno con el ex rector Unamuno. Burell, que conoce la amistad de la condesa de Pardo Bazán con el escritor vasco, la usa de intermediaria para pedirle que dé una conferencia en Madrid sobre *El licenciado Vidriera*. Unamuno contesta a Burell el 22 de marzo de 1916, rechazando. Sabe que el conde de Romanones, presidente del Ateneo, anda por medio y no quiere aceptar. Igual que se siente moralmente descalificado para ser decano de Letras, recuerda que Bergamín, en la réplica a Luis Maldonado en el Senado, terminó escudándose en «la doctrina inmoral del secreto de la confianza ministerial. «Es decir —comenta Unamuno en su carta de contestación a Burell—, que se le puede atropellar a uno y no hay que explicarlo.» Doña Emilia Pardo Bazán insiste en sus cartas y Unamuno envía —o promete enviar— una conferencia que brinda a la condesa sea ésta quien la lea. Ella no se atreve, alegando que a don Miguel no se le puede leer y, por último, se brinda la figura de González Blanco como lector. Pero no he podido comprobar si realmente llegó a celebrarse tal lectura. Por lo dicho antes, fundadamente puede creerse que Unamuno quiso salir así del compromiso, pero que no escribió conferencia alguna.

Días después, el 2 de abril de 1916, Unamuno vuelve a escribir a Burell y le aclara que no pide su reposición:

«El desagravio que busco no es a mí individualmente, se lo repito. Para mí nunca, nunca, nunca he pedido nada a los Gobiernos y amigos políticos; lo he buscado del público o del pueblo. El señor conde de Romanones y el señor Alba, sus compañeros, le podrían decir a usted cómo más de una vez me permití escribirles sobre asuntos generales —esta mi fatal epistolomanía— políticos, atreviéndome —petulante de mí— a expresarles mi opinión —creyendo que un soñador idealista como yo podía sugerir algo a políticos pragmáticos y técnicos—, ya que pocas cosas me han preocupado más que el lograr que haya en mi patria verdadera conciencia liberal democrática, pero ni a uno ni a otro, ni a ningún político que me honrara oyéndome, le pedí, ni le pediré nunca, nunca, nada para mí. Bastaría que me oyesen.

Mi obra es hacer política liberal y democrática de veras y servir a mi pueblo donde él me ponga, y protestar de lo que crea injusto, como protesto de que se me aplicara la confianza, desconfianza más bien, ministerial del modo más antiliberal y más antidemocrático y más inmoral posible y no ha sido tal conducta desautorizada debidamente.

Yo no pido nada para mí solo. Sólo, sí, me ha dolido que se me tomara como a uno de tantos desgraciados *arrivistas* que se dejan matricular con tierras y que van mendigando favores.

En cuanto a la actitud en que me he colocado y mi resolución de atenerme al deber y a una abstención seca y dolorida —como usted me dice bien—, no la debo deponer mientras no se me explique, para mi corrección siquiera, por qué merecí ser tratado de aquella manera. Y usted, señor ministro, puede saberlo. No tiene sino preguntárselo de mi parte al señor conde de Romanones, que en aquel tiempo me llamaba amigo, y que sabe tan bien como el ministro que la ejecutó, se lo repito, los verdaderos motivos, que no razones —sino sinrazones— de aquel acto bochornoso cuya primera idea debió de partir de uno de los suyos, de los del señor conde, y que se consumó a sabiendas y queriendas de él.»

Tampoco acepta Unamuno las invitaciones de Menéndez Pidal, de Pérez de Ayala, de Américo Castro, para visitar Francia al frente de un grupo de intelectuales españoles. En aquel viaje, que don Miguel rehusa, va Valle Inclán, que días antes le ha enviado su libro *La lámpara maravillosa*, que ha removido problemas de muerte y supervivencia en el escritor vasco. Desde París, adonde ha ido con su capote marcial y la boina carlista el sorprendente don Ramón de las barbas de chivo, le escribe que «Francia está haciendo una guerra de conciencia, porque el sentido y el sentimiento de que están hoy llenos todos los franceses no es otra cosa que conciencia. Una conciencia más fuerte que la conciencia individual» (21). Valle escribe desde la capital francesa el 10 de mayo de 1916, cuando Unamuno anda metido en los exámenes y pierde la oportunidad de este viaje.

En Mallorca

En junio, al llegar las vacaciones escolares, no tiene que pedir permiso a nadie y emprende viaje a Mallorca con el manuscrito de *El cristo de Velázquez*, para seguir aumentándolo y puliéndolo. Pasa por Madrid, parando sólo una noche. En las ciudades grandes, Unamuno se siente aislado y se pierde. A medida que pasan los años se acentúa en él la aversión por Madrid y prefiere, igual que en la juventud, su bochito de Bilbao, ahora su rincón de Salamanca. Hace ocho años que no va a Barcelona y en la ruta pasa, por quinta vez y sin detenerse, por Zaragoza. En Barcelona hace una jornada: el tiempo que necesita para volver a visitar la catedral y para dejarse llevar por sus amigos del Instituto d'Estudis Catalans, que le entusiasma y le hace escribir desde Manacor, días después, su correspondencia «De Salamanca a Barcelona», que figura en *Andanzas y visiones españolas*.

Acompañan a Unamuno Gabriel Alomar, Juan Sureda y su esposa, Pilar Montaner, a quien dedicará don Miguel «Los olivos de Valldemosa». En Manacor a Unamuno le encanta no ver ni borrachos ni mendigos, moneda frecuente en su Salamanca. En el pequeño casino, después de la comida, juega al ajedrez con el señor Nadal, un contrincante belicoso que le obliga a recordar un juego largo tiempo abandonado. Allí nadie habla de la guerra y Unamuno se pregunta si podría vivir durante mucho tiempo en aquel rincón de paz. «Si un día la batalla de la vida me rinde —confiesa—, si mi coraje flaquea, si siento en el corazón del alma la vejez, me acordaré, estoy de ello seguro, de este pueblo feliz.» Visita Valldemosa y recuerda, en forma estremecida, a Rubén Darío, el amigo ya muerto que le pidió ser bueno y justo. El poeta americano había sido huésped allí de Juan Sureda y el recuerdo común les une «con el pobre Rubén Darío, en acaso su última temporada de alguna paz y de ilusión y de enmienda, en la que pasó en la que fue Cartuja de Valldemosa». Allí pasa diez días Unamuno y sigue sus excursiones y en pleno mes de julio sube con Sureda a las crestas del Teix «a poco más de mil metros, pero que se alzan escarpadamente sobre el mar», y desde allí el mar le parece colgado del cielo.

Cuando regresa a Barcelona, su *Cristo de Velázquez* va, sin duda, enriquecido. Un día, López Picó, Nicolás D'Olwer, Eugenio D'Ors y otros amigos, le ofrecen una comida y don Miguel les lee el poema.

---

(21) Vid. mi trabajo *Cartas de Valle Inclán a Unamuno*, en *Insula*, Madrid (en prensa).

Otro va al monasterio de Poblet con Gabriel Miró. Lleva el manuscrito en la mano y espera a que el conserje del monasterio les deje solos ante el altar mayor. Cuando se va éste empieza a leer. «Leyó don Miguel —recordaba el gran escritor levantino— y sus palabras tenían siglos de riquezas. El Cristo suyo, blanco, puro, liso —cordero, alabastro, luz—, se quedó para siempre colgado de la hornacina más alta del Cristo roido de Poblet.»

Autonomía docente

Pasado el verano, con el curso vuelve el clima de siempre a la Salamanca de Unamuno, a la España de Unamuno. El 3 de enero don Miguel reanuda su polémica con el Ministerio de Instrucción Pública. La Real Academia de Jurisprudencia y Legislación le llama a Madrid para que hable sobre *Autonomía docente*:

> «La universidad entre nosotros desde hace mucho tiempo está sufriendo una grave crisis, crisis que acaso últimamente se ha agudizado, llegando a un punto que parece difícil pueda sobrepujarse el desbarajuste y el descontento. Los profesores, ordinariamente, huyen de la universidad, y tras de ellos, naturalmente acaso es una de las pocas cosas en que les siguen—, huyen también los alumnos, y los que pueden y debían remediar esto dejan que las cosas corran, y acaso es peor si intervienen.
>
> Este descontento —continúa Unamuno con una clara defensa de la Institución Libre de Enseñanza— ha llegado a crear junto a las universidades instituciones colaterales en que se refugian los universitarios mismos que tienen ganas de trabajar.»

Don Miguel, que se pronuncia contra el proyecto estatal de la autonomía universitaria, va recordando con indignación cosas que silenció en 1914 en su conferencia sobre *Lo que ha de ser un rector en España* y que le eran útiles para seguir oponiéndose al proyecto de autonomía.

> «El remedio. Yo no creo —continuaba— que el remedio pueda ser la autonomía, tal como hoy están las cosas. El remedio es una legislación más moderna, más adaptada a las necesidades actuales, al mismo tiempo más amplia, no casuística, y que a la vez que limita una cierta irresponsabilidad que tenemos todos, que tiene su majestad el catedrático, también cortapise las atribuciones indiscrecionales y arbitrarias del poder ministerial, robusteciendo la autoridad del catedrático y de su inmediata autoridad académica, y dándoles una verdadera responsabilidad, y, sobre todo, vuelvo a insistir, porque esto es una cosa que nunca me cansaré de repetir: la inspección.»

Días después, en Salamanca, recibe un oficio del Ayuntamiento de Bilbao, de fecha 8 de enero de 1917, en que se le comunica que «en el edificio de la antigua Alhóndiga de Barroeta Aldamar» va a ser instalada la «Biblioteca Popular Unamuno», gesto del Ayuntamiento bilbaíno para «poner de relieve de una manera patente la personalidad de usted, de esclarecida fama, no solamente local, sino que también nacional, honrando con ello a este pueblo que le vio nacer». Es hora de homenajes, como desagravios en parte. Homenaje la oportunidad de discutir la proyectada Ley de Autonomía Universitaria, homenaje esta biblioteca de sus paisanos y homenaje el de la revista *España*, que en su banquete aniversario del 28 de enero admite sólo un orador, don Miguel, para que hable de *La guerra europea y la neutralidad española*.

Mitin en la plaza de toros de Madrid

La guerra europea continúa más allá de nuestras fronteras y aquí las dos Españas son también beligerantes. El 27 de mayo de 1917, en la plaza de toros de Madrid, se celebra un gran mitin izquierdista en pro de la causa de los aliados. El *A B C* del día siguiente publica una crónica burlona de Wenceslao Fernández Flórez, que arrima la sardina a las ascuas de su periódico y minimiza, desde la germanofilia de su empresa patronal y desde su obligada postura del comentario satírico, lo que auténticamente pudo suceder allí:

«El sabio ex rector de la Universidad de Salamanca, señor Unamuno, fue muy expansivo —cuenta el escritor gallego—. La sustancia de su discurso está encerrada en estas frases:

"La presente tragedia ilumina con llamaradas de sangre la conciencia de la Humanidad."

"Hay reales ganas de no hacer nada."

"La condicionalidad es una bellaquería."

"Es preciso incorporarse a la gran civilización europea."

"La paz será roja."

En este punto insistió mucho tiempo, ansioso de arrebatar a sus conciudadanos del posible error de creer en una paz blanca, azul o anaranjada. Transigió únicamente con aceptar una paz de color negro, pero tan sólo para el consumo nacional. Después habló de la Ley de Jurisdicciones y de los chanchullos electorales, y no se recató en exteriorizar la poca estimación que tiene hacia los Austrias que están enterrados en El Escorial. También repitió su frase "el rebaño troglodítico", que no se puede negar que es un sesudo acierto. Sin lisonja para el señor Unamuno, puede afirmarse que en clase "timos" tan sólo adquirieron una popularidad parecida al del suyo el "ya l'cha dao" y el "te daba así", de los señores Asenjo y Torres del Alamo, aunque hay que reconocer que la palabra *troglodita* es más chulona y representa un acierto mayor.»

¿Para qué seguir? Casi al tiempo en que escribo estas líneas, Antonio Tovar ha hecho la exacta disección de la interesada y obediente postura que adoptó Fernández Flórez, quemando sus petardos de pólvora y vinagre en un esfuerzo que hoy es documento insustituíble para conocer la voluntaria parcialidad de una de las dos o más Españas, en sus *Acotaciones de un oyente*.

En aquel mitin participaron todas las izquierdas, menos los socialistas. Presidió el doctor Simarro. Hablaron —con el *handicap* del grito necesario para ser oídos y los diez minutos como tope de tiempo— Alvaro de Alvornoz, Roberto Castrovido, Menéndez Pallarés, Unamuno, Melquiades Alvarez y Lerroux. A la salida el coche de don Melquiades fue apedreado y Lerroux recibió el bastonazo de un entusiasta de los Imperios centrales.

Desde luego, no resultó muy lucido el mitin izquierdista. Lerroux se alzó como figura, pero la versión de Fernández Flórez no creo que, dando su intento deformador de los hechos —para hacer broma y caricatura estaba contratado—, responda siquiera un poco a la realidad. José María Segarra, en sus *Memorias*, nos da una visión más serena y más verosímil que, aunque personal, no podrá ser tildada de tendenciosa:

«... el gran mitin de las izquierdas que se celebró en la plaza de toros aquel mes de mayo me produjo un efecto especial, creo que muy diferente del que me habría producido en otro clima. En el mitin, concretamente, se atacó a Alemania, se atacó al régimen, se cantó la revolución y se hizo toda la demagogia del caso. Presidieron el acto gente que yo conocía; entre ellos estaba el doctor Simarro. No recuerdo si estaba también el viejo Pablo Iglesias, pero sí tengo muy presente que en el momento de empezar acompañaron a un señor viejo, medio ciego, que llevaba un pañuelo de seda blanco, fumaba un *faria* y era don Benito Pérez Galdós. Le ovacionaron estrepitosamente y diría que lo colocaron en el lugar de honor de la presidencia. Recuerdo que hablaron diversas personas. Me produjo bastante impresión un republicano cuyo nombre no me había sonado desde hacía mucho tiempo y que yo creía liquidado. Este señor se llamaba Menéndez Pallarés (...). Don Miguel de Unamuno lanzó un buen parlamento, bien pensando, y trabajado, pero a mi parecer pesado e impropio, y en general no conmovió a las masas; como tampoco creo que causara una impresión como para dejar sin aliento a don Melquiades Alvarez, ni a un tal Ovejero, que también soltó su disco (...).

La figura de don Miguel de Unamuno, que era compacta y definitiva, pareció fuera de lugar. Su sitio no estaba en la plaza de toros. El que estaba enmarcado, y de una manera soberbia, y a quien favorecía la luz, y todo se le daba de cara, era Lerroux (...).

Aquella noche, en el Ateneo, Lerroux fue el ídolo de las conversaciones. A mí me había rendido su discurso; fue la única vez, lo confieso, que Lerroux me pareció un personaje excepcional.»

Fundación de «El sol»

El 11 de junio de 1917 Dato sucede a García Prieto en la jefatura del Gobierno. Con García Prieto, sucesor de Romanones, la *marcha real* había sido silbada en Barcelona; las izquierdas dieron en Madrid su mitin pro aliados y el Consejo de Ministros aceptó la existencia, vigencia y poder de las Juntas de Defensa Militares, que serían el primer paso para el Directorio militar. La situación política en el país es insegura y todos viven conscientes de esta inseguridad. Las izquierdas confían aún en el rey, al que se le aplaude en el Teatro Real con motivo de su asistencia al debut de los *ballets* rusos. Pero la censura funciona en la prensa y el espectáculo de las galeradas vueltas no es grato en los periódicos a la vista del lector. Lerroux, Melquiades Alvarez, Largo Caballero y Julián Basteiro presiden la decidida oposición al régimen y en Cataluña aumenta el malestar.

El conde de Romanones, con riesgo de ser desbancado en la jefatura del llamado partido liberal, propone como solución para España la dictadura. La huelga se extiende a todo el país. En Valencia se declara el estado de guerra. En Guernica se celebran actos nacionalistas. Los Altos Hornos de Bilbao se apagan. Se habla de la proclamación de la República con Lerroux como presidente y el 7 de noviembre de 1917 se oyó, por vez primera en España, el ¡viva Rusia!, eco de la revolución ya consumada por Lenin y Trostki. Y el 1 de diciembre se funda el periódico *El sol*, tan ligado durante años a Unamuno.

Rebelión en Zamora

En julio de 1917, poco antes de la Asamblea de Parlamentarios, Pedro Corominas cae por Salamanca y Unamuno le acompaña hasta Zamora. «Creo —cuenta el escritor catalán— que en la calle de Viriato nos metimos en un hotel, donde nos dieron una habitación con dos camas. Y, en efecto, Unamuno se durmió en una posición imponente: con los dos brazos cruzados sobre el pecho. Es necesario saber cuánto le quiero y cómo le admiro para comprender el horror que me producía pensar que lo tenía tendido cerca de mí como un cadáver.» Lo dramático se hace cómico, con el enfado de don Miguel y todo, cuando ambos descubren que los zamoranos piensan que han ido allí para sublevar a la ciudad. La tensión en España, en aquellos momentos, era grande y se desencadenó con la huelga de agosto, que si no fue total sí se extendió a todo el país en diversos gremios y oficios. Besteiro, Saborit, Angiano y Largo Caballero, que formaban el Comité de huelga, fueron encarcelados en prisiones militares. Junto con las noticias de aquellos días, varios periódicos publicaron esta otra, encontrada en el propio archivo de don Miguel y que le envió el 21 de agosto de 1917, desde Bilbao, su amigo Unceta. En el recorte no puede precisarse de qué periódico se trata, aunque alude a otro, del que toma la noticia:

UNAMUNO, EN LA CARCEL

«Leemos en *La acción*:

Nos comunican de Salamanca que han ingresado en la cárcel, con motivo de los actuales sucesos, ocupando celdas de preferencia, don Miguel de Unamuno, el concejal socialista don Primitivo Santa Cecilia, el catedrático señor Giral, el redactor de *El adelanto* don Fernando Felipe, el diputado provincial, médico y jefe de los reformistas de la provincia, don Filiberto Villalobos; un hijo del catedrático de Derecho Penal señor Dorado Montero y un obrero apellidado Barba.

Continúan las precauciones militares.»

Don Miguel no estuvo encarcelado, aunque sí fue llamado a Gobierno Civil. Giral y Villalobos fueron, en efecto, detenidos con algunos más que no coinciden con esta gacetilla. La nota recoge, ciertamente, las cabezas más visibles del republicanismo salmantino. Era fácil pensar que, en aquellos momentos de nervios, hubiesen corrido igual suerte que el Comité general de Huelga. Unamuno, que ya estaba apartado del socialismo, no aceptó en aquella ocasión la disciplina de la U. G. T. para integrar el comité salmantino.

Pero había, claro está, algunas razones que abonaban la suposición. Por aquel tiempo Unamuno estaba dispuesto a meterse en política de cualquier forma que fuese, aunque salvando siempre su individualidad.

«Tengo la convicción —le escribía a Pedro Corominas el 2 de mayo de 1917— de influir en la política —en el más alto sentido de esta palabra— española más que la inmensa mayoría de los diputados y senadores, y *no sé que esa mi acción se acrecentara con afiliarme a uno de los partidos de santo y seña, y meterme en aventuras electorales*. No rehuiré el Parlamento si me llevan a él, pero tampoco lo buscaré. Todavía no he perdido la fe en la acción política, pero no tengo ninguna en la parlamentaria.» (El subrayado es mío.)

En setiembre es cuando los ferroviarios le eligen concejal del Ayuntamiento, cuando la huelga ha pasado.

En el frente italiano

En las primeras semanas de setiembre de 1917, Unamuno, a quien acompañan Américo Castro, Luis Bello, Manuel Azaña y Santiago Rusiñol, visita el frente italiano en Udina, la región friulana donde el general Cardona le pregunta: «¿Qué hace España?» De regreso confesaba en un periódico barcelonés: «Y no íbamos a contestarle que España no hace, sino deshace; pues no otra cosa que deshacer o deshacerse es dejar que otros hagan.» Visita la frontera austro-italiana; escala el San Michele, lleno de trincheras abandonadas; llega hasta el Adriático para evocar a Carducci a la vista lejana de Trieste, y, finalmente, de la Goricia va a Venecia, adonde llega de noche, a la luz de la luna, oscura la ciudad por necesidades de guerra, cubiertos sus monumentos por sacos terreros. No llegó a Roma, aunque lo deseó, para saludar a Benedetto Croce. A Mario Puccini, a quien conocía epistolarmente, lo encuentra como soldado en las trincheras. Ve ahora en Italia paisaje, también evoca nombres literarios que corresponden a sus ya añejas devociones y, sobre todo, piensa que España debe tomar ejemplo de los italianos y decidirse en lo que él, aceptando la retórica del momento, califica de lucha contra la barbarie, aunque sea de los pocos que han matizado la diferencia entre el germanismo oficial y beligerante y la aportación cultural insustituíble del mundo de habla alemana.

Su postura sigue siendo clara. Ya la había definido en el banquete de la revista *España*. La Liga Antigermanófila de Barcelona le escribe el 7 de diciembre de 1917 que «en sesión de nuestro Consejo directivo del 5 de los corrientes se acordó por unanimidad nombrar a usted miembro del comité de honor». De más puntos de España llueven nombramientos similares a los que don Miguel, muchas veces, no se digna acusar recibo. El ha hablado y escrito repetidamente de los elogios que van contra alguien, también los homenajes. Se siente, cada día más, terriblemente solo, más bien aislado, y por eso busca ansiosamente la compañía de un mundo circundante.

El solitario

En su hogar mismo siente a veces la soledad. Los hijos han ido creciendo. Fernando estudia arquitectura, Pablo está terminando Medicina, Pepe —en Madrid— empieza la carrera de Ciencias Exactas, Rafael es aún bachiller y Moncho, el benjamín —nacido ya en la casa de la calle de Bordadores— le preocupa por su espíritu indómito. Años después, don Miguel le contaba a Alfonso Reyes una ilustrativa anécdota de su hijo menor. Moncho reñía con uno de sus hermanos y don Miguel le reprendió:

—Tienes que obedecer a tu hermano.

—¿Por qué, papá?

—Pues porque es mayor que tú.

—Toma, ¡si lo llego a saber no nazco!

Otros motivos de preocupación, más serios, tiene don Miguel. Sus tres hijas. Salomé, la mayor, que tiene un rostro verdaderamente hermoso, va acusando lentamente los efectos de una desviación de columna vertebral y su espalda va recibiendo la extraña e injusta carga de un cuerpo mal proporcionado. El fantasma de Raimundín y la crisis de 1897 se levantan de nuevo en su corazón.

Salomé, en una función del colegio —don Miguel educó a sus hijas en colegios de monjas—, representó la figura de la Virgen María en un acto navideño. ¡Cuántas veces —permítaseme este recuerdo personal— mi madre y mis abuelos maternos me hablaron de la serena belleza de Salomé en aquel acto, recordándome que era la madre de mi condiscípulo Miguel Quiroga Unamuno, que fue el primer nieto de Unamuno! Pero de ello ya se hablará, porque este nieto, como yo, nació en 1929.

Aún quedan más problemas familiares. Doña Concha quiere enormemente a don Miguel; pero a veces ha de confesarle que, sinceramente, no entiende la complejidad de su carácter. De ahí que Unamuno se pregunte en ocasiones sobre la posibilidad de su locura. Los diálogos entre marido y mujer, o simplemente entre hombre y mujer, de sus obras de teatro, de sus novelas, exaltados, con contenida violencia, reflejan su diálogo cotidiano. A doña Concha, don Miguel lo confiesa, le gustan las cosas que escribe Pérez Zúñiga y casi nunca lee las que salen de su pluma.

Unamuno podía reñir con los obispos de Salamanca y pasar por hereje; pero en su casa, el día del Corpus, se ponen las mejores, colchas en el balcón y doña Concha y María de Unamuno rezan el rosario. Es más, cuando don Miguel descubre que alguno de sus hijos ha faltado a misa algún domingo, le reprende duramente. Y no es, desde luego, un padre severo, sino comprensivo y cariñoso, niñón, padrazo. Muchos salmantinos recuerdan haber visto a don Miguel sentado en el suelo de su despacho jugando con sus hijos menores, haberle visto haciéndoles gorros de papel. Se cuenta, incluso, que, aún rector, viviendo en la calle de Libreros, su casa rectoral era el refugio de todos los chicos de la barriada, y un día que armaban demasiado y no le dejaban escribir mientras su hermana y su mujer habían ido a una novena se puso enérgico y ordenó que todos se fuesen a la cama. Hubo protestas infantiles, pero no las atendió. «¡Todos a la cama, sin protestar!» Al anochecer, cuando doña Concha Lizárraga y su cuñada María de Unamuno volvieron de la iglesia se encontraron con varios niños llorando: eran los hijos de los vecinos, que don Miguel, sin contemplaciones, había castigado como suyos.

Susana, la hermana monja, es también un problema presente en casa. La madre fue para Unamuno un freno. También lo son las mujeres de su casa y esta hermana ausente que a veces pasa temporadas con ellos. Hay otro serio problema: Félix. Este hermano que sigue en Bilbao, solo, con su humor cambiante, ligeramente más bajo, pero exacta réplica física de él. A veces, bromeando ante sus hijos, don Miguel les dice (ellos me lo han contado): «Bueno, yo soy más guapo que el tío Félix.» Pero no se entienden bien los dos hermanos y en sus relaciones está el germen de una preocupación unamuniana de que nace, este año de 1917, su *Abel Sánchez* y, más tarde —habrá que hablar de ello en su momento—, el drama *El otro*.

Caín, víctima de Abel

Metido en la lucha política, Unamuno no puede librarse de su pequeño mundo. Cuando en 1928 pone prólogo a la segunda edición de *Abel Sánchez*, habla de «todas las congojas patrióticas de que quise librarme al escribir esta historia congojosa». Años también después de escrita esta novela, un norteamericano que prepara una tesis doctoral sobre Unamuno le pregunta si ha sacado esta obra del *Caín* de lord Byron, y don Miguel replica: «Yo no he sacado mis ficciones novelescas —o nivolescas— de libros, sino de la vida social que siento y sufro —y gozo— en torno mío y *de mi propia vida*» (subrayo). Tan personal es este libro que don Miguel dibuja y colorea una portada que después se le antoja tétrica, pero que le nació como expresión gráfica de su congoja. Antonio Machado, que abordó el tema de Caín en su *Tierra de Alvar González*, supo ver el sentido de la obra unamuniana, que, partiendo de circunstancias biográficas, se adentraba en la preocupación religiosa de don Miguel.

«Recibí su *Abel Sánchez*, su agrio y terrible Caín —le escribe el 16 de enero de 1918—, más fuerte a mis ojos que el de Byron, porque está sacado de las entrañas de nuestra raza, que son las nuestras y habla nuestra lengua materna. Bien hace usted en sacar al sol hondas raíces del erial humano; ellas son un índice de la vitalidad de la tierra y, además, es justo que se pudran al aire, si es que ha de darse la segunda labor, la del surco para la semilla. Caín, hijo del pecado de Adán, desterronó el páramo virgen; por él se convirtió el paraíso en tierra de labranza. *La segunda vuelta de arado la dio Jesús, el sembrador. Aprendamos, no obstante, a respetar a Caín, porque sin él Jesús no hubiera tenido tierra en que sembrar.* Encuentro muy justificado que usted, tan evangélico, torne a menudo al Viejo Testamento, y que un humanista como usted encuentre inspiraciones en el libro humano por excelencia. Su *Abel Sánchez* es libro precristiano que usted —el hombre del Cristo en el pecho— tenía que escribir para invitarnos a expulsar de nuestras almas al hombre precristiano, al gorila genesíaco que todos llevamos dentro.» (Los subrayados son míos.)

Abel Sánchez ofrece una novedad: el Caín —Joaquín Monegro—, aunque celoso, envidioso de Abel, es al fin y al cabo su víctima. Es la expresión del intento desesperado de don Miguel de redimir al eterno culpable. Está presente una vez más su preocupación por el silencio de Dios. ¿Por qué Jeová veía con buenos ojos las ofrendas de Abel y no las de Caín? Por este silencio, acaso, ha surgido la envidia. ¿Tiene Unamuno envidia de su hermano? ¿Es Félix el envidioso de Miguel? Aquí está el tema de *El otro*. Y está la envidia

que vive y padece en Salamanca, en España, y suelta su angustia
en esta novela y, a la vez, sigue buscando la paz y serenidad en su
gran poema —el más largo tiempo elaborado de todos los suyos,
también el más extenso— *El Cristo de Velázquez*, logro de paz en
medio de la guerra que le rodea.

Don Miguel, en sus luchas, experimenta la acción catártica que
ha supuesto escribir su *Abel Sánchez;* escribiendo del odio y la envidia se limpia de ellos y los convierte en amor. Y por eso es por
lo que, a finales de 1917, puede escribir aquel artículo que titula
«Confesión de culpa», una revisión de su postura en el caso Ferrer
de que ya habíamos hablado. «Sí, hace años —confesaba—, pequé
y pequé gravemente contra la santidad de la justicia. El inquisidor
que llevamos todos los españoles dentro me hizo ponerme al lado
de un tribunal inquisitorial, de un tribunal que juzgó por motivos
secretos —y siempre injustos— y buscó luego sofismas con que con-
hestarlo.» En *Abel Sánchez* había protestado don Miguel de la idiosincrasia española que nos empuja a decir: «Odia a tu prójimo como
a ti mismo». Se le va imponiendo en la lectura de las sagradas es-
crituras que comenta poéticamente en *El Cristo de Velázquez*, la
máxima evangélica del amor y la justicia.

18

Un condenado candidato a las Cortes

La suerte de perder un tren

A L comenzar el año 1918, Unamuno está en Logroño y vuelve a Salamanca. El retraso del tren no le permite enlazar en Medina del Campo, y horas después sabe que, por quince minutos, se ha librado de una muerte posible. Mariano de Cavia comenta el suceso donosamente colocando la salvación de Unamuno bajo la sombra de Sagasta, «aquel ingeniero —comenta don Miguel— que tan escasas huellas dejó en la ingeniería nacional. Con lo que no fue responsable —añadía— de ningún descarrilamiento o hundimiento de tren».

Resulta curioso, pero este incidente provocó en Unamuno un examen de conciencia que se refleja en sus colaboraciones de Prensa más inmediatas. «Náceme ahora —dice en el mes de mayo, en el artículo titulado «El último viaje de Ulises»— como una nueva juventud, al sentir que mi porvenir se me acorta y amengua, un deseo de llenarlo con más cosas. A la edad en que otros creen haber llegado —¿a dónde?— me percato yo de que no he partido aún.» Y después, algo más estremecedor:

«Aún no ha empezado nuestra obra; nuestra obra no empieza nunca, porque siempre es otra nueva. Nada de lo hecho vale sino como materiales de la que nos queda por hacer. El eterno ocaso es una eterna aurora.

¿Será la vida que se me va, y al írseme se me recoge?

Hay que rellenar el tiempo, hay que tupirlo, hay que multiplicar las horas. Es menester decir algo a cada momento que pasa y sembrar gota a gota nuestro espíritu, que es parte de todo aquello con que hemos convivido en cada surco del sendero. ¿A qué responde, si no, esta especie de concupiscencia de pro-

ductividad? ¿Por qué me saltan en las entrañas de la imaginación
tantos embriones que buscan forma y luz y vida?
    ¡Es el último viaje! ¡Es el viaje que no acaba! Es el viaje al
ocaso eterno.»

El texto, del que podrían subrayarse los últimos pasajes, tiene
singular importancia. Cuando este artículo dormía aún en las co-
lecciones de los periódicos, Antonio Tovar pudo pensar, en una
carta abierta dirigida a Hernán Benítez, que desde 1914, por las
luchas políticas, se acaba el Unamuno escritor. Algo hay de cierto en
ello (claro que no todo, y bastará pensar en que hacia el final escribe Unamuno *San Manuel Bueno*); pero no es la causa la lucha
política, sino esta impaciencia que a sus cuarenta y cuatro años
siente don Miguel después de haberse librado por casualidad de la
muerte. Su barba y su pelo empiezan a blanquear. La vida, sí, lo
sabe, empieza a irse; ha podido escapársele súbitamente por un accidente fortuito y le entran las prisas atropelladas por decirlo todo,
le gana la dispersión y le falta ya —esto lo vio bien Tovar— el
sosiego para emprender una obra total de gran aliento, aunque —a
contrapelo de todo— vaya realizando algunas.
    Cuarenta y cuatro años son ya algo más de la mitad de la vida
normal de un hombre. Unamuno es, entonces, en el panorama de
las letras, de la cultura y de la vida de su tiempo, un viejo. Hace
tiempo que se habla de la generación del 98. Y entonces don Miguel
se pregunta: «¿Qué se ha hecho de los que hace veinte años partimos a la conquista moral de una patria?» Y reconocía después:
«Hay que ver primero que no partimos juntos en el sentido espiritual. Sólo nos unía el tiempo y el lugar, y acaso un común dolor:
la angustia de no respirar en aquella España que es la misma de
hoy.» Y concluía: «¿Cuál fue nuestro pecado? Nuestro pecado fue
partir a buscar una patria —o una *matria*, es igual— y no una hermandad. No nos buscábamos unos a otros, sino que cada cual buscaba su pueblo. O mejor dicho: su público. La patria que buscábamos era un público, un público y no un pueblo y mucho menos una
hermandad.» Sí, Unamuno empezaba a *estar de vuelta*, y en esta actitud suya hay que ver la impresión del hombre que se ha librado de
una muerte cierta. Si no partimos de esta anécdota biográfica no
podremos comprender el nuevo Unamuno que se perfila: el que
recuerda, repiensa y hace continuo balance de sus esfuerzos.

Nostalgia de Bilbao

Aquel año, en la revista *Hermes* de Bilbao, se hacen más frecuentes sus colaboraciones y todas están teñidas por la nostalgia.
De ahí sale su libro *Sensaciones de Bilbao*, que aparece en 1922.
Casi todos sus textos son de 1918, y fuera del libro dejó otros de
aquellas mismas calendas. Unamuno recuerda, y su recuerdo no es
un simple liquidar el pasado como cuando en el umbral de la edad

adulta evocó su niñez y juventud. La memoria es ahora fuente de dolor. «¿Llevamos dentro enterrados los que fuimos, nuestros yos de antaño, y qué cadena hay entre ellos?», se pregunta. Y le viene el recuerdo de Papachu, sólo un nombre en su infancia, sin rostro ni figura; el pintor Adolfo Guiard, ya muerto, a quien conoció treinta o más años hacía en el estudio de Lecuona («él fue quien primero me dio a conocer a los Goncourt, a Huysmans y a Baudelaire; en ejemplares suyos los leí»); Nemesio Mogrobejo, el escultor, murió en 1910 sin haber tallado una cabeza de Unamuno como tantas veces proyectó; los caños de Bilbao le traen al alma la imagen de su niñez y la de su amigo Gortázar, muerto en Méjico; Nicolás de Achúcarro, el joven biólogo, malogrado en plena juventud, muere este año, y don Miguel recuerda que fue alumno suyo en el instituto bilbaíno; y Leopoldo Gutiérrez Abascal vive hasta que el viejo amigo llega a Bilbao para despedirse de él en el lecho de muerte; al cementerio le acompañan, con Unamuno, José María Soltura, José Ortega y Gasset, Luis Araquistáin, José María Salaverría, Julio Camba, Luis García Bilbao —el hombre que financió la revista *España*—, Alvaro Albornoz, etc.; su amigo Francisco de Iturribarria, sacerdote, sólo un año mayor que él y condiscípulo en la escuela de don Higinio, ya no le espera en Bilbao para leerse poesías y hablar de religión. Es una parte de su vida la que se le ha ido, como un aviso o amenaza a su propia existencia.

«Cuando en la Historia, no ya comprendida, sino, además, sentida, medito, veo el pasado, y a través de él, el porvenir, como bajo un celeste arco de triunfo, y es porque le veo mediante una bruma de lágrimas de añoranza. Es la bruma de las lágrimas de los recuerdos de mi Bilbao, sobre todo el de los decenios del 70 al 90. Y de esa bruma de lágrimas de añoranza se desprende como un dulcísimo sirimiri, que es el rocío de mis recuerdos sobre mis esperanzas.»

El estreno de *Fedra*, en marzo de 1918, es casi un anacronismo en este momento de la existencia literaria de Unamuno. Claro está que se trata de un drama escrito años antes y la difusión del teatro presenta problemas más complejos que los de un breve artículo o ensayo. Unamuno no fue afortunado en la escena y no encontró facilidades. Antes bien, una cerrada hostilidad y una incomprensión total. *Fedra* se presenta en el Ateneo, y sus intérpretes, salvo Anita Martos, que encarna a la protagonista, son actores aficionados. Unamuno no asistió a éste su estreno, y Enrique de Mesa, presidente de la sección literaria del Ateneo madrileño, lee unas cuartillas que el ex rector le envía. No es ahora, precisamente, el teatro lo que le tienta; don Miguel rumia sus recuerdos, y en su corazón de poeta sigue desgranando los endecasílabos de *El Cristo de Velázquez*, amasando sobre sus recuerdos sus esperanzas.

«Si yo fuese rey»

Las esperanzas..., ¿qué esperanzas tiene y alienta Miguel de Unamuno volcado hacia el destino de su país? La guerra europea, que
es ya la *Gran Guerra,* se acerca a la hora de liquidación. España ha
sido la *ciudad alegre y confiada* que denunció Benavente en 1916.
Hasta el momento del armisticio, Alemania, impunemente, ha seguido torpedeando barcos indefensos de la neutral España. Unamuno
ha pedido la beligerancia y él fue beligerante a su manera; beligerante lo fue también en la política española en todo momento.

Maura ha formado un pomposamente llamado «Gobierno nacional», y en aquella hora Unamuno confía en este político. Julián Besteiro, Largo Caballero, Savorit y Angiano, que formaron el comité
de huelga de 1917, han salido del penal de Cartagena en virtud de
una amnistía. Es ahora el mes de mayo de 1918, pero casi un año
antes la voz de Unamuno se alzó en defensa de estos hombres. En
El día, de Madrid, 15 de noviembre de 1917, firma un artículo titulado «Ni indulto ni amnistía, sino justicia», que tenía un curioso
subtítulo: «Si yo fuese rey», y que terminaba con una interpelación
directa a Alfonso XIII.

> «... Si yo fuese rey dejaría que se discutiese mi realeza. Si yo
> fuese rey, por instinto de propia libertad, me sometería a la so-
> beranía popular y sería un servidor del pueblo. Si yo fuese rey
> no sería rey.»

Y ya, interpelando directamente a Su Majestad:

> «Hay que ser justo mandando que se liberte del presidio a los
> que no delinquieron, que no es delito manifestar pacíficamente
> la voluntad de cambiar el régimen constituido... Hay que ser li-
> bre, y la verdadera libertad se consigue limitando el propio al-
> bedrío. El hombre libre es el que sabe de dónde no ha de pasar.
> Liberte, pues, a esos ciudadanos dignos para libertarse así.
> Se lo dice un ciudadano que no cree en otra soberanía que
> en la que del pueblo arranca.»

Unamuno va tomando, decididamente, partido frente al rey. Cuando fue destituido en 1914 no culpó a Alfonso XIII, sino a Romanones y a la reina madre. En setiembre de 1915 coincidió con el monarca en Guernica junto al árbol sagrado de los vascos. Parte del
rey la intención del saludo y se habla del tiempo que hace que no
se ven.

—Venga usted a verme y hablaremos.

El súbdito Miguel de Unamuno va a Madrid en noviembre de
1915 y pide audiencia en palacio. «No obtuve respuesta, y después
se me ha dicho que aquella solicitud no llegó a su destino. Desco-

nozco los procedimientos palaciegos.» Sigue sin ser recibido por el
rey. Ya no será él nunca quien solicite audiencia. Pero sabe que ha
conseguido una pequeña victoria, aunque no sea sólo suya; hay unos
hombres que han salido en esta primavera del Penal de Cartagena,
donde habían sido recluidos a perpetuidad según las provisiones
oficiales.

Sin embargo, los males que provocó la huelga de 1917 no han
sido remediados. Los alimentos básicos suben de precio y en Jerez
se declara el estado de guerra para evitar disturbios; en la provincia
de Badajoz la Guardia Civil mata a dos trabajadores que les hacen
frente; en Lugo, el pueblo y el ejército luchan acremente. Al hambre
que afecta a los humildes se une una nueva calamidad: la epidemia
de gripe, que produce un importante deceso en el país y ataca incluso al rey.

Maura dimite, pero vuelve a formar Gobierno y lleva al conde de
Romanones a la cartera de Instrucción Pública. El político intenta
una reconciliación y, aunque sabe cuanto Unamuno ha dicho de su
participación en la decisión de Bergamín, le escribe, el 19 de octubre de 1918:

> «Habiéndome enterado que está usted en Madrid, me apresuro
> a invitarle a dar una conferencia en el Ateneo, donde tantas sim-
> patías y cariños tiene usted.
>
> Aprovecho esta ocasión para manifestarle lo equivocado que
> usted está al pensar que su destitución fue decretada después de
> haberme pedido mi consentimiento, pues la persona que lo hizo
> ni me pidió tal consentimiento ni tenía por qué pedírmelo.
>
> Usted sabe que yo siempre he reconocido su cultura y la dig-
> nidad con que ha desempeñado su cargo.»

Unamuno le contesta recordando que, en el Ateneo, «di una conferencia en que le ataqué despiadadamente» y que le escribió entonces diciéndoselo, «sin que usted hasta ahora la hubiese rectificado».
Insiste don Miguel en su necesidad de saber, a ciencia cierta, por
qué fue destituido cuatro años antes. Y Romanones no aclara nada
y la conferencia de don Miguel no tiene lugar.

Otro desagravio

La situación es quizá más seria de lo que puede parecer. Romanones le escribe a Unamuno el 19 de octubre: «Enterado de que
está usted en Madrid.» No le faltaban motivos para tan buena información. El día 13, en el Palace Hotel madrileño, asiste Unamuno
a un homenaje que se le tributa en compañía de Mariano de Cavia
y Benito Pérez Galdós. Y de aquel banquete sale la idea de solicitar
su reposición en el rectorado nuevamente. El manifiesto, con el título
de *Otro desagravio a Unamuno*, se ha publicado en el número 184

de *España*, del día 17 de aquel mes, y lleva más de quinientas firmas
y va encabezada la lista por el nombre venerable del novelista republicano don Benito Pérez Galdós y el de Mariano de Cavia. ¡Desde
luego, al ministro de Instrucción Pública no le faltaban motivos para
saber que Unamuno estaba en Madrid! ¿Intentó acaso, con el pretexto de la conferencia, estudiar el problema de la reposición de
don Miguel? Es difícil saberlo y, desde luego, su carta no permite
adivinarlo.

En noviembre, aún no aclaradas las relaciones entre el ministro
y el ex rector, cae el gobierno de Maura. Aquel mismo mes en el
Congreso se presenta una moción pidiendo la independencia para el
país vasco. Algún tiempo antes, Horn, Campión, Chalbaud, Espalza,
Arroyo, Ortueta y el primo de Unamuno, Aranzadi, han enviado un
mensaje al presidente de los Estados Unidos del Norte de América,
Mr. Wilson, «al cumplirse el 79 aniversario de la anulación por el
Gobierno español de la independencia del pueblo vasco», pidiéndole
ayuda. Don Miguel, que lleva años pidiendo a los vascos que im-
pongan su espíritu a toda España, y en castellano, no ve con buenos
ojos el intento separatista, si bien entonces apenas alude a él, pensando acaso que su postura ha estado siempre clara frente a todo
separatismo.

Romanones fracasa en su intento de formar Gobierno y lo logra
García Prieto el 8 de noviembre de 1918. Aquel día se oyen en las
calles madrileñas entusiastas gritos de ¡Viva la República! Burell
vuelve a la cartera de Instrucción Pública. Lerroux forma un comité
republicano con Giner de los Ríos, Castrovido, Marcelino Domingo
y Marraco, uniendo a las distintas facciones. Cataluña pide la autonomía y también Galicia.

Luis Maldonado, rector

No ha terminado el año y cae García Prieto, para que suba nuevamente el conde de Romanones a la poltrona de la presidencia del
Consejo de Ministros, llevando al republicano Salvatella al frente
del de Instrucción Pública. El día 10 de diciembre se presentaba este
gobierno ante las Cortes. Una semana antes la Universidad salmantina ha cambiado de rector: ahora es don Luis Maldonado, el íntimo
amigo de Unamuno, su defensor en el Senado frente a Bergamín.

Los salmantinos, sobre todo en las tertulias del Casino de los señores y del café Novelty, se huelen que algo gordo puede pasar. Algunos hasta saborean una ruptura entre los dos viejos amigos. Don
Luis, en su discurso, le ha llamado «el gran Unamuno, mi fraternal
amigo». Claro que de don Mamés, ya muerto, dijo «inolvidable y benemérito rector» y de su antecesor, don Salvador Cuesta, «mi respetable maestro». A ello se añadía que seguía a su lado, como vice-
rector, Enrique Esperabé de Arteaga. Unamuno asistió a la toma de
posesión del nuevo rector, pero sigue sin acudir a las sesiones del
claustro, aunque puede vérsele paseando a diario con dos Luis, lle-

vando del brazo al ciego Cándido Rodríguez Pinilla. Algunas tardes, al sol de invierno o primavera, se sientan en el campo de San Francisco cerca de la casa de don Miguel y cuando cae la noche escuchan en silencio el canto de un ruiseñor.

El rector Maldonado intenta por todos los medios vincular a don Miguel a la vida académica en forma más comprometida que el simple cumplimiento de su deber de catedrático. Y el charro, acaso más terco que el vizcaíno, se salió con la suya. El 27 de junio de 1919 don Miguel recibe una invitación de Maldonado para un almuerzo al que acudirán los catedráticos, y Unamuno declina la invitación porque «aunque ese almuerzo no ha de implicar, ni mucho menos, una reunión del claustro, se le parecerá algo, y usted sabe mejor que nadie que no estaría yo en él con aquella ecuánime y serena libertad de ánimo que es de rigor en comunidad de amigos y compañeros, y que, como no sé sacrificar a la paz la sincera verdad, no más por un dependiente a sueldo del Estado, ya que del salario que me da por explicar en una de sus universidades es de lo que principalmente tengo hoy todavía, y por desgracia, que vivir». Maldonado, al día siguiente, reitera su invitación y hace aclaraciones: «El almuerzo es de amigos; irá toda la gente con quien usted convive en Salamanca», y le señala incluso que se sentará al lado del obispo, «que ha sido siempre buen amigo de usted», y concluye por indicarle que dos amigos irán a recogerle a su casa. No hay escapatoria.

«Rompa usted el hielo —le dice Maldonado en esta carta—; el claustro votó una indicación bastante expresiva; usted no ha hecho nada, no ha querido usted salir del círculo de hierro forjado a la vizcaína.

Cuando la hora de paz llega, gracias a Dios, para todos, usted, que es hombre pacífico en el más hermoso sentido de la frase, tiene el deber de contribuir a que no sea una palabra hueca y a laborar porque tenga un contenido de amor y de cordialidad.»

Don Luis logra que Unamuno se incorpore a la vida académico-administrativa de la Universidad, y se escucha su opinión a la hora de elaborar un estatuto sobre la autonomía universitaria, cuestión de la que nunca fue muy partidario don Miguel. Pero don Luis es senador por la Universidad y la dicotomia que provoca su situación le obliga a estar ausente con frecuencia de Salamanca y el vicerrector actúa, muchas veces con autorización del Ministerio, como rector en funciones, situación que no acaba de ser fácil para el catedrático Miguel de Unamuno.

Un poema para el silencio

El año 1919 empezaba a ser un año de clara violencia. En Bilbao un rapaz desafió a los nacionalistas con un «¡Viva España!» y fue asesinado. En Cataluña el crimen es una forma ocasional de resolver diferencias políticas. En Salamanca, en Sevilla, en Cádiz, en Castellón, en Valencia, en El Ferrol se producen huelgas. El 14 de abril dimite el gobierno de Romanones y vuelve al poder don Antonio Maura, que sólo permanece hasta el mes de julio. Sánchez Toca le sucede, sin poder evitar ser desbordado por la ola de huelgas y el desacuerdo continuo de las Comisiones Mixtas de patronos y obreros de Cataluña. En diciembre, Allendesalazar nombra en su gobierno ministro de Instrucción Pública a don Natalio Rivas. En 1920, el 5 de mayo, presenta don Eduardo Dato su nuevo Ministerio, en el que lleva a Espada a la cartera educacional.

Mientras tanto, llega la hora de inauguración del curso académico, en que corresponde la lección inaugural a Federico de Onís, que está ya en Estados Unidos y es catedrático excedente de Salamanca, después de haber sido titular en Oviedo. Su discurso se titula «El español en América», pero no lo lee Onís, que sigue fuera de España. Tampoco asiste al acto don Miguel.

La apertura de curso ha tenido lugar el 1 de octubre y siete días después, el 8, en el número 16 de la calle de Pizarro, de Madrid, en los talleres de la tipografía Europa, se pone el colofón a un nuevo libro de don Miguel que edita Calpe en su colección «Los poetas»: *El Cristo de Velázquez*. No es este el primer contacto de don Miguel con esta casa editorial. El 11 de noviembre de 1919, Manuel García Morente le escribe a Unamuno:

> «Tengo el más vivo deseo de publicar en la «Colección Universal», Calpe, su novela de usted *Paz en la guerra*...
> Aprovecho la ocasión para decirle, por encargo de Pepe Ortega, que la manifestación que usted ha hecho recientemente de su deseo de hacer la traducción del Brandt, de Ibsen, la recoge Calpe, y le ruega a usted indique las condiciones en que estaría usted dispuesto a tal trabajo.»

No se logra aquella publicación porque, como reconoce García Morente en cartas posteriores, la novela necesitaría ser publicada en varios tomos, circunstancia que el gerente de la editorial considera antieconómica. La traducción del *Brandt* no pasa de un proyecto; pero don Miguel es muy posible que acepte el cable tendido por la editorial y les ofrezca su poema, que, por cierto, es recibido en silencio por la crítica literaria española. Bastaría comprobar la escrupulosa bibliografía de Manuel García Blanco en su libro *Don Miguel de Unamuno y sus poesías* y en el tomo XIII de las *Obras completas*. Los comentarios llegaron muchos años después. ¿Por qué? No puede olvidarse el interés y el fervor que ha puesto en la elaboración de su poema. Hasta hay que pensar en que es el libro de más buscada presentación tipográfica de cuantos ha lanzado. Es fácil pensar en el desencanto, en la dolorida aceptación de la indiferencia, en la amargura incluso en el momento de lanzar la que es acaso su más entrañable obra. Ni los más fieles discípulos y amigos hablan de *El*

Cristo de Velázquez. Incluso en Salamanca se recuerda a Gabriel y Galán, que ha escrito un breve poema sobre el mismo asunto. Pero no se escribe nada; se comenta en las tertulias sólo y muchos años después de muerto don Miguel podía comprarse este libro en su primera edición que no fue muy numerosa.

Las dificultades de don Luis

La situación política del país continúa siendo insostenible. Si echamos un vistazo sólo a los periódicos salmantinos del mes de octubre de 1920, vemos una palabra que se repite continuamente en sus titulares: hambre. El 22 de aquel mes, ante la plaza del mercado, se produce una manifestación de mujeres y niños que llevan pancartas en que se proclama su hambre, se pide que baje el precio del pan y se declara desesperadamente que «No se puede vivir». La Guardia Civil, según nos dice la prensa, saca sus machetes para intimidar a las mujeres, que huyen hacia la Plaza Mayor, ante el Ayuntamiento, y se clausura el Mercado.

Al tiempo se preparan elecciones municipales. El alcalde, don Antonio Calama, ha dimitido tras una caida que sufrió en las escaleras municipales y a don Miguel le corresponde dejar de ser concejal. Su labor no ha sido excepcionalmente brillante. En 1918 ha estado a punto de ser alcalde interino, obteniendo ocho votos frente a los once que logró don Angel Vázquez de Parga. Se ha reido un día de un alcalde que ha llamado «silla gestatoria» al sillón de la alcaldía, porque hablaba de su gestión municipal; un día se ha leido en sesión solemne el oficio del jefe del servicio de limpieza que comunicaba, con tonos de melodrama, la noticia de la muerte de una de las mulas que tiraban de los carros de limpieza; leido el oficio, don Miguel, con su voz aguda, ha dicho:

—Que conste en acta el sentimiento de la corporación por pérdida tan sensible.

No ha acudido a muchas sesiones, pero sí a las fundamentales. Los problemas sanitarios de la ciudad son los que más le preocupan y en comisiones especiales aparece su nombre con frecuencia.

La vida universitaria se agita un tanto por entonces. Ha nacido un nuevo periódico, *La gaceta regional*, que, en forma indirecta, vela por los intereses de Diego Martín Veloz. En realidad viene a suceder a *La voz de Castilla*, que fue su periódico, y Martín Veloz no ha tenido inconveniente, en más de una ocasión, en afrentar a Unamuno, quitándole en la calle, con su bastoncillo de caña, el sombrero; obligándole con sólo su presencia a salir de algún café, y no olvidemos el caballo capón que, años atrás, bautizó ofensivamente con el nombre de «Unamuno». Curiosamente, el nacimiento de este nuevo periódico (en el que, dicho sea de paso, hace diecisiete años que trabaja el autor de este libro) coincide con las elecciones de diputados a Cortes y las municipales. En las columnas de *La gaceta regional* em-

piezan a publicarse varios artículos firmados con las siglas o seudónimo —¡vaya usted a saber! —de X. Y. Z., en que se ataca a los
médicos rurales, se habla de su formación deficiente, se les culpa
de irresponsables. El Colegio de Médicos de Salamanca protesta y
envía cartas a los periódicos. Pero los estudiantes de medicina son
más decididos y recogen en la ciudad la pista del señor X. Y. Z., que
resulta ser el presbítero don Teodoro Andrés Marcos, catedrático de
Derecho Canónico. El 25 de octubre se manifiestan tumultuosamente
los futuros galenos e invaden el venerable edificio de la Universidad
para tomar al asalto la cátedra de don Teodoro. El rector está dando
su clase de Derecho civil y la interrumpe para intentar apaciguar a
unos y a otros y no consigue gran cosa. Reúne al claustro y tampoco
hay acuerdo. Don Luis Maldonado ha pretendido siempre evitar las
discordias y se siente arrollado por los acontecimientos; sin pensarlo
mucho envía a Madrid un telegrama presentando su dimisión.

El gobernador civil de Salamanca, que no hace muchos días ha
tomado posesión del cargo, Montis Allendesalazar, recoge las opiniones de la pequeña ciudad y piensa que se encuentra ante un cataclismo semejante al que se produjo con la destitución de Unamuno. ¡Es
que el propio don Miguel es de los que piensan y declaran que su
amigo no debe dimitir! Y el gobernador telegrafía al ministro de
Instrucción pública y al de la Gobernación pidiendo que «interesándose opinión general y claustro doctores ruegue a vuestra excelencia
no admita dimisión presentada». Los propios estudiantes de Medicina, al día siguiente, se manifiestan en orden y van al Gobierno Civil
para pedir que no se acepte la dimisión de Maldonado; contra la pa-
triarcal figura del buenazo de don Luis no tienen nada, sino sólo
contra el presunto X. Y. Z.

La vida universitaria continúa animándose. Si algunos piensan
que era una buena oportunidad para el reintegro de Unamuno al
rectorado, ven todas sus esperanzas fallidas. Aunque don Miguel y
don Luis sigan marchando muchos días del brazo, calle de la Compañía o de la Rúa adelante, charlando amigablemente, la ciudad,
como en los toros, necesita de ese toque dramático que justifica el
hecho de haber sido espectadores.

Truena sobre el trono

Pero si los espectadores del ruedo ibérico piden más sangre o
más caballos, éstos no le faltan. Don Miguel, zahorí del desastre, escribe un artículo que titula «Antes del diluvio».

«¿Hoy? —se pregunta tras comentar la frase de Alfonso XIII
de «podré ser rey destronado, pero no tronado»—. Hoy se oye un
trueno subterráneo, que suena cada vez más cerca, y que anuncia
un terremoto social, un estallido y tras de él la inundación de
las aguas desbordadas. Y ni se prepara dique ni cauce.»

Y después:

«Pero hoy, no nos cansaremos de repetirlo, no se hace política
en ella [España]. Ni se cree que la política pueda encauzar las
aguas desbordadas, las aguas de tormenta.»

Y al final:

«Truene sobre los tronos todos; truena el tenebroso nubarrón
cargado de diluvio y truena, que es de más pavor, bajo el suelo.
No sólo las aguas, las tierras se conmueven y revuelven. Pero hay
faraones a los que Dios parece haber ensordecido como a aquel
que echó de Egipto al pueblo escogido. Diríase que se taponan
los oídos para no oir el trueno y que se aturden con doble juego
para no sentir que la tierra tiembla bajo los pies. Y es como el
que se pone a bajar en un terremoto para escapar de éste. ¡Lo que
no es sólo frivolidad, no! Es como el niño que yendo solo y de
noche por el bosque, tiembla y canta de miedo.
Truena aquí sobre el trono. Y está rodeado de avestruces con
sus cabezas bajo las alas.
Y en tanto rueda la Bolsa.
¿Y el optimismo de real orden? Es el canto del niño que va
solo y de noche por el bosque que se inunda.»

Este artículo, aparecido en Valencia, provoca el inmediato proceso de su autor, a quien los tribunales valencianos condenan a dieciséis años de presidio «por haber dicho en dos artículos, como en
tantos otros que no se han atrevido a denunciar, la verdad, la pura
verdad; por haber revelado vergüenzas de lo que durante la guerra
se llamó neutralidad a todo trance y costa y no fue tal». La condena
es por supuestas injurias al «rey de España». En este artículo, del
que procede la cita y que aparece en *La nación*, de Buenos Aires,
don Miguel alude a la recíproca antipatía que se disepensan él y la
reina gobernadora; ha creído siempre que, no sólo Romanones, sino
doña María Cristina, es una de las personas responsables de su destitución como rector, «destitución que —hay que repetirlo— me mo-
lestó por el hecho de que no hubo amonestación previa ni explicación de las causas».
El 28 de setiembre, en *El sol*, conocida la condena de Unamuno,
Ramón Pérez de Ayala se hace eco de la campaña emprendida por
el doctor Simarro, ofreciendo «mi adhesión y proselitismo incondi-
cionales». Y añadía:

«Tengo a don Miguel de Unamuno por el primer español, en el
orden del pensamiento. El deber esencial de todo hombre para
con su patria y para con la humanidad es cumplir lo mejor que
se le alcance en la profesión libremente elegida. Si la profesión
no ha sido elegida libremente, el *sabotage* es lícito. El deber de

don Miguel de Unamuno es pensar, y pensar en voz alta. Se le condena por haber cumplido intachablemente con su deber.

... ...

Yo me atrevo a proponer a mis amigos, conocidos y desconocidos, lo siguiente: que se repartan en circulares los artículos delictivos de don Miguel de Unamuno, que los españoles que sienten la obligación de pensar los suscriban públicamente, si fueran del mismo parecer, y que reclamen colectivamente para sí la misma pena impuesta al señor Unamuno. Yo, uno de tantos. De lo contrario, no debemos quejarnos jamás de que nos aprieten las botas.»

La revista *La pluma*, que dirige Manuel Azaña, publica un editorial —muy presumiblemente del propio director— en que se denuncia a la ley. «La condena de Unamuno descubre a los más distraidos lo monstruoso de esa legalidad», y no pide indulto porque «quien sale condenado de esa aventura es la ley». Unamuno se niega también a solicitar el indulto, pide sólo la revisión de su condena y queda en estado de libertad provisional. Don Angel Ossorio y Gallardo es el abogado encargado de encararse con el galimatías administrativo del recurso ante el Tribunal supremo, y se desespera por la indiferencia de don Miguel, que no presta la menor atención al asunto y se retrasa en el envío de los poderes para su representación al procurador. En el archivo unamuniano se encuentran varias cartas de Angel Ossorio que denotan su impaciencia y su intranquilidad ante el tranquilo don Miguel. Unamuno sabe que son lentos los caminos de la llamada administración de justicia y está decidido a no perder el sueño por ello.

Le preocupa tan poco el indulto que, a fines de setiembre o en los primeros días de octubre, escribe un nuevo artículo que envía a la redacción de *El liberal*. Ignoro su título y el contenido, pero es fácil adivinar este último por la carta que don Miguel Moya, director de este periódico, le envía a don Miguel el día 4: «En efecto —le dice—, la policía recogió los ejemplares en que dicho artículo se insertaba y ya he recibido dos citaciones del Juzgado. Me figuro que recibiré la tercera, porque de las dos primeras no he hecho caso.»

Apoyo del claustro universitario

La Federación Universitaria Argentina le envía un mensaje de solidaridad en que hace su condena de los tribunales españoles, y don Miguel, el 28 de octubre de 1920, les contesta aclarando algo lo sucedido:

«Básteles saber, como cosa de principios, que en España hay todavía una ley que castiga con ocho años de presidio toda expresión en menosprecio del rey y que ha habido tribunal que estimó tal llamarlo "polluelo Alfonsito" y que hay uno actualmente procesado por haber reproducido un pasaje de Baroja en que se decía que nuestro rey paseaba su *belfo de los Austrias.*

Y que en esto de los Austrias está el toque de la cosa, pues se me ha hecho condenar, para aplicarme luego un rencoroso y vengativo y humillante indulto, seguramente a instigación de la reina madre y ex regente, doña María Cristina de Habsburgo Lorena, por haber contado la intervención que, según *The Times,* tuvo esta señora en impedir que España se cobrara lo suyo incautándose de los barcos alemanes cuando Alemania hundió algunos nuestros, asesinando a los que lo tripulaban.»

Antes de esta respuesta privada de don Miguel, la carta de la Federación Universitaria Argentina y otra de la Universidad de Buenos Aires a la de Salamanca provocan una reunión del claustro salmantino el 9 de diciembre de 1920, en el que, según consta en el libro de actas, «se ocupó de la condena impuesta al profesor de la Facultad de Letras, D. M. de Unamuno, y puesto que se trata de uno de los más grandes espíritus, de un escritor ilustre, de una gloria de nuestra literatura, decidió, por mayoría de votos, significar al Gobierno de la nación su protesta y su disgusto por la restricción que dicha condena impone a la libertad de pensamiento».

Conviene saber que aquel 9 de noviembre era el tercer día de una huelga de trabajadores en Salamanca y que el paro duró otros seis días más. El 17 se reúne de nuevo el claustro y se acuerda la tramitación de los acuerdos de la sesión anterior. Don Luis Maldonado para poco en Salamanca y tiene que declinar en el vicerrector la responsabilidad del rectorado, para lo que da el visto bueno el ministro de Instrucción pública.

Al día siguiente de esta reunión del claustro, o sea, el 18 de noviembre, la prensa salmantina da una noticia, marginal, pero de curioso valor anecdótico: don Miguel de Unamuno compró una máquina de escribir, pero no para él, que pasó con trabajo de sus plumas de caña a la estilográfica, sino para la Escuela del Hospicio, por encargo —al parecer— de un señor asturiano, sin familia, con algún capital y enfermo, que dejaba donativos así por las ciudades por que pasaba.

Pero volvamos al claustro universitario. El 20 de diciembre, en plenas elecciones de diputados, vuelve a reunirse el claustro bajo la presidencia del rector en funciones, Enrique Esperabé. Al abrirse la sesión, según nos informa la prensa del día siguiente: «El doctor Cañizo preguntó a la presidencia si se había cumplido el acuerdo del claustro referente al asunto del señor Unamuno, con motivo de su condena, de la comunicación que relacionado con ella había de enviarse a la Universidad de Buenos Aires y de la impresión que en la Universidad salmantina había causado aquella sentencia, demandando también el apoyo de las demás universidades españolas.» Según consta en la reseña de esta reunión, el rector en funciones prometió cumplir todos los acuerdos del claustro que no habían sido llevados

a efecto por la personal situación del rector Maldonado, casi imposibilitado de atender la rectoría por sus actividades políticas.

Don Miguel, claro está, no asiste a estas sesiones del claustro y
anda ocupado en muchos más menesteres. La editorial Calpe publica,
casi al tiempo que *El cristo de Velázquez*, de que ya hemos hablado,
Tres novelas ejemplares y un prólogo. El prólogo, casi una novela
más, una explicación, es lógicamente posterior, aunque no está fechado. En junio de 1920 no estaba posiblemente ultimado. Don Miguel
le escribía a Teixeira de Pascoes el día 19 de aquel mes: «Preparo
Cuatro novelas ejemplares. Una de las novelas será el prólogo, tragedia de conceptos.» Una de las novelas ejemplares es *Nada menos
que todo un hombre*, que don Miguel concibió inicialmente como
drama, pero realizó en su forma novelesca. En 1923 recordaba: «De
unas notas que teníamos para hacer un drama, hicimos luego nuestra novela *Nada menos que todo un hombre*, y luego nos hemos encontrado con un escritor especialista que nos propuso adaptar ésta
para el teatro.» Camino distinto, pero similar, sigue un escrito de
este tiempo, *Tulio Montalván*, y *Julio Macedo*, novela corta que escribe Unamuno recordando sus conversaciones en Canarias con el
joven Manuel Macías Casanova, ya muerto. Este relato plantea ya
el problema de la doble personalidad, y después de publicado en
diciembre de 1920 pensará Unamuno en convertirlo en obra teatral,
como hará por fin.

Candidato socialista

Sí; durante el año 1920 Unamuno tiene la más dispersa actividad. Publica su poema, estas novelas, innumerables artículos y hasta
unas *Contribuciones a la etimología castellana. El sufijo -RRío, A,
-RRo, A* en la *Revista de Filología Española*, que no hace mucho ha
empezado a editar Menéndez Pidal.

Y no sólo eso; está también la política y Unamuno es candidato
en las elecciones a diputados. El partido republicano de Vizcaya le
nombra, por aclamación, candidato y los socialistas en Madrid. Don
Miguel no lo ha buscado. Su nombre tira de él. Ha sido condenado
por supuestas injurias al rey, figura abiertamente en la oposición
y tiene un pasado socialista; además, tiene prestigio. Se piensa que
todas estas circunstancias pueden ayudar a la cosecha de votos. En
lo único en que no piensan es en que Unamuno no se presenta, deja
que le presenten y no está dispuesto a hacer más campaña electoral
que la de su lucha diaria en el paseo, en la tertulia, en la tribuna
de los periódicos.

Poco antes de las elecciones de diputados han sido las de concejales y a él le tocó salir del Ayuntamiento sin gran dolor. En Salamanca las elecciones de diputados están muy animadas. Martín Veloz,
ex diputado entonces, está dispuesto a recuperar su acta y lo conseguirá derrotando a su más serio contrincante, el tipógrafo socia-

lista Primitivo Santa Cecilia. No escasean los banquetes y homenajes
al ex diputado, que vuelve a las Cortes en el momento en que ha
logrado un sueño de los salmantinos: traerles dos regimientos, in-
fantería y caballería, a Salamanca. Las disputas con la Universidad
siguen, ahora con el rector accidental Esperabé, igual que años antes
con Unamuno, porque el palacio de Anaya quieren convertirlo a perpetuidad en un cuartel. Pero esto no importa gran cosa a los salmantinos, que pueden convertir a sus hijos en soldados de cuota
con grandes facilidades, ahora que tienen cuarteles en la ciudad.

El 19 de diciembre se celebraron las elecciones. Cuatro días antes
Unamuno empieza a llevar su «Diario de un azulado», jugando con
la etimología de la palabra candidato, de *cándidus*, el que vestido
de blanco solicita de los electores un cargo público. «Yo no me he
vestido de blanco —¡siempre de azul!— ni he solicitado ni pienso
solicitar el voto de nadie.»

Circulan rumores contradictorios sobre su actitud, y don Miguel
se entretiene en recordar sus diálogos de café y de Ateneo.

—¿Con que retira usted su candidatura?

—¿Retirarla? —protesta Unamuno—. Pero si no la he presentado.

—Pero, ¿usted quiere o no quiere ser diputado?

Don Miguel no sabe exactamente qué responder. Le halagaría
«obtener una regular votación en cuanto ello implique un aplauso
a mi labor cívica, a mi política fuera de partidos». En el fondo, ignora
si la labor que él quiere hacer podría realizarla mejor desde un escaño de diputado o desde el rincón silencioso de su despacho de la
calle de Bordadores.

—¡Usted debe ir a las Cortes! —le dicen—. ¡Lo que diría allí...!

—Es decir, señor mío, que se trata de divertirles a ustedes.

—¡Hombre!

—Pues, mire usted, si me llevan allá, allá tendré que ir, pero...
¡mi política!

—¿Usted hace política?

—Acabo de publicar mi poema *El cristo de Velázquez*, dentro de
poco mis *Tres novelas ejemplares y un prólogo*...

—¿Pero eso es política?

—Sí, señor mío, sí, ¡eso es política!

—Pero un programa...

—Mi programa político está en mi obra *El sentimiento trágico
de la vida*, en mis comentarios al *Quijote*.

No es ésta buena campaña electoral. Además, ha muerto don Benito Pérez Galdós y los españoles no han sabido leer entonces bien
sus artículos sobre el novelista republicano. Sólo algunos recuerdan
que Unamuno tuvo que leer las cuartillas del propio don Benito, ya
ciego, en el homenaje que les dieron en el Palace Hotel. Les parece
a muchos que don Miguel ha sido extremadamente duro, inoportuno
incluso al hablar como lo ha hecho de **Galdós** en la hora de su
muerte, y no se dan cuenta de que el catedrático salmantino ha dado
al novelista muerto el título de notario de una España que él quisiera ver superada, pero que nadie como Galdós ha expresado. Y

don Benito era diputado republicano, ¿cómo un hombre que puede
sustituirle en las Cortes se permite la irreverencia de no soltar diti-
rambos y sí sólo analizar el reflejo de la sociedad galdosiana? Don
Miguel no ofende a la memoria del escritor muerto, sino que ofende,
y muy abiertamente, a una sociedad que aún vive y que, además,
tiene ahora que votarle para diputado.

El día 16 llaman urgentemente a Unamuno para que vaya a Bilbao,
pero no se mueve de Salamanca. El día 17: «¡Ni una carta, ni un telegrama! ¡Parece que al fin me dejan en paz! ¿En paz? ¿Es esto paz?
¿Gozar de paz cuando le dejan solo?» En vez de preparar un discurso
electoral lee una conferencia de Menéndez Pidal titulada *Un aspecto
de la elaboración del Quijote*. El día 18 le anuncian que los nacionalistas o bizkaitarras suspenden su candidatura y deciden votar a
Unamuno. El domingo 19 es el día de las elecciones, con grandes ne-
vadas en toda España; «¡pobres interventores de las mesas electorales!», piensa el candidato indiferente, refugiado en su casa en uno
de esos días del crudo invierno del borde de la altiplanicie donde se
yergue Salamanca. Al día siguiente anota en este breve *diario*:

«Las elecciones transcurrieron ayer en esta vieja ciudad con el
transcurso más tranquilo, casi soñoliento.

... ...

La frialdad con que transcurren las elecciones es extremada.
Va con el tiempo. Ayer nevó y sobre la nevada heló. Y está ne-
vando y helando en el alma del pueblo...
Nadie cree en la eficacia del Parlamento...»

Respira aliviado cuando sabe que ni en Madrid ni en Bilbao han
logrado sacar su nombre con mayoría. Por otro lado, lo siente. Pensaba ir, por fin, a la Argentina. De haber salido elegido diputado, la
inmunidad parlamentaria le habría proporcionado libertad de movimientos. Y tiene que pedir ahora licencia, lo que no hará, y para el
8 de enero tiene señalada la vista del recurso que ha impuesto ante
el Tribunal supremo contra el fallo del tribunal de Valencia.

Renuncia, una vez más, a su viaje a América, acepta una derrota
electoral porque no buscó la victoria y espera a seguir en su trin-
chera, espera no sabe qué, pero está seguro de que algo va a cambiar.

19

El vicerrector en Palacio

E L descalabro electoral con que termina el año de 1920, descalabro que no preocupó ni poco ni mucho a Unamuno, podía hacer pensar en malos augurios para el siguiente, si bien las cosas empezarán a desarrollarse casi como una apoteosis.

Don Miguel lleva escritas bastantes obras de teatro sin que logre ganar la atención de los actores profesionales. En Salamanca, en el teatro Bretón, lleva días actuando una compañía de comedias de que es primera actriz la señorita Reymonde de Bach y primer actor don Ignacio Evans. Ya a punto de preparar las maletas para seguir a Zamora, celebran el tradicional «beneficio» y en homenaje a Salamanca deciden estrenar *La venda*, de Unamuno, y reponer *La charra*, de Ceferino Palencia. El ex rector leyó su drama el 29 de diciembre en el escenario del teatro, impresionando a los actores.

—¿Has oído leer así alguna vez? —pregunta uno.

—Ni declamar tampoco —contesta otro.

La compañía prepara todo activamente y la víspera de Reyes tiene lugar el ensayo general, que comenta ampliamente el periodista salmantino José Sánchez Gómez en *El adelanto*, del día 6. Tras su nota va una escena de la obra de Unamuno y la promesa de publicar el drama entero en folletón. El día 8, el mismo José Sánchez Gómez publica unas *Impresiones del estreno* y el periódico da, con todos los honores, el primer cuadro de *La venda*.

«Repasando la historia y la vida de don Miguel de Unamuno en Salamanca —dice el periodista—; echando una rápida ojeada por su labor de treinta años en esta vieja y gloriosa tierra; recordando las luchas por él y contra todos sostenidas, y presenciando el espectáculo que anoche ofrecía Salamanca, la Salamanca entre la que convive Unamuno, pudo apreciarse la evolución que las gentes marcaban, entregándose, sin reservas, con vítores y aplausos, a este hombre extraordinario, que habrá podido tener y que aún seguirá teniendo defectos que nos parezcan errores, pero que posee, a no dudarlo, el cerebro español de más vigor y de mayor capacidad.»

Tras la reseña de Sánchez Gómez, *El adelanto* anunciaba un banquete homenaje a Unamuno en el hotel Términus, que se celebró el sábado día 8. Con don Miguel se sentaron los actores, y el poeta ciego Cándido Rodríguez Pinilla recita un breve poema titulado «El hombre montaña», que ha escrito pensando en su gran amigo y lazarillo. El lunes 10 se publica la reseña del banquete con los versos de Pinilla y el segundo cuadro de *La venda* y el anuncio de otro banquete para aquella misma noche, en el Casino de los señores.

Pero el domingo, en la Cámara de Comercio, ante la compañía de Evans y varios amigos, lee don Miguel su *Fedra*, que ha sido estrenada ya en el Ateneo de Madrid. Y escribe un nuevo prólogo que se proyecta recite el señor Evans cuando presente en Zamora el drama.

La cena del Casino reúne con don Miguel al rector en funciones y colega de la Facultad y de la cátedra (los dos lo eran de griego), don Enrique Esperabé. Don Isidro Segovia, el venerable decano de la Facultad de Medicina está allí también, y Antonio Trías, Guillermo Sáez, Casto Prieto Carrasco y los más jóvenes, como Emilio Salcedo y Manuel García Blanco (22). La reseña del periódico nos brinda hasta el menú: «Ordubres variados, huevos al espejo, empanadillas rusas, ensalada al champán, solomillo a la jardinera, fiambres variados. Postres: Crema tostada. Vinos Riojas tinto y blanco. Champán y café.» A la hora de descorchar el champán, don Casimiro Población ofreció el homenaje. Don Miguel da las gracias, pero le piden que lea el prólogo de *Fedra* y él lo hace con gusto.

Aquel mismo día, como otro homenaje, su antiguo enemigo Enrique Esperabé ha cursado a todos los rectores de las universidades españolas «el acuerdo del claustro para significar al Gobierno su disgusto por la condena del señor Unamuno y por la restricción que impone a la libertad de pensamiento» y otro mensaje al rector de la Universidad de Buenos Aires «dándole las gracias por las gestiones realizadas por este claustro a favor del señor Unamuno, y explicándole la situación favorable de dicho señor».

---

(22) He de anotar la omisión que el profesor García Blanco hace de esta representación de *La venda*, que fue su estreno, así como la primera edición del drama, en *El Adelanto* y las dos amplias reseñas de Sánchez Gómez. El profesor García Blanco asistió a este estreno y, por aquellas fechas y en el mismo periódico, publicó una serie de artículos sobre una visita de los alumnos de último curso de Letras de Salamanca a Valladolid. Estos datos bibliográficos que indico no figuran en ninguna de sus ediciones del *Teatro de Unamuno*. Tampoco recoge el nuevo prólogo, que es una nueva redacción del que se leyó en el Ateneo. Esta versión la fecha don Miguel en Salamanca el 10 de enero de 1921 y se publica en *El Adelanto* del día 12 con el título de «Autocrítica de *Fedra*». El prólogo justificativo de Madrid es ya parte de la obra recitada por el actor que encarna el papel de Pedro, marido de Fedra.

En la sobremesa del banquete se comprometen ya muchos de los asistentes para acudir a Zamora el día 22 y asistir al estreno de *Fedra*. Don Miguel, que tiene más obras de teatro guardadas en su despacho, se anima. El año anterior, mientras concluía *La tía Tula*, escribe dos nuevos dramas: *Soledad* y *Raquel, encadenada*. El estreno de *Fedra* en Zamora es todo un éxito, tanto que la compañía del señor Evans vuelve a Salamanca y, ahora en el teatro Moderno, representa la obra unamuniana; pero el éxito es menor, acaso porque el público de Unamuno era el que se había desplazado a Zamora, convirtiendo el acontecimiento en una especie de romería.

El 8 de febrero, don Miguel estrena otro drama, *El pasado que vuelve*, en el teatro Bretón y que, como ya hemos dicho, está basado en la historia de una familia salmantina. «Aquello no es una *acción*, es una historia *cronológica* de una familia», comenta el crítico de *La gaceta regional*. Aunque el éxito sea menor, también tiene Unamuno su banquete, en el *Novelty*, ofrecido por los estudiantes vascos, y entre ellos está el futuro novelista Juan Antonio de Zunzunegui.

Decano y vicerrector

El 2 de enero de 1921 se celebraron en Salamanca las elecciones para senadores. En la Universidad es el único candidato don Luis Maldonado. Su amigo Unamuno no acude a la votación y debe creerse que su ausencia está justificada por el deseo de no entorpecer la reelección. Don Luis obtiene 49 votos y dos papeletas en blanco. El vicerrector, don Enrique Esperabé de Arteaga, con don Isidro Pérez Oliva y don Jesús Sánchez y Sánchez, forma el triunvirato de senadores por la Diputación Provincial. En la Universidad, el señor Revillo impugna la elección de Maldonado porque la Ley exige que para aspirar a la senaduría el candidato debe llevar por lo menos tres meses sin desempeñar cargo oficial alguno y el rectorado lo es. Pero don Luis había delegado la rectoría, con autorización del ministro de Instrucción pública, en el vicerrector. Y de hecho, Esperabé sigue desempeñando las funciones rectorales.

El 14 de enero se rumorea en la ciudad que don Luis Maldonado ha dimitido y los periódicos locales recogen la noticia. El 1 de febrero *El adelanto*, en su primera página, publica una *entrevista con el ex rector*. Don Luis le confiesa al periodista que su cese no ha aparecido aún en *La gaceta de Madrid* por cuestión simple de tramitación burocrática y que ya no se considera rector. Recuerda que no fue elegido por sus compañeros, sino nombrado por Real Orden. Se defiende con su salud, algo precaria, y termina confesando que era una carga excesiva para sus débiles hombros, y lamenta que la Universidad sea en Salamanca «como una fuerza inerte». Al día siguiente sale con toda urgencia para Madrid, llamado por el ministro de Instrucción pública. El claustro, que conoce el motivo del viaje, celebra reunión urgente en la Facultad de Medicina bajo la presidencia de

Esperabé y telegrafía al ministro y a Maldonado, declarando que debe ser la propia Universidad quien elija a su nuevo rector. El día 5 se recibe en Salamanca un telegrama del Ministerio anunciando que Luis Maldonado seguirá siendo rector, ya que es la medida que aconseja el buen sentido hasta que se crea oportuno el momento de nombrar o aprobar la elección del sucesor. Don Luis, por su parte, telegrafía a Esperabé confirmándole en su condición de vicerrector en funciones rectorales.

Don Luis Maldonado vela por la Universidad sólo en la medida en que puede manejar su buena fe, su bondad y sus influencias de político en Madrid. Es rector que reina, pero no gobierna. En la Facultad de Medicina hay un cuadro de jóvenes profesores de tendencia izquierdista: Antonio Trías, Casimiro Población, Agustín del Cañizo, Julio y Emilio Salcedo, Casto Prieto Carrasco, Adolfo Núñez, etcétera, a quienes los derechistas, que tienen su órgano de opinión en *La gaceta regional*, califican de «coro de doctores de Fedra», coro al que suman a Filiberto Villalobos, jefe de los reformistas.

Maldonado es un grande y leal amigo de Unamuno y le entregaría el rectorado de buen grado, aunque le asuste un tanto la ideología de don Miguel y su manía de meterse con el rey. En esta preocupación no está solo el escritor salmantino. Precisamente aquel año de 1921, el 22 de noviembre, don Miguel Moya, director de *El liberal*, de Madrid, le escribía a Unamuno:

> «Mi querido y venerado amigo:
> Tengo que hacerle a usted un ruego. Que me envíe usted artículos en los que no se refiera usted de cerca ni de lejos a S. M. el rey (q. D. g.).
> El motivo es sencillo: publicarse un artículo de usted hablando del señorito del whisky y de la ruleta, y de Santiago Matamoros, y de ¡olé! ¡olé!, y recoger el periódico las autoridades es una cosa simultánea y fulminante.
> Se trata, pues, de evitar esto, que tiene consecuencias de carácter económico a las que no tengo más remedio que someterme. De otro modo, no necesito decirle que no le haría ruegos de ninguna clase.
> Suyo admirador y amigo
> *Miguel Moya.*»

Pero la Universidad de Salamanca tenía serios problemas. El rector accidental, también vicerrector, era senador del reino, como don Luis, y aunque su residencia salmantina era más habitual que la de Maldonado, necesitaba desplazarse a Madrid con frecuencia y en aquel tiempo no era sólo cuestión de pocas horas el cubrir la distancia. De otro lado, la Facultad de Medicina, profesores y alumnos, era favorable a don Miguel. Maldonado, que no veía forma de soltar el rectorado y que en su fuero interno desea el retorno de Unamuno, que mientras fue rector luchó contra lo que ahora llamamos *guadalajarismo*, decidió jugar una carta audaz y generosa: reconcilió a Esperabé y a Unamuno y planteó la posibilidad de una reposición, si bien que ésta debía producirse por sus pasos contados.

La Facultad de Letras, y en ello interviene Maldonado y su compañero y rival Esperabé, le nombra por unanimidad decano el 19 de noviembre de 1921. Todo está a punto cuando empieza el año 1922. En la ciudad corren rumores y aunque Unamuno vivió el año anterior su pequeña apoteosis local con motivo de la representación de tres dramas suyos, banquetes y la presidencia del Ateneo de Salamanca, perviven viejos rencores y la política es la política. Los de *La gaceta regional* saben qué carta hay que jugar; no hay que olvidar que este periódico ha nacido como portavoz encubierto del diputado Martín Veloz. Los de *La gaceta* recuerdan una Real Orden del año 1899 que retiraba a las universidades sus títulos de propiedad privada para englobarlos en el patrimonio del Estado. Recordaban que don Mamés Esperabé Lozano se negó a la entrega de tales títulos.

«Mas, ¡ay! —dice un fondo, en la primera página del día 4 de enero de 1922, firmado por García de Roldán—, don Mamés fue jubilado y en 1900 *fue nombrado rector por el Gobierno y contra toda equidad el señor Unamuno.* El 20 de septiembre de 1904 se urgió por Real Orden la entrega de las inscripciones "intransferibles" emitidas a favor de las universidades —y cualesquiera títulos de la deuda pública, de procedencia desamortizadora, etc., etc.

Era lo mismo a que se negó don Mamés, lo "mismísimo" que correteó a ejecutar su sucesor infortunado, fatalmente (sic) *en el gobierno de la Universidad y nefasto para Salamanca.*» (El subrayado es mío.)

En aquel mismo número del periódico se da noticia resumida y en buena medida tendenciosa de la conferencia que el día antes ha dado Unamuno en el Centro Obrero de Salamanca, conferencia que debió ser, fundamentalmente, una ampliación de las ideas expuestas algún tiempo antes en su artículo «La mordaza y el mendrugo», que publicó en *Nuevo mundo*, en Madrid, el 4 de marzo de 1921. A la reseña sigue una nota de la redacción que bueno es salvar del olvido:

«N. de la R.—Como siempre, no es posible columbrar cosa concreta y cierta en la conferencia del antiguo rector; sólo se advierte la sangre que mana de la herida y el conato de denigrar a la España que no le venera.»

Una semana después los comentarios editoriales o de fondo de García de Roldán en *La gaceta regional*, que aparecían en el lugar preferente de la primera plana y con el título, en grandes caracteres, de «Mientras ellos vienen», llegan a su final, sin firma, el jueves 12 de enero. El articulista pone títulos capitulares o «ladillos», como decimos en los periódicos, y bajo el de «se acabó» escribe esto:

«Al llegar aquí, *recibirá el lector con espanto la siguiente noticia;* noticia que al articulista parece voz y reparto de la piel de oso, muerto ya o moribundo, por desgracia. Me refiero a la Universidad. *La noticia es que ayer se reunió el claustro para elegir vicerrector y salió elegido el señor Unamuno,* con uno o dos votos más de los estrictamente precisos, *a la señal de "avante" dada por un descendiente del queridísimo don Mamés, con el lema: "mis amigos voten al señor Unamuno."*

Y lo curioso del caso es que la presidencia del señor Esperabé *oyó con gusto y estuvo a punto de dar paso libre a una proposición que proponía el nombramiento de rector, asunto no puesto en convocatoria.* Entonces hubiera sido rector el ex rector y quedaba de vicerrector el señor presidente.» (Reitero la responsabilidad del subrayado.)

Desde aquel momento don Miguel pasó a ser rector en funciones. Enrique Esperabé se retiró generosamente entonces. Tan es así que dos días después preside un acto en el Paraninfo y acuden a él, desvinculados de toda función de gobierno, don Luis Maldonado —rector nominal— y Esperabé.

La Facultad de Medicina había sido trasladada, desde el antiguo hospital, hoy Colegio de las Siervas de San José, a la antigua hospedería del Colegio de los Irlandeses, donde hoy, ampliada, sigue. Se había construido en la ciudad un hospital, el de la Santísima Trinidad, cuya dirección clínica fue entregada a la Facultad. Habían surgido dificultades y en el mes de enero de 1922, coincidiendo con una huelga ferroviaria y otra de los obreros que trabajaban en la pavimentación de la Plaza Mayor, se anuncia que la Diputación del Hospital, con el apoyo del gobernador civil y el consentimiento del Gobierno de Madrid, va a retirar la dirección clínica a los profesores de la Universidad. El día 12 los estudiantes, al grito de «¡Queremos clínicas!», se manifiestan y, en la Plaza Mayor, son víctimas de una carga por parte de la Guardia Civil. La propia *Gaceta regional,* que tiene sus intereses en que el hospital de la Santísima Trinidad no sea controlado por los izquierdistas de la Facultad de Medicina, protesta de las medidas gubernativas.

El día 13, en el Paraninfo, preside Unamuno —¡buen comienzo!— una asamblea suscitada por este problema. Maldonado y Esperabé asisten como senadores. Acude también el presidente de la Diputación Provincial de Salamanca, don Rafael González Cobos. Habla el presidente de los estudiantes, el doctor don Adolfo Núñez, que reprocha a Maldonado y a Esperabé no haber aprovechado sus estancias en Madrid para, desde el Senado, haber defendido este caso salvando a la Facultad de su penuria. Intervienen también don Agustín del Cañizo, Casimiro Población y Filiberto Villalobos; Maldonado y Esperabé se justifican y es cierto que ellos no son plenamente culpables, porque los tiros vienen por otro lado; González Cobos expone la postura de la Diputación Provincial, que no ha de abandonar a una Facultad que sostuvo cuando el Estado se desentendió de ella.

Los estudiantes de Medicina están en huelga y se les unen, con gesto de solidaridad, los de Derecho.

Desde Madrid se desautoriza, provisionalmente, la decisión del gobernador civil y se suspende ésta, continuando provisionalmente el hospital de la Santísima Trinidad bajo el control técnico de la Universidad. El diputado Martín Veloz, el día 6 de febrero, publica en la primera plana de *La gaceta regional* una carta abierta que es un reto, defendiendo que el hospital no debe ser controlado por los catedráticos y profesores de Medicina y que termina: «... ya sé cuándo y contra los que debo acudir». Pocos días después, con un duro ataque a Unamuno, de esos que llegan al insulto personal, un joven clérigo, años después canónigo y luego primer rector de la Universidad Pontificia, a quien tampoco sentó nada bien su destitución, don José Artero, insiste en el periódico de Veloz en sus ataques contra don Miguel.

El mismo día en que apareció el artículo de Artero, con el título tópico de «Para alusiones», preside don Miguel una reunión en la que se intenta llegar a un acuerdo entre la administración del hospital y el claustro de la Facultad de Medicina. Don Miguel piensa en que el Estado compre el hospital y sus administradores aceptan en principio, pero se complican luego las cosas y no hay acuerdo.

Días después, el 25, la tarde de la Plaza Mayor puede leer en *La gaceta* —era entonces periódico vespertino—, en su sitio de honor, un enorme titular sensacionalista: «Suicidio en Salamanca». ¿Quién se había suicidado? ¡Nada menos que la Universidad y acaso la ciudad entera! «El claustro es el culpable —decía el editorialista—: el pueblo salmantino debe exigirle responsabilidad.» Y terminaba su noticia del suicidio colectivo con estas palabras regocijadas:

«¡Ah! Y vayan pensando los señores claustrales en la venida del rey a Salamanca. Salamanca espera a ver qué es lo que les ocurre a los señores claustrales. ¿Degradarán al vice? Lo degradarían, *pero no se atreven*. Es el colmo.» (Este subrayado no es mío.)

Salamanca está preparándose para celebrar el centenario de Santa Teresa de Jesús, a la que se nombrará «doctor honoris causa» por la Universidad. Martín Veloz tiene previsto que los reyes vengan para poner la primera piedra de los nuevos cuarteles y Miguel de Unamuno, el 19 de febrero, en el Ateneo de Madrid, ha pedido el restablecimiento de las garantías constitucionales que estaban suspendidas.

«Y en ese discurso —contaba don Miguel— volví a combatir la actuación personal del rey pidiendo que se le exigieran responsabilidades al que es, según la constitución, irresponsable. Este discurso produjo un efecto muy fuerte en palacio; el rey quedó dolido de él y pedía un desagravio, hasta llegó acaso en pensar ir al Ateneo, del que es socio —el número 7.777—, no sabemos si para que le hicieran allí un desagravio, lo que no era dable, o para contestar, para responder.»

Y todo ha de seguir complicándose más. En torno a Unamuno, que sigue siendo cabeza visible de las izquierdas y aun del republicanismo, se aglomeran socialistas, sindicalistas, republicanos, liberales, y hasta algunos derechistas, proclamándole presidente de la Liga Española de los Derechos del Hombre, y mientras tanto el Tribunal supremo confirma la sentencia de la Audiencia de Valencia, que si no es puesta en vigor hay que atribuir el hecho al temor del Gobierno a provocar un cataclismo.

En toda España se constituye la Asociación general de Estudiantes católicos y el rector en funciones es invitado o requerido a hablarles a los miembros salmantinos de esta asociación en el Paraninfo, el 13 de febrero. *La gaceta* titula así la noticia: «Ayer en la Universidad. Una conferencia». Cumplido su primer deber del silencio titular, tras el resumen de costumbre, añade la nota también de costumbre:

> «El antiguo rector ha hablado como siempre, exactamente como lo expresó por manera gráfica *El mentidero* en su penúltito número.
> Al tratar de la religión y de las asociaciones confesionales de estudiantes, así como de los escolares de nuestra antigua Universidad, apareció como en todo, *sin documentación*.
> Igual que pasó, ¡ay!, en el prólogo de *Fedra*, y en la *Fedra* misma, no sólo en cuanto a la misma literatura griega.»

Don Miguel se ha opuesto al exclusivismo confesional en un país en el que, según la Constitución, son todos los habitantes de una misma confesión religiosa. Esto molesta grandemente a las derechas salmantinas, y todavía más el que Enrique Esperabé, católico, derechista y conservador, se haya pronunciado en el Senado de forma semejante al hereje, izquierdista y anarquista Unamuno. De forma indirecta se llama a Esperabé traidor, manejando sin respeto el cadáver de don Mamés contra su hijo y culpándole de no proseguir su *Historia pragmática de la Universidad de Salamanca*, en la que don Enrique atacaba a Unamuno. El editorial de *La gaceta regional* de 21 de marzo se titula: «Ex rector [Unamuno] y ex vicerrector [Esperabé]», y en él se dice: «En efecto, don Miguel es vicerrector por obra y gracia de don Enrique, de suerte que éste ha venido a ser el tutor, curador y sostén de aquél.»

El asunto de las clínicas continúa. Van comisiones a Madrid, vienen delegados del Gobierno a Salamanca, y el problema sigue en clima de guerra civil haciendo insostenible la posición de los profesores y alumnos de la Facultad de Medicina. El último día de marzo don Miguel está en Madrid para visitar al ministro de Instrucción Pública, don César Silió, acompañado de don Luis Maldonado, para discutir el asunto de las clínicas, y el ministro ya no les recibe, por haber dimitido. Accidentalmente dan la noticia ellos a Rodés, quien, cuando van los periodistas en su busca, les cree enterados, y cuando aclara la situación toda la prensa nacional anuncia que la noticia ha sido dada por Unamuno y Maldonado.

La visita a Palacio

El nombre de don Miguel ha vuelto a los titulares de los periódicos. Ya no son sólo sus artículos y sus conferencias. Sánchez Guerra, presidente del Consejo de Ministros, se pone al habla con don Luis Maldonado para entrevistarse con el vicerrector, más belicoso y temible que en su rectorado. Don Luis concierta la entrevista. El primer ministro le recuerda a Unamuno su conferencia del Ateneo, reclamando la devolución de las garantías constitucionales y que en Palacio se había recordado su petición de audiencia de 1915. «Contesté que yo acudía siempre adonde se me llamaba» —cuenta Unamuno, y añade—: «Pareció al señor Sánchez Guerra más adecuado que me acompañase el conde de Romanones como presidente del Ateneo y además antiguo amigo mío.»

Don Miguel se ha reconciliado ya, hace tiempo, con el conde de Romanones y ha sido la condesa de Pardo Bazán, muerta en 1921, quien más ha mediado en ello. El conde, en sus *Memorias de una vida*, ha insistido en presentar una visión interesada de los hechos, diciendo que fue él quien llevó por propia iniciativa a Unamuno ante el rey, pero pese a su testimonio no hay que olvidar el antes transcrito de don Miguel y que es tres días posterior a la histórica visita y apareció en *El mercantil valenciano*, el mismo periódico que publicó los artículos por los que estaba procesado por injurias al rey. Si es digno de crédito, en el testimonio de Romanones, cuanto de anecdótico relata, como su pasmo al ver que Unamuno se presenta a buscarle para ir a Palacio vestido con su habitual traje azul, su chaleco alto y su sombrerito flexible, en vez de acudir con el traje protocolario exigido.

Al salir de Palacio, don Miguel se vio asediado por los periodistas y les confesó:

—He salido como he entrado.

«La conversación —escribió al día siguiente— se prolongó un buen rato; apenas si tocamos mi pleito individual —que estaba ya, por lo demás, zanjado desde que el voto de mis compañeros de claustro volvió a ponerme al frente de la Universidad de Salamanca—, sí a asuntos referentes a esta Universidad y a sus intereses, por los que debo velar, y sobre todo asuntos públicos.

Le dije en sustancia al jefe del Estado español, al rey, lo mismo que vengo diciendo en estos años en mis artículos y discursos, aunque, ¡es claro!, sin formas de expresión que empleadas cara a cara pueden resultar más que improcedentes.»

Del artículo titulado «Un episodio», aparecido en *El mercantil valenciano*, es el párrafo anterior. Se reservaba entonces hablar de su conversación con el rey hasta que la Liga Española de los Derechos del Hombre se lo reclamase. No tardaron en hacerlo desde el Ateneo de Madrid, porque aquella visita había sido todo un escándalo. En el Ateneo se celebró una reunión en la que abundaron propuestas peregrinas por parte de quienes se sentían traicionados por Unamuno. Hubo quien dijo que debía ponerse allí una lápida con letras grabadas en oro, reproduciendo las últimas palabras escritas o dichas por don Miguel contra la Monarquía y las fechas en que podía preverse que Unamuno iba a ser senador o diputado romanonista y rector efectivo de Salamanca. Prevaleció un sentido más responsable y se le envió el siguiente mensaje:

> «Los socios que suscriben han visto con honda simpatía la campaña de usted y, al advertir que ésta ha sufrido algunas alteraciones, le ruegan, con todo respeto, que explique su actitud en este caso.»

Unamuno aceptó el reto y se dispuso a dar explicaciones. Pero la sesión del Ateneo fue un guirigay en medio del cual no fue posible escucharle, ni tampoco se quiso. *La gaceta regional* de Salamanca resumía el 11 de abril la cuestión de esta manera: «No ha habido más que el anhelo inconsiderado de don Luis (Maldonado) de que Unamuno fuera rector de Real Orden y el de Unamuno de serlo. ¡Este don Luis... este don Luis...!» Y reproducían días después el comentario de *La voz*, de Madrid, en que se atacaba a Esperabé porque tenía mayoría de votos para el rectorado y pensaba cedérselos a Unamuno, aunque aún así no lograrían los 35 necesarios para la elección y se añadía que Martín Veloz (¡?) había recibido el encargo del primer ministro de ayudarle a hacer rector a Unamuno.

¿De qué habló el vicerrector con el rey? No conozco el texto de su conferencia en el Ateneo, pero sí tengo otros testimonios de primera mano. En *La nación*, de Buenos Aires, apareció el 12 de mayo de 1922, un artículo titulado «Mi visita a palacio», al que ya he acudido en este capítulo. Y fue el día 13 cuando habló en el Ateneo.

> «Expuse al rey —cuenta Unamuno— el triste estado a que nos ha traído un régimen de clandestinidad y de irresponsabilidad, es decir, de despotismo, y cómo no se ha liquidado todavía lo injusto e ilegal de la represión del verano de 1917. A su queja de que si alguna de sus iniciativas sale mal se la achacan, y si sale bien se la atribuyen a los consejeros, le dije que el remedio está en no tenerlas, en no tener iniciativas, y le recordé aquel su discurso en Córdoba, pronto hará un año, en que se anunciaba una especie de poder personal. Pero mediato, que es lo peor, mediante una mayoría parlamentaria sumisa, lo que hace del rey no un Kaiser, sino un jefe de partido. Y un jefe de partido que acaso se entromete a electorero e influye en las elecciones.
>
> Me preguntó si en caso de ir a esa América hablaría ahí de política, supongo que española. Este era, a lo que parece, el temor.

Llegada a París. (Foto V. Hennebert.)

En la rotonda de Trotsky.

Paz en la guerra. Con la
familia en Hendaya.

Eduardo Ortega y Gasset + Miguel de
Unamuno = «Hojas libres».

A la realeza no le conviene que se hable de política española fuera de España, si es para decir la verdad.

Salí de la entrevista más preocupado que había entrado en ella. El sentimiento de desorientación, de interinidad, de zozobra, que nos corroe a los españoles todos, como que se ahonda al llegar a las alturas del poder público. No se sabe ya aquí cómo salir del atranco. Muchas veces he recordado la cuarteta de: "Procure acertarla —el honrado y principal—; pero si la acierta mal, defenderla y no enmendarla." Hoy podría parecer que hay cierto propósito de enmienda; pero ¿cómo cumplirlo? ¿Cómo volver a tener que declarar paladinamente el yerro? ¿Y cómo inspirar confianza al pueblo cuando se da a entender que hubo error?»

Rector accidental

Y con todo este ambiente de lucha, don Miguel, en el despacho de la rectoral, en «este rinconcito recatado y triste, siempre en penumbra» que es «un cuartucho pequeño, una verdadera celda monacal, con una sola ventana abierta a una de las más típicas calles de la ciudad, la calle de Libreros», la misma que todavía seguía llamándose oficialmente del Conde de Romanones, sin luz del sol apenas, revisando expedientes con luz eléctrica a las diez de la mañana, siente una vez más la calma, la razón de su *leit-motiv* de «paz en la guerra». El 18 de enero, el primer día en que, posiblemente, volvió a sentarse ante la mesa rectoral, sintió caer sobre sus hombros el peso de los siete años y medio que hacía que estaba ausente de aquel cuartuco, más los catorce que había pasado antes en la misma celda monástica y universitaria, convertidos los años todos del pasado en «un solo momento, algo fugitivo y etéreo, más bien fantástico, que se perdía y se alejaba en silencio». Y entonces, una mosca, «una mosca decrépita y solitaria, que no podía ya volar, que marchaba sobre la camilla que aquí me sirve de mesa de despacho», le trae a su espíritu la conciencia de soledad. Después de la lucha emprendida de nuevo, el solitario, jornada a jornada, en su despacho tiene paz en la guerra, pero también soledad. ¿Será la muerte como esta sombra de la celda rectoral? Fuera, a la luz del sol, que Dios envía, está la lucha sin descanso y el no saber —como don Quijote— lo que se conquista a costa del propio esfuerzo.

Tiene, siempre tiene, pequeñas satisfacciones que no bastan. Los «médicos de Fedra» y otros amigos. El bueno de don Santiago Mariano de Cividanes, a quien quiere Unamuno, pero a quien llama su «cilicio» y también «yunque de sus ideas». Su hogar, donde doña Concha, «su costumbre», sigue sin leer ni uno solo de sus escritos y don Miguel recuerda que la condesa de Pardo Bazán, después de hablar con ella de esto, la regaló el libro de cocina de Puche que había prologado ella.

Por entonces está en Salamanca Marcel Bataillón, que había traducido *En torno al casticismo* al francés y trabaja ahora febrilmente en la Biblioteca de la Universidad, preparando su gran libro *Erasmo en España*. El Estado ha concedido a la Facultad de Letras este año una subvención de 2.500 pesetas para conferencias. Unamuno anima a Bataillón a que haga un anticipo de su libro. Don Miguel le presenta en el Paraninfo y Bataillón da tres conferencias, el 25, 27 y 29 de abril. El 3 y 4 de mayo habla en Salamanca el gran hispanista y lingüista Meyer-Lübke. El 5 de mayo el rector de la Universidad de Burdeos ocupa la cátedra salmantina para disertar sobre la educación de las masas.

Apoteosis valenciana

Unamuno esperaba volver a ser rector. En mayo de 1922 circula, sin embargo, el rumor de que será nombrado un catedrático de la Facultad de Medicina, aunque nadie se pone de acuerdo sobre el nombre. Pero llegan las vacaciones y al comienzo de curso se espera la visita de los reyes. Don Miguel quiere su reposición, pero como un acto de justicia y reivindicación que complete el gesto de sus compañeros que le eligieron vicerrector. No ha dudado en ser decano de Letras y en aceptar el vicerrectorado, pero no está dispuesto a mendigar nada al rey. Fue a Palacio porque no podía ni debía negarse.

El 7 de setiembre estaba en Valencia para hablar de lo que Maura llamó el declive y él «el derrumbe». La expectación es tal que su conferencia está anunciada para las siete de la tarde, pero a las cinco y media ni el propio conferenciante hubiera podido entrar en el salón del Ateneo valenciano. Urgentemente se cambia de local y en la Casa de la Democracia, aunque apiñados, pueden entrar los más de cuantos han acudido. No dio tiempo a preparar la tribuna y don Miguel tuvo que hablar encaramado en una mesa de billar.

«He salido; es decir, no he salido, he hecho como que salgo un momento de la soledad en que continuamente vivo para traer aquí, ante vosotros, una especie de conversación conmigo mismo, algo como un monólogo, pero un monólogo delante de una porción de caras amigas y de rostros que son como espejos del mío propio.»

Y sigue hablando de su visita a Palacio, de cómo pocos días después volvió a ser procesado por injurias al rey por un artículo publicado mucho antes en *El liberal*, de Madrid, y de cómo han cambiado las cosas con respecto a él por el eco que alcanzan en América. «La cosa era sencillamente que yo pidiera algo, porque todo el sistema de esta gente, hoy, se reduce a corromper a los que predican.» Y su conferencia continúa con un ataque a la monarquía española. Si ya es popular el término de *España invertebrada*, no se ha parado nada la atención en este que plantea Unamuno: *España aldeana*. Carlos V, el primero de los Habsburgo, representa esta tendencia frente a las Comunidades de Castilla. Los Reyes Católicos sí hicieron política ciudadana, que es de cultura; pero cuando Madrid se convierte por Felipe II en capital, el poblachón, la aldea inunda la vida nacional, haciendo caminar a España por debajo de la historia. Y clama como un profeta del desastre:

«Que no se envenene la opinión pública, que no se falsifiquen las cosas, que no se mienta en los centros oficiales, que son, entre otras cosas, fábricas de mentiras; que no se mienta; que el arma de los Gobiernos no sea la mentira, que no es lícito que mientan los Gobiernos.

Pues así llegamos a eso que Maura llama "el declive" y yo llamo "el derrumbe". Es una necesidad: no se empieza a subir hasta que se acaba de bajar.

Estamos en la cuesta abajo. Hay que llegar a la hondonada. No sé la subida cuándo será. No sé si llegaré yo a ver el término de la subida.»

Los reyes en Salamanca

El 6 de octubre vienen los reyes a Salamanca. Don Miguel le pide a Maldonado que le dispense y que asista él a los actos como rector nominal. Don Alfonso, con uniforme militar; la reina, con su gran pamela y un enorme collar, entran en Salamanca el 6 de octubre. Les acompaña el primer ministro, señor Sánchez Guerra. Les reciben las fuerzas vivas y regalan a la reina un traje de charra. De la estación van a la catedral, de allí a la Universidad. En el Paraninfo, Maldonado lee el discurso por el cual se nombra a Santa Teresa de Jesús doctor «honoris causa». El obispo, doctor Alcolea, lee un discurso hecho con párrafos de la santa que suponen «cómo contestaría Santa Teresa, por mandato del obispo, a su nombramiento». Siguen los actos y no falta la corrida de toros, con Maera, Valencia II y Nacional II; la procesión teresiana; los banquetes y las primeras piedras. El día 8 se marchan los reyes, que han admirado la urbanización de la Plaza Mayor, por fin terminada después de tantas huelgas.

Pero Unamuno no ha estado presente en ninguna de las solemnidades. En algunas, el automatismo del protocolo habría previsto un sitio para el vicerrector; pero con el barullo, aparentemente, no se nota nada, aunque sean muchos quienes busquen el brillo de sus espejuelos y la ceniza de su barba.

En Salamanca se sigue comentando la visita de los reyes, que se han hospedado en el palacio de Monterrey, de los duques de Alba, a menos de treinta metros y en la calle en que vive Unamuno. Los socios del Ateneo seguirán pensando que el catedrático de Salamanca les traicionó, porque a toda costa quería volver al rectorado; sus enemigos de Salamanca se frotan las manos porque están seguros de que se acabó la estrella de don Miguel, de que su soberbia le ha sentenciado y el rey no olvidará esta afrenta. Entretanto, él siente su soledad, consciente de que todo aquel mundo, tan siglo XIX —al que él pertenece—, se está derrumbando. No es cuestión de trajes charros, no es cuestión de la llamada caridad, ni siquiera de la lucha política, es sólo necesidad de liquidar un pasado en el que ya no valen protocolos. Sabe muy bien que tiene que estar y quedarse solo. En su soledad está liquidando la posibilidad de un amor platónico, el que ha podido sentir por la vecina, doña Nati, que ha tenido que soportar en 1921 toda una campaña en contra suya, dirigida también desde *La gaceta regional*, frente a la cual ha sido uno de sus primeros valedores Carlos de Sena, el hijo de aquel médico visionario amigo de Unamuno que quiso llevarse a la Argentina el pueblo todo de Boada. Don Miguel, solo, radicalmente solo, se despide hasta de su amor platónico posible, y al cantar a un «amor muerto» encuentra la fórmula salvadora de la fabulación de su «Teresa», esos poemas inexplicables para quienes no han conocido la anécdota salmantina de Unamuno. Por aquel tiempo, le decía don Miguel a su amigo Juan Domínguez Berrueta: «Me he vuelto a enamorar de mi mujer.»

La política del país —hablaremos ya de ella en el próximo capítulo— va hacia lo que el propio rey ha sentido como necesidad de autoridad personal, y quieran o no quieran unos y otros parece inevitable. La prédica de Unamuno para despertar la conciencia cívica ha sido desatendida o ha sido insuficiente. ¿Quién puede saberlo ya? Su batalla por el rectorado no era una batalla personal, aunque pudiera parecerlo. No podía aceptar componendas ni perdones. Su actitud era la de Sócrates aceptando libremente la cicuta, cuando podía haberse librado de ella con una sola palabra. Pero era la palabra que jamás pronunciaría, aunque soltase otras no siempre convenientes o acertadas.

El 24 de enero de 1923, don Luis Maldonado dimitía. Había hablado antes con Unamuno, y los dos amigos, tan distintos ideológicamente, se han comprendido con muy pocas palabras. Maldonado, el rector menos rector que fue de Salamanca, pero que intentó que volviera a serlo Unamuno, está ya vencido. Don Miguel no puede abdicar de sus posiciones por encima de cargos. Es una batalla perdida al parecer. ¡Si hubiese estado en la Plaza igual que acudió a Palacio! ¡Si se hubiera mordido la lengua y hubiese roto la pluma tantas veces! ¡Si hubiese dejado de ser quien era! Con la dimisión de Maldonado va la de Unamuno como vicerrector y como decano. Aparentemente, un asunto local, casero, pero Unamuno sabía bien que era ya un paso fuerte en el derrumbe y no le importaba gran cosa ser arrastrado. Iba a entrar en sus sesenta años y eran ya muchos años de batallar en soledad; era un momento de fatal desfallecimiento.

20

Contra el Directorio

Hacia la dictadura

EL asesinato del primer ministro don Eduardo Dato, el 8 de marzo de 1921, era un síntoma del derrume de que hablaba Unamuno en aquellos años. «Yo no disparé contra Dato, sino contra el gobernante que autorizó la ley de fugas», dijo Pedro Matheu al ser detenido. La lucha política se había enturbiado una vez más con la sangre, y el rey, en Córdoba, censuró a las Cortes, sugiriendo la posibilidad de un nuevo absolutismo, de una dictadura.

Allende Salazar formó Gobierno el 12 de marzo de 1921. A su etapa corresponden cronológicamente los desastres de Annual y Monte-Arruit, que provocan una petición de responsabilidades y el famoso expediente Picasso. El 13 de agosto es don Antonio Maura el presidente del Consejo de Ministros, con César Silió, en Instrucción Pública. Maura dimite el 11 de enero de 1922, pero el rey le confirma en el cargo. Don Alfonso confía en que el señor Maura se erija en dictador, algo que él no está dispuesto a aceptar. Dura al frente del Gobierno hasta el 8 de marzo de 1922, en que le sucede Sánchez Guerra. Con Maura se había vuelto a discutir el problema de la autonomía de las universidades. Con Sánchez Guerra es cuando don Miguel visita al rey, cuando el expediente Picasso acumula no sólo el problema de las responsabilidades por los desastres de Marruecos, sino también escándalos como el desfalco de 1.050.000 pesetas en la Comandancia de Intendencia de Larache.

Mientras tanto, en Italia, Mussolini logra que el fascio cuaje y se imponga. En Barcelona es capitán general don Miguel Primo de Rivera, y gobernador civil, el general Martínez Anido. El sistema de represión de este último provoca dificultades, que se agravan con motivo del atentado de que fue objeto Angel Pestaña en Manresa. Sánchez Guerra es informado por Indalecio Prieto de las no muy hábiles *medidas de seguridad adoptadas por Martínez Anido y no duda en deponerle como gobernador civil. El 7 de noviembre de 1922, el entonces coronel Millán Astray, pide al rey su retiro militar, descontento por la duplicidad de poderes que representan las Juntas de Defensa y el Gobierno. El 24 de noviembre se clausura la Universidad Central, y el día 3 de diciembre dimite Sánchez Guerra. Dos días más tarde, en las Cortes, se oyen vivas a la República, y el diputado vasco don Indalecio Prieto lanza un «¡Muera el rey!»*

García Prieto será ya el último presidente del Consejo de Ministros de esta etapa intentando una coalición liberal. El 6 de abril de 1923 propone el Gobierno la reforma de la constitución y del régimen de sufragio y reformas sociales. El 29 se celebran elecciones de diputados, y el 13 de mayo, las de senadores. Ciento cuarenta y seis diputados fueron elegidos por el artículo 29, esto es: por ser candidatos únicos. Africa seguía costando demasiado dinero. En Barcelona se recrudece el terrorismo: Arbonés y Seguí (el Noi del Sucre) son asesinados. Desde la constitución del Gobierno de García Prieto a mayo de 1923 se producen en la Ciudad Condal continuos atentados: 63 que fallan, 34 muertos y 76 heridos. El 4 de mayo es asesinado en Zaragoza el arzobispo cardenal Soldevile.

En junio de 1923 está en Madrid el capitán general de Cataluña, don Miguel Primo de Rivera, que se entrevista con los generales Cavalcanti, Berenguer, duque de Tetuán, Dabán y el propio monarca. El tema de las conversaciones es la conveniencia de dar un golpe de Estado. «El más convencido —escribe Fernández Almagro en su Historia del reinado de Alfonso XIII—, desde luego, era el rey, que seguramente soñó soluciones de tipo militar y antiparlamentario, aun antes de percibir las peligrosas desviaciones posibles del expediente (Picasso). Pero dudaba de que estuviese precisamente en manos de Primo de Rivera la espada que cortase por lo sano. La idea de ser él, por sí mismo, quien la esgrimiera, tentaba a su vanidad de soberano engreído por la lisonja y las jugadas con suerte. Porque no era don Alfonso un desalmado, sino un frívolo, hecho a la fácil visión de las cosas, *si bien pasara por hondas crisis del ánimo en cuanto surgían las imprevistas dificultades.*» (Los subrayados son míos.)

Cuando el rey viajaba a Salamanca para asistir a los actos en honor de Santa Teresa, le confesó a Salvatella que creía necesario e inevitable un Gobierno militar, «libre de las trabas que determinadas acciones pesan sobre los gobiernos constitucionales y parlamentarios».

Aunque Primo de Rivera alimentaba la esperanza de ser él quien llegara al poder, el candidato más calificado era el general Aguilera; pero éste fue torpe al suscitarse la cuestión del procesamiento del general Berenguer, que terminó pidiendo al presidente del Senado su proceso. Aguilera, nombrado socio de honor del Ateneo, se encuentra con Sánchez Guerra en el despacho del presidente del Senado y discuten acaloradamente. Sánchez Guerra abofetea al general para zanjar su discusión sobre el honor de militares y paisanos. Después el general quiso imponerse al Parlamento, y se encontró ya con una hostilidad cerrada que empezó por el propio presidente y obligó a

Aguilera a rectificar en el Diario de sesiones *el texto de su discurso.*

El general Aguilera quedó descalificado. El rey llamó a don Antonio Maura, quien se opuso a una vuelta al absolutismo, pero admitió la solución transitoria de que los militares se hiciesen cargo del poder. Primo de Rivera, apoyado por Martínez Anido y Sanjurjo, entonces gobernador militar de Zaragoza, prepara y sondea el estado de opinión de las guarniciones militares. Cuando todo está previsto, decide el día 14 como fecha del pronunciamiento. *Pero los acontecimientos se adelantan un día y Primo de Rivera convoca en la Capitanía General de Cataluña a los generales y jefes de la región. El rey estaba en San Sebastián, y con él, como ministro de jornada, don Santiago Alba. En Madrid se reúne el Gobierno, que ya conoce el mensaje a la nación de Primo de Rivera. Alba despachó tranquilamente con el rey, y supo después que Martínez Anido había ordenado su detención. Don Alfonso, conocedor de cuanto pasaba, regresó a Madrid el día 14, y su ministro de Estado huyó a Francia el día antes. García Prieto, al dimitir después como primer ministro, confesó: «Ya tengo un santo más a quien encomendarme: a San Miguel Primo de Rivera, porque me ha quitado de encima la pesadilla del Gobierno.» Se había proclamado la dictadura.*

Esperabé, rector

Al dimitir Maldonado como rector de la Universidad de Salamanca fue nombrado para sucederle el «hijo de don Mamés». Aunque Esperabé había abandonado la lucha y apoyó en un principio la vuelta de Unamuno, soportando los ataques de sus correligionarios, entraron en juego una vez más los intereses políticos, que creían necesario en Salamanca la anulación de don Miguel. Enrique Esperabé era para ellos una útil bandera, un símbolo casi, como descendiente del rector al que sucedió Unamuno. Era, además, de Salamanca; era católico, sin dudas, de derechas. Don Miguel seguía teniendo el apoyo mayoritario del claustro; pero los catedráticos, en una provincia como Salamanca, son aves de paso, gente de fuera que no pesa en la vida de la ciudad a la larga.

La cuestión de las clínicas sigue sin resolver; el Hospital de la Santísima Trinidad continúa, *provisionalmente,* bajo la dirección clínica de los profesores de la Facultad de Medicina; el «coro de médicos de Fedra» y la lucha por su dominio es una cuestión de honor para una ciudad que pone el grito en el cielo cada vez que se habla de suprimir la Facultad de Medicina, pero que se desentiende estúpida y egoístamente a la hora de plantearse el buen funcionamiento de esta Facultad. Si Unamuno fuese rector, la culpa —naturalmente— sería de este vasco entrometido. Pero Esperabé, el hijo de don Mamés, bastante hace. Cierto que don Enrique batalla con su mejor fe; pero aunque no se hubiera ocupado lo más mínimo del asunto en esta ocasión no hubiera tenido dificultades, sólo la solidaridad ciudadana que a él no le faltó.

De las dificultades podía tener buena culpa Unamuno, que, pese a su dimisión solidaria con Maldonado, había sido confirmado como vicerrector por mayoría del claustro y como decano de la Facultad de Letras. Y ahora, don Miguel, es realmente vicerrector: cumple una función administrativa, y Esperabé, rota ya la pasajera armonía, cuida muy bien de que no tenga que sustituirle en las funciones rectorales en ningún momento.

Unamuno sigue dando sus clases y en la rectoral atiende el papeleo que le corresponde, pero procura no asistir a los actos académicos. Sigue con su manía de no pedir permisos y se priva de viajes que le ofrecen a distintos puntos. Cuando sale, aprovechando algún fin de semana o vacaciones, se cuidan los periódicos locales de significar que lo ha hecho en el coche del doctor Población, «como de costumbre».

Es un mal momento para el escritor vasco. Tiene que hacer verdaderos equilibrios en sus artículos para evitar incurrir en las iras de los tribunales y pasar la censura. Hace arabescos, como él dice; divagaciones, escribe a lo que salga y hasta abandonó proyectos de libros, como uno sobre *Abisag la sunamita*. Sigue con la idea de este libro cuando la *Revue de Metaphisique et Moral* le pide un artículo para la conmemoración centenaria de Pascal. «La foi pascalianne» es su título; años después un capítulo de *La agonía del cristianismo*, en que aparece la figura y la moraleja de Abisag. Don Miguel escribe el artículo para París, y el 6 de junio de 1923 le escribe Ortega y Gasset agradeciéndole la carta que le ha mandado a la muerte de su padre, don José Ortega Munilla, y le añade:

«Quisiera ahora pedirle una cosa. De Francia me escriben que va usted a publicar en la *Revista de Metafísica* un ensayo sobre Pascal. ¿Podría usted dar el texto español para una revista mensual que ahora comienzo a publicar? La organización económica de la revista permite pagar muy decorosamente a sus colaboradores. Como ignoro la extensión de su artículo, no me atrevo a especificar ninguna cantidad respecto a él.»

Desconozco la respuesta de Unamuno. Posiblemente no existió nunca. Empezaba a encontrarse vencido y había superado desde hacía tiempo la superstición de la letra impresa. Quizá sea éste el único momento de auténtica distancia con Ortega y Gasset, y no por cuestiones polémicas, sólo por cansancio, por abatimiento.

España va mientras tanto hacia la dictadura y él lo presiente. Sigue también el desfile de la santa compaña, la danza de la muerte que le arrebata a sus amigos, a los hombres de su tiempo, y que son también parte de su propia vida.

La defensa de los dominicos

El 27 de octubre de 1923, al poco de inaugurarse el curso académico que no podrá concluir como catedrático, don Miguel, que no asiste a los actos de la Universidad, toma parte en las conferencias de la Academia Santo Tomás de Aquino, del convento de San Esteban. El doctor Trías, años después, en peregrinaje de exiliado para repensar y resentir su España, me recordaba, aquí en Salamanca, cómo aquella academia fue entonces un foco de liberalismo y de comprensión. Don Miguel pronuncia su conferencia tras la presentación que de él hace el P. Avellanosa, prior de los dominicos. El texto no se ha conservado, y es lástima, por la repercusión que tuvo después:

La gaceta regional, la «oposición» entonces, registra el hecho con unos comentarios que arman revuelo:

«Si el señor Unamuno pudiera verse de la noche a la mañana convertido en Pontífice de nuestra iglesia, sería el más ferviente católico.

Cuando el señor Unamuno, respondiendo a la perpetua contradicción en que vive, entonó los cantos inoportunos de su cetro decadente, a la libertad de análisis, a la libertad de conciencia; cuando se mofó de nuestras tradiciones empequeñeciendo la figura de Santiago Apóstol y tergiversando la canción aragonesa dedicada a la Virgen del Pilar, nacida del pueblo patriota y heroico; cuando combatió la idea provincialista, medula de la fe cristiana; cuando arremetió contra la Inquisición, sin explicar a sus jóvenes oyentes los fundamentos en que se asentaba aquel tribunal y su desenvolvimiento histórico, y cuando trataba con sarcasmo la transmisión divina de la autoridad de Dios, Rey de Reyes, a los de la tierra...»

Después de aquel comentario surge el natural revuelo en Salamanca. Los dominicos piensan en acudir a los tribunales. La Academia de Santo Tomás se reúne y piensa en el desagravio a don Miguel. El 30 de octubre el prior de San Esteban y el presidente de la Academia de Santo Tomás de Aquino mandan a *La gaceta regional* esta carta:

«Muy señor mío: Habrá visto la nota que pusieron los periódicos de la mañana referente al fondo de usted, sobre la conferencia del señor Unamuno, pronunciada el sábado en la Academia de Santo Tomás. Un momento de indignación, al ver que suponía que dicho señor había defendido verdaderas blasfemias incontestadas, nos obligó a pensar en una acción de los Tribunales. Mas, considerando después serenamente que nos las habemos con un verdadero católico y hombre de buena fe, nos parece mejor dar por zanjada esta cuestión si usted publica nuestra carta.

Ella tiene por objeto manifestar a usted y al público de *La gaceta* que nosotros no vimos en la palabra del señor Unamuno nada irreverente contra nuestra Sacrosanta Religión, sino, por el contrario, muchos conceptos de "sabor místico y de verdad diáfana», como usted mismo reconoce, y otra porción de conceptos en los cuales se ve que el famoso escritor venera nuestra fe.

La coplita de la Virgen del Pilar, "que no quiere ser francesa", sino española, no nos parece irreverente se refute, porque nada incluye contra la piedad de la Virgen; lo de que si Santiago no se dedicó a matar moros tampoco tenía para nosotros relación con la fe. Aun su venida a España es negada por muchos católicos, sin que por eso desmerezcan; lo de la transmisión divina del poder, para nosotros fue expresión sincera y no irónica, como a usted le parece.

En suma, creemos los académicos que el señor Unamuno estuvo respetuoso con todos nuestros dogmas, confesó algunos, y si las frases no tuvieron todo el arte escolástico de otros conferencistas, eso no es cosa de tomárselo a mal, y dada su forma corriente de expresión y nuestro propósito de atraerlo al bien.

Ese sentido bueno de la conferencia parecía general en el auditorio y, desde luego, declaramos que fue el nuestro y que si hubiéramos advertido lo que a usted le pareció advertir no hubiera quedado sin rectificación en la misma Audiencia.

Las veces que el señor Unamuno habló en ella fue respetuosísimo, y nosotros le veíamos pensando más en eso que en las conferencias del Ateneo.

Esto es cuanto tenemos que hacer constar: nuestra interpretación. Si la de usted es más acertada, el público juzgará; pero no podemos consentir que se desconozca la que le hemos dado y la que hemos advertido en el público.

De usted afectísimos, seguros servidores, que besan su mano,

Fray DANIEL AVELLANOSA, *Director.*
CARLOS DE ANTA, *Presidente.*»

Frente a la Dictadura

Es fácil imaginar que en un país como España, en que se ha politizado siempre la religión, añadir estas acusaciones a un hombre que se viene destacando por su oposición continua al monarca y a sus gobiernos reaccionarios es añadir un elemento más que pueda ocasionar su caída. Los ataques no suelen hacer mella en don Miguel, que parece acorazado contra ellos; pero le preocupa el destino de España, y la presencia del Directorio militar al frente del Gobierno provoca un estado de irritación continua en su espíritu de viejo e independiente liberal. Ha decidido, además, no moverse de España mientras dure el Directorio y ha decidido que su actitud personal produzca la caida del régimen. Igual que los militares, con sus *pronunciamientos*, hacen huir a los ministros, piensa Unamuno que él también puede hacer su llamamiento a la conciencia nacional; confía en que su palabra sea tan fuerte que haga saltar la censura y extienda por España aires bonacibles de libertad frente a las garantías constitucionales suspendidas.

En diciembre de 1923 va a Valencia a responder de supuestas

injurias a la magistratura. El abogado defensor, que es de oficio, «leyó acusaciones e impulsaciones más graves que las denunciadas y que había lanzado contra la magistratura el como si dictador Primo de Rivera». El fiscal alega que ante las inculpaciones del jefe del Gobierno «no cabe sino resignarse». El presidente del Tribunal, un vasco, amigo de la infancia de Unamuno, compañero de la escuela de don Higinio, preguntó si el acusado tenía algo que alegar. Don Miguel, después de la intervención del defensor creía que lo mejor era guardar silencio, pero después de la del fiscal no está dispuesto a morderse la lengua. «Me creía, sin embargo —confesaba después—, en el caso de replicar al fiscal diciendo que esperaba que hiciéramos nosotros, los tenidos por rebeldes, una revolución y entonces podríamos lanzar contra jueces, magistrados y fiscales todo género de cargos y ellos se tendrían que aguantar, lo que no me parecía digno.» De acusado se torna acusador para lograr salir absuelto del juicio.

Por aquellas fechas ha escrito una carta a un amigo español residente en Buenos Aires. Este cuida pronto de difundir entre otros españoles copias mecanografiadas de la carta de Unamuno. Por las manos del profesor Américo Castro pasa una de estas copias que, después de leída, hace que siga circulando. Aquel a quien don Américo dio la carta fue con ella a la revista bonaerense *Nosotros* y allí se publicó.

«Yo creía —escribe don Miguel en aquella carta— que ese ganso real que firmó el afrentoso manifiesto del 12 de setiembre, padrón de ignominia para España, no era más que un botarate sin más seso que un grillo, un peliculero tragicómico, pero he visto que es un saco de ruines y rastreras pasiones o un fantoche del lóbrego y tenebroso Martínez Anido, el dueño de esta situación tiránica...»

Y al final:

«Me ahogo, me ahogo en este albañal y me duele España en el cogollo del corazón (...).
Nos están deshonrando.
Me han dicho que Marañón iba a organizar, no sé si bajo el amparo del suspensorio o de *El sol*, un partido de izquierda, supongo que monárquico. Le he escrito que no lo haga. Que lo liberal ahora es aguardar, mordaza en boca, y hacer saliva, para luego escupir verdades a esa beocia encanallada, y que ya liberalismo y monarquía son incompatibles en España.»

El embajador español en la Argentina se apresura a enviar al Gobierno esta carta y, sin embargo, tarda todavía en tomar una decisión el general Primo de Rivera. Es presumible que, en esta ocasión, hasta el mismo rey que había de dar el visto bueno a la orden que se dictase contra Unamuno dudase, temiendo el escándalo, que era inevitable que surgiese. Realmente no es la carta la que va a desencadenar los sucesos posteriores, sino dos artículos en el *Mercantil valenciano* de 19 y 21 de febrero de 1924, titulados «Hay que levantar la censura» y «Un pronunciamiento de cine» (23).

En los primeros días del año, don Miguel está en Bilbao y pronuncia una conferencia en la que no se priva de decir cuanto le apetece, continuando ya en su abierta postura de oposición, de guerra declarada. El día 5, en San Sebastián, habla sobre *La niñez del hombre* y los telefonemas de las agencias informativas a la prensa señalan como noticia que el vicerrector de Salamanca se ha ceñido al tema y no ha lanzado ninguno de sus habituales ataques sarcásticos al Gobierno.

Al comenzar el año, Unamuno preside en la Casa del Pueblo de Salamanca todos los actos que se realizan y figura como conferenciante en un ciclo en el que participan sus amigos, entre otros Emilio Alarcos, Guillermo Sáez, Julio Salcedo, Filiberto Villalobos, Rafael González Cobos, Agustín del Cañizo, Casimiro Población. El día 18 unas palabras breves de don Miguel inician el ciclo y no podrá llegar a pronunciar su conferencia anunciada.

El día 20 el gobernador civil de Bilbao, «en vista de los insultos dirigidos por el señor Unamuno a las autoridades militares en sus últimas conferencias, ha dictado auto de procesamiento contra el ilustre catedrático» y en la mañana del 19 de febrero toda Salamanca sabe que Unamuno ha tenido que comparecer ante el juez militar para declarar «en la causa que se le sigue por la jurisdicción de guerra con ocasión de la conferencia que dio en la sociedad *El sitio de Bilbao*».

Era una buena noticia para Salamanca, que pocos días antes había disfrutado de una fuerte emoción, cuando el 29 de enero don José Núñez Alegría, en el Casino de Salamanca, le ha disparado dos tiros al diputado en Cortes don Diego Martín Veloz, que por estas fechas añade a su dominio en amplios campos de la vida salmantina la circunstancia de ser amigo personal del dictador. No murió Martín Veloz, y Núñez, uno de los dueños de *El adelanto*, fue condenado a una breve pena de prisión. Los motivos de aquel suceso no son para explicados aquí, pero se trata de personas que tienen relación con don Miguel —amistosa Núñez y ásperamente beligerante Martín Veloz—; además, aquel suceso provoca que sea elegido Unamuno presidente del Casino y vicepresidente el catedrático don Casto Prieto Carrasco.

---

(23) Se ha hecho siempre responsable a Américo Castro de la publicación de la famosa carta, lo que no es exacto. Se publicó en *La Vanguardia*, de Buenos Aires, antes del 3 de enero y no sucedió nada. Américo Castro escribía el 4 de abril de 1924 en *La Prensa*, de Nueva York, que volvería a España a asumir su responsabilidad. «Si se deduce culpa de su publicación, el Gobierno deberá proceder contra quienes no mantuvieron secreto lo que se escribió para ser leído en secreto, no contra el hombre sabio y bueno, la más clara honra que España puede hoy mostrar a los otros países.»

Orden de destierro

El 20 de febrero el gobernador civil y militar de Salamanca recibe un telegrama de la Dirección General de Seguridad para que comunique urgentemente a Unamuno que ha sido destituido y que se le condena a destierro. La noticia ya la esperaba don Miguel y la recibe con calma y desprecio, y acaso con una secreta alegría en el fondo, ya que es la prueba de que su prédica no ha caido en el desierto. Quiso molestar al rey y a Primo de Rivera tan magníficamente que lo ha conseguido y por eso le destierran.

Los amigos temen por la seguridad del catedrático vasco y planean para él una fuga a Portugal, que Unamuno no acepta. Está dispuesto a llevar hasta el final su lucha y sabe que le resultará más eficaz el papel de víctima que el de fugitivo.

Hace frío en Salamanca. El viento norte azota este final de la meseta y la escarcha de la madrugada ha teñido de blanco los tejadillos de las casas que se apoyan en el torreón de las úrsulas. Los negrillos que bordean el breve camino hasta el Campo de San Francisco están también emblanquecidos. En la casa de la calle de Bordadores, junto a la legendaria de las Muertes, Concha Lizárraga y María de Unamuno contienen las lágrimas. Se ha hablado sobre el futuro de la familia. ¿Deberán seguirle todos? Don Miguel ha decidido ir solo al destierro. Pablo Unamuno, que no hace mucho terminó su carrera y ha decidido establecerse como dentista, sabe que tendrá que sostener a la familia, ayudado por el hermano mayor, Fernando, que está casado y es arquitecto en Palencia. Salomé, María, Felisa son chicas y en 1924 las mujeres sólo cosen en casa, y son jóvenes, casi una niña la menor, Felisa. Rafael y Ramón son simples estudiantes aún. Y la familia sabe que ha perdido el sueldo de la cátedra y del vicerrectorado. En *El sol* ya no colabora Unamuno, porque este periódico apoya un tanto a la dictadura. Se le cerrarán más puertas y la colaboración de Hispanoamérica no será bastante para mantener a todos. Además, la Editorial Renacimiento, que no paga mucho por los libros, lleva tiempo que se retrasa enormemente en sus liquidaciones.

El día 21, uno de los más fríos que recuerdan los salmantinos, a la una de la tarde, van dos policías a casa de Unamuno para que les acompañe camino del destierro. Irán en tren a Madrid y continuarán luego en coche hasta Cádiz, donde embarcará el desterrado, rumbo a Fuerteventura.

La gaceta de Madrid publica la Real Orden:

«El excelentísimo señor jefe del Gobierno, presidente del Directorio Militar, me comunica la siguiente real orden:

Ilustrísimo señor: Acordado por el Directorio Militar el destierro a Fuerteventura (Canarias) de don Miguel de Unamuno y Jugo,

Su Majestad el Rey (q. D. g.) se ha servido disponer:

Primero: Que el referido señor cese en los cargos de vicerrector de la Universidad de Salamanca y decano de la Facultad de Filosofía y Letras de la misma; y

Segundo: Que queda suspenso de empleo y sueldo en el de catedrático de dicha Universidad.

Lo que traslado a vuestra señoría para su conocimiento y demás efectos. Dios guarde a vuestra señoría muchos años.

Madrid, 20 de febrero de 1924.—El subsecretario encargado del Ministerio, *Leániz*.

Señor ordenador de pagos por obligaciones de este Ministerio.»

La «nota oficiosa», a que tan aficionado es Primo de Rivera mientras está en el poder, afirma que «debido a reiterada negligencia en el cumplimiento de sus deberes profesionales y a la activa campaña instituida contra el Directorio Militar y contra el Rey..., el Gobierno ha destituido de su puesto al profesor señor Unamuno, desterrándolo a las Islas Canarias».

Los estudiantes salmantinos han declarado la huelga y también varios sectores obreros, y acuden a despedir a don Miguel. A las dos menos cuarto los andenes de la estación del ferrocarril de Salamanca están invadidos por la multitud, que quiere decir adiós al desterrado. Los catedráticos de la Facultad de Medicina, Cañizo, Trías y Prieto Carrasco, le acompañan hasta Medina; Wenceslao Roces, de la Facultad de Derecho, irá con él hasta Madrid.

Don Miguel, antes de partir el tren, pronuncia unas breves palabras cuyo espacio viene en blanco en los periódicos, pero que fueron éstas: «Volveré, no con mi libertad, que nada vale, sino con la vuestra.» El Casino decide no cubrir el puesto de presidente mientras no regrese Unamuno. Los estudiantes deciden no volver a clase en tanto no quede revocada la orden de deportación. De Madrid vienen órdenes concretas: hay que evitar la derivación a otras provincias de lo que ya es grave conflicto en Salamanca. «Apercibido de ello el Directorio Militar —contaba Esperabé en 1930—, tomó con rapidez las medidas necesarias para evitarlo, comunicándome instrucciones por teléfono y ordenando la inmediata formación de expediente a catedráticos que por su significación política y tendencias unamunianas habían sido denunciados.» En los periódicos, en los tablones de anuncios de la Universidad, amenaza el rector con anular la matrícula a los huelguistas y advierte a los becarios que perderán todos sus derechos. Al profesor Roces le impone un correctivo por haber acompañado a don Miguel hasta Madrid.

Unamuno había salido a cuerpo, como todos los días, y sin más equipaje que tres breves libros en sus bolsillos: el *Nuevo Testamento*, en griego; la *Divina comedia* y las *Poesías* de Leopardi, en italiano, y un recorte con el manifiesto del dictador, en el que va subrayando frases, para crear su obra de lucha contra Primo de Rivera desde su destierro.

21

La paz de Fuerteventura

«ESTA infortunada isla de Fuerteventura, donde entre la apacible calma del cielo y del mar escribimos este comentario a la vida que pasa y a la que se queda, mide en lo más largo, de punta Norte a punta Sur, cien kilómetros, y en lo más ancho, veinticinco. En su extremo Suroeste forma una península casi deshabitada, por donde vagan, entre soledades desnudas y desnudeces solitarias de la misma tierra ,algunos pastores.» Así hablaba don Miguel, al poco de su llegada, de aquella isla en la que había sido confinado.

En Cádiz

Ha tardado diecisiete días en llegar. Durante ocho interminables jornadas permanece en Cádiz, en lo que él llama su hotel-prisión, donde siente próxima y molesta la presencia de los policías que le acompañan. En la calle es peor, porque resulta inevitable el verlos. Sale lo menos que puede y acepta su papel de preso camino del destierro.

En su habitación relee alguno de los tres libros que se ha llevado o el manifiesto de Primo de Rivera, que es su *libro de maldiciones.* Miguel de Maeztu, enviado por Martínez Anido, le visita para intentar que Unamuno se retracte, pida perdón y se vea así con el indulto en la mano sin necesidad de continuar hasta Canarias. Otro vasco le visita, el señor Aldecoa, apoderado de don Horacio Echevarrieta, ofreciéndole de parte de éste un cheque en blanco para que don Miguel pueda hacer frente a las dificultades económicas de su nueva situación. No aceptó ninguno de los dos ofrecimientos, aunque con distinto talante, como es lógico. La entrevista con Miguel de Maeztu debió ser sencillamente bochornosa. Al señor Aldecoa le dijo Unamuno:

—Quieren deportarme a una isla desierta... bueno..., pero que no lo hagan ni a mis expensas ni a las de mis amigos... Que paguen los que me deportan.

Rodrigo Soriano, también deportado, se une a él en Cádiz y saben los dos que han de ser compañeros de forzada residencia. A Unamuno no le resulta especialmente grata esta compañía. No les une más que una circunstancia política: estar frente al dictador. Don Miguel se resigna.

—Hay que preparar un plan —le dice Soriano.

—El mío ya está hecho —contesta Unamuno—. Ni pregunto por qué me deportan, que es lo que querrían, ni pago. Ni, por supuesto, pienso huir.

El día que los policías les comunican que han de seguir viaje, don Miguel mete en sus bolsillos los tres breves libros que son su equipaje. La dirección del hotel le pasa la cuenta y don Miguel enrojece y con su voz aguda, llameándole los ojos azules tras los espejuelos de sus gafas, señala a los policías.

—Que paguen esos, que sabrán por qué me traen.

Unamuno no lleva ni un céntimo en el bolsillo. Al salir de Salamanca lo hizo con unas dos mil pesetas, casi una fortuna para entonces; pero cuando Aldecoa fue a llevarle el cheque en blanco de Echeverrieta, lo pensó mejor y le entregó este dinero para que lo remitiera a su mujer en Salamanca.

En Gran Canaria

De Cádiz a Las Palmas la travesía dura unas horas. Llegan de mañana, el día 2 de marzo. Nada más descender del barco tienen que presentarse al comisario de Policía. Este ha recibido ya instrucciones y se siente, además, impresionado por la presencia de aquellos dos peninsulares que han despertado las iras del Directorio.

—Aunque el vapor sale esta tarde para Fuerteventura —les dice—, ustedes tienen ocho días para descansar, y en estos ocho días ustedes se vigilan a sí mismos.

Hace trece años que Unamuno no visita la isla de Gran Canaria, donde le estrenaron su drama *La esfinge*, antes de su arribada primera a aquella tierra para ser mantenedor de unos juegos florales. Había conocido al joven Manuel Macías Casanova, una de las personas que más hondamente le habían impresionado y que murió trágicamente sin cumplir su sueño de ir a Salamanca. La soledad del recuerdo era una carga más en el exilio.

Entre tanto han surgido las protestas: la primera, en Salamanca, donde sólo se recogen cuarenta y una firmas: las de Trías, Cañizo, Emilio y Julio Salcedo, Población, Prieto Carrasco y Francisco Bravo... Con Madrid y otras provincias se llega a los 508 firmas. No es muy alentador el resultado. La Liga Internacional de los Derechos del

Ensayitos psicológicos

(a las) Brutalidad e inteligencia.

En el Círculo Republicano de Irún, febrero de 1930. (Foto Marín.)

1930. En la Plaza Mayor de Salamanca, la multitud aplasta a Unamuno con su entusiasmo.

Hombre, de cuya sección española es presidente Unamuno, también protesta. Max Scheler y Romain Rolland claman por este destierro. Gabriel D'Anunccio escribe indignado del «soldadote zafio, que hace chistes y coces, cruzando su sable de madera con la sutil y formidable pluma del gran escritor».

En España se pide el indulto y los socialistas no ven mal, incluso, que don Miguel claudique, solicitándolo para hacer más fuerza. La huelga estudiantil de Salamanca no se ha zanjado plenamente y se han anulado más matrículas a los estudiantes revoltosos. Las figuras de la Universidad francesa habían protestado en París en un acto político. En América, Leopoldo Lugones propone que la República Argentina rescate a Unamuno y le ofrezca una cátedra en la Universidad de Buenos Aires. El escritor uruguayo Carlos Vaz Ferreira se indigna y manda a la Agrupación de Escritores y Artistas de su país un *proyecto de telegrama al dictador*, que se publica en revista *Boletín de Teseo* cuando ya don Miguel está en Puerto Cabras. Debió de ser redactado al poco de conocerse la noticia en el continente austral y merece reproducirse como expresión del estado de ánimo de los escritores hispánicos:

«Proyecto de telegrama. Cerrar ateneos, detener a Unamuno, es decisivo.

Todos los países de América seremos Ateneos. Todos los escritores de América hablaremos por Unamuno.

Los hijos americanos de España, que la amamos tanto, exhortamos a ustedes a que reaccionen o dimitan, no por España, que siempre sabrá salvarse, sino por ustedes, a quienes en este momento los toma la Historia y no tendrán salvación.»

Los escritores madrileños asociados al P. E. N. Club ofrecieron a Unamuno el 4 de marzo un banquete en el que se guardó vacío su sitio, como reto al dictador que había sometido a expediente a los catedráticos de Madrid Jiménez Asúa y García del Real por manifestar su solidaridad con Unamuno, y había procesado a Fernando de los Ríos por un violento telegrama de protesta. *El liberal* había dirigido una carta abierta a Primo de Rivera, a la que replicó de forma destemplada el dictador, declarando que combatiría por todos los medios «el morbo del decadentismo».

Los actores Ricardo Calvo y Enrique Borrás, rumbo a Buenos Aires, hacen escala en Las Palmas y van en busca de Unamuno.

—Véngase con nosotros —le dicen.

—¡Cá! —contesta—. Ahora aquí. Ahora soy una carga; ya veremos cómo se deshacen de ella.

Saben los actores, y sabe el escritor vasco, que estos días en Las Palmas son como una invitación a la fuga, sin la vigilancia de la policía, sólo con la palabra dada al comisario; que acaso se haya querido dar en Madrid tal solución expeditiva al revuelo que se está armando para evitar complicaciones posteriores. También pueden pensar, es muy lógico a la hora de componer una escena, en la lle-

gada a la Ciudad del Plata de la compañía teatral que ha rescatado
a Miguel de Unamuno y le lleva consigo a ese país en que ha tenido
singular resonancia la decisión del dictador.

Llegada a Fuerteventura

El 10 de marzo de 1924 llegan Unamuno y Soriano a Fuerteventura y descienden del vaporcillo en Puerto Cabras, que habrá de ser
su residencia. La única pensión que existe en el pueblo se llama,
pomposamente, «Hotel Fuerteventura» y en él tienen que hospedarse
los confinados. El dueño, menos pomposo que el nombre de su hotel,
gusta de llamarse don Paco Medina, en vez de don Francisco. Amigan
pronto y van surgiendo los curiosos, admiradores lejanos y los contertulios del buen hotelero: don Ramón Castañeyra y su padre, don
José; el cura párroco, don Víctor San Martín, y don Pancho López,
«espíritu zumbón y crítico».

Don Miguel, desasosegado, pensando en su familia y en su España, llevaba largo tiempo con los viejos insomnios de sus épocas de
crisis, y al llegar a Fuerteventura se sorprende. «En mi vida he dormido mejor. ¡En mi vida he digerido mejor mis íntimas inquietudes!» La luz del sol le besa en la frente en la terraza del hotel, y
Unamuno, todos los días, como en sus viejas etapas de preocupación
religiosa, lee el ejemplar griego de los Evangelios que sacó de Salamanca. Suele estar desnudo, o casi desnudo, con simplicidad adánica,
y cuando se sabe escandaliza un poco a los isleños, que no tardarán
en acostumbrarse. Después baja a la playa y sigue tostándose al sol,
aunque cubra alguna de sus partes, y continúa su lectura: o bien
el Dante, el gran desdeñoso, o Leopardi. A veces sube a alguna barca
y se deja llevar por cualquier pescador, que asiste asombrado a sus
monólogos y le escucha recitar de cara al mar o al cielo. Mirando
a las olas, pesca metáforas y recuerda a Homero. Come con Rodrigo
Soriano en el hotel y discuten porque el periodista se hace traer
conservas de la Península, mientras Unamuno bebe leche de cabra
y come pan moreno, gofio disuelto en caldo y frutas secas. En venganza por estas discusiones, don Miguel fatiga a Soriano con sus
caminatas por la isla descubriendo la belleza de la aulaga majorera,
contemplando al camello «sacando agua de una noria, al pie de una
palmera», teniendo como fondo el paisaje de Betancuria.

Recuerda el cantar que ha oído en Las Palmas:

> *Ni en Puerto Cabras hay cabras,*
> *ni en la Oliva hay un olivo,*
> *ni pájaros en la Pájara,*
> *ni en la Antigua hay nada antiguo.*

«Y no es verdad —apostilla—, porque en Puerto Cabras, aquí,
hay cabras —y en su mar cabrillas— que lamen las piedras y se
mantienen; y si en la Oliva no vi un olivo, en la Pájara hay pájaros,
y hay algo antiguo en la Antigua. ¿Antiguo? ¡Más que antiguo! Por-

que en la Antigua hay, como en toda la isla, un clima prehistórico.»

Bastan pocos días para que don Miguel no se sienta allí como un desterrado. Encuentra en la isla explicación a muchas de sus ideas, una explicación de orden plástico. Se impresiona cuando ve embarcar ganado hacia otras islas en busca de pasto; la aulaga, «esqueleto de planta, toda ella espinas, sin hojas, pero en primavera con flores», se le aparece como la flor que ha de acompañarle en la más fuerte de sus aventuras quijotescas, porque es «una expresión entrañada y entrañable... (que) dice frente al cielo y a ras de las tierras..., la sed de vida, la sed de inmortalidad de las entrañas volcánicas de la Tierra.» Y se lanza a una utopía, sintiéndose en su ínsula Barataria. «Platón —dice— inventó, creó, no descubrió, la Atlántida, y don Quijote inventó, creó, no descubrió, para Sancho, la Insula Barataria. Y yo *espero* por la intercesión de Platón y de don Quijote, o con la ayuda de ambos, inventar, crear y no descubrir la isla de Fuerteventura.» Piensa en escribir un *Don Quijote en Fuerteventura*. ¿No estará aquí, informulada, la primera idea de su *Cómo se hace una novela*, la autobiografía de su destierro que escribe después ya en otra hora y paisaje?

La curiosidad del lingüista se satisface con los topónimos rotundos de posible origen güanche, con el prefijo *Te*: Tejuate, Tetir, Tefia, Tizcamanita, Tuineje, Tindaya, Tesejeraque, Trivijate, Tendaya, Tabaire, etc. Y con estos topónimos el nombre de una planta, la tebaiba, cuya leche acre le impresiona y dice que es «tuétano de huesos de esta tierra sedienta». Y sabe que hay que alimentar al espíritu con esta leche.

Unamuno, ya en Cádiz, leyendo su *libro de maldiciones*, ha empezado a escribir su diario de un desterrado, el que luego se titulará *De Fuerteventura a París*. Reanuda su colaboración en *El imparcial* con la serie *Al rededor del estilo*, que es prolongación de la titulada *Aforismos y definiciones*, de que se ha dejado los apuntes en Salamanca, y aunque habla del estilo no pierde ocasión de aludir a su vida en Puerto de Cabras y, más abiertamente, en una serie de artículos que van apareciendo en la revista bonaerense *Caras y Caretas*, los mismos que figuran en cabeza de *En el destierro*, libro póstumo editado por García Blanco y que ha desatendido la crítica absurdamente.

Proyectos de fuga

Fuerteventura es más que un Finisterre, está más lejos. Las noticias de la Península llegan entonces con retraso a Las Palmas, y a Puerto Cabras no arriban con menos de diez días de retraso. Pero Unamuno recibe algunas visitas. El 4 o el 5 de mayo aparece en la isla Mr. J. E. Crawford Flitch, traductor de don Miguel al inglés. Tímidamente, con esa timidez británica que está llena de aplomo, le dice a Unamuno que ha ido hasta allí para resolver algunas dudas lingüísticas que tiene en su traducción, pero hace una cuaresma con él —cuarenta días de convivencia como humanísimo homenaje de admiración y solidaridad. El 13 de junio, con lágrimas en los ojos, se despide Mr. Flitch, después de la comida a bordo del *Tordera*, cuyo capitán es un bermeano que con su diálogo levanta en Unamuno toda la nostalgia de su niñez vasca.

Antes ha recibido don Miguel una visita desconcertante: la de monsieur Henry Dumay, director del periódico francés *Le quotidien*, de orientación izquierdista. M. Dumay ha sido antes empresario de circo en los Estados Unidos y volvió a Francia convencido de que el sensacionalismo era el único lenguaje periodístico posible y se metió a editor. Madame Menard-Dorian, anciana acaudalada, aportó un cuantioso capital para aquella empresa periodística. Madame Menard-Dorian aspiraba a ser la madame de Stäel de su tiempo y sostenía un anacrónico salón literario y político, izquierdista, en su casa de la rue de Faisanderie. Pierre Bertrand era el director del periódico, y el consejo de dirección estaba formado por Renaudel, Aulard y Buisson, cuyos nombres se cotizaban alto en la bolsa del prestigio. M. Dumay concibe la liberación de Unamuno como una magnífica campaña publicitaria que podrá multiplicar la tirada de su periódico y madame Menard-Dorian pone el dinero necesario para una empresa que se considera como una inversión rentable.

Don Miguel se había propuesto no huir, pero no cuenta ya con el sueldo y ha de aceptar que «el coro de médicos de Fedra» y otros amigos hayan creado una pequeña sociedad que todos los meses pasa a doña Concha una cantidad de dinero igual a su sueldo de catedrático. El rector Enrique Esperabé ha enviado a casa de Unamuno su sueldo, pese a la supensión del mismo, y doña Concha, que sabe cómo reaccionaría su marido, devuelve a la Universidad este dinero y acepta sólo el de los amigos. Para Unamuno la soledad, a pesar de la paz de Fuerteventura, empieza a ser demasiado pesada. También desfallece en algunos momentos y teme que pasen los días y los días sin que caiga el dictador. Monsieur Dumay, mientras visitan un molino de gofio, le expone su proyecto de fuga, un tanto novelesco y absurdo. Don Miguel duda, pero termina por aceptar. Rodrigo Soriano irá también con él, y éste queda más entusiasmado con la idea. Aquella noche —cuenta Unamuno— «los franceses, cocineros de afición como es entre ellos frecuente, nos hicieron un pastel con gofio, huevos, mantequilla y algo de coñac, echando encima, después de bien tostado —un segundo tueste—, miel.» En la sobremesa, Dumay insiste en su plan: fletará un barco, llegarán de noche, harán señales con sus luces y los dos fugitivos tomarán una barca para acercarse a ellos.

Esperando al «Aiglon»

Dumay vuelve a París, arma el suficiente escándalo, tarda en comprar una vieja goleta llamada *L'Aiglon* y de sus preparativos se enteran hasta en Madrid en el despacho de Primo de Rivera. Pero en Puerto Cabras sólo unos pocos amigos saben lo que va a ocurrir. Unamuno y Soriano, muchas noches, salen a la playa buscando la

luz de la goleta salvadora. En la segunda quincena de mayo es ya
una costumbre en los dos confinados su visita a la playa pocas horas
antes del crepúsculo matutino. Sólo el mar y el cielo, que se con-
funden en las sombras. El regreso desesperanzado al hotel y la disculpa de «mañana, será mañana...».

El 24 de mayo recibe don Miguel carta de Salamanca y doña
Concha le envía un retrato suyo. Unamuno rumia la emoción en su
soledad y, a la noche, antes de volver a la playa en la espera que
cada día parece más inútil e infundada, escribe en su diario poético:

> «Ahora que voy tocando ya la cumbre
> de la carrera que mi Dios me impuso
> —hila su última vuelta al fin mi huso—
> me dan tus ojos su más pura lumbre.
>
> Siento de la misión la pesadumbre,
> grave carga deber decir: «Acaso»,
> y en esta lucha contra el mal intruso
> eres tú, Concha mía, mi costumbre.
>
> En la brega se pierde hojas y brotes
> y alguna rama de vigor se troncha,
> que no en vano dio en vástagos azotes;
> pero el alma del alma ni una rocha
> tan sólo me rozó, que con tus dotes
> eres de ella la concha, tú, mi Concha.»

Y le salta de la pluma aún otro soneto, también preñado de nostalgia:

> «Tranquilos ecos del lugar lejano,
> grises recuerdos del fugaz sosiego,
> suaves rescoldos de apacible fuego,
> cansada ante ellos, tiémblame la mano.
>
> Olas que sois ensueños del Océano,
> y en cuya vista mi recuerdo anego,
> lavad meciendo mi pasión, os ruego,
> mas sin abrirme el misterioso arcano.
>
> ¿Cuándo, Dios de mi España, pondrás tasa
> al baldón de tu pueblo envilecido?
> No pueblo, no; sino cobarde masa...
>
> Y ¿cuándo harás, Señor, compadecido,
> que en el silencio vivo de mi casa
> me dé en sus brazos al más santo olvido?»

Un mes después, el 25 de junio, cuando ya son varias las noches
que Unamuno, desanimado, no sale a la playa y espera solo a que
le avisen los buenos amigos que montan la guardia ya sin esperanzas, llegan a Puerto Cabras monsieur Dumay y su mujer, con un hermano de ésta, ruso. «Venían —cuenta don Miguel— a arreglar de
nuevo la evasión. El barco L'Aiglon, un bergantín goleta, había tardado más de un mes de Marsella a Mogador. El día 27 —termina

Unamuno— se fueron a Las Palmas. Y empezaron unos días de agitación y ansiedad.» El día 1 de julio Fernando de Unamuno y su mujer llegan a Las Palmas, donde se entrevistan con M. Dumay. El plan prevé la fuga hasta la Isla de Madera y desde allí a Francia.

El 2 de julio llega a Fuerteventura Delfina Molina Vedia de Bastianini, acompañada de su hija. Es una dama argentina que gusta desde hace años de la lectura de Unamuno y le envía largas y admirativas epístolas y sus libros de versos. La argentina está entusiasmada con la idea de participar en la aventura. Conversa con don Miguel, se fotografía en su compañía y en la de uno de los policías encargados de vigilar al escritor vasco. (Los policías plantearon a Soriano y a Unamuno la necesidad de ser buenos amigos que salen juntos y conviven en vez de tener que seguirlos a distancia. Los confinados aceptaron y su convivencia no fue molesta ni para vigilantes ni para vigilados.) Delfina, que también tiene habilidad de pintora, pinta un retrato a la acuarela de don Miguel, y mientras lo hace le declara veladamente su amor. Unamuno no presta mucha atención a lo que le dicen. El día 6 la admiradora entusiasta regresa a Las Palmas para reunirse con Fernando de Unamuno y la mujer de éste.

Destierro voluntario

El 4 de julio, en Madrid, el general Primo de Rivera ha decidido indultar a Unamuno y a Soriano, no de forma personal y directa, sino mediante un real decreto en que su caso, como otros, está incluido. La noche del 9 de julio, sin conocer la noticia, Unamuno y Soriano mojan por última vez sus pies en la playa de Puerto Cabras y en una barca van hasta *L'Aiglon*. Después... les coge un remolino que les hace perder tiempo y marear incluso a los tripulantes, a excepción de Unamuno, que se mantiene indiferente a todo. Llegan el día 11 a Las Palmas, cuando ya les creían perdidos irremediablemente, y Fernando de Unamuno les comunica que no tienen de qué ocultarse. Don Miguel recibe noticias de su hijo; se baraja la posibilidad de volver a la Península. Pero, ¿ha sido repuesto en la cátedra? Si vuelve a España necesitará recurrir contra el Gobierno y aclarar su situación. El trance es duro. M. Dumay ve hundirse toda su campaña publicitaria. Don Miguel no admite consejos de nadie y duda.

Al fin se decide: irá a Francia para seguir su lucha contra el Directorio con más libertad. ¡Si quiso desterrarle, ahora será un exiliado de verdad, un transterrado fuera de España! *L'Aiglon* no estaba ya para muchos mares y acuerdan embarcar en el *Zeelandia*, que zarpa de Las Palmas el día 21, diez días después de su llegada a Gran Canaria, diez días en que ningún policía ha seguido sus pasos, porque ya no es un confinado. El día 21, Unamuno, Soriano, M. Dumay y su familia, el hijo de don Miguel y su mujer emprenden rumbo a Cherburgo. Ahora empieza el auténtico y voluntario destierro de Unamuno.

22

Llanto de don Miguel en París

Recepción en Cherburgo

E<small>L</small> plan publicitario de *Le quotidien* se había logrado plenamente No habían salido Unamuno y Soriano de Las Palmas, donde conocieron la noticia de la amnistía a la cual podían acogerse, y ya en Francia se brindaba a los lectores de la prensa parisiense, el 15 de julio de 1924, una nota oficial de la Embajada española que hasta *Le quotidien* tuvo que publicar:

«L'Ambassade d'Espagne à Paris déclare que les informations publiées par un journal du matin relativent au départ de MM. Unamuno et Soriano de l'île de Fuerteventure, sont denuées de tout fondement et contraires à la vérité.

MM. Unamuno et Soriano ont reçu notification officielle de l'amnistie, à Fuerteventura, et ont fait savoir par l'autorité compétente qu'ils arriveraient directement de Fuerteventure à las Palmas.»

La noticia de la amnistía, enviada por cauce legal a la prensa francesa, llegó tarde —ya lo hemos dicho— a Unamuno y a Soriano. Les habría ahorrado muchas molestias. De todos modos, cuando el vapor holandés *Zeelandia* zarpa de Las Palmas rumbo a Francia el ex rector de Salamanca ha jugado la carta más decisiva desterrándose voluntariamente para emprender, ya sin dificultades de censura española, su lucha contra el Directorio. Don Miguel, viejo misogalista, se deja llevar ahora, halagado por los ecos de su actitud en Francia y por los entusiasmos de monsieur Dumay.

La nota de la Embajada española en París —¡la política siempre es la política!— es el chorro de agua fría sobre los entusiasmos de urgencia y da en tierra con los proyectos de recibir a Unamuno en la capital del Sena en olor a multitud. Además, como sombra suya, inevitable, hay que aceptar a Rodrigo Soriano, a quien León Daudet, como director de *L'action française*, presenta en su dimensión exacta de periodista a sueldo de los poderes centrales, con una antología de sus textos contra Francia en la dramática coyuntura de la guerra europea, la Gran Guerra, como se decía entonces.

El profesor Aular, que se había previsto recibiese a Unamuno en París, tiene que desplazarse a Cherburgo el 27 de julio y su misión es delicada en extremo. M. Aular sube al *Zeelandia* para saludar a don Miguel y rogar a Rodrigo Soriano que siga viaje hasta Amsterdam, para poder volver a Francia en silencio y sin escándalo. Soriano no pone buena cara, pero parece aceptar, y con esta confianza Unamuno y Aulard descienden del *Zeelandia* camino del local que la Liga Internacional de los Derechos del Hombre ha elegido para el banquete de bienvenida a don Miguel. El alcalde y el prefecto figuran en el acto presidiendo el banquete. Pero Rodrigo Soriano está dispuesto a intentar ser, por todos los medios, la figura principal del festejo, y aparece en el banquete pese a lo convenido con monsieur Aulard, y no sólo busca un sitio destacado en este homenaje francés a Unamuno, sino que, soltando la lengua en su mal francés, se siente homenajeado y agradece la bienvenida que a él y a Unamuno les dispensan. Afortunadamente, pocos ejemplares del periódico de Charles Maurras y León Daudet habían llegado a Cherburgo.

Llegada a París

Al día siguiente, 28 de julio, llega don Miguel a París. Le acompañan su hijo Fernando y la mujer de éste y Eduardo Ortega y Gasset, que ha aceptado voluntariamente el destierro con don Miguel. Unos pocos amigos le esperan en la Gare de Saint Lazare, entre ellos Carlos Esplá. A las once de la noche llega el ex rector, ex catedrático de Salamanca. La gran estación —las seis estaciones ferroviarias de París son grandes— aturde al provinciano —aldeano más bien— que Unamuno lleva dentro de su traje de pastor protestante. Una señorita, en nombre de *Le quotidien*, le entrega un ramo de flores, con el que no sabe qué hacer, y bendice la presencia de su nuera, que le libra de la para él tan insólita fórmula de bienvenida.

Marchando por el andén, toma a Carlos Esplá del brazo y le lanza su mensaje de socorro:

—Ya me he fugado de Fuerteventura... Ahora tienen ustedes que ayudarme a fugarme de Soriano. ¡No puedo soportarlo más!... Mi condena de destierro fue en realidad una condena a vivir ¡con él! en la isla.

Al día siguiente, cuando en París, en verano, a las ocho de la mañana duda aún el sol entre brillar o arroparse en las nubes del orvallo y sus piedras ennegrecidas tienen la palidez de la noche de juerga de los turistas, se escapó Unamuno del hotel Terminus, frente a la Gare Saint-Lazare, y fue a refugiarse en el número 2 de la rue La Perousse, el alojamiento que había previsto para él madame Menard-Dorian. Fernando de Unamuno y su mujer, Carlos Esplá, Gabriel Franco y otros amigos le llevan hasta esta morada parisiense a que ha de ir a buscarle, aquel mismo día, mademoiselle Glemot, que acudió antes al hotel Terminus con una carta de presentación de *Le quotidien*. Mademoiselle Glemot había sido enviada «pour vous piloter dans la capitale», como reza la carta, en gracia a su conocimiento del español. Realmente empezaba ese momento absurdo, desorbitado y tragicómico que haría sentirse a don Miguel terriblemente incómodo en París. Mademoiselle Glemot tenía la misión de acompañar a «ses enfants», porque la gente de *Le quotidien* ignoraba la presencia de «ses fils», un arquitecto y su esposa.

La pensión de la rue La Perousse era quizá el tipo de vivienda que podía aceptar y apetecer Unamuno en París, un *hotel famille*. Se había pensado antes en el hotel Majestic, pero temían que el ascético y terco aldeano vasco que aceptaba voluntariamente la expatriación no hubiese aceptado. Aquella pensión familiar era más modesta y tenía las mismas ventajas que el Majestic: su proximidad a la redacción de *Le quotidien* y a la Place de L'Etoile.

En la Rotonde de Trostky

No había tenido tiempo don Miguel de aclimatarse a París, y ya era arrastrado por M. Dumay —no olvidemos que fue empresario de circo— el 31 de julio al homenaje a Jaurés en el Trocadero, en el que era Unamuno —por su novedad— una atracción. Y, al tiempo, se le planteaba a don Miguel una situación enojosa: su familia. Sus hijos tienen que regresar a España. Fernando, el primogénito, y su mujer se quedarían de buen grado en París. La gente de *Le quotidien* espera la oportunidad de una más escandalosa propaganda: la penuria del desterrado. Don Miguel decide, puesto que ha pensado que su destierro sea ejemplar, quedarse solo. Su hijo Fernando le habla del proyecto familiar de que alguno de sus hermanos le haga compañía, turnándose, pero don Miguel no transige y asume voluntariamente (¡cuánta voluntad hay en su exilio!) la decisión de encerrarse en su habitación para amasar en soledad su nostalgia de hogar y de España.

Cuando se dirigen hacia la rue La Perousse le preguntó a Carlos Esplá:

—¿Van ustedes a algún café? ¿Dónde se reúnen?

—En el café de la Rotonde, en Montparnasse.

La tertulia del Novelty salmantino, la del Casino, saltan en su recuerdo. También la familiar tertulia de Puerto Cabras en el hotel Fuerteventura, con los viejos amigos y con los policías que les plantearon —a él y a Soriano— la conveniencia de convivir con ellos como amigos en vez de seguirles como espías. ¡Una tertulia! La oportunidad de hablar y seguir desarrollando como siempre sus artículos, los que luego, a prima noche, seguirá escribiendo ya corregidos en el borrador de la memoria. La tentación era grande, una tentación a la cual el eterno solitario de Salamanca no podía sustraerse.

El café de la Rotonde hoy ya no existe, sustituido por un cine entre dos grandes boulevares: Raspail y Montparnasse, donde ha sido puesto el más hermoso monumento a un escritor: el Balzac de Rodin. La Rotonde tenía ya su leyenda de proscritos: era el café de León Trostky. Don Miguel recuerda los relatos de su antiguo discípulo José Sánchez Rojas, compañero de pensión de Lenin en París, a quien le enseñaba castellano para leer el *Quijote*, y sus encuentros con el intelectual de la Revolución de Octubre. El local tiene hasta historia, el encanto romántico que Unamuno apetece para su quijotesca aventura contra el Directorio.

Al fondo del café, junto a un ventanal volcado al *Boul' Ras*, los españoles tienen su rincón de diálogo y nostalgia. Don Miguel almorzaba a las once y media o las doce, siguiendo sin esfuerzo el horario gastronómico de Francia. Era el primero en acudir a la tertulia. Seguía con sus costumbres: el café con sólo un azucarillo y luego el agua mezclada con las últimas gotas de café, que bebía como si fuera un elixir maravilloso. El café costaba un franco —ochenta centavos, más los veinte de «pourboire» obligados— y pagaba nada más llegar. No le gustaba que, convertido en espectáculo, alguien quisiera invitarle.

Ni montaña, ni desierto, ni mar

París le pone triste. El sueño de paz que tenía en Fuerteventura ha desaparecido en la *ciudad lumbre* —como él la llama—, donde «no deja dormir en paz el traqueteo de los autos». Y se preguntaba: «¿Dormirse aquí? ¿Dormirse en medio del barullo de lo que llamamos civilización? Y, sin embargo, acaso es así, y todo esto no más que una pesadilla; la pesadilla de la historia que pasa.» Treinta y cinco años antes había estado en París por vez primera y Unamuno recuerda «el mozo pálido y soñador que vino acá de Bilbao, pasando antes por Italia y Suiza». Lo triste es que busca a aquel rapaz de entonces y se confiesa: «No encuentro al que fui, y mucho menos al que pude haber sido.» Para él París no será la meca de literatura y sabe que, en el umbral de la vejez, puede «mirarlo con ojos serenos, con ojos serenados por la lucha».

Junto a la pensión de la rue La Perousse está la pequeña plaza de los Estados Unidos, con su aire provinciano y el pobre monumento en que Lafayette y Washington se dan la mano. «A este parquecito —escribe— suelo bajar enteramente solo —pero ¡con compañía dentro!— cuando quiero arar y bizar mi soledad parisiense, cuando quiero heñir mi morriña y amasar mi nostalgia.» Y allí sueña en el salmantino parque de San Francisco, tan próximo a su hogar en la calle de Bordadores. «¡Allí sí que estaba en el centro del universo!» Recuerda a su «hermano del alma», el poeta ciego Cándido Rodríguez Pinilla, que le llevaba a escuchar el canto del ruiseñor

y a ver. «El, el ciego, me llevaba a mí, a su lazarillo, a ver. ¡Y veíamos! Veíamos el transporvenir, lo que está más allá de todo lo que
está por venir, y es lo que estaba antes de todo lo que ha venido
y pasado, lo que está debajo y encima de lo que pasa, lo que lo envuelve, la augusta forma eterna.» Piensa que ya estarán dorándose
y cayendo las hojas del campo de San Francisco. También recuerda
que, desde su clase, «traducía a Platón mientras tomaba el sol... (y)
podía ver a lo lejos, por encima de la cúpula de San Esteban, el histórico templo dominicano, la reposada llanura de pan llevar y, en
el fondo, como un enorme oleaje de la llanada que quiere trepar al
cielo, estribaciones de la sierra matriz de Castilla».

Cuando va a tomar café, cruza el Sena en «metro», sobre el puente
de Passy, a la vista de la torre Eiffel, empinada sobre los techos
azules y cuajados de buhardillas, y se acuerda de Gredos. También,
mientras el metropolitano le lleva, de sus caminatas por la carretera
de Zamora, «soñadero feliz de mi costumbre». Y al ver el Sena, ca-
nalizado, civilizado, evoca el Tormes modesto y ancho. «Cierro los
ojos para ver.» Con los ojos cerrados pasa por París para ver sólo
sus recuerdos.

En París no hay ni montaña, ni desierto, ni mar. París es una
ciudad que no se rinde fácilmente al visitante que almacena nostalgias en su corazón. París es egoísta y quiere que la nostalgia sea
para ella sola. Quizá por eso, una vez conquistada para el alma, resulta inolvidable. Don Miguel —esta es la verdad— no llegó nunca a
entrar en París. Buscaba allí la España de que se había exiliado voluntaria y doloridamente. Buscaba a Gredos en la avenida de la
Opera; la carretera de Zamora, en el boulevard Kellerman; la Plaza
Mayor de Salamanca, en la de los Vosgos; los campos llanos, escue-
tos, sin árboles, de la Armuña, en la arboleda del Bois de Boulogne;
los cuadros de Rivera en las Agustinas de Salamanca, en los museos
parisienses. Todo le produce tristeza, y la siente más honda, todos
los días, cuando como un provinciano asustado tiene que utilizar
el «metro», cuyas estaciones negras y tristes le deprimen.

Viaje a Bruselas

París también aturde a Unamuno al principio. No es tanto la
ciudad como los hombres que habitan en ella. Ha llegado el día 28
de julio y tres días después, en su doble condición de exiliado ilustre
y de *officier d'Instruction Publique* del Gobierno francés —desde
mayo de 1910—, asiste en el Trocadero al homenaje a Jaurès. Siete
días después está en Bruselas, donde le lleva y le trae la sección
belga de la Unión Latina y la Federación Racionalista. Para los belgas
es, desde febrero de 1921, *Commandeur de l'Ordre de Léopold II.*
Allí conoce al escritor belga Bazalgette y recibe el homenaje de los
estudiantes de Bruselas.

El 10 de agosto está aún en la capital de Bélgica, y se asombra
por la presencia del traje dominguero, que se le antoja vestimenta

de carnaval, y evoca «los trajes de charro y charra que ya en mi Salamanca no sirven más que para disfrazarse»; pero el asombro lleva también admiración: «Contemplé —escribe— aquellas comparsas populares de las calles de Bruselas, y vi la niñez imperecedera y aquellos niños y niñas grandes, tan niños como sus nietos, que tan seriamente se divertían. Pensé que un pueblo así puede soportar toda clase de pruebas.»

En su visita a Bélgica no llegó a Brujas, la que es acaso la ciudad más bonita del mundo, pero sí a Gante. Contemplando sus canales, respirando su hediondez, le nace una honda fuente de ternura y su corazón se alegra con la visión, junto a los canales, de unos chiquillos que sobre el césped «jugaban y reían y saltaban y se revolcaban». Sus hijos ya eran mayores. Fernando estaba casado y era arquitecto; Pablo, médico dentista, se había hecho cargo del sostenimiento de la familia; Pepe y Rafael iban a terminar la carrera; Ramón estaba en los inicios de la de Medicina, que compartía con su afición de jugador del equipo de fútbol de Salamanca; las chicas eran también mayores. Don Miguel sentía nostalgia de los nietos que aún no tenía y no se daba clara cuenta de ello en su soledad.

Antes de salir para Bélgica ha escrito, urgido por M. Dumay, un primer artículo que titula «Primo de Rivera» y que aparece en *Le quotidien* el 9 de agosto. La traducción de su texto español le disgusta. El día 14 un nuevo artículo —«La situation est grave en Espagne»— y sigue el disgusto. Don Miguel ha dicho muchas veces que sólo sabe desnudar la pluma en su idioma, pero corre el riesgo y escribe en francés, descontento con el traductor de *Le quotidien*. Su primer artículo directamente escrito en francés aparece el 17 de agosto y se titula «Le trône chaucelant d'Espagne?». Surgen las dificultades. La redacción de *Le quotidien* ha metido la pluma. Don Miguel se indigna. Insiste con otro artículo: ha decidido someter el idioma francés a los mismos descoyuntamientos a que sometía su nativa lengua española. Pero el francés, frente al castellano, es lengua flexible que admite sólo el buen tiento de la vara de fresno, sujeto siempre a leyes de flexibilidad, a rígidas y severas formas en el fondo, mientras que el español parece en todo momento una maravillosa caja de sorpresas en la que el premio espera siempre al temperamento creador. El secretario de *Le quotidien* creía que Unamuno era en su casa una maldición del Directorio español que había caido sobre él.

—Mais, cher maître, *curoïd*... Ah, ça! Ça ce n'est pas français.

—Oui, oui —insiste Unamuno—, *curoïd* de curé... comme cellulloïd de cellule.

Tienen que acudir incluso al criterio de Georges Duhamel, premio Goncourt por su *Vie des martyres*, quien encuentra correcto el francés de Unamuno, aunque sea tan personal. *Le quotidien*, en cambio, siente molesto ya al escritor español y las relaciones entre la empresa circense de M. Dumay y el antipayaso vasco son cada vez más difíciles.

El 2 de octubre tiene que dar Unamuno una conferencia en el

Club du Faubourg, sobre España, y le salta toda su emoción en el francés correcto y gutural que terminará por hacerse característico. Se le lleva de un lado para otro; se intenta que el mayor individualista de España sea hombre de paja en Francia, y don Miguel, por encima de su pleito personal con la Dictadura, empieza a sentir angustiadamente su soledad.

Duhamel, testigo de un sollozo

La familia está ya lejos. Tal ha sido su voluntad. Está solo. Le faltan sus alumnos también. Georges Duhamel es uno de sus primeros amigos. A don Miguel le agrada ir a casa del gran escritor francés, donde habla en vasco con la criada de éste. Va algunos días a tomar el té o el café, a comer o, simplemente, a charlar. Cuando llega —Duhamel lo ha recordado el tomo V de *Lumières sur ma vie*— se sienta en la silla habitual del anfitrión y empieza a hacer pajaritas de papel mientras habla. Duhamel le entrega, dedicados, libros suyos. Un día que va a buscarle, encuentra en la mesa de Unamuno su libro *Possession du monde* llenos los márgenes con acotaciones y apuntes. Don Miguel sonríe y le dice:

—Emportez et lisez mes notes, cela pourra vous être profitable. —Y añade—: Le livre que vous m'avez donné, laissez-moi vous le donner à mon tour.

Duhamel guarda el libro en su bolsillo y al no estar hoy en la biblioteca de Unamuno hay que pensar que sigue siendo reliquia en la biblioteca del médico y escritor francés. Y es Duhamel quien pone el alma del vasco-salmantino a máxima tensión cuando le dice aquel invierno que los alumnos de la Escuela Normal de la Rue d'Ulm quieren escucharle. En una pequeña aula, don Miguel, que tiene costumbre de hablar sentado, dirige su palabra a una cincuentena de escolares que le escuchan respetuosamente de pie y en silencio. Unamuno les habla en francés fluidamente:

—N'ayez pas d'idées; les idées vous empêcheront de penser.

Habla durante tres cuartos de hora y el silencio, religioso y emocionado silencio de los escolares, es ejemplar. Poco a poco, don Miguel se va ahogando en la emoción y enrojece. El rubor de su cara destaca escandalosamente enmarcado por su barba y pelo blancos. Se cubre el rostro con sus manos anchas y pequeñas y solloza. Duhamel, el médico escritor que ha conocido el dolor humano dando testimonio de él en libros ejemplares, se encuentra ante una nueva forma del dolor. Su cara redonda y su mirada brillante tras las gafas se ponen graves. Hace una muda señal a sus alumnos y los muchachos, en silencio, van saliendo de la clase. Sin cambiar una palabra, don Miguel y M. Georges salen a la calle. Hace frío. Unamuno, como siempre, va a cuerpo y se coge del brazo de su amigo francés, buscando el apoyo y la proximidad de la confidencia:

—C'était la première fois, depuis si longtemps, que je me retrouvais devant mes élèves.

Y continúa ya en silencio, bajo la noche de París, rumiando su soledad de España, su soledad de Salamanca y de su Universidad.

Ha muerto Yago de Luna

En la soledad, el desaliento parece mayor. Le cuesta escribir sus artículos. La censura en España está haciendo inútil su esfuerzo y va cortando sus colaboraciones. En América, porque no es tan sensacionalista como ellos quisieran, dilatan la publicación de sus artículos. Desfallece y siente el peso de sus sesenta años. El temor a la muerte hace renacer viejos fantasmas, antiguas congojas. El tedio: no dar clase, no escribir apenas, perder el interés incluso por la lectura, le mete el alma en un puño.

> «Caido desde el cielo aquí me aburro
> —y cielo era la mar, junto al desierto—;
> con este marco el cielo es cielo muerto;
> no oigo de Dios el inmortal susurro.»

A veces, en las noches de insomnio, surge la paz, la tregua, la esperanza de nuevo, y Dios parece llamarle desde Gredos:

> «¡Miguel! ¡Miguel! Aquí, señor, desnudo,
> me tienes a tus pies, santa montaña,
> roca desnuda, corazón de España,
> y gracias pues que no me sigues mudo.»

Pero el 14 de noviembre ha muerto en París el niño Yago de Luna, hijo de españoles. Es un niño de ocho meses que ha sucumbido de un ataque de meningitis tuberculosa, la misma enfermedad que provocó la hidrocefalia del pobre Raimundín, cuyo retrato —dibujado por él— ha llevado Unamuno como compañía en su soledad del destierro en la cartera. Hasta el cementerio de Pantin va don Miguel y en su alma se revuelve un vértigo angustioso. Todos los viejos fantasmas se levantan en su corazón en soledad.

> «A un hijo de españoles arropamos
> hoy en tierra francesa; el inocente
> se apagó ¡feliz él!, cuando su muerte
> se abrió al mundo en que muriendo vamos.
>   A la pobre cajita sendos ramos
> echamos de azucenas, el relente
> llora sobre su huesa, y al presente
> de nuestra patria el pecho retornamos.
>   "Ante la vida cruel que le acechaba,
> mejor que se muera" —nos decía
> su pobre padre con la voz temblando,
> era de Otoño y bruma el triste día
> y creí que enterramos, ¡Dios callaba!
> tu porvenir sin luz, ¡España mía!»

Y añadía un revelador comentario: «¡En mi vida olvidaré ese
día en que fuimos a enterrar al pobre niño! Era uno de los días en
que más me dolía España.» Armando Zubizarreta, en su *Unamuno
en su «nivola»*, supo ver la importancia de este suceso, que abre una
nueva crisis en el alma de don Miguel, una crisis regresiva a los momentos angustiados de 1897.

Con Blasco Ibáñez

En París van a encontrarse, y a convivir brevemente, Unamuno
y Blasco Ibáñez. Son viejos conocidos. Se han escrito algunas veces.
El valenciano ha requerido en más de una ocasión la pluma de don
Miguel para sus empresas periodísticas y no es un detalle casual
el que, desde Valencia, empiecen los ataques judiciales a Unamuno
por el delito de lesa majestad, porque allí se le considera abiertamente correligionario del popular novelista republicano.

Con Blasco, aunque sus fuertes personalidades choquen a veces,
no le resulta a Unamuno molesta la convivencia, como le había pasado con Rodrigo Soriano. (En el archivo de don Miguel hay cartas
de Blasco en que se pone a Soriano «como no digan dueñas».) En
1922, con su residencia fijada en Francia, Blasco Ibáñez, en carta
del 26 de agosto, invita a don Miguel a pasar unos días en la Costa
Azul:

«Vamos a la parte material de esta invitación —le escribe—,
que, como le digo, no es de vana cortesía. Con la franqueza que
debe existir entre compañeros de pluma, le diré que no tiene usted
que preocuparse del costo de este viaje. Será usted mi huésped,
corriendo de mi cuenta todos sus gastos. Además yo le propor-
cionaré igualmente los medios para viajar por toda la Costa Azul.
Y no crea que esta invitación es para tenerle a todos horas en
mi casa, cohibido y tímido, como es natural en casa ajena. Mi invitación es a estilo moderno, como yo he sido invitado tantas
veces en los Estados Unidos; comeremos juntos algunas veces,
nos veremos todos los días, pero yo le instalaré a usted en edificio
aparte con entera independencia para que viva a su gusto, como
si estuviera en su propia casa.»

Las diferencias entre Unamuno y Blasco son simples y elementales y por eso realmente no les separan, les apartan tan sólo y saben
que pueden tenderse la mano: ambos son dos luchadores que han
aceptado libremente el exilio para combatir al Directorio, son dos
fuertes individualistas y saben de sobra que a la opulencia del valenciano se opone la modestia económica del vasco, a la sensualidad
del mediterráneo la ascética del cántabro-castellano.

Nada más proclamada la Dictadura, Unamuno ha decidido oponerse a ella. Blasco Ibáñez, ausente de España, no palpa de la misma
forma dolorosa la realidad del país y hace grandes proyectos para

el futuro en los que figura don Miguel. Pero Blasco siente un hondo respeto por el ex rector y no se atreve a ser él quien haga la propuesta. Será *Azorín* el intermediario.

«Mi querido don Miguel: Blasco Ibáñez tiene el propósito de fundar una Academia de la novela. Los académicos serán cinco. Blasco vendrá a Madrid en la primavera próxima. Traerá entonces 500.000 pesetas. Se depositarán en el Banco y se firmará la escritura de fundación de la Academia.

De la renta de ese capital se dará todos los años un premio de 20.000 pesetas a la mejor novela. Lo restante de la renta será para gastos de los académicos, 1.000 pesetas a cada uno.

Esta es la primera etapa de la fundación. Blasco destinará otras 500.000 pesetas a la obra, a fin de que cada miembro de la Academia tenga 6.000 pesetas de emolumentos.

No se requiere que nadie envíe obras a la Academia. Se juzga y se premia lo ya publicado. Una reunión en torno a la mesa de un restaurante bastará.

Los académicos son: Pérez de Ayala, Baroja, Valle Inclán y yo. Y tendríamos verdadera satisfacción en que usted aceptara el cargo.

La Academia será independiente en todo. El fundador no intervendrá para nada en su funcionamiento.

Siempre admirándole,

Azorín

Madrid, 31 octubre 1923.»

Unamuno contesta aceptando. La idea de Blasco Ibáñez no puede ser mejor ni más generosa; pero duda de que, dado como van las cosas en España, esto sea viable. El 8 de noviembre, acusando recibo, envía Azorín al escritor vasco una tarjeta de visita en que ha escrito:

«Mi querido don Miguel: gracias por su aceptación.

Blasco Ibáñez se ha marchado a Nueva York para emprender un viaje en torno al mundo. La última carta que me escribió coincide exactamente con la de usted al apreciar la situación de España.

Siempre su admirador,

Azorín.»

Cuando llega la primavera, Unamuno ya está confinado en Fuerteventura, y Blasco Ibáñez, escribiendo sobre la marcha *La vuelta al mundo de un novelista*, no volverá ya nunca a España. El más importante premio literario español se ha hecho irrealizable.

En París, adonde regresa Blasco meses después de la llegada de Unamuno, no se ven al principio. Don Miguel se siente molesto ante la posibilidad de que el bollante novelista tenga que ayudarle en sus dificultades económicas. En Fuerteventura, desterrado por el

Gobierno, ha exigido que éste pague sus gastos; pero en Francia, exiliado voluntario, ha de ser él mismo quien atienda a sus necesidades.

Blasco Ibáñez proyecta la publicación de un semanario llamado *España con honra*, de cuya dirección encarga a Carlos Esplá, y a éste confía la misión de recabar la colaboración de don Miguel. A Unamuno le parece bien la idea y acepta la entrevista con Blasco Ibáñez.

—Vamos a ver a ese hombre —le dice a Esplá.

Y se van juntos al Hotel du Louvre, en cuyo vestíbulo se topan con el valenciano, que espera el ascensor. Se abrazan, hablan al tiempo y no se escuchan realmente. A Blasco Ibáñez le impresionan las canas, ya vencedoras en el cráneo y en el mentón de Unamuno.

—Don Miguel, ¿sabe a quién se le parece usted ahora, con la barbita ya blanca?

—Sí, lo sé; a Venizelos. Me lo han dicho.

—No, no...

—Sí, sí, a Venizelos.

—No, no, a Pi y Margall.

Carlos Esplá asiste, en la habitación de Blasco Ibáñez, a los monólogos cortados de los dos escritores. Blasco arrastra a Unamuno hasta el balcón y le quiere hacer admirar el espectáculo de la Avenida de la Opera, con el sol oblicuo del temprano atardecer.

—¿Verdad que es maravilloso, don Miguel?

—¡Gredos! ¡Gredos! —suspira Unamuno.

En realidad no han concretado nada en su larga charla. A los dos les ha confortado el encuentro; pero... si se hubiesen escuchado..., si se hubiesen dicho todo cuanto querían decirse...

Blasco Ibáñez acudió días después a la tertulia de La Rotonde y protestó del humo que invadía el local. Se encontraba más a gusto cuando, pese al frío, aprovechando el sol de invierno, arrastraba a la tertulia a la terraza, incluido Unamuno, siempre a cuerpo, que no se dejaba impresionar por las bajas temperaturas.

La Liga de los Derechos del Hombre, que presidía Unamuno en su sección española, desde antes de la visita al rey, se constituye en París, contando como secretario con Eduardo Ortega y Gasset, que también ha elegido voluntariamente el destierro. En la rue Dantón, en la Salle des Societès Savants, el 23 de octubre, se celebra un mitin contra el Directorio, bajo la presidencia del catedrático de la Sorbona, M. Charles Richet. Habló don Miguel, y, como recuerda Esplá, «en francés la palabra de Unamuno tenía menos pasión que en castellano. Más que el discurso político de un desterrado parecía el suya una conferencia universitaria, una objetiva exposición crítica de la situación española». Blasco Ibáñez, con vehemente facundia, habló en español. Los anarquistas y comunistas que asistieron al acto interrumpieron a don Miguel, sin que éste les hiciera mucho caso; Blasco Ibáñez, vivamente, dialogó con ellos.

Después de aquella experiencia, Unamuno y Blasco se vieron más veces, no muchas; firmaron juntos manifiestos, y don Miguel prestó su pluma a las columnas de *España con honra;* pero rehuyeron el choque personal, que hubiera sido inevitable de no mediar un interés común: la lucha contra el Gobierno de Primo de Rivera.

Anécdotas parisienses

El café de La Rotonde es el escenario habitual de su vida. Allí recibe las visitas, allí está expuesto a la curiosidad de las gentes, mientras habla y hace pajaritas de papel. Los contertulios se las llevan, firmadas por don Miguel.

González Ruano cuenta una simpática anécdota en su *Vida y aventuras de don Miguel de Unamuno:* «... Don Miguel, una tarde, haciendo pajaritas, repara en una muchachita que le mira desde la mesa próxima. Es muy francesa, muy parisiense (...). La muchachita habla reservadamente con el camarero, y éste, poco diplomático, se atreve a interrumpir en la mesa de don Miguel y dice cómo la muchacha le ha pedido que le dé una de aquellas pajaritas, si le es fácil procurársela. Don Miguel no dice nada. Sigue hablando y haciendo pajaritas. Ha hecho cinco o seis de distintos tamaños. Después las firma una por una y, levantando sus ojos hasta los de ella, que los tiene clavados en los de don Miguel, le dice:

—Voici, mademoiselle.»

Eduardo Ortega y Gasset, con Esplá, Armengot y otros, son los habituales compañeros de tertulia. También recala por allí Alfonso Reyes, ministro de Méjico en Francia. Y no faltan los policías, que tienen la misión de vigilar a Unamuno. Alfonso Reyes recuerda que se hicieron amigos de don Miguel y se sentaban en la tertulia. Fabián de Castro, pintor gitano —que había realizado un cuadro con un Cristo conducido por la Guardia Civil—, hombre intuitivo y de pocas lecturas, se admira ante Unamuno.

—¡Este tío sí que sabe escribir!

El resto de los contertulios suelen ser estudiantes y nunca faltan periodistas de distintos países, o españoles, que van a París para ver la torre Eiffel y, de paso, poder decir a su regreso a España que han visto a Unamuno. Un periodista danés le aborda en alemán, y don Miguel le asombra contestándole en el idioma de Copenhague.

—Aprendí su idioma en Salamanca —le dijo Unamuno— leyendo a Kierkegaard.

Mr. Crawford Flicht, su traductor de inglés, que le ha visitado en Salamanca, donde recibía todas las variedades del «pudding» inglés por correo y se ponía colorado bebiendo whisky, que le ha acompañado por las tierras peninsulares de Iberia y las isleñas de Fuerteventura, lo hace también, ahora, en París. Muchos días, al levantarse la tertulia, es de los pocos que acompañan a don Miguel en su ritual paseo. El inglés tiene una secreta superstición que le obliga a no atravesar el río. A Unamuno le divierte y arrastra a su traductor hasta los muelles del Sena para pasar a la Cité. Poco antes de llegar al Puente Nuevo —el más viejo de los siete puentes de París— hay siempre un poema, un artículo, algo que Unamuno saca para distraer la atención del inglés.

—Esto no lo conoce usted —le decía el español.

El otro picaba en principio y se dejaba llevar, y cuando don Miguel leía le iba siguiendo hasta el límite mismo del puente.

—Usted perdone —le decía entonces—, otro día seguiremos... Tengo que hacer.

Cuando Mr. Crawford Flicht desaparecía a toda prisa en dirección contraria, comentaba Unamuno:

—Sí, tendrá que hacer... Pero la verdad es que no quiere pasar el río.

A las tres y media de la tarde concluía la tertulia de La Rotonde. Don Miguel hace a pie los cincuenta o más minutos del regreso, como en un vano intento de repetir los paseos por su entrañable carretera de Zamora en Salamanca. «Emprendía aquel gran paseo —recuerda Carlos Esplá— en rue Vavin, cruzaba el jardín de Luxemburgo y seguía por el estudiantil *Boul'Mich* hasta la orilla del río, que atravesaba, y luego, por el malecón de la derecha y las Tullerías o la rue de Rivoli [cuyos soportales recuerdan los de la Plaza Mayor de Salamanca], continuaba, siempre andando, por la Plaza de la Concordia y la Avenida de los Campos Elíseos hasta el cuartito de su soledad en la rue La Pérouse: su jaula como él decía.» En su jaula se tumbaba, vestido, sin quitarse las botas, sobre la cama. No era el cansancio la causa del reposo, sino el recuerdo de sus antiguos temores al angor-pectoris o algún padecimiento cardíaco, el hábito adquirido desde que —tantos años atrás— el doctor Pinilla le recomendó el reposo habitual.

Jean Cassou y Rainer María Rilke, al fondo

Jean Cassou ha tardado un poco en buscar a Unamuno, pero en su casa encontrará don Miguel el lenitivo a su soledad. Cassou es vascongado, con ascendencia española. Habla y escribe el castellano como el francés.

«Mi querido don Miguel, aquí estoy. Un día de esa semana iré a saludarle. Pero desde ahora cuento con usted en mi casa, 42 quaie Celestins, el domingo próximo, entre las cinco y las siete. Jorge Guillén podrá ir a buscarle y a guiarle hacia el barrio pintoresco y antiguo donde vivo.

El domingo por la mañana habré visto a Couchoud; así podré decirle el resultado de mi visita.

Créame usted su siempre devoto y fiel amigo y admirador,

Jean Cassou.

¿Ha visto mi nota en el *Mercure*?»

Jean Cassou ha traducido al francés *El marqués de Lumbria*, que por aquellas fechas aparece en las librerías francesas, y en sus contactos epistolares con Unamuno le sugiere la traducción de otras obras suyas, en colaboración con Mathilde Pomés, ya que quiere realizar rápidamente su trabajo y piensa también en algunos textos para la colección *Christianisme*, que dirige Couchoud. Don Miguel ha pensado antes de su destierro en un libro titulado *Abisag, la sunamita*. Después de esta reunión, un domingo en París, Cassou concierta la entrevista con P. L. Couchoud, que le pide a Unamuno un libro nuevo y de tema cristiano para los *cahiers* que dirige y en que ha publicado ya *Propos sur le Christianisme*, de Alain; *La Sibylle*, de Th. Zielinski; *Les actes des Apôtres*, del abate Loisy; *Le mystère de Jésus*, del propio Couchoud, y otros pocos volúmenes. Couchoud, conocedor de la obra capital de Unamuno, le da incluso el título de éste su próximo libro que le urge editar: *L'agonie du Christianisme*.

Don Miguel ha dejado en Salamanca las notas preparadas para su proyecto de *Abisag, la sunamita;* sus colaboraciones en España se han reducido a cero y se lanza a condensar, apasionadamente, su *Del sentimiento trágico*, volviendo sobre el viejo tema que intenta, desde su dolorosa experiencia biográfica, llevar más allá que en 1912. El 30 de noviembre asiste a los oficios divinos en la iglesia ortodoxa de San Esteban, próxima a la rue Georges Bizet. Registra el hecho en el soneto que cierra su libro *De Fuerteventura a París* y emprende este otro nuevo que termina en diciembre. Menos de un mes de febril escritura y, cuartilla a cuartilla, con tachones y añadidos, va llevando el libro a Jean Cassou para que éste, sobre la marcha, lo traduzca al francés.

En casa de Jean Cassou, don Miguel charla con la madre de éste en vasco y conoce a Rainer María Rilke, de quien lee la edición alemana de *Gediscthe*, que hoy se conserva en su biblioteca con una dedicatoria en lápiz reproduciendo un poema de Hölderlin. Una noche, en casa de Cassou, con Rilke y Unamuno, está Alfonso Reyes. El mejicano y el alemán son los primeros en irse «para pasear por la orilla del Sena, aprovechando la tibia noche». Don Miguel prefiere quedarse y acaso no vuelve a ver ya nunca al gran poeta alemán. Casi dos años después (12-II-1927), Cassou escribe a Unamuno:

«He sentido mucho la muerte de mi pobre y gran poeta Rainer María Rilke, poeta verdadero que llevaba la poesía en sí. Le quería y admiraba mucho a usted, y cuando se publicó *L'Agonie du Christianisme* me escribió una larga carta hablándome de ello. Le solicitaba todo lo que era agonía y muerte. Y su vida y su poesía eran agónicas.»

Una participación en el «gordo»

Mientras tanto, en Salamanca, las cosas seguían como siempre. La ausencia de don Miguel empieza a ser normal, como ha sido ya normal el acostumbrarse a que el maestro Tomás Bretón se murió meses antes del destierro de Unamuno sin que la ciudad lograse para él la pensión vitalicia que necesitaba. Los amigos de Unamuno reciben sus cartas, que leen en la tertulia; cartas cada vez menos frecuentes, y algunos profesores viajan a París con cualquier pretexto para ver al desterrado.

Desde la salida de don Miguel no han tenido lugar grandes acontecimientos, salvo la acostumbrada apertura del curso académico, que en este octubre de 1924 ha sido presidida por el príncipe de Asturias, a quien se recibe con el júbilo que todos los pueblos emplean en tales circunstancias, olvidando acaso que —pocas horas después de la llegada del heredero del trono— tiene que salir con destino a Africa un escuadrón del regimiento de Albuera.

Empezado el curso, la *Gaceta Oficial de Madrid* publica el 29 de octubre una Real Orden anunciando la cesantía del catedrático don Miguel de Unamuno por no acudir a sus clases. La suspensión de empleo y sueldo ha dado un paso más: Unamuno ha perdido la cátedra que había ganado por oposición hacía treinta y tres años. Se vuelve a hablar de él, pero es algo ya muy lejano para muchos. Importa más a la ciudad saber qué piensa el dictador: si volverá el rey a Salamanca, si será posible levantar el monumento a Gabriel y Galán a fuerza de sesiones de té, si por fin se inaugurará el servicio de auto-tranvías de la Plaza Mayor a la Estación y al Arrabal del Puente, si tendrán suerte en la Lotería, que es en lo que, en definitiva, confían los españoles.

Los autobuses no empiezan a pasearse por la ciudad hasta el 21 de diciembre, aunque estaba anunciado que sería el 15 la fecha de su puesta en servicio. Los periódicos de la localidad, jubilosos, dedican lo mejor de su primera página al acontecimiento y proclaman que Salamanca, con sus dos autobuses, es ya una ciudad moderna.

El 22 se sortea la Lotería de Navidad. Don Manuel María Lamana, jefe del Registro de la Propiedad en Salamanca, ha comprado dos vigésimos del número 15.770. El se ha quedado con uno y el otro lo distribuye entre los siete funcionarios que tiene a sus órdenes: veinte pesetas a don Miguel Rodríguez González y otras tantas a don Rafael Rodríguez Seisdedos; sendas participaciones de quince pesetas a don Julio Santander (suegro años después de Luis Sánchez Granjel, autor del libro *Retrato de Unamuno*) y a don José González Marín; por último, los más modestos empleados de la casa, Abdón Manjón, Casto González y Juan Crisóstomo Rollán, jugaba cada uno, nominalmente, dos duros. Para Juan Crisóstomo Rollán, el riesgo de diez pesetas es excesivo. Es un modesto empleado, hospiciano, a quien en Salamanca llaman «el chico del millón», porque no falta quien jure que su padre es un canónigo de la catedral que le dejará un millón de reales en herencia. El fantástico legado, inventado por la imaginación popular, no se cumplió. Había sido prohijado por una humilde familia y fue así hermano adoptivo de una popular figura salmantina —que aún vive—, *El Latas*, viejo torero que no conoció la suerte. Juan Crisóstomo está casado y va pasando muy estrechamente por la vida. Su suegra, casi ciega por los años, perteneció a una familia acomodada que dejó de serlo el mismo día de la muerte de su marido, y él la ayuda como puede, aunque sabe que no es suficiente. Doña Concha Lizárraga también ayuda a la buena señora venida a menos, y, por eso de que, donde comen tantos, uno más no se nota, la anciana ciega es desde hace tiempo comensal fija en casa de Unamuno, y ha vivido la zozobra de la casa de la calle de Bordadores, y ha notado la ausencia de don Miguel en la gran mesa familiar. Doña Concha juega un duro en el número 15.770, una peseta la anciana acogida al núcleo familiar de los Unamuno y cuatro pesetas el sencillo Juan Crisóstomo. Y el 22 de diciembre de 1924 cae el premio gordo de la Lotería navideña en Salamanca en el número 15.770, y doña Concha Lizárraga se encuentra con 37.500 pesetas llovidas del cielo. Es el momento de que, por un golpe de suerte, doña Concha piense en la aventura de ir a París para reunirse con su marido.

Tras una Pascua triste, pero llena de esperanzas, al poco de comenzar el año recibe Unamuno en la estación de Austerliz a su mujer y a sus hijas, después de casi un año sin más contacto que el epistolar. El triste invierno parisiense, que arroja la noche sobre sus calles a una hora en la que en Salamanca aún puede pasearse por la soleada, aunque fría carretera de Zamora, llena de luz y de júbilo el ámbito del desterrado. Hasta tiene pequeñas urgencias. Doña Concha ha de reponer su vestuario: comprarle ropa, repararle la que él tiene maltratada en París. Doña Concha, más aturdida que don Miguel cuando llegó desde Canarias, sólo se ocupa ahora en París de cómo vive y de qué hace don Miguel. Las hijas: Salomé, María y Felisa, secundan a la madre y se asombran también.

El destierro no parece ya tan duro. El entierro del niño Yago de Luna es como el recuerdo de una pesadilla. *De Fuerteventura a París* y *L'agonie du Cristianisme* están ya en la imprenta y se puede pensar en otro libro. Pero, ¿en cuál?

París aturde a don Miguel, aunque piensa en que ha de seguir allí confiando en la mayor eficacia de su voz. También necesita la soledad. Hay razones económicas muy poderosas que le obligan a empujar a su familia para que regrese a Salamanca. No faltan las razones morales que le impulsen a hacer de su exilio un ejemplo. Don Miguel es ya un símbolo de la lucha contra la Dictadura y de España le llegan voces autorizadas y responsables que cuentan con él.

El 6 de enero, desde Madrid, su antiguo compañero de claustro salmantino don José Giral le habla de un grupo republicano:

«El núcleo inicial —le escribe— se constituyó con Pérez de Ayala, Araquistáin, Azaña, Mesa, Jiménez Asúa, T. Hernando y, al margen, pero a nuestro lado, Goyanes y Marañón. Fue ampliándose poco a poco, por gestiones directas entre amigos, añadiéndose a los nombres anteriores (y claro es que a los de Martín Jara y mío) otros muchos, tales como Américo, Pedroso, Doporto, los hijos de Salmerón, Machado, los hermanos Barnés y numerosos catedráticos de la Universidad, así como médicos, ingenieros, etcétera, todo ello en Madrid.»

El doctor Giral habla luego de los focos provinciales, pero don Miguel no necesita de sus palabras para saber cómo espera y confía en él el «coro de médicos de Fedra» y otros amigos de Salamanca, y da en aquellas cartas suyas —que se han perdido, por pura paradoja, por el hecho de haber sido difundidas en copias innumerables— sus consejos, a los que el mismo Giral responde el 17 de enero de 1925:

> «Completamente de acuerdo con usted en la necesidad de un movimiento civil, pero ¿cómo? Usted dice muy bien en qué actitud vergonzante están los socialistas. Los republicanos, desunidos y sin masa detrás. El ambiente, de indiferencia y de abulia. Como mal menor aspiramos a establecer contacto con elemento sano, de un jefe para abajo; creemos que todavía los hay y quizá sea la masonería un medio de contacto y a él iremos para agotar todos los recursos.
> Nuestra labor hasta ahora es la del proselitismo; y para ello necesitamos más que nunca de sus consejos y orientación.»

Blasco Ibáñez sabe bien cuál es la responsabilidad de Unamuno en esta hora española, pero quiere también salvarle algo de la paz que necesita y, desde su residencia de Mentón, le envía un cesto de naranjas de su jardín y le escribe el 29 de enero de 1925:

> «Inútil es decirle que cuando su familia haya regresado a España y usted se encuentre solo, espero que vendrá a pasar aquí unas semanas. Este es país donde podrá hacer grandes caminatas por las cumbres y los valles de los Alpes, que son muy interesantes.»

Y don Miguel, tras despedir a su familia, con la esperanza de volver a España, rehusa la invitación de Blasco Ibáñez. Vuelve a él la soledad, su destino. Escribe menos. Después de *L'agonie du Christianisme* ha quedado un tanto exhausto. Cuando terminó *De Fuerteventura a París* emprendió este ensayo, y ahora... nada prácticamente: sólo cartas y artículos. Hasta la primavera no volverá a escribir versos.

Encuentros en el Pen Club

Hay sucesos exteriores que parecen apartarle de su soledad, pero —realmente— no hacen otra cosa que acentuarla. En París se reúne el tercer *Congrès International du Pen Club* —los anteriores tuvieron lugar en Nueva York y Londres—. Del Pen Club español había sido presidente *Azorín*, y en aquellas fechas Pérez de Ayala. Don Miguel acude como invitado de honor. Allí coincide con John Galsworthy,

Paul Valéry, su ya viejo amigo Duhamel, Heinrich Mann, Luigi Pirandello, Alejandro Kuprin, James Joyce, Alfonso Reyes. «Valéry et Duhamel —ha contado Mathilde Pomés al poco del Congreso— mettant en relief la necessité d'une union européenne. Unamuno exaltant la fécondité de la contradiction.» En su conversación con Pirandello, como luego confesó don Miguel al escritor eslavo Bogadan Raditsa, le dijo «que en *Seis personajes en busca de autor* la solución no está en las personas, sino en el escritor que trata de encontrar los seis personajes».

El Pen Club da un banquete en honor de Unamuno. A su derecha está sentada Mathilde Pomés. Se le ha recibido con vivas muestras de entusiasmo. Su figura es como un mito y no pueden ocultar su decepción cuando don Miguel les habla, en su francés correcto —de conversación y no de orador de tribuna de la vieja escuela gala—, con emoción incontenida de su España .«On applaudit —recuerda la escritora francesa—; mais, la politesse couvrait mal la déception.»

Paul Valéry, en el cenit de su gloria, comparte la decepción. Habla con Unamuno, de quien no conoce más que su figura de desterrado y su prestigio, sin haberle leido. Don Miguel conoce mal a Valéry —aunque muchísimo mejor que éste a él— e inmediatamente se pone a leerlo. El día 28 de junio está bastante empapado del poeta francés. Le dedica un poema y se lo envía con una carta. Dos o tres días después, Paul Valéry le pide a Mathilde Pomés que le traduzca un párrafo castellano de la carta y el poema. La escritora, que está traduciendo entonces, en colaboración con Jean Cassou, las *Tres novelas ejemplares y un prólogo*, lo hace, pero en su traducción oral deja en castellano la palabra «vaca».

—¿Por qué no ha traducido textualmente la palabra «vaca» del poema? —pregunta Valéry.

—Por nuestra estúpida imagen de «la vache qui regarde passer un train» (la vaca que contempla el paso del tren) y lo ridículo que esto resulta.

—¡No importa! Esta «vaca» me gusta. Ahí lo tiene.

Mathilde Pomés cree que aquel envío divirtió un tanto al poeta francés, le divirtió más que asombró. Después, *la politesse* —¡siempre la cortesía!— le llevó a pensar en la conveniencia de contestar al ilustre desterrado, de quien seguía desconociendo olímpicamente toda su obra.

—¿Por qué no quiere contestarle en mi lugar? —plantea Valéry a la traductora de Unamuno.

—¿Está de broma?

—Quiero decir que me haga un borrador en español que copiaré después.

—Unamuno no será tan ingenuo. Sabe de sobra que usted lee el español pero no lo escribe.

Para Valéry es todo un problema, cuestión de cortesía, claro está, y Mathilde Pomés, que se niega a la superchería de la carta en español, ya que Valéry se siente capitidisminuido por el dominio del francés de Unamuno, le aconseja una simple y sencilla visita personal.

Cuando Paul Valéry, después de dar muchas vueltas al asunto, va a visitar a don Miguel en su pensión, éste ha salido, y le deja una tarjeta:

VENDREDI

> *Cher et illustre voisin,* muy
> querido Unamuno,
> *je ne sais pas vous dire en*
> *castillan tous mes remerciements*
> *pour votre lettre et pour l'honneur,*
> *de la dédicace.* ¡Yo soy vaca!
> *Et je suis désolé de ne*
> *pas vous trouver.*
> *Mais je reviendrai avec*
> *l'espoir de vous dire sans*
> *«précision» mais de grand*
> *coeur tout ce que je dois*
> decir a usted: Yo no sé escribir,
> muchísimas gracias.

Unamuno y Valéry ya no se encuentran. La anécdota es ilustrativa de la soledad, la incomunicación en que dejaron a don Miguel los hombres que podían haberle tendido la mano. Bastaría recordar algunos nombres de la reunión del Pen Club, entre ellos Pirandello, y darse cuenta de cómo, pese a coincidencias estéticas, estaban distantes y ajenos.

«Si caigo aquí sobre esta tierra verde»

Don Miguel, que en París gusta sólo ya de rincones provincianos —la isla de San Luis, la plaza de los Vosgos, el palacio real, la plaza de los Estados Unidos—, empieza a entregarse a negros pensamientos y escribe un poema que será el arranque de su *Romancero del destierro*:

> «Si caigo aquí, sobre esta tierra verde
> mollar y tibia de la dulce Francia...»

Ahora no es el miedo a la nada, como en 1897, es simple, sencilla, terriblemente, el temor a la derrota y a la soledad. En la noche del sábado al domingo de Pentecostés, el 31 de mayo de 1925, vuelve a preocuparle la muerte y escribe su poema —segundo del *Romancero*— «Vendrá de noche», que recuerda al famoso de «Es de noche en mi estudio», pero sin el grito final, jubiloso, de afirmación de la vida. El hijo mayor de don Miguel conoció tardíamente el poema de su padre «Si caigo aquí», pero se lo envió alarmado (28-VII-1925) a su madre. Entre recortes de periódicos y papeles sin interés de don Miguel en su archivo, he tenido la suerte de encontrar un telegrama que recibió Unamuno el 3 de agosto y que fue puesto en Salamanca el día anterior a las siete de la tarde. Dice así: «Un mes sin carta. Di cómo estás. Concha.»

¿Qué le sucede a Miguel de Unamuno? Habrá que seguir el hilo conductor de su propio testimonio en *Cómo se hace una novela*, empezada a escribir el 15 de julio muy posiblemente. La vida solitaria en un país extranjero es siempre dura y don Miguel se pasa horas, vencido, en su habitación de la rue La Perousse, «contemplando el techo de mi cuarto y no el cielo y soñando en el porvenir de España y en el mío». Se siente incapaz de empezar a escribir nada, «por no saber si podré acabarlo en paz», porque está ya desalentado e ignora cuánto tiempo podrá durar aún su destierro. Un proscrito italiano, Alcestes de Ambris, le presta las cartas de José Mazzini a Judit Sidoli. Esta lectura, que le recuerda su hogar en la calle de Bordadores, desde el cual habló por vez primera del italiano, la ha hecho a continuación de «la terrible» *Piel de Zapa* de Balzac, cuando está pensando en escribir una novela, forzosamente autobiográfica, en que recoja su experiencia del destierro. Pensando en cómo hacer la novela, consciente de que atraviesa un momento de esterilidad, renuncia a escribirla y narra, apresurada, enfebrecida y dolorosamente, esta historia de su fracaso creador.

Su personaje, que —él lo dice— iba a ser él mismo, «se aburre de una manera soberana —y qué aburrimiento el de un soberano— porque no vive ya más que en sí mismo, en el pobre yo de bajo la historia». Un día, en los muelles del Sena, huroneando entre los libros de los *bouquinistes*, «sintió ardor en la nuca y frío en todo el cuerpo, le temblaron las piernas y *apareciósele en el espíritu el espectro de la angina de pecho de que había estado obsesionado años antes*» (el subrayado es mío). Camino de su casa, atraviesa el puente del Alma, sobre el Sena, y tiene que detenerse y, cuando descansa apoyado en el pretil, siente el vértigo de la corriente y deseos de arrojarse a las aguas del río. Dice que el río es un espejo. No es eso exactamente; la corriente de algo, especialmente de agua, la altura y los espejos producen vértigo cuando se les mira insistentemente.

La crisis de 1897 fue muy distinta de ésta, diría que radicalmente opuesta. Entonces la conciencia de culpabilidad que en él desarrolla la presencia de su hijo Raimundín, enfermo, le lleva a que toda su angustia psíquica se manifieste somáticamente. Ahora, aunque el entierro del niño Yago de Luna le traiga el recuerdo de aquel hijo suyo, es el malestar físico el determinante de su angustia. Vuelve a pensar en el signo de Mac Kenzie, porque se siente enfermo. Podrá ser, y de hecho lo fue, un aprensivo. Le aterra la idea de morir sin haber cumplido su obra comenzada, morir lejos de los suyos, no ser enterrado en su tierra española; pero esta crisis de ahora no está producida por la conciencia de una fe que le puede hacer sentirse culpable ante Dios, no es problema de creer o no creer, de pensar que una vocación desatendida pudo haber movido a Dios a venganza. No. Pese a que Armando Zubizarreta quiera darle esta interpretación, no se puede admitir. Se parecen estas dos crisis, pero son opuestas y su parecido no es otro que el de su situación simétrica. En el hombre joven de 1897 su alma enferma es una garra en el cuerpo; en el anciano ya de 1925 es el cuerpo maltrecho, los primeros achaques los que gravitan sobre el alma. Antes, la angustia le produjo dolores. Ahora son los dolores los que le producen esta angustia.

> «Volvía a encontrar lo que, años antes, había llamado la disnea cerebral, acaso la enfermedad X de Mac Kenzie, y hasta creí sentir un cosquilleo fatídico a lo largo del brazo izquierdo y entre los dedos de la mano.»

En aquellos días de París va don Miguel por las calles temiendo no llegar de un árbol a otro, con el corazón desbocado como un potro salvaje. De noche se despierta a veces sintiendo una fuerte punzada. No era bebedor, y de madrugada sentía sed insaciable. Junto al viejo fantasma de la idea del suicidio, como única liberación de su angustia solitaria, surge otro fantasma antiguo: el de la locura. El vértigo del espejo tiene mucho de este deseo de saber y conocer el fondo del propio yo, de saber si se está loco o cuerdo. En su crisis de 1897 escribió el *Diario*, las *Meditaciones evangélicas*, *La esfinge*, búsqueda de la fe a fin de cuentas. En 1925, *Cómo se hace una novela* y madura la idea de su drama *El otro*, simple inquisición trascendente, pero autobiográfica, de su propio ser. Me parece claro que aquélla fue una crisis metafísica y ésta sólo psicopatológica.

Otra forma de huida que busca Unamuno es salir de París. El viaje, con su gesto provisorio, nos hace más soportables la soledad y las privaciones. De viaje, no importa vivir en hotel y no conocer a nadie, ni que no nos conozcan. Don Miguel piensa en «un viaje fuera de París, a la rebusca del olvido de la historia». Gante, Brujas, Ginebra son paisajes que imagina para su personaje autobiográfico, U. Jugo de la Raza. También le asalta la tentación de volver a España.

> «Devoro aquí las noticias que me llegan de mi España, sobre todo las concernientes a la campaña de Marruecos, preguntándome si el resultado de ésta me permitirá volver a mi patria, hacer allí mi historia y la suya; ir a morirme allí. Morirme allí y ser enterrado en el desierto...
>
> A todo esto las gentes de aquí me preguntan si es que puedo volver a mi España, si es que hay alguna disposición del poder público que me impida la vuelta, y me es difícil explicarles, sobre todo a extranjeros, por qué no puedo ni debo volver mientras haya Directorio, mientras el general Martínez Anido esté en el poder, porque no podría callarme ni dejar de acusarles, y si vuelvo a España y acuso y grito en las calles y las plazas la verdad, mi verdad, entonces mi libertad y hasta mi vida estarían en peligro.»

Pero se pregunta angustiado: «¿Por qué obstinarme en no volver a entrar en España?» ¿Debe seguir representando el papel que se le ha adjudicado, que en parte ha apetecido él en la farsa de la historia española? Se ve a sí mismo haciendo el papel de proscrito, con su traje viejo, sus calcetines agujereados y deshechos y hasta reconoce que esta situación depende en buena medida «de cierta inclinación a la avaricia que me ha acompañado siempre y que cuando estoy solo, lejos de mi familia, no halla contrapeso». Lo peor es tener que preguntarse si es que representa una comedia incluso hasta para los suyos. No, ciertamente no finge, aunque viva un «papel», pero es demasiado duro el vivirlo y huyendo de la representación, con dudas y reservas mentales, piensa, si no volver a España, acercarse al menos. A mediados de agosto de 1925, liberándose en parte de sus angustias, toma el tren camino de Hendaya. Después de pasar Burdeos y sus negras piedras —lo más opuesto a las doradas piedras salmantinas—, el paisaje es vasco, tiene el verdor no de «France, la verte», sino de la entrañable Vizcaya. Además, Hendaya, punto terminal en la frontera, está a la vista de Fuenterrabía. Unamuno se siente vencido en lo más íntimo: no ha podido superar su soledad y su nostalgia; allí confía en poder, con nuevos alientos, esperar la caída del Directorio.

23.

Hendaya, puerta de España

Verdor nativo

EL 28 de agosto de 1925 Miguel de Unamuno, asentado en Hendaya, reanuda su producción poética. Es el verso el primer y mejor vehículo de expansión que encuentra.

> «*Verdor nativo; la niñez que vuelve*
> *y el porvenir disuelve;*
> *juega el sol con las nubes y sonríe,*
> *la mar me cuna,*
> *y en sus olas la cuita se deslíe,*
> *—con ello mi fortuna—*
> *brotan aquí, en Hendaya,*
> *las aguas lentas de mi fiel Vizcaya.*»

El viaje y, luego, la lejanía de París han serenado el ánimo de Unamuno. El reencuentro con el verdor de su nativa tierra vasca ha puesto el poso definitivo. «Al fin me despierto aquí, en Hendaya, frente a mi España, y me sacudo esta terrible modorra que amenazaba con hundirme en perlesía el alma.» Sí, Hendaya empieza a ser la paz. Después de haber pensado en Brujas, en Ginebra, en Gante, el 14 de julio había escrito don Miguel a su mujer: «Si tengo que estar fuera de España, este verano iré unos días a Hendaya, a la frontera, a dar allí una conferencia.» El viaje había sido previsto para el 20 de agosto, pero no se realizó hasta el 23. Después empezó a pensar que sería mejor quedarse allí, como confesó a Jean Cassou en una carta de 9 de setiembre. De América han llegado no pocas invitaciones. Una de las primeras fue la que recibió en París el 17 de octubre de 1924, del ministro del Perú, en la capital francesa, pidiéndole que acudiera a la conmemoración del centenario de Ayacucho.

«De su traslación al Perú —le decía— y su regreso a España queda encargado el Ministerio de Relaciones Exteriores.» También le llamarán de Rusia para asistir al centenario de Tolstoy. Se quedó en Hendaya porque allí se sentía, casi, en su tierra española y podía escuchar al atardecer el son de las campanas de Fuenterrabía.

Es una nueva, tal vez una última esperanza la que liga a Unamuno a este rincón vasco-francés y fronterizo. «¿Se me abrirá una nueva vida, un nuevo pedazo de mi vida?», se pregunta. Su ánimo es más seguro a los pocos días. Vuelve a escribir y confiesa que ha vuelto a temer que se le «había agotado el manadero de las emociones trasmisibles». Hendaya es una pequeña villa, como tantas del país vasco español. Don Miguel se hospeda en el hotel Broca, frente a la estación. En el Gran Café juega al tute después de la comida; por las tardes pasea Bidasoa arriba hasta Biriatu, en cuya iglesia entra a veces, y luego mira al río «y le sigo con la vista —confiesa—, y sigo con la vista y con el corazón las líneas huideras de los contornos de las montañas españolas». Esta será la que luego llamó a su visión tantálica de España.

«Me paso horas tendido sobre la cama, leyendo. Y leyendo un poco al azar, libros que me prestan, libros que me regalan (...). Y voy luego todos los días al café, a ver y oir a las mismas personas: a oirles las mismas cosas y a verles las mismas caras (...). Pero luego salgo al campo, a esta mi campiña vasca, solo mejor que acompañado, a digerir mis lecturas, a mejer lo que he leido y lo que he oido con las cosas campestres, naturales, que veo.

(...) Desde aquí veo a diario al otro lado de la frontera, allende el Bidasoa, la ciudad de Fuenterrabía, al pie del Jaizquibel, y a las ruinas del castillo de Carlos el emperador, el Habsburgo que fue a enterrarse vivo a Yuste, envueltas por la yedra.»

Su situación espiritual ha cambiado no poco. Vuelve a la lucha. Es también una solución. Su salud no es muy buena en este tiempo, pero confía en que la vida al aire libre que hace en Hendaya le será más beneficiosa que la de París. También el porvenir le parece menos negro, aunque la esperanza de la inminente caida del Directorio le parezca casi una utopía. Es incluso una razón para vivir y luchar.

«Hace unos meses, cuando pesaba como un bochorno sobre mi alma la murria y me pasaba las horas y los días sumido en la inacción y preocupado de que se me iba agotando la fuente de las inspiraciones, di en cierta avaricia, en cercenar mis gastos, en privarme de distracciones de pago, y gastaba lo menos posible para no tener que ganarme la vida trabajando, para no tener que trabajar. El trabajo me era penoso, penosísimo. Y empecé a sentir en lo más hondo del ánimo que asomaba ese terrible mendigo que llevamos en él los españoles. Empecé a sentir con horror que podría ir a dar en la castiza mendicidad española, a pordiosear cualquier merced. Mas he aquí —¡Dios sea alabado!— que me

ha vuelto la alegría, la alegría de la niñez y que trabajo. Y que
me pongo a gastar para tener que trabajar y no que trabajo para
poder gastar más.»

Atentado en Vera del Bidasoa

Y, mientras tanto, en España... Unamuno sigue con especial interés las noticias que le dan y le llegan a su rincón de proscrito. El
1 de octubre de 1925 Pedro Sainz Rodríguez ha leido su discurso de
apertura del curso académico en la Universidad Central, en torno
a la *Evolución de las ideas sobre la decadencia española*. Algo antes
de que el mes venciese, el catedrático fue agasajado y entre los
brindis de Alcalá Zamora, Melquiades Alvarez, Pitaluga, Bonilla San
Martín y Villanueva menudearon los vivas a la libertad y no faltaron
los dedicados a la República. Aquello era, si se quiere, una manifestación de tipo intelectual, pero un síntoma.

Algo más grave sucedió el 7 de noviembre: en Barcelona son detenidos y luego ejecutados, tras juicio sumarísimo, José Llacer y
Juan Montejo, aprehendidos con otros camaradas cuando estaban
próximos al cuartel de Atarazanas. Al tiempo, en la frontera, en Vera
del Bidasoa, se produce un tiroteo que provoca también la intervención de las autoridades francesas. Es este un suceso turbio que
está íntimamente ligado al destino de Unamuno. Unos cuarenta hombres están pasando armas a España cuando son sorprendidos por
la Guardia Civil. Se produce el tiroteo inevitable y muere un guardia
y uno de los contrabandistas de armas. Se hacen detenciones a uno
y otro lado de la frontera, las autoridades españolas intervienen
armas y propaganda contra la Dictadura que firman los exiliados
Blasco Ibáñez, Unamuno, Eduardo Ortega y Gasset y otros. El 14 de
noviembre se celebró en Pamplona el Consejo de Guerra, absolvien-
do a los detenidos, pero, al ser revisado éste, se condenó a muerte
a los procesados Santillán, Gil y Martín, que fueron ajusticiados, sometidos al garrote vil, el 6 de diciembre. El último, desesperado,
logró huir y se suicidó arrojándose por una barandilla a la vista de
sus presuntos ejecutores. Como consecuencia de este suceso se ini-
ciaron gestiones diplomáticas para lograr el internamiento de los
exiliados más notables, o sea, Unamuno, Eduardo Ortega y Gasset y
Blasco Ibáñez. También el tribunal de Pamplona, que había votado
la absolución de aquellos desdichados, fue sometido a sanciones dis-
ciplinarias. Y todo hubiese quedado así, culminando con la prisión
de Unamuno y sus compañeros por parte de las autoridades francesas, si el capitán de carabineros de Vera del Bidasoa, don Tomás
Cueto, no descubre poco después —y su declaración se difundió cumplidamente, incluso fuera de nuestras fronteras— que el atentado
era una maniobra urdida desde la Dirección General de Seguridad,
con el *valioso* concurso de un agente provocador apodado *El fenómeno*.

La versión de los hechos, sin embargo, queda establecida de una
forma un tanto distinta. El 7 de noviembre un grupo de obreros es-

pañoles trata de pasar la frontera y se produce el consiguiente tiroteo. Pero antes, el 8 de octubre, llegó a Hendaya un automóvil de la Dirección General de Seguridad con varios policías, al frente de los cuales figura el comisario de segunda don Luis Fenoll (alias *El fenómeno*). En la route de Behobia, en la fábrica de armas de Aranguren, que dirige Carlos Aramberri, compran cincuenta pistolas automáticas. El día 10 se simula un atentado y se le niega toda clase de explicaciones al capitán Cueto. Luego se produce el suceso de noviembre y los incautos contrabandistas de armas tenían aquellas cincuenta pistolas y ejemplares del periódico *España con honra*.

Blasco Ibáñez, Unamuno y Eduardo Ortega y Gasset, antes de conocer la reveladora información del capitán Cueto, seguros de no haber tenido arte ni parte en aquel suceso, publicaron una declaración a la que pertenecen los siguientes párrafos:

> «Al Directorio le convenía hacer creer en una organización revolucionaria y es inventada la absurda fábula, a la que el más cretino no puede otorgar fe, de un complot comunista, impulsado por elementos republicanos y con la finalidad de dar el poder a un monárquico, el conde de Romanones. Para evitar esta farsa, no se ha dudado en lanzar nuestros nombres, ni, lo que es más grave, teñirla con la sangre de tres inocentes.
>
> Por nuestra parte, consideramos legítimo cuanto se haga para derrocar una dictadura que nos envilece y degrada ante el mundo, y cuando creamos contar con medios adecuados para tal fin, ocuparemos sin alardes, pero sin titubeos, nuestro puesto. Pero éste será el que nos señale nuestro deber, no el que intente discernirnos la fe desleal de unos adversarios sin normas de justicia ni aun de delicado respeto a la honra ajena.
>
> Ahora cumplimos con la obligación del momento, protestando con la máxima energía de la muerte de unos inocentes; lo expuesto nos autoriza a calificarla de asesinato (...).»

Al tiempo se difunde en todo el mundo el folleto de Blasco Ibáñez *Una nación secuestrada. El terror militarista en España*. Antes han sido traidos a España los restos de Angel Ganivet. Unamuno, desde París, ha escrito unas palabras emocionadas, que han circulado profusamente entre los estudiantes y que la Editorial Excelsior regala impresas a los compradores del libro *De Fuerteventura a París*. El homenaje a Ganivet en Madrid, el 27 de marzo de 1925, ha sido casi un homenaje a Unamuno. Algo después, el 15 de mayo, en la escuela de ingenieros surge el choque personal del estudiante Angel María Sbert y el dictador durante un acto académico. Sbert es confinado en Cuenca y después en Mallorca. A partir de este momento son los estudiantes los más eficaces distribuidores de toda la propaganda antidictatorial, de las copias de las cartas de Unamuno sobre todo.

El 9 de diciembre de 1925 muere Pablo Iglesias, a quien Unamuno acompañó siempre en sus visitas a la Casa del Pueblo de Salamanca y que, carretera de Zamora arriba, le había hablado de su incontenible afición al teatro. Dos días después muere Antonio Maura, político por el que no ocultó su simpatía don Miguel en algunos momentos y que, en aquella coyuntura, era el mejor ejemplo del hombre que, habiendo podido levantarse con el papel de dictador, se negó a ello por su claro sentido liberal.

El 19 de diciembre, en el teatro Infanta Beatriz, de Madrid, se representa *Todo un hombre*, la adaptación que Julio de Hoyos ha hecho de la novela *Nada menos que todo un hombre*. Irene López Heredia y Ernesto Vilches encarnan los papeles principales. La representación adquiere, insospechadamente, carácter político. Amigos de Unamuno, abiertamente frente a la Dictadura, acuden al estreno, aunque el nombre del proscrito ha sido suprimido en la cartelera y figura sólo el del adaptador. Valle Inclán asiste al estreno. Está frente al dictador, se siente muy próximo a su amigo Unamuno y se preocupa porque las editoriales no liquidan puntualmente al desterrado. Pero Valle Inclán es manco y no puede aplaudir, sólo da con su mano derecha contra el muñón izquierdo y el actor Ernesto Vilches cree —se lo he oído referir públicamente en varios escenarios— que Valle-Inclán quería reventar el estreno restando palmas a su labor de actor —lo único que al parecer le importaba al inventar una fábula en que olvidaba la mutilación del escritor gallego.

La revista *Europe* recaba la colaboración de Unamuno para el homenaje a Romain Rolland. Envía don Miguel una carta. Decididamente sigue en pie de lucha y aunque no escribe para España, con el fin de no someterse a la censura, lo hace para revistas de América y Europa. Cassou, preocupado, le ha escrito desde París el 20 de octubre de 1925:

«Pero ¿qué es de usted, mi don Miguel? ¿Ahora está usted solo, no ya contra el Gobierno español, sino contra todo? ¡Irreductible don Miguel!

Cuénteme todo aquello, hábleme de usted y de sus luchas. ¡Ay, querido y pobre maestro! La tragedia no está sólo en España; está en el mundo entero. Y, sobre todo, durará y seguirá durando aquella tremenda tragedia mientras usted viva y dure, porque no está en el mundo, en la realidad, sino en usted, en su realidad, en su mundo de usted. Y usted ya lo sabe.

Acaba de salir *L'agonie du Christianisme*. He firmado los "services de presse".

Y espero noticias suyas. Mándeme, lo antes posible, una fotografía suya para las *Nouvelles Littéraires*, que me la ha pedido.

Y reciba un fuerte abrazo de su siempre

Jean Cassou.»

Cuando Unamuno contesta a Cassou le urge sobre la traducción de *Cómo se hace una novela*, en cartas del 9 y el 21 de noviembre. La verdad es que, aunque ha vuelto a escribir y a trabajar, no se siente bien. Su salud no le preocupa tanto a él como a quienes le quieren y admiran. A principios de año, *La nación,* de Buenos Aires, anuncia con gran lujo tipográfico que Unamuno está gravemente enfermo. Su mal, fisiológico sin duda, aunque ahora no le produzca los mismos efectos que en París, tiene una honda raíz moral: es el mal de España, es la soledad del destierro, es la desesperanza. Y el temor a la muerte reaparece, pero ya con un tono de sumisión dramática que anuncia la aceptación de la vejez:

> *«Logre morir con los ojos abiertos*
> *guardando en ellos tus claras montañas,*
> *—aire de vida me fue el de sus puertos—*
> *que hacen al sol tus eternas entrañas*
> *mi España de ensueño!*
> *Entre conmigo en tu seno tranquilo*
> *bien acuñada tu imagen de gloria;*
> *haga tu roca a mi carne un asilo;*
> *duerma por siglos en mí tu memoria,*
> *mi España de ensueño!*
>
> ....
>
> *Logre morir bien abiertos los ojos*
> *con tu verdor en el fondo del pecho,*
> *guarde en mi carne dorados rastrojos;*
> *tu sol doró de mi esperanza el lecho*
> *consuelo del ensueño de mi España!»*

Así tremolaba la voz de Unamuno en Hendaya el día de Navidad de 1925. Pero no encontraba siquiera su ansiada paz en medio del combate, la paz en la guerra que es lema y explicación de su vida toda.

Un año pasa y sigue otro. Don Miguel espera en Hendaya y escribe sus cartas contra el régimen de Primo de Rivera, que circulan de mano en mano por España en innumerables copias. «Necesitamos como el comer de sus *encíclicas*», le decía José Giral en una carta de marzo de 1925. También le había recordado las palabras de Fernando de los Ríos cuando fue procesado por defender a Unamuno: «Don Miguel es el maestro de la juventud española y sus actos y sus palabras tienen una decisiva influencia.» También había dicho éste en aquella ocasión: «Cuando vi al maestro maltratado moralmente, injuriado como profesor y desterrado sin juicio, mi conciencia y mi corazón me dictaron el deber y con él cumplí gozoso, y cien veces que aquello se repitiera, otras tantas volvería yo a mi vez a protestar con la serena energía que lo he hecho.» No, no puede don Miguel de Unamuno volverse de espaldas, y por eso sigue, como un luchador, anciano luchador ya, en su puesto de combate.

En Hendaya es más fácil visitar a Unamuno que cuando estaba en París, y don Miguel sigue siendo un poco espectáculo en su papel —que él mismo bautizó— de «ujier del verdadero patriotismo, del patriotismo civil y humano». A veces es el amigo, o el admirador sincero. No falta el político aprovechado o el simple curioso, torpe y molesto.

—Y diga usted, don Miguel, ¿cuánto va a durar esto?

—Lo que ustedes quieran —era la seca respuesta del desterrado voluntario.

—Puede durar mucho. Primo de Rivera está muy firme en su puesto.

—¿Cuánto va a durar? ¿Veinte años más?

—¡Hombre, don Miguel! ¡Veinte años... veinte años...!

—Pongamos veinte años más; voy a cumplir sesenta y uno; entonces estaré en los ochenta y uno. ¡Pienso vivir lo menos noventa!

Pero la realidad es muy distinta. Unamuno necesita afirmar su existencia, necesita vivir aunque sólo sea para su lucha, para volver vivo a España. A primeros del año, en 1926, el mundo entero sabe que la salud de Unamuno es precaria. *La nación*, de Buenos Aires, ya se ha dicho, dedica sus más amplios titulares a hacerse eco de la preocupación general. Sus familiares se turnan en sus visitas, para que don Miguel no pase mucho tiempo solo, aunque él insiste en que su soledad es necesaria. De Bilbao le llegan noticias de que su hermano Félix está harto de preguntas y se ha puesto en la solapa un cartelito con un «no me hablen de mi hermano» que hiere a don Miguel, y de esta herida nacerá su tragedia *El otro*. Su cátedra en Salamanca sale a oposición y se le adjudica al clérigo don Leopoldo de Juan. Los estudiantes protestan durante las oposiciones. Luis Jiménez de Asúa es confinado a Chafarinas, como inductor de la agitación estudiantil, y, con él, el estudiante Salvador Vila. Es demasiado.

> «*Se acerca ya tu hora, mi corazón casero,*
> *invierno de tu vida al amor del brasero*
> *   sentado sentirás,*
> *y tierno derretirse el recuerdo rendido*
> *embalsamando el alma con alma de olvido*
> *   de siempre y de jamás...*
> *Y pasará tu vida, mi alma, mi vida,*
> *sombra de nubecilla en la mar adormida*
> *   de la loca razón;*
> *al fin despertarás por debajo del sueño*
> *sin llegar a gustar la carne de tu empeño*
> *   cansado corazón!*»

La Sanjuanada

A veces, pese a todo, surgen motivos para la esperanza, estímulos que alientan su cansado corazón. Jules Supervielle le visita en Hendaya, le regala el libro *Gravitations* y a Unamuno se le escapa en su *Romancero del destierro* el comentario poético. Marañón le escribe a mediados de abril (la carta no tiene fecha consignada):

«... le escribo para anunciarle la visita del conde de Keisserling. Ha pasado unos días en Madrid. Me ha pedido que le escriba a usted.

... ...

Esto está dando las boqueadas. Yo he firmado el manifiesto
republicano con Ayala, Jiménez Asúa, Hernando y muchos más.
A pesar de lo que diga Araquistáin, creo que hemos hecho bien.
Yo me convenzo, cada día más, que los que esgrimen la fórmula:
"el parlamento ha fracasado" y "peor eran los de antes" no son
sino servilones encubiertos.

Tal vez me equivoque, pero creo que todo es ya cuestión de
días. En "Oriente" preparan la nueva masa. Claro que con harina
putrefacta».

El 21 de abril va don Miguel a Biarritz a saludar al conde de Keisserling. El filósofo alemán, tan opuesto al vasco en su talante, tan
sensual frente al ascetismo del vasco, derrocha entusiasmo y buena
fe en este su encuentro con Unamuno. Se asombra de la escasez de
libros del desterrado y le promete el envío de numerosos volúmenes,
promesa que cumplió con abrumadora generosidad. Sin embargo, es
muy posible que —a ratos— no preste Unamuno atención al locuaz
y arrollador alemán. «Todo es ya cuestión de días», le ha dicho Marañón en su carta, y le anuncia que en el palacio real —«Oriente»—
también se prepara un golpe contra el dictador. Hace un año (el 2
de mayo de 1925) le escribió desde Madrid José Giral:

«Un militar cuyo nombre no recuerdo ha logrado reunir en
su casa a: Ortega y Gasset, Marañón, Pedro Sainz, Augusto Barcia,
Fernando de los Ríos, Ayala, Araquistáin, Vayo, Jiménez Asúa;
para una acción política inmediata. *Más inmediatamente* plantearon la cuestión previa de la forma y se quedaron completamente
solos en su opinión oportunista los señores Barcia y Sainz; todos
los demás, como un solo hombre, se declararon decididamente
antimonárquicos y republicanos. Claro es que de muchos ya lo
sabíamos, como usted, pues son de nuestros grupos y a esa reunión fueron después de consultar si debían ir. Pero nos satis-
fizo la actitud de Ortega y la también decidida del doctor.»

Sí, Gregorio Marañón ha puesto, decididamente, su enorme y generosa humanidad junto a don Miguel y en este tiempo del destierro
es quien más desinteresadamente le presta su apoyo. Unamuno conoce el temple de los hombres y confía en él. «Todo es ya cuestión
de días.» Los días fueron unos pocos más. El 23 de junio el periodista Luis Calvo, desde San Sebastián, le envía a Unamuno esta tarjeta:

«Querido don Miguel: Salgo corriendo porque no he dormido.
He venido a poner un telegrama urgente. Ha estallado en Barce-

lona, Valencia y Madrid un movimiento contra Primo. Lo dirige
Aguilera. Han sido detenidos Marcelino, Marañón y Román, con
los generales Weyler, Ochoa y el coronel Saturnino García. Parece
que Aguilera ha triunfado en Valencia. Barcelona y Valencia están
incomunicadas. Esta tarde vendremos Celestino y yo. Pondremos
otro despacho y hablaremos con usted. A las tres y media.
     Suyo,

                                                            L. Calvo.
     San Sebastián.»

El 6 de enero de 1925 el coronel de la Escala de la reserva, don
Segundo García, había intentado organizar ya una protesta colectiva
contra el Gobierno de Primo de Rivera y reunió a 277 oficiales en
el café Nacional, de Madrid, con motivo de una recaudación de
fondos para las familias de los muertos en la campaña de Africa.
En noviembre la Asociación había logrado singular importancia y la
policía condujo a prisiones militares al coronel Segundo García, al
coronel Pardo, al capitán Heredia, al general Sosa y al general López
Ochoa. La reacción de los militares llevó a Primo de Rivera —posiblemente bajo la influencia del rey en el palacio de Oriente— a la
creación de la Unión Patriótica y, como expuso a Alfonso XIII el 2
de diciembre de 1925, a sustituir «una Dictadura militar por otra
civil y económica y de organización más adecuada, pero no menos
vigorosa».
     El coronel don Segundo García, en prisión atenuada, fue el alma
de esta segunda intentona, que recibió el nombre de *Sanjuanada.*
Con él estaba Aguilera, el número uno del escalafón de tenientes generales, en quien se había pensado como dictador y que había sido
desbancado por Primo de Rivera después de las tortas que se dio
con Sánchez Guerra en el Senado. El general Weyler también apoyaba la conspiración. «Se contaba —recuerda Fernández Almagro— con
dos o tres regimientos de Madrid, dos de Valencia, fuerzas diversas
de Galicia, Andalucía, Cataluña y Aragón: con la base naval de Cartagena. Había prometido su apoyo el capitán general de Valladolid,
Gil Dolz de Castellar. Romanones, Melquiades Alvarez, Villanueva,
Lerroux, comprometieron su ayuda. La Confederación Nacional del
Trabajo ofreció colaborar. No así el partido socialista.» Todo estaba
previsto. El pronunciamiento se realizaría en Valencia. El general Ri-
quelme se haría cargo de la Capitanía General de Madrid. Don Melquiades Alvarez y el conde de Romanones irían a palacio para exigir
al rey la destitución de Primo de Rivera y la entrega del poder a
Aguilera, que se comprometía a restablecer la legalidad constitucional.
     En la noche del 22 de junio de 1926 el general Aguilera iba camino
de Valencia, desde su residencia de Argamasilla. El coronel don Segundo García salía de Madrid ignorando que su chófer le había trai-
cionado y que el dictador tenía ya controlados todos los resortes de
la subversión. La guarnición de Valencia no respondió, aunque Luis
Calvo, aquel día, sin noticias casi, creyese lo contrario. Aguilera huyó
a Tarragona, donde fue detenido. El general Weyler, que no se movió

de su retiro en Mallorca, fue arrestado en su domicilio. La misma suerte corrió el coronel García. Marañón y otros elementos civiles ingresaron en la cárcel Modelo de Madrid.

El 3 de julio, «por intervención o concomitancia, más o menos acentuada, en la preparación de sucesos que pudieron determinar grave daño a la nación», la *Gaceta de Madrid* publicaba una real orden del día anterior imponiendo multas «extraordinarias y no reglamentadas» por un valor global de un millón setenta y tres mil pesetas, cuya relación no deja de ser curioso recordar: medio millón al conde de Romanones, doscientas mil pesetas al general Aguilera, cien mil pesetas al general Weyler, la misma cantidad al doctor Marañón y al ex senador liberal Manteca, treinta mil pesetas al coronel Segundo García, quince mil a Barriobero y quince mil al general Batet, mil duros a Marcelino Domingo, dos mil quinientas pesetas al periodista Benlliure y Tuero y la misma cantidad a Lezama, dos mil pesetas al teniente coronel Bermúdez de Castro y mil a Amalio Quilez.

A Unamuno le afecta profundamente lo ocurrido. Su *Romancero del destierro* se interrumpe con el breve poemita que ha escrito en el tren, camino de Biarritz, cuando iba a visitar al conde de Keisserling, y no lo reanuda hasta el mes de agosto con un poema cuyo primer verso es ya suficientemente claro como expresión de su estado de ánimo: «Vuelvo a lo mismo.»

Algo antes, en mayo, ha aparecido la versión francesa de *Cómo se hace una novela*. Es una angustia que puede volver. Unamuno se enfrenta con un nuevo período de esterilidad durante el cual apenas escribe.

En junio de 1926, desanimado, recibe el homenaje que le tributan en Hendaya, como un gesto más de protesta, por numerosos españoles que saben, como le decía Américo Castro (el 23 de mayo de 1925), la terrible dureza de su situación espiritual:

«Lo terrible es que usted tenga que estar fuera de España. Me agobia y me duele su ausencia de modo indecible. Y al mismo tiempo usted es hoy nuestra conciencia, y España ve claro, en la zona en que no está muerta, que su ausencia es nuestra ausencia de la verdad y la justicia. Si usted yaciera mudo y resignado en Salamanca, la sensación de que aquí no pasaba nada sería absoluta. Pero es un dolor que le haya tocado tan alta y tremenda misión. Sírvale de algo saber que su nombre está en todos los corazones no podridos, que no son pocos felizmente.»

Aquellos corazones no podridos son los que le tributan el homenaje de Hendaya, que no tiene valor de halago, sino simplemente tono cordial de estímulo al anciano que se ha convertido en símbolo de un estado de conciencia nacional. Y Unamuno responde al estímulo. En los primeros días de agosto, tras aquel «vuelvo a lo mismo», reanuda febrilmente su *Romancero del destierro*. Pero esta fiebre

sólo dura el mes de agosto y alienta de nuevo en él el fantasma de
su pasada crisis de 1897, el recuerdo del hijo Raimundín:

> «*Duérmete, niño chiquito,*
> *durmiendo te curarás;*
> *duérmete, duerme un poquito...*
> *que acaso despertarás...*»

y en él empieza a ver la liberación con un retorno a la niñez, buscando al niño que fue, evocando canciones de infancia.

En setiembre deja de escribir otra vez, porque presiente el fin
de las vacaciones, y se enfrenta —un año más— con el vacío de un
curso académico en que seguirá sin cátedra y sin alumnos. Sabe también que el dictador irá a Salamanca y que va a ser investido «doctor
honoris causa» por el Estudio salmantino. Es el mejor triunfo que
en aquella oportunidad puede exhibir el general. Si a Unamuno le
han tributado un homenaje en Hendaya que va contra la Dictadura,
¿qué mejor que un homenaje a Primo de Rivera en la Universidad
salmantina, que va contra el ex rector?

El 30 de setiembre se inaugura el tren directo a Madrid por
Peñaranda y Avila. En el convoy inaugural llegan a la ciudad del
Tormes el general Primo de Rivera y sus ministros Callejo y Guada-
lorce. Martín Veloz acompaña a su viejo amigo el marqués de Estella en la visita a los cuarteles y, al mediodía, a Paraninfo lleno, se
celebra el acto académico en que el dictador recibe el nombramiento
de «doctor honoris causa» por la Universidad de Salamanca, y, en
su discurso de agradecimiento, les dice a los catedráticos salmantinos que él ya era «doctor en la ciencia de la vida», y Unamuno se
referirá al doctorado «otorgado por una parte del claustro de siervos
analfabetos de la difunta Universidad de Salamanca».

Y escribe uno de aquellos romances polémicos, de pura estirpe
quevediana, de adjetivación superabundante, pura antología del insulto:

> «*Doctor Primo de Rivera*
> *y Orbaneja, general,*
> *¿no se te cae de vergüenza*
> *con la cara el antifaz?*»

Es uno de los más duros golpes que sus compañeros de claustro
pueden asestarle. Unamuno es un hombre vehemente, pasional, y no
puede reprimir los impulsos de su sensibilidad herida.

«Hojas libres»

En España el año 1927 comienza con la constitución de la Federación Universitaria Española, que recibe su inspiración, aunque no
sea su jefe ni lo haya pretendido, de Ortega y Gasset. En el ambiente

universitario va siendo cada vez más decidida la oposición al general Primo de Rivera. En mayo se plantea la situación enfadosa de nombrar al rey rector honorario de todas las universidades españolas y «doctor honoris causa» de la de Madrid. Es una maniobra del general, que quiere así poner al rey en medio, intentando detener la creciente oposición de los universitarios. La reunión del claustro madrileño fue violenta y varios catedráticos abandonaron la sala en señal de protesta: entre ellos figuraban hombres de distinta significación, como Sánchez Albornoz o el entonces P. Xavier Zubiri, recién nombrado catedrático. Valle Inclán, a quien el dictador había llamado «eximio literato y extravagante ciudadano», sufre el secuestro y destrucción de la edición completa de su novela *La hija del capitán*. Y mientras tanto se habla de crear una Asamblea Nacional, de carácter consultivo y no legislativo, dócil a los planes de estadista del general Primo de Rivera. En agosto de 1927, la Unión General de Trabajadores se reúne en congreso y decide no colaborar en la futura Asamblea Nacional. El Congreso del Partido Socialista toma igual decisión. Pero, pese a todo, en noviembre se hace pública la convocatoria de la Asamblea.

En junio, Eduardo Ortega y Gasset inicia en Hendaya la publicación de una pequeña revista que titula *Hojas libres* y cuyo plato fuerte son siempre los artículos y versos de Unamuno. Don Miguel no escatima los dicterios contra sus enemigos, haciendo gala de su gran conocimiento de todos los secretos del idioma. Las *Hojas libres*, que llevan como emblema un arquero semejante al que usa José Ortega y Gasset en su ex-libris de *El espectador*, se difunden clandestinamente en España y son los estudiantes sus mejores propagandistas.

En el número 6 —setiembre de 1927— Unamuno hace balance de cuatro años de Dictadura, cuatro años de destierro, y no puede evitar, pese a la virulencia y fuerza de sus ataques, que el desánimo asome entre sus palabras, y es por entonces cuando, en su *Romancero del destierro*, escribe:

> «Dios de mi España contrita
> oye mi chorro de voz,
> escucha el recio lamento
> de un hijo de tu pasión,
> de un hijo de tu hija España,
> de un agónico español»

y, ya casi vencido, abandonada la esperanza del regreso:

> «Si no has de volverme a España,
> Dios de la única bondad,
> si no has de acostarme en ella
> ¡hágase tu voluntad!»

Y todo esto después de una experiencia especialmente dolorosa: enfrentarse con su libro *Cómo se hace una novela*. La editorial Alba, de Buenos Aires, le ha pedido el texto castellano que él dejó en París en manos de Jean Cassou y que éste ha entregado al traductor alemán. Don Miguel se retraduce, modifica en parte lo escrito y revive las horas angustiosas de París. Entre los últimos días de mayo y primeros de junio reelabora febrilmente su texto español, tomando como base la traducción de Cassou, y añade numerosas interpolaciones haciéndose cuestión de sí mismo, intentando explicarse aquella crisis angustiosa de París que ha quebrantado su salud.

En Madrid los jóvenes escritores redescubren a Góngora, y Unamuno se irrita porque, sin darse cuenta y por azar de su peripecia biográfica, está junto a Quevedo. Como el señor de la Torre de Juan Abad, solitario, proscrito, enfermo, se siente sostenido únicamente por el orgullo.

Traduce un párrafo de *Comme on fait un romance*:

«Y si un día el espanto del porvenir se vacía en la carne de mi cara, si pierdo la voluntad y la memoria, no sufrirán ellos, mis hijos y mis hijas, mis padres y mis madres, que los otros me rindan el menor homenaje y ni que me perdonen vengativamente...»

Y poco después, glosándose, comentaba:

«Al releer, volviendo a escribirlo, esto me doy cuenta como lector de mí mismo del deplorable efecto que ha de hacer eso de que no quiero que me perdonen. Es algo de una soberbia luzbelina y casi satánica, es algo que no se compadece con el "perdónanos nuestras deudas, así como nosotros perdonamos a nuestros deudores". Porque si perdonamos a nuestros deudores, ¿por qué no han de perdonarnos aquellos a quienes debemos? Y que en el fragor de la pelea les he ofendido es innegable. Pero me ha envenenado el pan y el vino del alma el ver que imponen castigos injustos, inmerecidos, no más que en vista del indulto.»

El 4 de junio de 1927 ha terminado la retraducción de su libro, con apostillas, y pone al mismo un breve epílogo que doce días después continúa. Entonces se enfrenta con la necesidad de recordar cuanto ha vivido y sufrido desde que está en Hendaya, cuando el 6 de setiembre de 1925 el ministro francés del interior, monsieur Schranek, le pide que se aleje de la frontera para «evitar todo incidente susceptible de perjudicar las buenas relaciones que existen entre Francia y España» y él responde al *premier* francés, su amigo Painlevé, y a Quiñones de León, embajador de España en París, que no se moverá de Hendaya. El prefecto de los Bajos Pirineos le visita el 24 de setiembre, de parte del primer ministro, para disuadirle de que se aleje de la frontera. Después, el suceso de Vera, que costó el proceso del capitán Cueto, y, todavía, el 16 de mayo de 1927, Unamuno recibe una carta del prefecto de los Bajos Pirineos, desde Pau, urgiéndole a que vaya a su despacho para darle a conocer una comunicación del ministro francés del Interior.

«...a lo que contesté —dice don Miguel— que, no debiendo por muy graves razones especiales salir de Hendaya, le rogaba que me enviase acá, y por escrito, la tal comunicación».

Este enfrentamiento con sí mismo le lleva a reencontrar su vida de solitario transterrado en la frontera:

«Por debajo de estos incidentes de policía (...), he llevado y sigo llevando aquí, en mi destierro de Hendaya, en este fronterizo rincón de mi nativa tierra vasca, una vida íntima de política hecha religión y de religión hecha política, una novela de eternidad hecha política. Unas veces me voy a la playa de Ondarraitz, a bañar la niñez eterna de mi espíritu en la visión de la eterna niñez de la mar que nos habla de antes de la historia o mejor debajo de ella, de su sustancia divina, y otras veces remontando el curso del Bidasoa lindero paso junto a la isleta de los Faisanes (...), y voy a la aldea de Biriatu, remanso de paz. Allí, en Biriatu, me siento un momento al pie de la inglesiuca, frente al caserío de Muniorte (...), y contemplo la encañada del Bidasoa, al pie del Choldocogaña, tan lleno de recuerdos de nuestras contiendas civiles, por donde corre más historia que agua, y envuelvo mis pensamientos de proscrito en el aire tamizado y húmedo de nuestras montañas maternales. Alguna vez me llego a Uruña (...) o más allá, a San Juan de Luz (...). Y otras veces me voy a Bayona, que me reinfantiliza, que me restituye a mi niñez bendita, a mi eternidad histórica, porque Bayona me trae la esencia de mi Bilbao de hace más de cincuenta años, del Bilbao que hizo mi niñez y al que mi niñez hizo.»

Vuelve a él el recuerdo de su niñez. No olvidemos que en su crisis de 1897 fue fundamental que su mujer le llamase hijo; que en París el entierro del niño Yago de Luna le ha traido el recuerdo dolorido de su hijo Raimundín; que cuando escribe la página antes transcrita ha caido en sus manos —por azar— el libro de Juan Hessen *Gottes Kindschaft* (Filialidad de Dios), el Dios hijo, y le viene el recuerdo de su padre, apenas entrevisto en su infancia.

El 27 de junio de 1927 fecha el colofón de su libro, pero el 21 se pone de nuevo ante él y comenta: «¿Terminado? ¡Qué pronto escribí eso!» Y, pesada, dolorosamente, continúa su libro en una especie de diario, intermitente, hasta el 7 de julio, en un deseo desesperado de no morirse, de no declararse vencido, como U. Jugo de la Raza, personaje del relato autobiográfico que tituló *Cómo se hace una novela.*

En este estado de ánimo siguió los sucesos del vivir hispánico, alimentando su dolor en los artículos y versos de las *Hojas libres*, intentando escribir en España con el seudónimo de *Augusto Pérez Niebla*, tan fácilmente reconocible y haciendo balance de cuatro años de Dictadura. Mientras tanto, el general Primo de Rivera está también cansado y su vida política complicada con problemas sentimentales. El general proyecta buscar la vía constitucional, para lo que se piensa en el conde de Guadalhorce como su sucesor. Primo de Rivera, con la salud quebrantada, viudo, proyecta su matrimonio con la señorita Niní Castellanos, cuya presencia en varios actos oficiales había sido acogida con chirigotas por parte de sus adversarios. Las *Hojas libres* tampoco perdonan el detalle. Pero si el general está cansado y con ganas de abandonar la lucha, no menos lo está su adversario Unamuno, que sólo espera a las Navidades para que su familia se reúna con él en Hendaya.

El 27 de julio había decidido ya publicar su *Romancero del destierro* y aquel día fechaba el prólogo justificativo. Cae, como le pasaba siempre que ponía fin a un libro, en la necesidad de cambiar de género literario o forma de expresión, ya que no de tema. Hasta que el 1 de marzo de 1928 no escribe los primeros versos del que luego será el *Cancionero*, no pasa de la media docena el número de poesías de este intermedio, poesías que nunca pretendió publicar y ni incorporó siquiera a este su más extenso libro poético. El 25 de octubre de 1927 escribe un soneto revelador de su estado de ánimo:

> «*Hoy vengo de la mar que me ha cantado*
> *junto al corazón canto de olvido,*
> *hoy vengo de la mar que me ha sabido*
> *borrar del pecho el nacional cuidado.*
>   *El sol en el Jaizquibel se ha acostado*
> *y su luz de mi frente se ha caido,*
> *¡que nunca el porvenir «*   » querido*
> *al resplandor funesto del pasado!*
>   *Olas de España, un día más la muerte*
> *ha devorado, un día más la vida,*
> *¿cuándo, mi hogar, he de volver a verte?*
>   *¿Cuándo en el seno que a soñar convida*
> *me firmarás, Señor, la última suerte*
> *con el dedo a que debo mi partida?*»

Le sobraban razones para el desaliento. Después de la investidura de Primo de Rivera, casi a un año de distancia de la *Sanjuanada*, recibe otro golpe que le viene de Salamanca, del rector de la Universidad, Enrique Esperabé, que publica en *La nación*, de Madrid, el diario del Directorio, el 10 de junio de 1927 un artículo que titula «Distingos convenientes. Inteligentes e intelectuales», al que pertenece este párrafo:

> «Estos intelectuales son los que hablan despectivamente de los genios más esclarecidos y de las personas más eminentes; los que pretenden ridiculizar la elocuencia de Castelar, el saber de Menéndez Pelayo y la elegante prosa de Galdós; los que están en continua oposición, en contradicción constante, y deseando echar

---

* Falta palabra en el original que se cita.

por tierra los más sólidos cimientos; los que encuentran bonitas y buenas las cosas que en el extranjero se producen, y feas y malas todas las de España; los que aspiran a dificultar la obra de Primo de Rivera calumniando e inventando lo más inverosímil, sin importarles lo más mínimo el engrandecimiento del país.»

Las alusiones son bastante claras, y el distingo con desprecio del intelectual, de un claro tinte hispánico que aflora de cuando en cuando.

Y ahora ha pasado un año, otro año, una nueva puerta abierta a nuevas amarguras. Pasadas las Navidades, doña Concha, que ha acompañado a su marido en estos días, regresa a España. En la frontera se registra cuidadosamente su equipaje. La mujer del proscrito lleva un ejemplar de los últimos números de las *Hojas libres*, que su marido quiere guardar en el archivo familiar, en ese enorme y desordenado archivo en el que conscientemente va almacenando todo cuanto escribe o se refiere a él. Doña Concha es encarcelada bajo la acusación de introducir propaganda subversiva en España. La mujer de Unamuno tiene recio temple y no se arredra. Llega a la cárcel con la misma naturalidad con que hubiese llegado a su casa de la salmantina calle de Bordadores, donde la espera la familia. No pide nada, no está dispuesta a solicitar ni clemencia ni indulto. La preparan su celda y habla con las otras reclusas. Se ofrece a ayudarlas en su tarea de confecciones de punto. Hace planes para todo el tiempo que pueda permanecer encarcelada y, súbitamente, a las pocas horas de su prisión, se encuentra en libertad. «Hiciste lo que debiste hacer: disponerte a sufrir la prisión», la escribía con orgullo su marido el 5 de enero de 1928. Pero cuando redactaba el artículo «A mis hermanos de España presos en ella» para el número 10 de las *Hojas libres*, una vez más le gana el desaliento, pese a su agresividad, teme que le retiren el pasaporte a su mujer y, consecuentemente, que no puedan volver a verse, y escribe —terco vizcaíno que mantiene su pleito personal—: «Pero aunque hubiera de caer aquí para siempre y sin llevar en mis ojos la gloria de los ojos de mi Concha, no me rendiré.»

En febrero (el día 19 exactamente) Henri Barbusse, el autor exitoso de esa gran novela que es *Le feu*, escribe a Unamuno proponiéndole pertenezca al consejo de redacción de la revista *Monde*, que va a fundar, teniendo como compañeros de consejo a Máximo Gorki, Albert Einstein, Upton Sinclair, Manuel Ugarte, Bazalpette, Leon Werth y el propio Barbusse, que escribe por entonces frecuentes cartas a Unamuno, unas veces en español y otras en francés. El desterrado aceptó el ofrecimiento y colaboró en la revista *Monde* mientras ésta pudo vivir. Era una forma de seguir en la lucha.

Por entonces la Liga de los Derechos del Hombre, que presidía Unamuno en España desde antes de su famosa visita al rey, propone que el Premio Nobel de Literatura de aquel año le sea concedido al gran proscrito. La Sociedad de Naciones pretende integrar a todas estas Ligas nacionales en una federación y el Gobierno de Primo de

Rivera crea una sección en Barcelona para su integración en el organismo internacional. Unamuno, como presidente, y Eduardo Ortega y Gasset, como secretario, dirigen el 30 de marzo de 1928 una carta de protesta al presidente de la Sociedad de Naciones, señalando que «jamás representación alguna nuestra puede dirigirse al dictador por otra cosa que para cumplir con su esencial misión, que es la de mantener los derechos de los españoles». Y, en tanto, rueda la candidatura del Premio Nobel de Literatura y el Gobierno español anuncia al de Suecia que don Miguel es «un fauteur de dèsordre» y propone, como fórmula conciliatoria, la candidatura oficial de la novelista doña Concha Espina. La marcha administrativa del Nobel lleva siempre un ligero retraso en el calendario: el premio que se discierne es el de 1927. La Academia Sueca vota en esta ocasión por Henri Bergson, «por sus amplias y fructíferas ideas y por el brillante arte con que ha sabido exponerlo».

En aquel tiempo también, junto a esta «victoria» del Directorio, acompañada de la suspensión de empleo y sueldo del catedrático Jiménez Asúa por una conferencia que ha pronunciado en Murcia, Luigi Pirandello, que ha conocido a Unamuno en la reunión del Pen Club en París, monta en los escenarios italianos para su compañía teatral el drama *Todo un hombre*.

Y entre estas luchas, la muerte de Blasco Ibáñez, el batallador conmilitón que desaparece y a cuya memoria se dedica el número 11 (de febrero de 1928) de las *Hojas libres*, reproduciendo el documento que con Unamuno y Eduardo Ortega y Gasset firmó el novelista valenciano protestando de los sucesos de Vera. El golpe era fuerte, demasiado duro; la constancia de que los luchadores mueren en el destierro. Unamuno se convence de que pocas esperanzas le quedan, de que la voluntad de un hombre no basta para cambiar el curso de los acontecimientos. Tiene casi ganas de abandonar la lucha. Un día, el 1 de marzo de 1928, empieza un poema:

> *«Mira, Josué, no te engañes,*
> *no pares el sol, la lucha;*
> *deja correr a las horas,*
> *que es cada hora la última.*
> *... ... ...*
> *Deja, Josué, que la noche*
> *traiga la paz de la cuna;*
> *mañana será otro día;*
> *tanto da siempre que nunca.»*

Y sin darse cuenta de lo que hace, don Miguel, en esta hora de desaliento, ha escrito el primero de los 1.755 poemas de su *Cancionero*. Días antes, en febrero, ha redactado otros poemas, en que dice que

> *«Se alarga al morir la sombra; el cielo a echar estrellas;*
> *a soñar me llama, madre, desde su entraña la tierra»*

pero antepone a todos este gran poema de la derrota. ¿Para qué intentar que el sol se pare? ¿Para qué pretender cambiar el rumbo de la Historia? ¿Para qué luchar? Pero Unamuno, escribiendo estos versos en unas octavillas que lleva en su bolsillo, empieza a adquirir conciencia de la obra posible, y el 11 de marzo, al escribir el poema 16, lo supone como «Dedicatoria al dios desconocido». Una nueva etapa crítica se está desarrollando en su interior. Es curioso recordar que, en su Diario de 1897, haga un comentario del *Padre nuestro*, porque el 13 de marzo vuelve a hacerlo, pero en verso; revive también su conciencia infantil, de cuando tuvo una fe en todo y en todos («Agranda la puerta, padre»); pero le queda la amargura de estas horas terribles de soledad, sólo alimentadas por el odio y el resentimiento («Porque no puedo pasar/ la hiciste para los niños,/ yo he crecido a mi pesar»). Y el día 25 surge ya en él el propósito de escribir un diario, poético esta vez, y al frente del poema 54 pone ya el título del libro ,aunque dude entre dos versiones: *Cancionero espiritual en la frontera del destierro* y el más conciso de *En la frontera. Cancionero*.

¿Qué es lo que empieza a ser este *Cancionero*? Un diario, pero con un sentido diferente al llevado en 1897. El destierro le ha impuesto —y una primera muestra es *De Fuerteventura a París*— la necesidad de registrar todas las circunstancias cotidianas, salvar la anécdota en la categoría, pero no ser trascendente a ultranza como intentó entonces. Sin embargo, y esto es lo que diferencia a su crisis de exiliado, de la crisis moral —con conciencia culpable— de 1897, lo que ahora domina en su espíritu es el convencimiento de que la juventud ha pasado, de que su salud se resiente y ya no es cuestión de pervivir, sino sólo de sobrevivir a la afrentosa apuesta a que como proscrito se ha comprometido.

«¿Tendré en el destierro entierro?
Quién sabe..., pudiera ser...
Mas ni al destierro me aferro;
es que quiero renacer.»

Y el mismo día —21 de abril de 1928— da nueva forma al anterior poema:

«El entierro en el destierro,
¿quién lo sabe?;
el destierro en el entierro
es lo grave.»

Los amigos abrigan fundados temores por él y sienten, como le escribía Antonio Machado el 12 de junio de 1927: «Aquí se padece (...) la ausencia de Unamuno, de sus artículos, de sus poesías, de su espíritu vigilante por la espiritualidad española.» No faltan quienes creen que el viejo luchador debe volver a España, pese a todo, como piensa Ramón y Cajal, con gran irritación del desterrado. En nombre de los amigos de Salamanca, el doctor Julio Salcedo intenta influir sobre doña Concha. Habla también como médico, convencido de que la edad de Unamuno y su estado constante de irritabilidad no inspiran mucha confianza para soportar la vida de desterrado. Pero don Miguel no cede:

«Dile a Salcedo de mi parte —escribe a su mujer el 2 de abril de 1928— que incapaz yo de una conducta, y siendo uno de los españoles anulados por el fetichismo del gesto, sigo aquí, en Hendaya, lanzando gestos y sin rendirme al deber de mi edad, que es resignarme, ni hacer caso de las sirenas que creen que debo volver ya a España a facilitar el tránsito a la normalidad. Y que los que creen que tengo apetito de poder no me conocen. De lo que tengo apetito es de justicia, que no consiste en borrón y cuenta nueva. Esto se queda para Romanones y compañía.»

Julio Salcedo no consigue que Unamuno regrese, pero sí que la silente tenacidad de doña Concha le fuerce aquel verano a alquilar una casita en Hendaya para vivir con su familia. En el *Cancionero*, veladamente, aparece la figura de doña Concha, que se esfuerza por vivir en Hendaya como en Salamanca. El 28 de junio escribe don Miguel:

«*Cada día que se pierde*
es para ella aniversario,
ya se le ha secado el verde,
su Biblia es el calendario;
cuando el hastío le muerde
se va a rezar el rosario.»

y el 22 de julio:

«*En mi mano tu mano y en tus ojos mis ojos,*
el camino se acaba, va poniéndose el sol.
Se nos va a abrir la noche y a cerrar la posada,
se me rinde del sueño tranquilo el corazón...»

Hay también otro motivo especial para que doña Concha no quiera que la soledad pese demasiado sobre su marido. El 22 de junio se ha casado en Salamanca su hija Salomé con el escritor José María Quiroga y Pla. Se ha estudiado la posibilidad de celebrar el matrimonio en Francia, pero Unamuno ha insistido en que sea en Salamanca. Y es curioso observar que, en su *Cancionero*, ese día está en blanco, imposibilitado de hacer literatura de su soledad.

En esta casa le visita el 10 de agosto el escritor yugoslavo Bogdán Raditsa, que pasa ocho días a su lado, sorprendiéndose del conocimiento que Unamuno tiene de diversas cuestiones yugoslavas. Raditsa le acompaña al Grand Café, «donde puede encontrársele todas las noches acompañado de alguno de sus hijos»; a la caída de la tarde va con él, durante todas las jornadas de su estancia, hasta el puente internacional. El 14 de agosto cuenta Raditsa en su *Diario:* «Fui a verle a su casa. Estaba en su cama, inmóvil, en una habitación parecida a una celda. Me dijo que pasaba mucho tiempo así. Una obra de Mazzini se hallaba sobre su mesita de noche.» Es la misma actitud vivida en París cuando creaba a su U. Jugo de la Raza. La última imagen que el escritor yugoslavo tiene es la de Unamuno «sentado en el balcón, cubierto de hiedra, de su casa del exilio». Raditsa, que desde 1926 le conocía epistolarmente y le había leido en italiano y en español, va impresionado de sus conversaciones con este hombre, que ha aprendido a amar a los eslavos leyendo a Mazzini. Le anuncia su marcha, que irá a Salamanca algún día, cuando él esté allá.

«Prometí ir a verle en la España liberada, en Salamanca, donde al fin resucitaría su Don Quijote. Me miró, mientras el sol se hundía lentamente en el mar, y dijo:

—Lo que nos angustia en el presente y para el futuro es la necesidad de restablecer una conciencia universal de la humanidad. En la afirmación de este sentido de justicia para todos los pueblos y los individuos, nuestra España ensangrentada tiene que ocupar su puesto, el lugar adecuado a sus valores espirituales... Los valores del espíritu y la dignidad del hombre tienen que imponerse por encima de todo lo demás... La humanidad debe volver a creer en la fraternidad entre los hombres sobre la tierra... Sólo así Cristo, Don Quijote, Mazzini, Dostoiewski podrán creer que no han existido en vano y que no sacrificaron sus vidas y su espíritu inútilmente.»

La agonía del directorio

En España se aflojan un poco los lazos de la dictadura. Martínez Anido, el 14 de agosto, es recibido clamorosamente por sus paisanos en La Coruña, y en un banquete confesó en su brindis: «Hace cinco años que gobernamos, y el país llegará a cansarse como se cansa el hijo de la prolongada tutela del padre.» El general Primo de Rivera descansa en el balneario de Mondáriz haciendo una cura de aguas. Aguilera y Villanueva conspiran en Madrid y están en contacto con Sánchez Guerra en París. En setiembre, cuando se aproxima la conmemoración del directorio, el rey se va a Suecia. El dictador anticipa la conmemoración en San Sebastián y mide el entusiasmo, cada vez menor, de los españoles el 13 de setiembre en Madrid, con motivo de una manifestación ante el nuevo Ministerio de Instrucción Pública, manifestación que empieza a disolverse antes de que él concluya su discurso. El general intenta ganarse la confianza perdida. Dirige un manifiesto a los estudiantes, otro a los obreros, otro a la nación entera; concede un indulto general con motivo de la conmemoración del quinto aniversario de su llegada al poder; ha

«¡Oh, clara carretera de Zamora,
soñadero feliz de mi costumbre!»

Ultima fotografía familiar. Faltan Rafael y Ramón; poco
después morirían su hermana María, su hija Salomé
y doña Concha (Foto V. Gombau.)

Mitin republicano en
el teatro Bretón. A la
izquierda de don Mi-
guel, el doctor Prieto
Carrasco, Alvaro de Al-
bornoz y José María
Quiroga Pla. (Foto V
Gombau.)

reorganizado también la Administración del Estado. Posiblemente se da cuenta de que está llegando al final de su empeño político.

Vuelve la angustia

Para Unamuno el verano pasa y también vuelve la soledad. Algo barruntaba ya cuando le encontró Raditsa en la misma posición de sus épocas de crisis. En la paz, en la calma chicha, le asalta la guerra del espíritu. En la guerra encuentra la paz, la serenidad del espíritu.

Y al empezar el año de 1929 hay calma chicha en el mar de su lucha. Eduardo Ortega y Gasset ha sido alejado de la frontera. Los conspiradores ya no cuentan con el viejo Unamuno sino en la medida de un consejero, y las noticias de España dejan entrever el mismo aire de cansancio entre dominadores y dominados. Cuando nada exterior ocupa y preocupa a don Miguel se vuelve éste a su mundo interior, a su «adentro», y renacen las congojas espirituales y también las angustias del cuerpo, que en él son reflejo de éstas.

El 4 de enero de 1929 escribe en su diario poético:

> «*Durmióse anoche el brazo
> que escribe, la perlesía,
> paz de sangre me sumía
> en paz de ensueño el regazo,
> me devolvía a rechazo
> ganas de soñar oscuro
> acurrucado al seguro
> de la tierna esclavitud
> y así en forzosa virtud
> halló mi fatiga muro.*»

El viejo temor del *ángor pectoris*, el sueño de la compañía de doña Concha («acurrucado al seguro de la tierna esclavitud») otra vez en Salamanca, lejos de él («y así en forzosa virtud»), provocan esta recaída en las angustias de antaño. El primer poema de aquel día, anterior al citado, era ya un buen índice del marasmo del desterrado en soledad:

> «*Hoy es la eterna anécdota de cada día,
> la cotidiana,
> de noche se me hará categoría,
> me anudará el mañana
> a lo que fue: el ayer;
> flores que fueron sueñan bajo el verde,
> nada se pierde,
> el padecer es la flor del hacer,
> en padecer el corazón se salva,
> retorna a revivir;
> la luz del alba
> devora la sombra del porvenir.*»

En la soledad de la noche, sin nadie con quien hablar, sin nadie
a quien usar como pretexto para aturdirse, vuelve la congoja antigua, cuando la preocupación por su corazón enfermo es prueba
de que aún se sigue vivo y el amanecer le confirma que aún existe
un futuro, un «mañana todavía», y a la vez el desánimo del que
quiere la muerte (¿No fue Unamuno un suicida en potencia? ¿No
es natural que —ya viejo— desee morir?), del poemita que escribe
el día de Reyes:

> «Muélleme verdura, Padre,
> tengo ganas de soñar
> cara al cielo de la tarde
> que se recuesta en la mar.
> Sueños de nunca y de siempre,
> sueños de no despertar,
> sueños que por ya soñados
> valen otra eternidad.
> Muélleme verdura, Padre,
> porque me quiero acostar
> cara a tu cara que sueña
> la cruz de nunca acabar.»

Siente claramente su vacío de España, su necesidad de volver.
«Vuélveme los días macizos/ de mi España, Señor:/ hoy grita en
ella mi silencio/ henchido de dolor», dice el 17 de enero, y el 3 de
febrero, como en sus épocas de crisis, vuelve a comentar el *Padre
nuestro*, y el silencio divino torna a ser tema («Me hablo de Dios en
tanto Dios se calla») en el poema 678 del 6 de febrero y el 3 de
marzo:

> «Pesimismo?, gracias a él vivo;
> si va bien, para qué vivir?,
> para qué regalarse pasivo?;
> existir, no!, sino insistir?,
> y si el mal no tiene remedio
> mejor que mejor, maldecir;
> que sólo así se cura el tedio:
> es una traición morir.»

Me destierro a la memoria

Supone esto ya el inicio de la superación de la crisis, porque
otras cosas van pasando en España y él puede volver a la lucha.
Sánchez Guerra, desde París, ha asumido la responsabilidad de la
conspiración civil contra Primo de Rivera, cuya parte militar asu-
men Aguilera y Villanueva. La sublevación está prevista para la madrugada del 28 al 29 de enero. Valencia es la capital del pronunciamiento. Sánchez Guerra, acompañado de Carlos Esplá, llega a la

capital levantina un día después de lo convenido; pero él no es culpable del fracaso, porque nadie se ha movido. El general Castro Girona, el hombre clave, estuvo indeciso, y nada se pudo hacer por su causa. En Ciudad Real, los artilleros del regimiento 1º ligero no habían fallado, pero ellos solos poco podían pesar en todo el país. Calvo Sotelo recordó cómo había impresionado al dictador la pasividad de sus supuestos partidarios en esta pequeña ciudad, que volvió a la calma haciendo excesivo el alarde de la presencia de los generales Orgaz y Sanjurjo. En Valencia fue detenido el indeciso Castro Girona. Queipo de Llano, en Murcia, había redactado un bando republicano de acuerdo con Artigas Arpou y Alvaro de Albornoz, pero no se pronunció. Fallaron igualmente todas las demás delegaciones, incluida la de Madrid. Primo de Rivera, confiado, afirmó el 1 de febrero: «El Gobierno no tiene que violentar la investigación ni que extremar el rigor para sentirse seguro.» Pero el día 18 se disolvía, por Real Orden, el Arma de Artillería, principal o más visible enemigo en aquella conspiración abortada. Antes, el 6 de febrero, había muerto repentinamente doña María Cristina, principal consejero del rey en cuestiones de Gobierno.

Don Alfonso XIII, ésta es la verdad, se queda solo, y mucho más que los desterrados, porque al frente del Gobierno está un hombre que a él le resulta ya molesto y que no tiene inconveniente en decir que no se deja *borbonear*. Marañón, el 22 de noviembre de 1923, había informado ya a Unamuno sobre esta actitud de los poderosos:

«Hablan mal unos de otros —le decía en su carta— y en público, como borrachuelos, sobre todo después de echarse unas copas de jerez al coleto. Del rey hablan con desprecio. Anoche tuve, en una comida, un altercado con uno de los ayudantes de Primo de Rivera, todo lo violento que me permitió la ocasión; y él decía (de uniforme): "El rey no es nada, aquí el que manda es Miguel." Y así piensan todos. Claro que el trono está socavándose con todo esto, y sé, por los íntimos del rey, algunos de los cuales veo a diario, que la misantropía regia, agravada por las cuestiones, bien tristes, de su familia y descendencia, aumenta cada día, y que la idea de la abdicación ronda constantemente su cabeza.»

Este testimonio de un hombre tan sereno y ponderado como fue siempre el doctor Marañón —testimonio rigurosamente inédito hasta ahora— explica bien la situación del monarca disolviendo el cuerpo de Artillería en esta coyuntura. «Don Alfonso —escribe Fernández Almagro, que ignoraba esta anécdota epistolar— pasó por una honda crisis (la muerte de su madre) que agitó en su ánimo recuerdos, angustias y el temor cierto de hallarse muy solo. No fue propenso a dejarse conducir, ni la reina madre lo hubiese conseguido, de proponérselo. Pero de todas suertes, don Alfonso tenía en doña María Cristina la certidumbre del consejo leal y el asesoramiento de la experiencia. Muy débil debió sentirse don Alfonso para firmar el real decreto que disolvió el cuerpo de Artillería.» Primo de Rivera se impuso, una vez más, al rey, en un intento desesperado de salvar la Dictadura, que había nacido bajo el signo militar y ponía a los militares frente a él. Primo de Rivera amenazó con su dimisión y don Alfonso quiso evitar lo que le parecía un desastre, firmando el decreto. El 9 de febrero se condenaba también a quienes murmurasen contra el Gobierno, encargando de la misión policíaca a los Somatenes y a la Unión Patriótica. El poeta Enrique de Mesa, funcionario del Ministerio de Instrucción Pública, fue una de las víctimas primeras, siendo confinado en Soria, y el escritor Ceferino Palencia, popular entonces, funcionario del mismo Ministerio, fue deportado a Logroño, y ninguno de los dos supo jamás por qué habían perdido su carrera.

La Universidad se encuentra cada vez más decididamente frente al Directorio. Una rectificación del Estatuto universitario, perpetrada por Callejo en defensa de los típicos veteranos de la Casa de la Troya, matriculados, pero no estudiantes ni estudiosos, provoca huelgas estudiantiles, detenciones, pedreas contra la presidencia del Consejo, las redacciones de los periódicos *A B C* y *El debate* y la propia residencia particular del dictador, que el 16 de marzo decide clausurar la Universidad de Madrid.

Don Miguel, desde Hendaya, envía una carta a los padres españoles, a quienes culpa de no seguir el paso ejemplar de sus hijos. «Es sagrado deber de esa juventud —les dice— despertar en sus desgraciados padres y abuelos, en los de mi generación, el sentimiento de la dignidad, que parece se ha dormido, si es que no ha muerto.» Y no mucho después, el Domingo de Pasión, se dirige *A los estudiantes de España* y les dice:

> «Estáis amaestrando a vuestros profesores enseñándoles a ser maestros y ciudadanos. Despreciad a esos cuitados de ellos, ganapanes de la enseñanza que aceptan, siervos del destino y del escalafón comisarías regias para administrar la universidad y seguir royendo los mendrugos del pan de munición.
>
> ... ...
>
> Que nos roben —ya lo están [robando]— el dinero, que entreguen a España a la explotación de Compañías extranjeras, que se repartan acciones liberadas, que vendan la justicia, que subasten el favor, que arruinen a sus censores, que mantengan meses en la cárcel sin proceso ni enquisa a inocentes, que restauren la inquisición y la tortura; pero que no nos roben vuestra alma, el porvenir, la juventud de España, hijos míos.»

Primo de Rivera proyecta reducir el número de las universidades españolas, porque —dice— en España «es sabido que sobran muchos abogados y médicos». José Ortega y Gasset, Felipe Sánchez Román y Luis Jiménez de Asúa, en la Universidad de Madrid; Fernando de los Ríos, en la de Granada; Alfonso García Valdecasas, en la de Salamanca, renuncian públicamente a sus cátedras. Antes, Ramón Menéndez Pidal ha escrito el 27 de marzo a Primo de Rivera proponiéndole «Que se enjuicie a estudiantes y profesores, según las leyes preexistentes; que se derogue la disposición causadora del conflicto [se refiere a la rectificación del Estatuto universitario, ya aludido]; que se devuelva a la universidad su libre personalidad, la totalidad de su acción, y ella por sí sola, con sus autoridades elegidas por ella misma, representantes de su espíritu y de su tradición, regida por leyes protectoras, logrará en el acto restablecer no sólo su funcionamiento aparente, sino su verdadera actividad, con estímulos de vida, de cooperación y de iniciativa, que sólo pueden surgir en la paz y satisfacción cordial».

El general intenta salvar su obra, en la que ha puesto su vida con todos sus errores y aciertos, lanzando un anteproyecto de Constitución con cinco leyes orgánicas, cuya elaboración se le escapa ya de las manos. Quiso resolver la crítica situación ampliando la Asamblea, y el 26 de julio llamaba a los ex presidentes del Consejo de Estado y de las Cámaras, muchos de los cuales figuraban ya en la oposición, y a los representantes de las academias, universidades y otras corporaciones. La Universidad de Valladolid presentó como candidato a Unamuno y el Colegio de Abogados madrileños a Eduardo Ortega y Gasset, Santiago Alba y Sánchez Guerra. Los nombres de estos candidatos eran un reto descarado al Gobierno. Sánchez Guerra, a causa del último intento de subversión, era sometido en octubre a Consejo de guerra, encargándose de su defensa Bergamín, y fue absuelto, y con él los otros procesados, salvo dos o tres a quienes se impuso pena de arresto menor. El desaliento del dictador fue manifiesto y no se recató en declararlo.

La caída del general parecía inminente, aunque no pocos españoles desconfiasen pensando en que la provisionalidad de aquella situación podría prolongarse indefinidamente. El mismo Unamuno no está lejos de esta idea y en su *Cancionero*, prácticamente la única manifestación literaria de esta época, parece desentenderse de la circunstancia política; evoca lugares de Salamanca, pueblos, rincones, con más insistencia que en otras épocas, y se declara tan vencido como su adversario y hace, el 9 de marzo de 1929, su conocido testamento poético:

> «*Me destierro a la memoria,*
> *voy a vivir del recuerdo;*
> *buscadme, si me os pierdo,*
> *en el yermo de la historia.*
> *Que es enfermedad la vida*
> *y muero viviendo enfermo;*
> *me voy, pues, me voy al yermo*
> *donde la muerte me olvida.*
> *Y os llevo conmigo, hermanos,*
> *para poblar mi desierto;*

cuando me creais más muerto
retemblaré en vuestras manos.
Aquí os dejo mi alma —libro,
hombre— mundo verdadero;
cuando vibres todo entero
soy yo, lector, que en ti vibro.

De este poema se ha usado y abusado indudablemente, interpre-tándolo como expresión del ansia de inmortalidad de Unamuno. Pero en él, sabiendo el momento en que lo escribe, hay una real gana de morirse, todo lo contrario de cuanto han visto los comentaristas. Es el cansancio, el convencimiento de la derrota y la única esperanza de dejar la obra y el nombre como remordimiento nacional, como conciencia acusadora.

«*Se acabará el combate,*
Señor, con la victoria?
se acabará la historia?
vendrá el remate?
Y qué haré, luchador?
Ahorrame la victoria, Señor»

escribía un día después, y el 4 de agosto decía en el último verso de otro poema: «y siento el aire frío de la vejez», y el 1 de noviembre:

«*Contemplando los alfaques*
que me separan de España
voy sintiendo los achaques
que se agarran a mi entraña.
Entre los alfaques cruza
Bidasoa fronterizo,
sus arenas desmenuza
abriéndose pasadizo.
Entre mis achaques quiebra
paso un río de coraje
y aunque se ha quedado en hebra
voy con él llenando viaje.»

Una esperanza o, mejor, un asidero a la vida lo encuentra Una-muno con el nacimiento de su primer nieto. Salomé y su marido, José María Quiroga y Pla, le han visitado en Hendaya. Salomé sabe del riesgo que corre si queda encinta; sufre una desviación de la co-lumna vertebral y los médicos amigos la han advertido de ello. Habla con su padre. Don Miguel acepta la decisión de su hija y en aquel tiempo extrema su comunicación epistolar con ella, intentando ocul-tar su inquietud. El nieto nace y el peligro de la muerte de Salomé parece alejado. Don Miguel recibe la noticia y sabe que el día 24 será bautizado en la iglesia de las Agustinas su primer nieto. Piensa que el día 1 de diciembre será luna nueva y escribe el poema número 1.247 (¡qué lento desangrarse en poemas!) de su *Cancionero*:

> «*La media luna es una cuna,*
> *¿y quién la briza?*
> *y el niño de la media luna,*
> *¿qué sueños riza?*
> *La media luna es una cuna,*
> *¿y quién la mece?*
> *y el niño de la media luna,*
> *¿para quién crece?*
> *La media luna es una cuna,*
> *va a luna nueva;*
> *y al niño de la media luna,*
> *¿quién me lo lleva?*»

El interrogante del último verso está lleno de la angustia que siente por el futuro de su hija. La ternura que manifestó siempre por su primer nieto encuentra sólo su explicación en esta incertidumbre inicial y en el conocimiento de que su hija Salomé no podrá sobrevivir mucho tiempo a su maternidad.

Por entonces el escultor Victorio Macho está en Hendaya, empeñado en hacer un busto a Unamuno. Inicia el modelado y la tierra no le sirve como él quisiera. El escultor vuelve a España y pretende pasar la frontera con un carro de arcilla española. Los gendarmes se alarman, preguntan, meten sus manos en la tierra húmeda en busca de un posible contrabando y el escultor —como me confesaba en Salamanca en 1951— les tuvo que explicar sencillamente:

—Para modelar la cabeza de Unamuno sólo sirve la tierra de España.

Pensó el escultor en modelar el torso desnudo del desterrado y encontró que, con la barba, resultaba corto el cuello y demasiado altos —¿tal vez por la indiferencia y el cansancio?—, encogidos, los hombros. Optó por dejar su estatua con el uniforme de *clergyman*. Cuando había terminado el modelado —meses de labor—, don Miguel contempló la obra, asintió con gesto mudo dando su aprobación, dudó un segundo y, tomando una pella de barro, murmuró:

—Falta algo.

Con sus dedos pegó el barro húmedo sobre el pecho de la escultura y dejó el boceto de una cruz que llevó siempre. El escultor se encargó luego de perfilarla. Victorio Macho hizo después el vaciado de la figura, que posiblemente pensó toda en bronce, aunque más tarde optase por dejar la cabeza en metal y labrar en granito el cuerpo. El 25 de noviembre le enseña a Unamuno el modelo de escayola de su escultura y don Miguel anota en su *Cancionero*:

> «*Me vi en yeso,*
> *sentí frío;*
> *sentí el peso*
> *del vacío.*»

Sí, era un poco sentirse ya muerto. La preocupación que luego tuvo ya siempre Unamuno por no verse cara a cara con esta escultura arranca de este momento, de la pavorosa impresión que le produjo la gran obra de Victorio Macho. Y, por si fuera poco, se acababa un año más sin ver acercarse la hora del regreso.

La caída del dictador

El 31 de diciembre el general Primo de Rivera entrega al rey un documento en el que intenta planear la liquidación de su propia gestión gubernamental, para «abreviar y fijar los plazos de vida de la Dictadura y precisar y preparar los métodos de su sucesión», plazo que fijaba en unos meses y con la ayuda de una nueva Asamblea Nacional y con un nuevo gobierno presidido por un hombre civil. El conde de Guadalhorce y el duque de Alba eran los candidatos del dictador que se sentía dimisionario, siempre que continuasen su obra. Pero el monarca no estaba dispuesto a aceptar sus exigencias. Primo de Rivera intentó explicar veladamente la situación a sus ministros y no fue lo suficientemente explícito, por lo que Calvo Sotelo, Guadalhorce y el conde de los Andes le instaron a que su retirada fuese más gallarda, sancionada incluso por el voto de gracias de un plebiscito popular. La baja vertiginosa de la peseta arrastró a Calvo Sotelo, cuya dimisión aceptó Primo de Rivera.

La F. U. E. pide el regreso a sus cátedras de los titulares que dimitieron como protesta contra el ministro Callejo, el levantamiento de la sanción impuesta al estudiante Sbert, y se declara la huelga en todas las universidades. Tampoco descansan los constitucionalistas, acaudillados por don Miguel Villanueva, a quien se unen el comandante Ramón Franco y don Miguel Maura. Se había preparado un pronunciamiento en el que jugaban importante papel un ex ministro conservador, Burgos Mazo; el jefe de los republicanos en Sevilla, Diego Martínez Barrios, y el general Goded, cuando el 26 de enero el propio Primo de Rivera solicita en una de sus notas oficiosas el plebiscito militar. La Dictadura, anunció, «se somete y autoriza e incita a los diez capitanes generales, jefe de las fuerzas de Marruecos, tres capitanes generales de departamentos marítimos y directores de guardia civil, carabineros e inválidos a que, tras una breve, discreta y reservada exploración, que no debe descender de los primeros jefes de unidades y servicios, le comuniquen por escrito, y si así lo prefieren se reúnan en Madrid, bajo la presidencia del más caracterizado, para tomar acuerdos, y se le manifieste si sigue mereciendo la confianza del Ejército y de la Marina. Si le falta, a los cinco minutos de saberlo, los poderes del jefe de la Dictadura y del Gobierno serán devueltos a S. M. el rey, ya que de éste los recibió, haciéndose intérprete de la voluntad de aquéllos.» Primo de Rivera no logró la adhesión personal que buscaba y el mismo rey se mostró molesto por lo que consideró como suplantación de su papel de juez y árbitro en el gobierno de España. El general habla con Martínez

Anido y decide dimitir. Por su parte, Alfonso XIII está el día 28 instando al conde de los Andes para que lleve a Primo de Rivera hasta una decisión que éste ha tomado ya. En aquel momento el marqués de Estella llegó a la cámara regia para anunciar que abandonaba la lucha. El jefe de la Casa Militar de S. M., el general Berenguer, fue el encargado de formar nuevo Gobierno, el que luego sería llamado *la dictablanda*. Romanones dijo que aquello parecía un sueño; pudo haber dicho igualmente cualquier otra cosa. Era el momento en que muchos políticos salían de sus madrigueras para disputarse el mendrugo del poder.

El día 30 de enero, don Miguel, en su diario poético, que no reanudará hasta un mes más tarde, estampa sólo un breve poema:

> «*Sobre la cruz del camino*
> *posa un cuervo, y se te llena*
> *de una congoja serena*
> *todo el pecho, peregrino.*»

Unamuno sabe que es la hora de los cuervos y él, con su perfil de buho, tiene en su alma alas de águila. Ahora esperar puede ser menos duro, pero no hay que confiar aún. José Giral le escribe como intermediario, preparando su regreso:

> «... queremos saber qué solución le sería a usted más grata para resolver su situación académica. La reposición a su cátedra declarando excedente forzoso al que actualmente la usurpa; el nombramiento en propiedad de la otra cátedra que usted desempeñaba (Filología comparada de las lenguas indoeuropeas) por acumulación; la designación para alguna cátedra de doctorado que exista o pueda crearse, etc. Concretamente deseamos que nos conteste con toda urgencia cuál es su parecer y su deseo. Porque lo que usted opine será lo defendido, pedido, reclamado, por todos nosotros y por los estudiantes (en cuyo nombre también escribo a usted para lo mismo)».

Esto el día 3 de febrero y, al día siguiente, el político republicano aborda nuevas cuestiones de orden práctico relacionadas con el regreso a España que Unamuno aceptaba bajo el patrocinio de las fuerzas antimonárquicas:

> «... hemos pasado semana tras semana gestionando lo del acto político en que usted había de tomar parte, según convinimos. De nada han servido las diversas gestiones oficiosas hechas con el presidente, su subsecretario, el director de Seguridad, etc.; no consienten que hable usted, por ahora, en público; ya verá en la prensa que, por lo menos hasta el mes que viene, no se autoriza ningún acto de éstos».

Con Berenguer es el duque de Alba ministro de Instrucción pública. En su palacio de Liria compuso el nuevo Gobierno, con atención al consejo personal de Gabriel Maura y Francisco Cambó. El duque de Alba dejó la cartera de Instrucción el 22 de febrero para ocupar la de Estado, sucediéndole Elías Tormo, antiguo catedrático de Salamanca. Poco antes de la permuta fue restituido Unamuno, así como los catedráticos que habían renunciado a sus cátedras casi un año antes.

Don Miguel decide volver a España. Primo de Rivera emprende ahora el duro camino del destierro, al cual su salud y su ánimo no podrán resistir. El doctor Marañón, alborozado, escribe a Unamuno una carta que es mensaje y salutación:

> «La dictadura que acaba de morir —de la muerte que merecía, de la peor muerte de todas, de la muerte civil— tuvo una falta original: el nacer de padres deshonrados, la insensatez y la injusticia; pecado, al fin, común a todas las dictaduras. Pero sobre esta culpa primitiva se acumuló después tal cantidad de pecados mortales de necesidad que el remover y limpiar sus escombros es tarea que no se cumplirá en una sola generación.
>
> El más grave de estos pecados fue, sin duda, la persecución de don Miguel de Unamuno. Ella ha dado, sin embargo, al mundo entero la medida de estulticia del régimen y se ha convertido en el símbolo que ha agrupado a los españoles en torno de la justicia. Nadie ha sufrido en el destierro como este entrañable español. Pero ningún otro desterrado ha podido decir que su dolor de ausencia haya sido tan fecundo como el suyo para su patria.
>
> La salida de la dictadura representa sólo la barredura de unos indeseables. Mas la casa había quedado muda y vacía. La vuelta de Unamuno la poblará de nuevo de fecunda inquietud» (24).

La carta de Marañón llega a punto: es casi una señal de marcha. En la mañana del 9 de febrero llegan a Hendaya las comisiones amigas de Salamanca, Irún y San Sebastián. Monsieur le Maire de Hendaya, Lannepouquet, preside con Unamuno el banquete de despedida y, como alcalde, le dice adiós. Don Miguel está emocionado y recuerda que, hasta ahora, Bilbao y Salamanca han sido los únicos escenarios de sus más largas estadías. «En Bilbao, que es mi cuna; en Salamanca, que es la de mis hijos, y en Hendaya, que es la de mis últimos hijos espirituales.»

A las cinco de la tarde, don Miguel, con boina vasca, que ha adoptado en estos años de destierro ante la imposibilidad de seguir

---

(24) La carta tiene fecha de 7-II-1929. Se trata, sin duda, de un *lapsus* frecuente en los primeros meses de todo año nuevo. Si realmente hubiese sido escrita el año 29 y no el 30, hay que recordar que el 6 de febrero de 1929 murió la reina madre, doña María Cristina, a quien estimó sinceramente el doctor Marañón —aunque no Unamuno—, y es difícil admitir que el ilustre médico saludase con júbilo su muerte como fin del Directorio. Por otro lado, el texto de la carta habla claramente. Zubizarreta, que cita un fragmento de esta carta que se publica ahora por vez primera en su integridad, acepta la fecha sin discusión. Mi buen amigo es peruano e ignora estos detalles tan simples de la cronología de nuestra historia española.

encontrando aquel su sombrerito flexible, sin nada a las manos ni
a las espaldas, ligero de equipaje como partió camino de Fuerteventura, cruza a pie el puente internacional de Irún, camino de España.
Una multitud le espera: familiares, amigos, políticos que han callado durante su destierro y ahora esperan usarlo como hombre de
paja. Unamuno no vuelve como quien da un paseo: ha aprendido
en Salamanca la lección del «decíamos ayer» de fray Luis de León.
Su paso es firme; sus ojos azul claro están inundados de lágrimas
y su corazón late a rebato, porque sabe que —de nuevo en su España— ha de seguir la lucha. El que regresa ni es un vencedor ni
un vencido reivindicado: vuelve el hombre Miguel de Unamuno, a
seguir su lucha de cada día. El frío y azul cielo del invierno, sobre
la raya fronteriza, con la luz blanca del sol, pone aureola sobre su
cabeza y no se sabe si es ésta de santo vengador o de mártir hermético. El paso del puente es largo y Unamuno no ha querido que
le acompañe nadie. ¿Cómo medir el momento en que se pasa la frontera? Un paso. ¿Cuándo se ha dado ese paso que cruza la raya invisible del corazón y la insegura de la aduana? Unamuno ha vuelto:
está de nuevo en su tierra, en su España diversa y eterna, y también
—de nuevo— en su lucha sin término, sin descanso, como don Quijote. Y tras él, al tiempo que caía la barrera de la aduna francesa,
ha caído un capítulo de la historia española y se abre otro. Pero, ¿es
que algo empieza de veras?

24.

Delenda est Monarchia!

En España

E N el mismo momento en que don Miguel ponía el pie en el puente internacional sobre el Bidasoa el alcalde de Hendaya, M. Lannepouquet, hincha sus pulmones y grita:

—Vive l'Espagne! Vive la France! Vive monsieur Unamuno!

A uno y a otro lado del puente, en francés y en español, se corean sus vítores. Monsieur Le Maire abraza al proscrito y Unamuno pasa el puente en medio del silencio. Cuando pisa tierra española y sus rodillas tiemblan, el cielo de la frontera se estremece sobre el clamor de la multitud. Le abrazan, le estrujan; todos quieren tocar su ropa, como la de un santo. Don Miguel se libra de la multitud y va a la oficina de telégrafos para poner un telegrama al alcalde de Fuerteventura. Luego, en San Sebastián, cena en la intimidad en el Palace Hotel con un grupo de amigos, pero tiene que asistir después a un acto donde más de cuatro mil personas le están esperando, y su palabra suena sobre la multitud y produce el asombro de todos cuando termina su oración con las palabras, nuevo lema de un nuevo tradicionalismo, de «Dios, Patria, Ley».

El día 11 de febrero, Unamuno, acompañado de su hijo Fernando y del periodista Antonio de Lezama, llega a Bilbao en el tren de la costa. En la estación se le recibe con vítores y a la salida —según informan los telegramas de prensa— «fue espectador secreto el señor Ossorio y Gallardo, que observó el recibimiento desde un automóvil, con las cortinas echadas».

A las siete y media de la tarde dio una conferencia en la sociedad *El sitio*, donde repitió su «Dios, Patria, Ley», y el día 12 salió para Valladolid, esperándosele en Salamanca en la tarde del 13, jueves. Entre los salmantinos que han acudido a recibirle en la frontera está el doctor don Casimiro Población, que ha ido con su coche. Las autoridades han indicado a don Miguel que debe volver a Salamanca sin intentar pasar por Madrid, pues temen disturbios. A Unamuno no le molesta mucho la indicación, porque tiene ganas de estar en su casa cuanto antes, después de seis años de ausencia.

Regreso a Salamanca

El mismo día 12 de febrero llegaba a París el general Primo de Rivera, y en Salamanca se preparaba el recibimiento del desterrado. El claustro hace público un llamamiento que acoge la prensa local:

«¡Estudiantes! El claustro espera de vosotros que al recibir al maestro Unamuno, al retornar del destierro a su hogar espiritual, lo hagáis con la serenidad y la cordura viriles propios de la verdadera tradición escolar, prescindiendo en vuestro júbilo de toda actitud y expansión que pudiera convertir el homenaje en un desbordamiento de pasiones inadecuadas al mismo y que, en definitiva, lo empequeñecería y aun pudieran llegar a ensombrecerle.
Por acuerdo y en nombre del claustro.—La comisión encargada, *José María Ramos* y *Manuel Torres*.»

Por su parte, la F. U. E. apela a los estudiantes con el mismo tono, intentando evitar la marejada de ese río revuelto de la manifestación política:

«¡Estudiantes!
El comité de la Federación hace un llamamiento a la cordura de todos y cree oportuno poner en conocimiento de los asociados que toda manifestación de carácter extrauniversitario restaría brillantez a la recepción de don Miguel de Unamuno.—*L. Pubillones*, presidente.»

El gobernador civil interino, señor Poladura, tras consulta con el Gobierno, autorizó la manifestación. Al mediodía, Salamanca, nevada, cayendo sobre la ciudad una fuerte ventisca, una muchedumbre innumerable ha rebasado la plaza de toros de la Glorieta y avanza por la carretera de Valladolid. Se llevan pancartas cuyas leyendas dicen: «La F. U. E. saluda a don Miguel de Unamuno», «El grupo de Béjar saluda a...», «La Casa del Pueblo...». Es la una y veinte cuando el automóvil del doctor Población se acerca, desde Valladolid, a la multitud salmantina. Detrás van varios coches. Don Miguel está sentado junto al chófer del doctor Población y le acompañan, con éste, Enrique Rodríguez Mata, Tomás Cortés y José Camón Aznar. El entusiasmo de la multitud impide el paso del automóvil. La gente nota que Unamuno lleva boina y ha abandonado el uso del sombrerito flexible. Algunos comentan que parece más viejo. Otros juran que está más joven que nunca. Se oyen vivas a la República y a Unamuno. Los estudiantes y los obreros se pegan al coche, se suben en los estribos, en el capot, en el motor, aturden a don Miguel con sus gritos y la multitud rompe a cantar:

«Carretera de Valladolid,
ki-ki-ri-kí,
ha venido don Miguel,
ka-ka-ra-ká.
Le queremos de rector,
ki-ki-ri-kí,
que se vaya Esperabé,
ka-ka-ra-ká.
Ki-ki-ri-kí,
ka-ka-ra-ká.»

Una hora después, según el puntual cronometraje de los periódicos de la localidad, el coche en que va Unamuno ha logrado recorrer el poco menos de medio kilómetro que le separaba de la plaza de toros. El coche del doctor Población está abollado, destrozado materialmente por el entusiasmo de los estudiantes y obreros. Uno, subido en el motor, metiendo la cabeza por la ventanilla, casi besando a Unamuno, no hace más que decir: «¡Viva don Miguel! ¡Viva don Miguel!», y Unamuno, ya cansado, le llama «¡Mentecato!».

Ya en la ciudad, la multitud se extiende por las Salesas, y a las dos y veinticinco llegan a la puerta de Zamora —algo menos de un kilómetro—, donde don Miguel se apea y sigue a pie, calle de Zamora adelante, hacia la Plaza Mayor. Tarda una hora en hacer cuatrocientos metros a pie. ¡Aquello es el delirio! No hay ni espacio para la emoción. La ciudad entera se ha olvidado del frío, de la nieve que ha hecho barro bajo sus pisadas jubilosas, de la ventisca que sigue cortando los rostros encendidos de entusiasmo, de que la hora de comer se ha pasado. En Salamanca aquel día y a aquella hora nadie siente hambre, importa únicamente que Unamuno ha vuelto y las piedras salmantinas se estremecen con el júbilo popular.

La Plaza Mayor de Salamanca tiene la superficie de una hectárea. La multitud pisotea los jardines. No hay sitio para un alfiler. Don Miguel es llevado casi en volandas y la multitud grita: «¡Al Ayuntamiento, que hable desde el Ayuntamiento!» Don Miguel se escapa, codea, lucha con la muchedumbre y va hacia el Pasaje, una calle cubierta que sale de la plaza y que da nombre a un café y casino. La gente cree que va a hablar desde algún balcón de la plaza y que prefiere no hacerlo desde el Ayuntamiento, pero hasta el público que llena el templete de los conciertos domingueros amenazando con hundirlo se da cuenta y grita: «¡Se ha ido a su casa!»

Son las tres y veinte cuando don Miguel ha llegado a su hogar, donde le esperan doña Concha, sus hijos, su hermano Félix, su hermana María. Nada más llegar hace una pregunta:

—¿Dónde está?

Todos comprenden que se refiere al nieto y le indican el lugar

donde duerme el pequeño Miguel. Después de ver al nietecillo está
ya con sus otros familiares. Les abraza, les besa, lloran todos y la
casa se llena del clamor de la multitud que estremece a los fantasmas de la vecina Casa de las Muertes y hace vibrar como a una cam-
pana al gallardo torreón de las Ursulas, atemorizando a los ruise-
ñores del campo de San Francisco. Don Miguel sale al balcón y se
hace el silencio. Les habla. Es breve. Les recuerda las palabras que
pronunció al despedirse en la estación camino del destierro: «Volveré, no con mi libertad, que nada importa, sino con la vuestra.»

La multitud, al fin, se va dispersando. Aquella tarde Unamuno
sale en coche para Ledesma a dar un abrazo a su amigo del alma,
el poeta ciego Cándido Rodríguez Pinilla, pero antes, en Salamanca,
visita al presbítero señor De Juan, titular de la cátedra de griego,
que había sido suya, para advertirle que no piensa reclamarla y que
se conformará con desempeñar la de Historia de la Lengua española,
que tuvo acumulada y que ha desempeñado, como encargado, Manuel García Blanco, su antiguo discípulo que ahora prepara cátedras.

La dimisión de Esperabé

El día 12, cuando se le esperaba, se reunió urgentemente el
claustro universitario bajo la presidencia de don Enrique Esperabé
de Arteaga. El doctor Prieto Carrasco y otros treinta claustrales habían presentado la siguiente propuesta:

«Los que suscriben estiman:
1º Que la Universidad no puede oficialmente tributar ningún
homenaje a don Miguel de Unamuno, estando dirigida ésta por
las actuales autoridades académicas, que representan en ella el
espíritu político que ordenó el destierro.

2º Que el homenaje que la Universidad debe tributar al señor
Unamuno es la petición al excelentísimo señor ministro de Instrucción pública de que, una vez repuesto en su cátedra, se le
nombre rector de la Universidad.

3º Que la Universidad debe recibir al señor Unamuno en su
Paraninfo, para que en él, profesores y alumnos escuchen su an-
helada palabra.»

Don Enrique Esperabé, que en otra ocasión había renunciado a
su puesto de vicerrector para que lo ocupase Unamuno, ayudando
así a su posible vuelta entonces al rectorado, no cede ahora, y no por
orgullo o egoismo, sino por un noble sentido de consecuencia y de
lealtad. Consecuencia con sus ideas, lealtad hacia el Directorio, que
en este momento en que todos le habían dado la espalda, le honra,
porque ya nada puede esperar del general en destierro, y lealtad
hacia los compañeros que le secundaron en su gestión rectoral. No
hay que olvidar que envió el sueldo de don Miguel a su esposa cuan-

1934. En la Magdalena de Santander, con Julián Marías e Ignacio Bauer.

1934. En la Flecha, con su fiel amigo el catedrático doctor don Casto Prieto Carrasco, alcalde de Salamanca. (Foto J. Suárez.)

do éste estaba confinado en Fuerteventura, sueldo que le fue devuelto, pero que él no pretendió en ningún momento escatimar.

«Lamento muy de veras —dijo— no poder acceder al requerimiento de mis compañeros, ante el enorme daño que se causaría a la Universidad, llevándola a tomar parte en luchas políticas, cuando debe estar siempre al margen de toda pasión, dedicando por entero sus actividades a fines docentes.

He de manifestar, además, que con esto se impone el sacrificio que verdaderamente significa adoptar esa posición en las circunstancias actuales, reconociendo que sería de mucho mejor efecto para mis compañeros de profesorado satisfacer sus deseos poniéndome de su lado.

A pesar de estimar que los catedráticos que integran el grupo que toma esta determinación es digno de respeto por su número y calidad, me veo obligado a considerar también que enfrente se halla otro grupo de catedráticos, tan digno de apoyo como los demás y a los cuales creo que dejaría desamparados el rector si adoptase la decisión que le suplican. No queda, por lo tanto, otro camino a seguir que el solicitar los señores que lo deseen mi destitución del Ministerio de Instrucción Pública.»

Don Enrique abandonó el salón seguido del vicerrector y decanos. Los catedráticos y profesores que capitaneaba Prieto Carrasco acordaron enviar un telegrama al ministro pidiendo la destitución del rector. Todo esto fue la víspera de la llegada de Unamuno a Salamanca. Después del «Ki-ki-ri-kí», de la pedrea de los estudiantes y obreros a los miradores de la casa del rector, un edificio con fachada de cristal en que no dejaron un vidrio sano, Esperabé decidió dimitir como mejor medida precautoria.

Ramos Loscertales, rector de transición

Después de seis años ya está en Salamanca otra vez Unamuno. Intenta por todos los medios que su vida sea normal. No puede evitar los saludos, las pequeñas manifestaciones efusivas, la sospechosa efusión de quienes callaron hace tiempo y le consideran ahora ministrable.

El día 19 de febrero, a las siete de la tarde, en el café Novelty, se celebra una reunión convocada por los catedráticos José Serrano, José Camón Aznar, Francisco Maldonado y José Antón Oneca; reunión a la que asisten Casimiro Población, Juan Sánchez Cózar, José Crespo Salazar, Manuel Torres López, Godeardo Peralta, Ignacio Rivas, Eleuterio Población, Cristino Jiménez, Juan Vicente Tapia, Angel Santos Mirat, José García Isidro, Julio Salcedo, Manuel García Blanco, José Sánchez Gómez y la señorita Petra Prada. Los doctores Prieto Carrasco y Pierna estuvieron representados, aunque no pudieron acudir.

En aquella reunión se acordó rendir un homenaje de carácter na-

cional a don Miguel de Unamuno. Francisco Maldonado propuso la
adquisición de la «media estatua» de don Miguel que Victorio Macho
había realizado en Hendaya, sugiriendo su instalación en la Universidad o «donde se designe». La comisión organizadora del homenaje
quedó constituida, bajo la presidencia del doctor don Agustín del Cañizo, por Guillermo Saez, J. Crespo Salazar, Godeardo Peralta, José
María Ramos Loscertales, Filiberto Villalobos, Fernando Iscar Peyra,
Tomás Martín Bazán y los periodistas Manuel García Blanco y José
Sánchez Gómez. Se nombró tesorero secretario a Eleuterio Población
y se encargó a José Camón Aznar, Francisco Maldonado y José Antón
Oneca de ponerse al habla con Victorio Macho para comprar la
escultura.

Está a punto de inaugurarse el Gran Hotel y la gente piensa que
ante su fachada podría situarse el monumento a Unamuno. Don
Miguel oye a unos y a otros y no da excesiva importancia a nada.
Calla porque se prepara para la lucha, que no ha terminado. Va a
Palencia unos días, a casa de su hijo Fernando a primeros del mes
de marzo, pero el día 13 está ya en Salamanca. Aquel mismo día es
enviada a don Elías Tormo, ministro de Instrucción pública, esta
carta:

> «Nuestro respetado jefe y compañero: Pensando los abajo fir-
> mantes que acaso facilitaran la labor de V. E. indicando uno de
> los claustrales de Salamanca, cuya nombre fuera acogido por los
> compañeros como fórmula en que vieran recogidas sus distintas
> tendencias y opiniones, poniendo siempre sobre todo el interés
> universitario, creen su deber informar a V. E. lo gratamente que
> acogerían el nombramiento de rector de esta Universidad en la
> persona de José María Ramos Loscertales.
>
> Respetuosamente saludamos a V. E. sus afectísimos amigos y
> compañeros *Casimiro Población, Agustín del Cañizo, José Antón,
> José Serrano, Godeardo Peralta, Castro Prieto Carrasco, Serafín
> Pierna, Ignacio Rivas, Manuel Torres, Francisco Cantera, Alfonso
> García Valdecasas, José de Benito, Francisco Maldonado, Guiller-
> mo Saez, Esteban Madruga, Manuel G. Calzada.*»

Es claro que ha fracasado, una vez más, el intento de reposición
de Unamuno en el rectorado. Ramos Loscertales, inteligente y abúli-
co aragonés, joven aún y prometedor en su quehacer de la Historia,
que apunta como continuador de Costa y de Hinojosa en la tarea
de historiar las instituciones jurídicas españolas, es el hombre elegido pensando en su fidelidad a Unamuno.

El día 15 el rector interino, don Isidro Beato, convoca al claustro
a una reunión que preside el ministro don Elías Tormo. Esperabé,
como rector dimisionario, acude a la sesión y también Unamuno. No
hace falta mucha imaginación para suponer que aquel claustro fue
movido. Basta con la referencia de la prensa:

> «Las opiniones de los reunidos, resumidas en la persona que
> haya de ocupar el cargo de rector, y después exponer y sostener

cada uno su punto de vista, es la siguiente, según hemos podido informarnos:

Los señores don Eduardo Nó, don José Téllez de Meneses y don Emilio Román Retuerto se muestran partidarios de que el rector sea don Emiliano Rodríguez, catedrático de la Facultad de Ciencias.

Los señores don Arturo Núñez, don Enrique Esperabé, don Juan Sánchez Cózar indicaron que votarían con la mayoría.

Los señores don Manuel González Calzada, don Ignacio Rivas, don Primo Garrido, don Serafín Pierna, don Casto Prieto Carrasco y don Esteban Madruga sostienen la candidatura de don Miguel de Unamuno y, caso de no ser nombrado, apoyan el nombre de don José María Ramos Loscertales. Por este señor se definen también don Francisco Cantera y don Manuel Torres y, por el señor Unamuno, el señor Ramos Loscertales, que considera muy delicada su situación.

... ...

El señor Beato defiende los nombramientos de real orden y el señor Unamuno los combate, explicando su indecisión en asistir o no a esta reunión, dada su actual situación.

El señor Tormo le manifestó los excelentes deseos que le animan para dar una solución a su caso.»

El día 23 de marzo fue nombrado rector de la Universidad de Salamanca el catedrático de Historia de la Facultad de Letras, don José María Ramos Loscertales. Don Miguel no asiste al acto de toma de posesión, que tiene lugar el día 29. No es este el único cambio que ve entonces Salamanca. Don Miguel Iscar Peyra es nombrado alcalde de la ciudad por tercera vez, sustituyendo a don Eulalio Escudero Esteban, el último alcalde de la Dictadura, aunque don Miguel Iscar lo fue también en 1927, en pleno Directorio. Don Gregorio Mirat se hace cargo de la Diputación Provincial como presidente. Y el 11 de abril el rector nuevo nombra decanos a Francisco Maldonado, de la Facultad de Letras; a José Antón Oneca, de la de Derecho, y a Godeardo Peralta, de la de Medicina.

Estreno de «Sombras de sueño»

Durante su destierro, don Miguel no ha escrito casi más que poesía y teatro. *Raquel encadenada, Sombras de sueño, El otro* y *El hermano Juan o el mundo de teatro* han salido de su pluma y de su pasión en esta hora difícil del exilio. *Sombras de sueño,* un drama sobre la personalidad, muy afín a *El otro,* es la adaptación de su novela *Tulio Montalbán y Julio Macedo.*

Antes de su regreso a España ha entregado el manuscrito a Cipriano Rivas Cherif, cuñado del escritor y político republicano Manuel Azaña, que ha iniciado los ensayos cuando don Miguel regresa.

En Segovia estrena la obra con Isabel Barrón y Juan Espantaleón
como primeros actores, y con la misma compañía la presenta en
Salamanca el 24 de febrero en el teatro Liceo, acontecimiento que
tiene carácter de homenaje a don Miguel y del que se ocupa toda
la prensa de Madrid, que desplaza a sus críticos a la ciudad del Tormes para asistir al estreno. Los ensayos, a los que asistió don Miguel,
le distrajeron un poco de las luchas universitarias que ya hemos
referido. El estreno fue un éxito, un modesto éxito de provincias,
que paliaba, sin embargo, no pocas amarguras. Don Miguel tuvo que
saludar al público, que le aplaudía entusiasmado, y dirigirles unas
palabras, explicando que nada muere en el teatro, ya que es vida
todo lo que en él vemos.

Dos discursos y dos homenajes

Primo de Rivera ha muerto en París el 17 de marzo, de una em-
bolia. Es la hora de los remordimientos para algunos y del regocijo
para otros. Don Miguel guarda silencio. Toda su feroz dialéctica de
otras ocasiones se detiene respetuosamente en la hora solemne de la
muerte del adversario.

El país habla ya abiertamente de República. Miguel Maura ha
pedido el 20 de febrero en San Sebastián que se eleve la bandera
republicana. Alcalá Zamora, el 13 de abril, en Valencia, ha hecho profesión de fe republicana, preconizando «una República viable, gubernamental, conservadora». Indalecio Prieto, el día 25, pide responsabilidades desde la tribuna del Ateneo madrileño, y Melquiades Alvarez
exige Cortes Constitucionales en el teatro de la Comedia.

El ambiente nacional está caldeado. El 1 de mayo, fiesta socialista que se celebra en toda España, llega a Madrid don Miguel de
Unamuno. El día 2 habla en el Ateneo. Al entrar en el salón de conferencias, el público, puesto en pie, le tributa una ovación que parece interminable. Don Miguel empieza a hablar y su voz, aguda,
pero no chillona, resuena en la sala con el tono hiriente y decidido
de un reto a la Monarquía:

«Aquí me tenéis otra vez, amigos míos; a reanudar, a recomen-
zar una campaña que aquí nació.

Vengo, sobre todo, a daros cuenta, con censura o sin ella, con
una o con otra —la actual no será más violenta, pero es más estúpida que todas las que hasta ahora se han sufrido en España—,
vengo a daros cuenta de todo lo que he aprendido en estos seis
años de vivir fuera de España, viendo pasar y repasar por delante de mí a tantos como hoy están jugando en su tablero. Se ha
dicho que esta casa, que es una casa de cultura y además sub-
vencionada, debía ser neutral. La ciencia de vida no es nunca
neutral, es alterneutral, no neuter, ni uno ni otro, sino uno y otro.
Y ahora tengo que referirme —no pensaba— a la extraordinaria
recepción oficial que ayer se me hizo. (Risas.) Dudo que ni para

guardar a S. M. el rey hubiera acudido tanta fuerza armada como acudió a la estación para resguardarme y ocultarme a mí. (*Risas.*) Sospechando, y más que sospechando, que aquella fuerza no obedecía a mandatos de este pobre Gobierno, sino de alguien más alto, pensé: ¡qué poca le va quedando de la no mucha inteligencia que tenía a ese listo sin talento! Porque es un empeño inútil a la altura a que han llegado las cosas y cuando es evidente que una de las mayores locuras es querer ahogar ser discutido en la calle y a gritos inarticulados, por no querer ser discutido en otros sitios y articuladamente.»

Los días de silencio parecen haber servido sólo para acumular energías. Unamuno, agresivo, recuerda su experiencia del destierro: da nombres, pone en ridículo ante el auditorio a no pocas figuras de la política nacional. Recuerda que en Irún la policía le apercibió del peligro de manifestaciones y él respondió que se volvería desde la frontera a Francia, declarando que no se podía pasar. Confiesa que el ministro de Instrucción pública, a través del rector Ramos Loscertales, le ha pedido que, en este viaje a Madrid, «bajara en una estación antes de llegar a acá», y confiesa paladinamente: «He venido a ver si con mi ejemplo llego a hacer que sea ineficaz la censura, o a que me procesen por el nuevo código.»

El escándalo había sido mayúsculo. Los vivas a la República y los mueras al rey habían menudeado. Unamuno provocaba con sus palabras y su simple presencia todo un conflicto de dimensión nacional. La Editorial Renacimiento, que había adquirido la C. I. A. P. y estaba ahora dirigida por Pedro Sainz Rodríguez, ha iniciado, en los años del destierro, la publicación de sus *Obras completas*, un poco desordenadamente, es cierto, y le organizan un banquete en *Lardy*, el 3 de mayo, homenaje que ya había sido preparado por la revista *Gaceta literaria*, que dirigían Sainz Rodríguez y Ernesto Giménez Caballero, que lanzó el 15 de marzo un número especial dedicado a don Miguel, en el que se recogía también un manifiesto de los intelectuales alemanes congratulándose por el regreso de don Miguel a España y que encabezaba Albert Einstein. Se reclamó la presencia de Eugenio D'Ors y de José Ortega y Gasset para este banquete. El catalán socarrón y orgulloso que fue siempre Xenius, le dijo a Salazar Chapela: «No voy a colaborar, no. Le voy a hablar a usted con absoluta franqueza: es-toy can-sa-do del bu-ho sa-bi-hon-do.» Ortega no asistió, pero se adhirió al acto con una carta que Sainz Rodríguez dijo haber perdido. Al banquete literario asistieron sólo dos mujeres: Concha Espina y Carmen de Burgos. Don Miguel, en su discurso, habla de Fuerteventura, del destierro, de la hermandad de las letras. Decepcionó al ilustre e ilustrado auditorio.

Al día siguiente, en el cine Europa de Madrid, da otra conferencia. Las medidas de seguridad adoptadas por el Gobierno son bien notorias, y Unamuno, dispuesto a no ceder, empieza aclarando las cosas, para que su provocación sea más clara aún:

«Había sido mi propósito, ciudadanos españoles, había sido
mi propósito comenzar esta conferencia o lo que haya de resultar
con unas ciertas definiciones, o más bien indefiniciones, pero circunstancias del momento me obligan a hacer un pequeño exordio.
En primer lugar os ruego que no me iterrumpáis con gritos de
ninguna clase; dejad que si hay pretextos para interrumpir esta
conferencia, sea por mis palabras y no por vuestros gritos. (*Muy
bien.*) Os ruego, pues, nada de gritos, nada de mueras; aparte de
que acaso no es del todo piadoso dar mueras a poderes moribundos, ni siquiera para despeñarlos.»

El convencimiento de que la monarquía se derrumba está en el
ánimo de todos y don Miguel intenta planear un programa que, desde
su idiosincrasia, sólo puede ser ético, de conciencia. Se enfrenta con
la frase de nuevo cuño de «Hay que definirse» y pide claridad, «porque definirse no es ni denominarse ni matricularse» y se opone ya
a esta postura, «porque lo que aquí llaman definirse es definirse
contra alguien». Y tras hacer una crítica demoledora de la Monarquía, propone la República, pero hace una aclaración muy precisa
que explica su conducta de los años republicanos: «... la República
no es para los republicanos sólo; que la República es para todos», y
sus palabras finales son bien claras:

«Es menester que no se extreme lo de estar pidiendo a nadie
sus papeles antiguos y si es de primera, de segunda o de tercera
generación. Hay que comprender que la República en España
tiene que ser para todos los españoles, republicanos o no republicanos.
Y si, en vez de ser como es, fuera de otro modo, el rey cabría
también en la República; ahora que como es no cabe.»

Sí, Unamuno ha proclamado una República tan utópica como la
de Platón. Aquel mismo día, Angel Ossorio y Gallardo, en Zaragoza,
ha dicho que él no es republicano, pero que el rey debe dimitir.
Cuando al día siguiente don Miguel visita el caserón de San Ber-
nardo, sede de la Universidad Central, se producen disturbios y la
Federación de Estudiantes Católicos de Madrid protesta ante el Go-
bierno de Su Majestad.
Unamuno está descansando en la habitación de su hotel cuando
recibe la visita de un emisario del rey (¿Romanones acaso?).
—Ya ve usted, don Miguel —le dice—, cómo están las cosas.
Viene usted y no las arregla.
—Es mi misión —replica Unamuno.
—Pero no dudará usted del patriotismo del rey.
—Vamos a otra cosa.
—Entonces, ¿qué debe hacer?
—Dígale de mi parte —contesta el escritor vasco— que no tiene
otro camino que el de marcharse.
—¿Adónde?

—¡Ah! El sabrá.

—¿No podría esperar en palacio la solución de las Cortes constituyentes que propone don Melquiades?

—No, aquí no.

—¿Y marcharse a América?

—Eso lo habrá pensado algún republicano. Un viaje para ver lo
que pasa. Tiene que marcharse del todo y dejar que el país se go-
bierne libremente (25).

A la mañana siguiente la policía acompañaba a Unamuno para
que abandonase Madrid, donde su presencia provocaba disturbios.
Se le llevó en un automóvil de la Dirección General de Seguridad.
Cerca de Peñaranda se averió el coche y don Miguel comió allí con
los policías. Al general Mola, como director general de Seguridad, le
hizo gracia tener que pagar aquella comida. Unamuno había dicho
a los policías: «Esto de ser perseguido político no deja de tener sus
ventajas, como, por ejemplo, no pagar.» Y el entonces director general de Seguridad comentó: «Yo he admirado siempre, más que
la sabiduría del señor Unamuno, su franqueza y humorismo.»

El grito estaba dado. El general Mola, al frente de la Dirección
General de Seguridad, tenía conocimiento de las actividades de la
Asociación Militar Republicana; las fuerzas regionalistas pugnaban
por sus fueros frente al rey; Alfonso XIII se entrevista en París el
22 de junio, en el hotel Maurice, con Santiago Alba y, diez días después, en el hotel Coleridge, de Londres, con Francisco Cambó. El
monarca intenta desesperadamente salvar la realeza. España duda
ya de la eficacia de la gestión monárquica, pese a la tradición de siglos
de su monarquía. Soplan vientos nuevos. El rey ya no confía plenamente en su papel de hierático mediador y hace por eso las escapadas de París y Londres para pedir consejo a dos políticos que pueden
considerarse ya como enemigos suyos por la forma en que les retiró
la regia confianza. De igual forma que va en busca de consejo ver-
gonzantemente, tiene que soportar los insultos de Unamuno en sus
dos conferencias madrileñas. Y no son éstas las únicas claudicacio-
nes. Santiago Alba, aunque piensa que debe continuar el gobierno
Berenguer, impone su derecho a dar la versión personal de su entrevista con el rey, pidiendo que se revise la Constitución. Alba quería
salvar aún a la Monarquía, pero fracasó en su intento de llevar a
su causa al doctor Marañón y a Sánchez Guerra, a quienes ofrecía
Ministerios para el momento en que fuese jefe de Gobierno. Cambó
le había propuesto al rey un plebiscito en el que el país decidiese
seguir o no siendo monárquico.

---

(25) En el libro de Diego Sevilla Andrés *Historia política de la zona roja*
(2ª ed., Madrid, 1963, pág. 71) se dice que Unamuno aconsejaba al rey que se
fuese a América. Eso no es exacto. Diego Seville alude a este diálogo, que don
Miguel citó en su conferencia de la Casa del Pueblo de Salamanca el 8 de abril
de 1931, de donde lo tomo yo. Si aceptásemos esta versión, falsa quizá por
apresuramiento en el manejo de las fuentes, nos encontraríamos con un Unamuno opuesto a la República antes de su proclamación. Y no fue así.

El pacto de San Sebastián

Se respiraba *República en todo el país. Argüelles, ministro de Hacienda, denuncia la actuación de Calvo Sotelo, porque el ejercicio económico de 1930 se liquida con déficit, pese a que éste había garantizado el superávit en tiempos del Directorio, cuando la peseta cayó mientras subía vertiginosamente la libra esterlina. Argüelles dimitió el 19 de agosto. Dos días antes, el 17, en San Sebastián, en el domicilio de Unión Republicana, se reúnen, bajo la presidencia de Fernando Sesiaín, Lerroux y Azaña, por la Alianza Republicana; Marcelino Domingo, Alvaro de Albornoz y Angel Galarza, por los republicanos socialistas; Niceto Alcalá Zamora y Miguel Maura Gamazo, por la derecha liberal; Carrasco Formiguera, por* Acció Catalana; *Mallol y Bosch, por* Acción Republicana; *Aguadé, por el* Estát Catalá; *Casares Quiroga, por la* Federación Republicana Gallega, *y, como invitados, Sánchez Román, Eduardo Ortega y Gasset e Indalecio Prieto. La nota oficiosa que redactó este último añadía que el doctor Marañón, también invitado, «no pudo asistir por hallarse ausente de España». Quedó nombrado un comité revolucionario integrado por Alcalá Zamora, Azaña, Casares Quiroga, Prieto, Galarza y Aguadé, y un subcomité para obrar responsablemente en el caso de que fuesen detenidos los primeros, que integraban Miguel Maura, Sánchez Román y Mallol.*

La paz de San Manuel Bueno

La conspiración republicana seguía su curso y sus pasos eran un secreto a voces. Don Miguel, en Salamanca, había vuelto a la normalidad de sus clases, de sus tertulias, de sus paseos; incluso de su diario poético, ya que aún no escribe artículos para España, porque la censura aún no ha sido levantada.

> «Calla, canción; canción, calla
> que en fragores de batalla
> Dios español rompe a hablar;
> desde el riñón de su tierra
> vuelto a la vuelta de guerra
> oigo tu silencio, mar»,

escribe el 13 de marzo, y hasta el 25, asediado aún por los oficiosos oportunistas inevitables en la fauna provinciana, no reanuda el diario. Reencuentra su campo de San Francisco y el día 1 de junio visita, con el doctor Cañizo y otros amigos, el lago de San Martín de Castañeda, en Sanabria, donde evoca la leyenda de Valverde de Lucerna, pueblo sumergido bajo el agua.

Junto a este mar de Castilla, don Miguel concibe su mejor novela,

esa pequeña obra maestra de la literatura universal que se titulará
después *San Manuel Bueno, mártir*. Habría escrito sólo estas páginas Unamuno y su nombre estaba justificado en la historia universal
de la literatura. ¿Cómo y por qué surgió este relato?

Don Miguel, anciano —un hombre de sesenta y seis años en 1930
era un anciano—, viene cansado de tanto batallar, cansado de no
encontrar respuesta a las preguntas fundamentales que provocan su
angustia y su inquietud y está harto, además, de ese vivir en olor
de multitud que ha supuesto su regreso de Hendaya. En San Martín
de Castañeda ha encontrado ese sosiego, paz en la guerra, que ha
ambicionado toda su vida. Se siente viejo y en la hora de la vejez el
pasado vuelve a pesar sobre su existencia: Posiblemente habla con
el párroco de Riva del Lago y se le levantan los fantasmas de un
ayer muy lejano en que él pensó en ser sacerdote. Ya ni siquiera
sufre angustia. Es el momento de la entrega total al destino y piensa
en cómo hubiera sido su vida de cura rural pasando por momentos
en que se pierde la fe, pero no el claro sentido de una responsabilidad ética. Así nace *San Manuel Bueno, mártir*.

Valverde de Lucerna, en el fondo del Lago de Sanabria, si existiese pertenecería lógicamente a la provincia y diócesis de Zamora.
Don Miguel, cuando inicia su relato, la sitúa en la diócesis de Renada. Esta provincia imaginaria, en que Unamuno sitúa casi todos
sus relatos y novelas, es Salamanca, a la que en un momento de mal
humor y desfallecimiento ha bautizado así: *lo que no es*, la ciudad
fantasma, la nada. Ahora, en la serenidad de su senectud, Renada
(*res nata* = nada) puede ser una posibilidad de ensueño o una necesidad de entregarse al nihilismo.

Es la vejez y es la hora, por tanto, de la renunciación. Don Miguel
pone mucho en su San Manuel, más aún que en Pachico Zabalbide
o en el doctor Montarco, o en las protagonistas de *La Esfinge, Soledad*
o *El otro*. Don Miguel está cansado ya de oir elogios de su voz como
lector y conversador y la voz de San Manuel, más que el sentido de
sus palabras y enseñanzas, cumple la función catártica de la curación de las almas y a veces de los cuerpos. ¿No ha dicho muchas
veces Unamuno que un artículo suyo que no entendía algún amigo
lo comprendió perfectamente en cuanto él se lo hubo leído? Pero
sabe de su vejez y escribe: «Su voz misma, aquella voz que era un
milagro, adquirió un temblor íntimo.» San Manuel muere minado
su organismo por la perlesía, su gran temor. Y hay algo más: Lázaro
Carvallino, el evangélico compañero de San Manuel, el médico, no
es otro que la contrafigura, vivo retrato del doctor don Agustín del
Cañizo, su amigo entrañable y compañero en esta excursión. Los
contertulios de don Miguel recuerdan cómo don Agustín era su gran
debilidad. Unamuno tuvo grandes conocimientos de medicina, incitado, sin duda, por la adhesión de aquel ejemplar plantel de médicos
humanistas —Cañizo, Población, los Salcedo, Adolfo Núñez, Prieto
Carrasco, Pierna, Hipólito Rodríguez Pinilla, Antonio Trías— que formaron su tertulia habitual. A veces, Unamuno preguntaba sobre enfermedades y don Agustín se ponía colorado y con una sonrisa de

niño cogido en falta, que era signo de su ejemplar bondad, le solía decir: «¡Don Miguel, si eso lo sabe usted de sobra!»

Unamuno fecha esta novela el mes de noviembre de 1930, pero no se publica hasta marzo de 1931. El 17 de marzo de 1930 Marañón le escribe: «Me ha dicho Cañizo que está usted terminando una novela. La esperamos con ansia.» El dato es significativo, como lo es el que Marañón, el 3 de diciembre de 1931, en *El sol*, de Madrid, vea en este breve relato una de las obras fundamentales de don Miguel.

Hacia la República

El verano en España supone siempre siesta nacional. *San Manuel Bueno, mártir* se va gestando en este tiempo en la mente de don Miguel. Su *Cancionero*, día a día, sigue creciendo. Son pequeñas incidencias las que registra en su diario poético. Un día, el 4 de julio, escribe:

> «*Nos cruzamos; bocas quedas,*
> *las miradas un adiós;*
> *nos pasamos; las veredas*
> *aunque en cruz, más que ante dos.*
> *Y mi mismo aquel de antaño*
> *que soñaba la amistad,*
> *se lloró como un extraño,*
> *perdido en la soledad.*
> *Con entrañas ya vividas*
> *se me llevó por venir;*
> *nos pasamos; aguas idas*
> *no volverán a surtir.*»

¿Qué antiguo amigo de Unamuno fue éste al que encontró sin que volvieran a hablarse? ¡Pudieron ser tantos! En medio del júbilo aparente que hacía pensar en un don Miguel viviendo en olor de multitud está el Unamuno solitario de aquellas horas, con la terrible soledad del hombre aclamado por la muchedumbre. Viaja aquel verano por España y el viajar siempre ha sido una forma de huída. Vuelve a contemplar las peñas de Neila, pasa por Carrión de los Condes, Fuentes de Nava, y va dejando en el *Cancionero* constancia de su soledad.

> «*Es celda mi camino,*
> *camino solitario;*
> *es celda del destino,*
> *camino del calvario.*
> *Camino sólo abierto*
> *al término profundo*
> *donde comienza el puerto*
> *al acabarse el mundo.*

Es mi camino celda
de ambos lados murada;
un eslabón que suelda
con el todo la nada.»

En setiembre está en Santander y visita las cuevas de Altamira, que le inspiran sus cuatro poemas al bisonte, que fecha del 16 al 23 de octubre. En Torrelavega ha visitado a su amigo el doctor Bernardo Valverde y, sosegado, vuelve a Salamanca a empezar el curso y a reanudar la lucha. El 29 de setiembre se ha lanzado el nuevo Estatuto universitario. El día 30 dimite el vicerrector, don Isidro Beato y Sala, y le sucede en el cargo don Esteban Madruga Jiménez. El 8 de octubre se habla en Salamanca de la dimisión del rector Ramos Loscertales y hasta los periódicos de la localidad recogen los rumores. Cinco días después Unamuno es elegido, con Francisco Cantera, como representante de la Facultad de Letras en la Junta de Gobierno de la Universidad. El día 24 asiste don Miguel al claustro en que se propone el nombramiento como doctores «honoris causa» de Eugenio de Castro y el doctor Fourneau. El día 30 protesta la Universidad del nuevo Estatuto.

La Casa del Pueblo ha vinculado nuevamente la representación del escritor vasco a sus actividades y el 2 de noviembre preside Unamuno una conferencia de José Bergamín. Pero las cosas universitarias no van bien, como no marchan tampoco nada bien en el país. El mitin republicano de la plaza de toros madrileña el 28 de setiembre ha traido cola. Las palabras de Abad Conde, Marco Miranda, Martínez Barrios, Cárceles, Azaña, Marcelino Domingo, Alcalá Zamora y Lerroux han resonado en todo el país despertando un eco de inquietud. Los conspiradores republicanos intentaron lograr el apoyo económico de don Juan March, sin conseguirlo. En Jaca se prepara una revolución y el propio general Mola escribe al capitán Galán para disuadirle. Se ha formado un gobierno provisional de la República, que preside Alcalá Zamora, con Lerroux como ministro de Estado. Angel Ossorio, en Valencia, vuelve a pedir la abdicación de Alfonso XIII. El 12 de noviembre se hunde una casa en construcción en la madrileña calle de Alonso Cano, y en el trágico accidente mueren cuatro obreros. El día 14 es su entierro y los dirigentes obreros quieren que el cortejo fúnebre cruce el centro de Madrid. Ellos lo hacen y en el choque con la fuerza pública hay dos muertos y cuarenta y nueve heridos. Después, la huelga, y el día 15, la pluma brillante, siempre incisiva, con trémolo profético, de José Ortega y Gasset firma en *El sol* un artículo que titula «El error Berenguer», donde dice: «Y como es irremediable este error, somos nosotros y no el régimen mismo... quienes tenemos que decir a nuestros conciudadanos: ¡Españoles, vuestro Estado no existe! ¡Reconstruidlo! *Delenda est Monarchia!»*

El 12 de diciembre la guarnición de Jaca se subleva. Estaba todo preparado por el comité revolucionario para el día 15, pero el capitán Galán había dicho: «Si nosotros no empezamos, no se lanzarán nunca.» Dio su grito de viva la República, izó la bandera tricolor y su pronunciamiento acabó trágicamente con su ejecución, junto con su lugarteniente, el capitán García Hernández, el día 14, uno antes de la fecha fijada para el levantamiento republicano. Con la firma de Alcalá Zamora, Fernando de los Ríos, Azaña, Casares Quiroga, Indalecio Prieto, Miguel Maura, Marcelino Domingo, Alvaro de Albornoz, Largo Caballero, Nicolás D'Olwer y Martínez Barrio redacta Alejandro Lerroux un manifiesto en que se dice: «Conscientes de nuestra misión y de nuestra responsabilidad, asumimos las funciones del poder público con carácter de gobierno provisional. ¡Viva España con honra! ¡Viva la República!» El comandante Ramón Franco, en combinación con Queipo de Llano, se apodera del aeródromo de Cuatro Vientos y proclama la República, que aún ha de tardar un poco en llegar.

¡ E S P A Ñ O L E S !

Se ha proclamado la

REPUBLICA

Hemos padecido muchos años la tiranía y hoy ha sonado la hora de la LIBERTAD.

Los defensores del régimen caduco que salgan a la calle, que en ella los bombardearemos.

¡Viva la República Española!

Este es el texto de las proclamas lanzadas sobre Madrid por los aviadores sublevados en Cuatro Vientos. No hubo bombas, pese a las amenazas, pero en Madrid se proclama la ley marcial el día 15. Se había anunciado huelga general en la capital española y no se produjo ésta. El general Queipo de Llano, el comandante Ramón Franco y sus colaboradores huyeron a Portugal tan pronto como el general Orgaz actuó contra ellos siguiendo órdenes del Gobierno.

El 19 de noviembre, en vista del estado general de agitación del país, el ministro de Instrucción pública, don Elías Tormo, decide cerrar por un mes todas las universidades.

Y don Miguel está en silencio, callado como un muerto, aparentemente igual que si con él no fuesen aquellos asuntos, aunque, si se observa la cronología de su *Cancionero*, éste registra muchos silencios cubiertos en parte por su preocupación y también por la redacción de las novelas *San Manuel Bueno, mártir, La novela de don Sandalio, jugador de ajedrez* y *Un pobre hombre rico o el sentimiento cómico de la vida.*

Al comienzo del año 1931 un periódico salmantino, con el título de «¿Qué le trajo a usted el año que se fue?», ironiza a costa de las personalidades locales. «La vuelta al hogar y la vuelta a lo mismo», son las palabras que pone en boca de don Miguel, y aunque su intención es la burla, sí es cierto que Unamuno volvía a lo de siempre, a su lucha. A Ramos Loscertales le hacía decir: «Unas pocas ganas

del rectorado, y unas ganas locas de dejarlo», y al doctor Cañizo:
«Un homenaje de altura para mi poca estatura.» Don Agustín era
un hombre bajetillo, pero el periodista quiere desacreditar al médico que pertenecía al «coro de Fedra». El homenaje se celebró el
17 de mayo de 1930, en el Paraninfo de la Universidad, e intervinieron en él Julio Salcedo, Gregorio Marañón y Miguel de Unamuno.
Don Miguel recordó cómo había traducido para su amigo médico el
libro de Mac Kencie y la impresión que *el signo X* le había producido, alimentando su preocupación y temor.

Un real decreto del 12 de enero establece el protocolo universitario, indicando el traje académico y tratamiento. Por aquellos días
el rector, aprovechando la coyuntura de la reforma de la plantilla
universitaria, logra del ministro la reposición de Unamuno en el
puesto del escalafón que le correspondía y que había perdido.

Don Miguel sigue guardando silencio ante la vida nacional. Día
a día se tiene más clara conciencia de que el régimen monárquico
está ya muerto aunque permanezca en pie. Su muerte ha sido una
muerte paquidérmica y los signos aparentes de vida no son otra
cosa que el constante proceso de descomposición hasta que quedan
al aire los huesos mondos que ha de esparcir por tierra el vendaval.

Al comienzo del mes de febrero se constituye el grupo «Al servicio de la República», que capitanean José Ortega y Gasset, Gregorio Marañón y Ramón Pérez de Ayala. En su manifiesto dirigido al
país se dice que «La monarquía de Sagunto ha de ser sustituida
por una República que despierte en todos los españoles a un tiempo
dinamismo y disciplina, llamándolos a la soberana empresa de resucitar la Historia de España». Nace el periódico *Crisol*, claramente republicano. Berenguer anuncia unas elecciones generales que la opinión pública repudia y considera una farsa. El conde de Romanones
aconseja al rey que, en vez de elecciones generales, haga el tanteo
sólo a escala municipal. El 14 de febrero dimitía el Gobierno. Sánchez Guerra intentó formar un gabinete con el concurso de las izquierdas, pero éstas se negaron a colaborar. El día 18 el general
Aznar propuso al rey un Gobierno que juraba su cargo una hora
después.

Si la vida política estaba así de agitada, el mundo universitario,
plenamente politizado, se movía al mismo ritmo. En Salamanca había
sido clausurada una vez más la Universidad. El 4 de febrero se
reúne la Junta de Gobierno del Patronato Universitario, a la que
pertenece Unamuno, y asistió a aquella reunión, en la que «se trató
del conflicto estudiantil y, en vista de su desarrollo, se tomó el
acuerdo de mantener indefinidamente clausurada la Universidad».
A finales de mes parece estar más tranquilo el mundo estudiantil.
El día 27 el claustro, presidido por el vicerrector, Esteban Madruga,
acuerda reanudar las tareas escolares.

Elecciones municipales

Las elecciones municipales se anunciaron y don Miguel fue presentado como candidato de la coalición republicano-socialista. *La gaceta regional*, en un editorial, va desmenuzando los posibles méritos de los candidatos izquierdistas. «Ni don Miguel de Unamuno, con todo su dinamismo espiritual, que no negamos, brilló en anteriores etapas en el concejo, ni...», y seguía demoliendo a la oposición, de cuyo grupo sólo respetó al doctor Salcedo.

El 20 de marzo había comenzado en Madrid el consejo de guerra contra Alcalá Zamora, Miguel Maura, Fernando de los Ríos, Largo Caballero, Casares Quiroga y Alvaro de Albornoz. El día 23 fueron condenados a seis meses y un día de prisión correccional y al día siguiente salieron de la Cárcel Modelo en libertad condicional. El día 25 los estudiantes madrileños izan la bandera roja en el tejado de San Carlos y luchan con la fuerza pública. El suceso repercute en Barcelona, en Sevilla, en Salamanca, donde los estudiantes se manifiestan y gritan vivas a la República.

El 29 de marzo se organiza en Salamanca, en el teatro Bretón, un gran mitin republicano, seguido de manifestación, en que intervienen Eduardo Ortega y Gasset, Casto Prieto Carrasco y Gómez Ossorio. «Por una paradoja —dijo el invitado de honor— se ha dado el caso de que, al venir yo a la ciudad de don Miguel, éste haya salido de ella, encontrándomelo en el camino, en plena tierra de Castilla, donde le abracé conmovido. Don Miguel iba a Madrid —sigue— a cumplir con el deber de decir a quien no ha sabido regir a España el camino que debe seguir.»

El 30 de marzo visita Salamanca el infante don Fernando, que si leyó los periódicos pudo enterarse del mitin republicano. El 4 de abril llega a la ciudad del Tormes don Angel Ossorio y Gallardo, que ha sido el defensor de Alcalá Zamora en el consejo de guerra y que ya había defendido ante el Tribunal supremo a Unamuno cuando fue procesado por injurias al rey. Es posible que Ossorio sea portador de algún mensaje del comité revolucionario para don Miguel. Se dice que su viaje es turístico. Unamuno le acompaña y no asiste a la reunión del claustro de aquel día, que acuerda una nueva clausura de la Universidad, por una semana, según dice el comunicado.

La campaña electoral ha comenzado. Cuando el 6 de abril se proclamaron los 237 aspirantes a las 31 concejalías, «chocó que los republicanos no hiciesen la proclamación de don Miguel de Unamuno elegido para luchar por el cuarto distrito, si bien se supo que había sido porque marchó a Madrid sin dejar firmada ninguna documentación». Cuando aparece su candidatura, su nombre va desnudo de calificación política: ni republicana, ni socialista, porque no pertenece a ningún partido, aunque en su juventud fuera lo segundo.

La proclamación de los candidatos de la coalición republicano-socialista se ha venido haciendo por distritos en la Casa del Pueblo. El día 8 la de Unamuno se hace en el Salón Ideal, uno de los más amplios salones de baile, en los que abundaba entonces la ciudad. Al final de su discurso, don Miguel apeló a la más joven generación, que entraba en lucha política.

«No confío —dijo— más que en la juventud. Yo tengo de la mía recuerdos constantes y hondos, y mi esperanza sois vosotros, que al veros renace en mí el recuerdo y la emoción de mi juventud. ¡Por eso clamaba yo en Madrid por un puesto de joven honorario!»

La víspera de las elecciones, el sábado 11 de abril, cierra Unamuno con otro discurso la campaña, un discurso tajante que va a ser su último reto a la monarquía:

«He querido poner en claro mi posición personal frente al régimen y frente a quien lo representa, advirtiendo que si mañana, obedeciendo a consejos leales como el que acaba de darle Indalecio Prieto; si mañana, obedeciendo a la voz de su conciencia, se marcha y nos deja gobernarnos libremente, y algún día nos encontramos en el extranjero, fuera de España, no sería yo quien le recordara agravios públicos; pero mientras esté en España tengo la obligación de enjuiciarle, de ajusticiarle, en el sentido etimológico de la palabra, hacerle justicia.»

El domingo 12 fueron las elecciones y en Salamanca, como en muchas ciudades, la candidatura republicano-socialista se llevó la mayor parte de los votos. Don Miguel obtuvo 526 votos, más que suficientes, y sólo le superaron en número de sufragios el tipógrafo Primitivo Santa Cecilia y el médico Julio Salcedo. Las elecciones habían sido un plebiscito contra el rey y el monarca había perdido. Aquella misma tarde, en la Casa del Pueblo, Unamuno lanza el grito de triunfo:

«Esto no es más que el principio; podemos decir que queda proclamada virtualmente la República en Salamanca.
Entraremos en la Casa de la Villa como representantes del pueblo, como representantes de la cosa comunal, porque no nos asusta el comunismo, ya que los comuneros de Castilla no fueron otra cosa que comunistas. Entraremos, digo, en la Casa de la Villa y yo os aseguro que, por mi parte, haré todo lo que pueda para que no nos presida el consabido retrato. Dijo un día que si los españoles queríamos la República, que la ganásemos en la calle. ¡Que baje él a la calle!»

Siguió hablando entre aplausos, vivas a la República, y se vio obligado a recomendar: «Y ahora mucha serenidad y tranquilidad; a ser, ante todo, ¡hombres!, a no doblegar la cerviz ante los poderes que carecen de autoridad.» Se envían telegramas a Indalecio Prieto y a Marcelino Domingo. Se canta *La marsellesa* por las calles de Salamanca, y en la Plaza Mayor se congrega la multitud. Hay quien propone tomar al asalto el Ayuntamiento y son Unamuno y los concejales electos quienes han de pedir calma a todos.

Aquel discurso de Unamuno y la descripción de la manifestación se publican en *El adelanto* del día 14. Desde por la mañana la gente se congrega en la Plaza esperando el nacimiento del nuevo régimen. En Madrid, Romanones salía a las dos y cinco de la tarde de casa del doctor Marañón, donde se había entrevistado con Alcalá Zamora. «Antes de que el sol se ponga —le había dicho su antiguo secretario particular— la Segunda República española se habrá proclamado.» Aún brilla alto el sol de aquel día de primavera cuando los telégrafos funcionan dando la noticia: Maciá, en Barcelona, acababa de proclamar la República catalana como estado integrante de la Federación Ibérica. En la Puerta del Sol madrileña ondeó la bandera tricolor en Gobernación, mientras se reunía el Gobierno provisional de la República. Anticipadamente, casi dos horas antes del mensaje a la nación del presidente de la nueva República, la Plaza Mayor de Salamanca estalla de gente que canta *La marsellesa*. El sol de abril dora las piedras y las voces resuenan con entusiasmo en el gran patio salmantino. En el balcón del Ayuntamiento aparece la figura venerable de Unamuno, acompañado de los nuevos concejales y del comité revolucionario de Salamanca. Minutos antes se ha acordado la designación de Primitivo Santa Cecilia, como alcalde; del abogado Tomás Marcos Escribano, presidente de la Diputación, y el médico Casto Prieto Carrasco, gobernador civil.

Unamuno ha caminado al frente de la manifestación que desde la Casa del Pueblo fue a la Plaza Mayor, que ya rebosaba de gente. La multitud le ha abierto camino sin dejar de cantar una y otra vez *La marsellesa*, himno provisional de la revolución incruenta que alumbra un nuevo régimen político. Cuando se asoma al balcón de la casa consistorial se hace el silencio. Don Miguel se inclina sobre el balaustre, se quita las gafas porque tiene los cristales empañados y comienza a hablar. Les habla de los comuneros, de la monarquía, de Salamanca, adonde fue cuarenta años atrás, y un sollozo le interrumpe al evocar el momento de su destierro. Primitivo Santa Cecilia le abraza, entre el clamor de la multitud. Don Miguel se rehace y con voz velada se disculpa:

«Permitid la arrogancia de que sea yo quien proclame la República en esta Plaza que recibió al desterrado de la Revolución del 68.»

Su gesto y su voz se han adueñado de la muchedumbre, una hectárea de entusiasmo republicano, y con su voz solemne y unción religiosa don Miguel proclama oficialmente la República en Salamanca.

25

Cuando mueren los dioses

Alcalde honorario de Salamanca

A las nueve y media de la noche del 14 de abril salió para el destierro el hasta entonces rey de España. La reina y sus hijos salieron en la mañana del día siguiente. En Salamanca, como en casi todo el país, es día de fiesta el 15.

«El cierre de los establecimientos —cuenta el diario *La gaceta regional*— fue completo. Además de los comercios, cerraron los cafés, restaurantes, bares, tabernas, estancos, e incluso en los coliseos locales no hubo función.» A las once de la mañana los estudiantes celebraron asamblea en la Facultad de Medicina, acordando unánimemente volver a las clases el lunes 20 de abril. Después, en el patio de la Universidad, se hizo entrega a Unamuno de la primer bandera tricolor de Salamanca. Don Miguel «dirigió la palabra a los escolares desde una de las ventanas del piso alto de la Universidad, aconsejándoles cordura y recomendándoles que ahora con todo entusiasmo se apresten a reanudar sus tareas académicas, que asistan a sus clases, que estudien y que con su proceder laboren por la consolidación del nuevo régimen dando muestras de sensatez y hombría. También dijo que, a pesar de los requerimientos que se le habían hecho, no abandonaría Salamanca, porque quiere, como siempre, cumplir sus deberes académicos como el primero». Los estudiantes le aclaman y piden que sea nombrado rector. Aquella tarde, como siempre, y para dar ejemplo de normalidad, don Miguel pasea por la carretera de Zamora con sus amigos de siempre.

El día 16 Casto Prieto Carrasco, en su calidad de gobernador civil provisional; Primitivo Santa Cecilia y Tomás Marcos Escribano ofrecen un banquete homenaje a don Francisco P. de Rojas, último gobernador civil de Salamanca con la monarquía.

Después, en el Ayuntamiento, Santa Cecilia propone que se nom-

bre «alcalde-presidente honorario del primer Ayuntamiento de Salamanca a don Miguel de Unamuno, que ha tomado parte tan consi-
derable en el triunfo de la República». Prieto Carrasco dice que
esto es mejor que no el nombramiento de hijo adoptivo, «porque
siempre ha sido padre e hijo adoptivo de la ciudad». Por aclamación se aprueba la proposición y Unamuno pide la palabra:

> «Agradezco a ustedes el nombramiento, que acepto muy hon-
> rado. Me alegro de que tranquilamente disfrutemos de la Repú-
> blica, y pido que ésta lo sea para monárquicos y republicanos,
> como para todo el mundo. En cuanto se refiere a fiestas, yo creo
> que hay demasiadas, pero en fin...»

Como alcalde honorario preside la sesión para designar alcalde
efectivo, y se elige al tipógrafo Santa Cecilia.

El día 18 de abril se celebra la primera reunión del claustro universitario bajo la República. Preside el vicerrector, don Esteban
Madruga. Ramos Loscertales, rector dimisionario desde poco antes
de la caida de la Monarquía, reitera los motivos de su dimisión y,
tras votar los claustrales, se elige a Unamuno rector y a Madruga
vicerrector. Ya no se espera a más y se le ofrece a don Miguel,
automáticamente, la presidencia del claustro. Da las gracias a sus
compañeros y expresa su voluntad de servir a esta Universidad, que
ya había regido de 1900 a 1914. Sus compañeros le ovacionan, rompiendo el protocolo académico, y a continuación se redacta el oficio
dirigido a don Marcelino Domingo, ministro de Instrucción pública:

> «En sesión del claustro, verificada hoy, han sido nombrados
> rector y vicerrector los señores don Miguel de Unamuno y Jugo
> y don Esteban Madruga Jiménez, respectivamente. Lo que comu-
> nico a V. E. esperando merezca su aprobación.»

Había sido necesaria la caida de la monarquía para que, diecisiete
años después, y sólo a tres de distancia de su jubilación, pudiese
Unamuno volver a regir su Universidad. Ha obtenido veintitrés votos
contra cinco y, pese al momento de fervor republicano en que él
aparece como una de las máximas figuras, hasta el 23 de mayo no
se confirma su nombramiento.

Retorno a «El sol»

En la casa de la calle de Bordadores todo parece haber vuelto
a la normalidad jubilosa de que don Miguel esté ocupado en sus
luchas, sus clases, su rectorado y el quehacer periodístico, reclamado primero por el *New York Times*, que le pidió un artículo de
cinco mil palabras sobre el alcance de la nueva situación española,
artículo que publica el periódico norteamericano a primeros de
mayo. Fernando Vela, secretario de la *Revista de Occidente*, se hace

cargo de la dirección de *El sol* y pide a don Miguel sus colaboraciones, prometiéndole el pago de doscientas pesetas por artículo. El 13
de mayo, con el título de «Pleito de historia y no de sociología»,
aparece en el diario madrileño la primera parte del artículo del *New
York Times*, reincorporándose así don Miguel a su comunicación
directa con el pueblo español.

La dicotomía del ensimismamiento y alteración que explicó Ortega es fundamental para comprender a Unamuno. Cuando se encierra en sí mismo, porque la paz le rodea, se desatan las tempes-
tades en su alma y su vida interior se enriquece al par que crece
su angustia. Cuando el mundo exterior le reclama es el corazón un
piélago tranquilo y todo el fuego exterior se compensa con la paz
interna.

En la casa, además, hay una preocupación fundamental: el nieto,
Miguelín, al que don Miguel no deja que se le llame Miguelito, porque así llamaban sus íntimos al dictador. Cuando Unamuno trabaja
en su despacho le gusta que esté allí el niño, jugando, y con su presencia se libera del recuerdo de aquel hijo enfermo, porque el nieto
está sano.

Apenas si escribe en el *Cancionero*: no tiene tiempo, reclamado
por el mundo exterior, y esto sí llega a preocuparle. «¿Es que se
secó la fuente?», se pregunta en uno de los doce breves poemas que
escribió durante todo el año de 1931. Y, sin embargo, su verso no
aparece tan preocupado como en otras coyunturas de su existencia.

Diputado de las Cortes

En Salamanca dicen, también lo dicen en Madrid y en toda España, que don Miguel quiere ser presidente de la República. Después, en una combinación de embajadas que lanzan los periódicos,
se afirma que Unamuno será nombrado embajador en Portugal;
a Marañón le atribuyen la embajada de París; la de Londres a Pérez
de Ayala; la de Berlín a José Ortega y Gasset; la de Bruselas a Camilo Barcia; la de Nueva York (sic) a Salvador de Madariaga; la
de Buenos Aires a *Azorín;* la de Santiago de Chile a Luis Jiménez
Asúa, y la de La Habana a Américo Castro. Su primo Claudio Aranzadi, desde Bilbao, le escribe a Unamuno el 23 de abril de 1931:

«He leido en los periódicos que te ofrecen la embajada de
Lisboa, buen sitio, pero con Dictadura.»

Lo único cierto que sucede es que el día 24 de abril está en Salamanca el subsecretario de Instrucción pública y habla con Unamuno sin saber qué decirle de su rectorado, porque él trae una
misión concreta: ofrecerle el cargo de presidente del Consejo de
Instrucción pública. Unamuno acepta y el día 27 es nombrado. Va
a Madrid el 30 de abril y el 1 de mayo, ante el monumento a Castelar, preside, con Largo Caballero, Araquistáin y Trifón Gómez, el

acto que allí se organiza con motivo de la manifestación republicana que ha partido del Paseo del Prado. A las doce y media de la mañana es recibido personalmente por el presidente don Niceto Alcalá Zamora. Permanece en Madrid unos días organizando el Consejo de Instrucción pública y el día 4 recibe la noticia de que su hermano Félix José ha muerto casi repentinamente.

Pensaba volver a Salamanca, pero se marcha a Bilbao, donde *el otro* ha muerto. Es un duro trance. Ya se ha dicho que el parecido de los dos hermanos era sorprendente, diferenciados casi sólo por la más elevada estatura de don Miguel. Para Félix no eran problema las angustias de su hermano; las miró siempre un poco como cosas de chalados; tampoco dio nunca excepcional importancia al quehacer intelectual de Miguel. La verdad es que estuvieron separados de por vida por esa invisible muralla de la incomprensión, aun cuando el afecto saltase esta barrera. En la inspiración de *El otro* y de *Abel Sánchez* hay que ver la sombra de esta situación fraterna y el sentimiento cainita no como algo atribuido al *otro*, sino como un temor a ser él mismo un Caín en potencia. Ir a Bilbao para encontrarle muerto y verle era ir a encontrarse y verse muerto a sí mismo.

Ni siquiera puede reponerse del golpe regresando al remanso salmantino; ha de volver a Madrid, y tal vez así sea mejor. ¿Qué va a decirse en casa con su hermana María, con su mujer? El día 9 se constituye el Consejo de Instrucción pública y sigue retenido en Madrid. El día 12 los periódicos hablan de la quema de los conventos madrileños, de disparos, de muertos, de heridos, y recogen unas manifestaciones de Unamuno en el Ateneo: «Hay quien ha visto un muerto, quien ha visto dos muertos, quien ha visto correr un río de sangre. Yo no he visto más que humo.» Pero el día 14 se hace público un manifiesto urgiendo a la constitucionalización de la República y al buen sentido, declarando su desconfianza en las facciones políticas, que firman Gabriel Alomar, Unamuno, José Ortega y Gasset, Antonio Machado, Gabriel Miró, Felipe Sánchez Román, Luis Jiménez Asúa, Luis Bello, Roberto Castrovido y Antonio Zozaya.

Don Miguel va y viene de Madrid a Salamanca. En el Ayuntamiento, el 27 de mayo, después de haber tomado unos pocos días antes posesión oficial del rectorado, tiene su primer choque con el entusiasmo republicano de algunos de sus compañeros de concejo. El día que proclamó la República fueron destruidos los dos bustos de escayola del rey y la reina, que afeaban la hermosa fachada consistorial. Ahora se propone colocar en aquel mismo sitio los bustos de los capitanes Galán y García Hernández. Don Miguel se opone, «porque no es sólo cuestión de ideas monárquicas, sino de estética». Pero la mayoría manda, pensando también que no es sólo cuestión de estética, sino de sentimentalidad política, y la moción se aprueba y los bustos fueron colocados.

Luego, los exámenes. Y el 3 de junio otra vez en Madrid, en el Ateneo, en el homenaje a Blasco Ibáñez, en que toma parte con Valle Inclán. El recuerdo del compañero de lucha que murió sin ver la tierra prometida es una buena llamada a la cordura. Las elecciones generales están convocadas y queda la esperanza de lo que pueda salir de ellas, si bien Unamuno empieza a desconfiar viendo cómo las viejas artimañas electorales entran en funciones de nuevo: los grupos republicanos unidos antes todos contra el rey se lanzan ahora a la lucha por el poder y las viejas fuerzas van también con el ánimo de recobrar cuanto puedan de lo que han perdido.

En el ínterin, Cándido Rodríguez Pinilla, el poeta ciego del que Unamuno gustó de ser lazarillo y al que le leía libros y periódicos, el amigo que más extrañó en el destierro, muere en Ledesma el 23 de junio. El desfile de la santa compaña empieza a adquirir un ritmo más rápido. La villa de Ledesma se levanta sobre un áspero promontorio y a sus pies el Tormes corta un tajo. Quizá sea esta circunstancia la que hace que parezca una Toledo en miniatura. Antes de cruzar el río hay una pequeña ermita donde el poeta ciego escuchó el susurro del río en compañía de su amigo Unamuno. Al regresar a Salamanca, después de haber enterrado al amigo cuyos ciegos ojos piensa que acaso se abran a la luz de la eternidad, es preciso pasar junto a la ermita bajo cuyo porche ya no es posible seguir el diálogo.

Sólo queda el intento por mantener el diálogo con el futuro de España: las elecciones para las Cortes Constituyentes que han de crear la carta magna de la República, la Constitución, y han de empezar a actuar a los tres meses justos de la proclamación del Régimen. Como siempre, don Miguel no se presenta, sino que le presentan. El 28 se celebran las elecciones y hasta el día 1 de julio no se conocen los resultados. Los monárquicos juegan la última partida con pocas esperanzas y se confía más bien en las derechas. Los republicanos están más seguros, si bien en Salamanca las llamadas a la sensatez por unos y otros hacen pensar en hombres templados y conservadores por muy republicanos de antaño que sean.

Don Filiberto Villalobos, del partido de Melquiades Alvarez, médico nacido en Guijuelo, hombre de gran humanidad y con vocación precoz de patriarca que practica el arte milagroso de cobrar poco o nada por las radiografías que hace, obtiene 31.536 votos; don Miguel de Unamuno, 28.559; don Tomás Marcos Escribano, presidente de la Diputación, propietario, abogado, que ha nacido en Santa Marta de Tormes, a cuatro kilómetros de la ciudad, 27.965; Primitivo Santa Cecilia, 27.851; José María Gil Robles, el hijo de don Enrique, que poco antes de la caída de la monarquía ha llegado de catedrático de la misma Facultad de Derecho en que se formó y en la que su padre fue maestro, que con su brillante ejecutoria académica y forense es la esperanza de las derechas salmantinas, 26.041; Cándido Casanueva, amigo de Gil Robles, de derechas y de buena familia como él, 25.624; José María Lamamié de Clairac, terrateniente, de la media nobleza salmantina, 23.453; Casto Prieto Carrasco, republicano hasta la médula, médico, catedrático de anatomía, noble y violento, irreflexivo muchas veces, que ya queda sin acta de diputado, 22.231; José Camón Aznar, el joven catedrático aragonés que se presenta por el partido de Lerroux, 20.144; Victoria Kent, 19.895; Luis Capdevila, fabricante de harinas, tenido por uno de los prohombres de la ciudad, 19.686; Gonzalo Queipo de Llano, consuegro del presidente de la República, 16.030; Julio Ramón y Laca, otro salmantino al que llama la política, 15.116; el doctor Serafín Pierna Catalá, catedrático, abierto y simpático, bueno hasta la ingenuidad, republicano de la derecha, 11.634; Angel Coca Coca, ingeniero, pariente del banquero salmantino del mismo apellido, de derechas, 11.548, y Diego Martín Veloz, el hombre más poderoso de la provincia hasta hacía poco, sólo 7.383 votos.

Conociendo el talante de los siete diputados elegidos en Salamanca es fácil imaginar qué han buscado los electores. La mayoría de los votos de Villalobos están desprovistos de significación política: son votos de gente humilde, agradecida a don Fili, como ya se le llama en toda la provincia; el radiólogo salmantino no es para ellos un hombre de estado, sino ese señor que saluda, que echa una mano, da un consejo. A Unamuno le votan los intelectuales y los socialistas, pensando en que su voz pueda resonar mejor y se imponga en la nueva república, porque confían en él, admiran su temple, su coraje y, sobre todo, su inteligencia. A Marcos Escribano le han votado abogados, propietarios, gente humilde de su feudo, que conocen su espíritu reservado y cauto. A Santa Cecilia, los obreros y también los intelectuales, porque están seguros de su honradez, su buena fe y hasta a algunos les parezca que tiene el defecto de no gustar de la violencia. A Gil Robles, a Casanueva y a Lamamié de Clairac les votan los monárquicos, las derechas republicanas, los ganaderos, los grandes agricultores y sus renteros y trabajadores, esperando de la inteligencia del primero y de las influencias de los tres.

Si el triunfo de las elecciones municipales fue claramente izquierdista, este de las Cortes Constituyentes tiene más bien signo contrario. Los tres últimos decidida, clara y abiertamente pertenecen a los derechas. Sólo un pelo les separa de ellos a Marcos Escribano y hasta el propio Villalobos y Santa Cecilia, con su republicanismo alimentado desde tantos años atrás, melquiadista uno y socialista el otro, están en una posición moderada. Sólo Unamuno, el irreductible Unamuno, queda como cabeza visible del signo republicano más abierto y declarado en estas elecciones.

¿Qué ha pasado en Salamanca para que tras el entusiasmo del 14 de abril, la hectárea de ilusión republicana que vibró en la Plaza Mayor se deje ganar de esta forma la partida? Posiblemente lo que hoy con la distancia de los años empezamos a ver claro: el no saber qué era, cómo podía ser, cómo tenía que ser una República.

Unamuno, sintiendo renacer en él al viejo socialista de su juventud, cuando el 14 de julio está en Madrid para asistir a la inauguración de las Cortes Constituyentes acompaña a una comisión ante Largo Caballero, ministro de Trabajo, para pedir que se amplíe el decreto sobre revisión de la renta, ya que hay muchos aristócratas que se quedan fuera poseyendo excesivas propiedades.

«¡Terrible cosa tener que hacer de estatua!»

Se han inaugurado las Cortes y el verano desciende como todos los años sobre España. Las comisiones trabajan. La burocracia organiza su nueva técnica y los políticos, sin vacaciones, están entregados ya a la lucha parlamentaria. Don Miguel comenta, en monodiálogo con sus amigos, las posibilidades de la República, y los temores van naciendo como nubecillas de verano que se aumentan y ennegrecen y en ocasiones sueltan generosamente la breve lluvia refrescante que alivia el sofoco o la tormenta avasalladora.

Hay problemas familiares que ocupan también a Unamuno: los achaques de su hermana María Felisa —tres años mayor que él—, que vive en su casa desde la muerte de la madre; los de su mujer, que, animosa, callada espectadora de sus luchas, empieza a flaquear ante el peso de los años, y la desmedrada y precaria salud de su hija Salomé. Por si fuera poco, le ha sido necesario instalarse en Madrid por período más largo de lo que quisiera a causa del Consejo de Instrucción pública y de la necesidad de intervenir en las Cortes en la redacción definitiva de la Constitución. Vive en casa de su yerno, José María Quiroga Plá, en el número 49 de la calle de Zurbano. Salomé y el nieto justifican para Unamuno el tener que permanecer tanto tiempo en Madrid.

Quiroga, además, ha empezado a ordenar el archivo de don Miguel en el Centro de Estudios Históricos, registrando su bibliografía completa —libros, artículos periodísticos—, y está dispuesto a convertirse en el único e insustituible secretario de don Miguel.

Unamuno también se prepara, como todos los diputados, para la gran aventura y desde su senectud aceptada se siente molesto en la postura de santón, de mito, de hombre de paja que unos y otros quisieran manejar a su capricho. En junio, en uno de los primeros artículos que escribe para *El sol*, con el título de «La antorcha del ideal», declara su tristeza:

«¡Hay que mantener en alto la antorcha del ideal!» Al pelo, amigo mío, linda frase, muy linda frase. Pero... sí; pero la mano que tiene la antorcha, que la mantiene, es de carne y hueso y no de bronce, y se cansa y se abate. ¿Estatua? ¡Ay, amigo: terrible cosa tener que hacer de estatua! Hay en el Palais Royal, de París, una en mármol, de Rodin, representando a Víctor Hugo con un brazo extendido, y éste... apuntalado por el mismo Rodin. Y a los modelos de tales actitudes, para pintura o escultura, se les suele sostener el brazo con un cordel que cuelga del techo. Y el experto ve en la imagen, aunque visible, el cordel modelo [...].

Cuenta el *Libro del Exodo*, en su capítulo XVII, que cuando peleaba Israel contra Amalec, si Moisés alzaba su mano Israel prevalecía; pero cuando la bajaba, prevalecía Amalec, y que como las manos de Moisés estaban pesadas, le hicieron sentarse en una piedra y Aarón y Hur le sostenían las manos, el uno de una parte y el otro de la otra, y que así hubo en sus manos firmeza hasta que se puso el sol. Las palmas de los pies de Moisés, descansando, no apoyándose en tierra, y las plantas de sus manos apoyadas en otras manos. Palmas de pies de peregrino, plantas de manos de legislador. Y muerto luego Moisés en la cumbre de Pisga, del monte de Nebo, en la tierra de Moab, frente a la tierra de promisión, en la que no le fue dado por el Señor entrar, pasó Josué a ella el Jordán, con el arca de la alianza.

… … … … … … … … … … … … … … … … … … … …

He vuelto a leer el *Moisés* del gran poeta [Vigny] al recibir, amigo, con su amonestación su linda frase de la antorcha del ideal. Y he repasado mi pasado.

Soy, ¿debo decírselo?, uno de los que más han contribuido a traer al pueblo español la República, tan mentada y comentada. Pero ahora, en el umbral de la puerta entornada de la España de promisión, sienten las palmas de mis pies de peregrino ganas de césped de hierba fresca en que descansar sin apretarla, y sienten las plantas de mis manos de escritor ganas de sostén de familiares y de discípulos. Y veo la cumbre del monte Nebo, el Pisga, que se me aparece en sueños algo así como el picacho del Almanzor, en Gredos, esa vértebra cervical del espinazo —rosario dice el pueblo— de las dos Castillas […] Que vengan, pues, los Josués.

… … … … … … … … … … … … … … … … … … … …

Que vengan los Josuées que le hagan pararse al Sol […] Y que el Sol, que es la mejor antorcha del ideal, les oiga y ellos hagan a su vez de estatuas saludadoras. ¿No entramos ya en un nuevo mundo y en una era nueva? Y que esos Josués pasen con sus arcas el Jordán, que es un Rubicón, y tras el cual les aguarda la inevitable guerra civil; inacabable, lo que otros llaman revolución, la revolución permanente del profeta israelita Trotzki, el avance sin mengua. Yo, amigo, vengo del siglo XIX, liberal y aburguesado; los sueños de mi niñez se brizaron al fragor de aquellas modestas guerras civiles de 1874, cuando el cursi himno de Riego espoleaba corazones. Pase, amigo, pase el Jordán-Rubicón y entre en la nueva España, en la España federal y revolucionaria. Yo me quedaré en Gredos, pues empiezan a caérseme las manos y los pies. Cada vez sueño más con hierba fresca y verde, para descansar sobre ella o debajo de ella, al ras del cielo o a la sombra de la tierra (26).

---

(26) Un simple azar me obligó, para no detener mi trabajo, a usar el texto francés traducido por Jean Cassou de este artículo. La confrontación posterior de mi retraducción y el texto original de don Miguel me deparó la sorpresa de ver en qué medida Cassou *adaptaba* al francés este artículo. Creo que la sugestión de Zubizarreta de poder compulsar la primera redacción de *Cómo se hace una novela* con su traducción francesa y nueva versión española de Unamuno sería de gran interés para los lingüistas y filólogos.

Muy extensa ha sido la cita y aun me he quedado con ganas de
reproducir íntegro este artículo. ¿No había dicho en Hendaya, y en
verso, que no se debía intentar detener el sol como Josué? Ahora el
síntoma de cansancio es mayor, así como la aceptación de la idea
de la muerte. Moisés es todo un símbolo y no caprichoso. El 29 de
julio de 1922, en el semanario argentino *Caras y caretas*, había publicado un artículo titulado «La soledad de Moisés» en que está dada
la clave de éste:

> «¡La soledad de Moisés! ¡La soledad del conductor de almas!
> Iba al frente de su pueblo y no podía mirar hacia atrás, a su es-
> palda, hacia su pueblo, y como delante de él no veía hombres,
> encontrábase solo, enteramente solo. Y en otro respecto, un sen-
> timiento así, de soledad abismática, de soledad íntima, de sole-
> dad solitaria, debe invadir y penetrar a todo anciano que no des-
> cubre otro más anciano que él en su linaje y delante suyo. ¡Cosa
> terrible verse en la vanguardia del ejército que avanza a la muerte!
> [...] Pero en Moisés a la soledad del anciano [...] se agregaba
> otra más terrible soledad: la soledad del caudillo, la soledad del
> conductor del pueblo. Porque los conducidos le dejaban solo. Y
> sólo así podían ser conducidos por él. ¿Es, pues, de extrañar que
> pidiera, como nos dice Vigny, dormir con el sueño de la tierra?
> ¿Es posible acaso servir de guión, en uno u otro campo —o
> desierto—, a los demás no yendo solos? Sólo entre ellos, o tal
> vez solo al frente de ellos. Los grandes conductores de almas, los
> *psicagogos*, han sido los grandes solitarios.»

Me parece bastante claro el sentido de ello. No se ha reparado
nunca en ese primer artículo citado, «La antorcha del ideal», salvo
Jean Cassou, que lo incluye en el tomo *Avant et après la Révolution*,
como el primero de los artículos escritos *después*. No, don Miguel
no ha tomado caprichosamente el símbolo de Moisés. Se siente anciano: vive la soledad en que le van dejando familiares y amigos
que mueren. Políticamente su soledad no es menor: acepta la misión
de conductor de la grey hispánica, para lo cual se siente ungido,
pero tiene conciencia de que no va a ser escuchado ni seguido y se
prepara para ser predicador del desierto en las nuevas y flamantes
Cortes Constituyentes.

Proyecto de homenaje

Aunque tiene alguna compensación afectiva, porque existen hombres de limpia conciencia intelectual que recogen su mensaje de
náufrago en el mar agitado de la naciente República. Tal es el caso
del escrito que, con el título de «Don Miguel de Unamuno, palabra
de vida española», publicó *El sol*:

> «Don Miguel de Unamuno ha dicho —y hecho— una clara dis-
> tinción verbal entre la España republicana y la República espa-

ñola. El entendimiento de esta distinción esclarece el sentido espiritual de la figura que la expresa: la más clara y distinta encarnación de la inteligencia verdadera y viva, hoy, de España.

Ante la futura designación de un presidente para la República de España, nosotros decimos que la presidencia de la República española —por razón política de Estado, que es razón justa— será de quien sea; la de la España republicana, por razón poética de ser —que es razón exacta—, no puede ser más de quien es, de quien era: de don Miguel de Unamuno: por su palabra, palabra de vida y de verdad españolas, de nacimiento espiritual de España.

Donde esté don Miguel de Unamuno, entero y verdadero, sin partir —como él dijo—, sin partido ni partida, donde esté él, estará, como en la alusión cervantina, esa presidencia. La de España entera y verdadera, porque es entera y verificación universal de nuestra historia por el imperativo nacional y nocional, racional, de su palabra.

Los españoles enterados (no sus partidarios, sino sus enterados), los enterados en él o por él, de España, los adentrados en esa inteligente conciencia imperativa española por su verbo (que es ahora lo que con más pura verdad afirma esa entereza); los españoles que apetecemos un claro y distinto entendimiento en la cosa pública española —en la vida; es decir, en la Historia: conscientes de esa realidad histórica de nuestro pueblo—, nos afirmamos en esa auténtica popularidad de Unamuno, creador verbal de España republicana, y vamos a unirnos, o reunirnos, con él, en esa su soledad social de nuestra España universal y perdurable.

Por eso, creyendo nosotros que debe testimoniarse a Unamuno esta solidaridad intelectual por lo que es ahora su representación española culminante, proponemos que se haga por el Estado la publicación completa de su obra solicitándolo del Gobierno provisional de la República, y ofreciendo para ello nuestra modesta colaboración, a la vez que esperamos para la realización de este propósito la adhesión de todos que lo compartan.

Madrid, 22 de julio de 1931.

Pedro Salinas, José María de Cossío, Antonio Maricharlar, Melchor Fernández Almagro, Jorge Guillén, Gerardo Diego, Alfonso G. Valdecasas, Agustín Viñuelas, Gabriel Franco, Antonio Sacristán, Antonio Garrigues, Eduardo Rodrigáñez, Eusebio Oliver, Juan Guerrero Ruiz, Eduardo Ugarte, Carlos Arniches Moltó, León Sánchez Cuesta, Rodolfo Halffter, José Bergamín.»

Esta reacción, que no tuvo el eco que era de justicia, fue motivada, sin duda, por el tono de su voz, que encontró el resón apetecido en la sensibilidad de hombres como Pedro Salinas y Jorge Guillén, a los que me atrevería a considerar como redactores de la convocatoria. Hay todavía más: la leyenda del Unamuno que quiso,

a toda costa, ser presidente de la República, ¿no nació acaso de la
torpe lectura de este generoso homenaje?

Defensa del castellano

Los técnicos legislativos de la República trabajan intensamente
durante el verano. Las Cortes, que preside el catedrático socialista
don Julián Besteiro, no tienen vacaciones. Unamuno asiste a todos
los debates, pero guarda silencio mientras no se discuten los problemas de la Constitución. Los periodistas suelen asediarle y el 18
de agosto se queja en las columnas de *El sol*: «Por algo les temo
tanto a las entrevistas, y más aún a las indiscretas versiones de lo
que le han oído a uno al paso en cualquier pasillo.»

Lee a un grupo de amigos su drama *El hermano Juan o el mundo
es teatro*, y leyendo el proyecto de la Constitución prevé ya en qué
momentos va a intervenir. De cuando en cuando va a Salamanca
y asiste a las sesiones del Ayuntamiento, que ahora preside el doctor
Prieto Carrasco, por dimisión del diputado Santa Cecilia. Pero, sobre
todo, asiste taciturno, con asombro, temor e irritación, a los debates
parlamentarios. «¿Cuántos partidos van a surgir de los constituyentes? —se pregunta el 18 de agosto en un artículo de *El sol*—. El
diablo lo sabe. Y sólo Dios, los hombres, las personas que van a
surgir o resurgir, que van a nacer o renacer —resucitar— en ella.»
Y con los partidos le preocupa también la posible desmembración
de España.

«Sé que los ingenuos españoles —dice en *El sol* del 23 de
agosto— que voten por plebiscito un Estatuto regional cualquiera
tendrán que arrepentirse, los que tengan individualidad consciente de su voto cuando la región los oprima, y tendrán que
acudir a España, a la España integral, a la España más unida e
indivisible, para que proteja su individualidad.»

El 18 de setiembre se discute el problema del idioma oficial de
España y su convivencia con las hablas regionales. Don Miguel redacta una enmienda que dice así: «El castellano es el idioma oficial
de la República. Todo ciudadano español tendrá el derecho y el
deber de conocerlo, sin que se pueda imponer ni prohibir el uso de
ningún otro.» La enmienda que defiende y fue aprobada ya no es
igual en su redacción, pero la aceptó don Miguel antes de levantarse
a hablar: «No quiero decir en nombre de quién hablo; podría parecer una petulancia si dijera que hablo en nombre de España.» ¡Y era
verdad! Pocas veces un giro retórico ha estado más lleno de significado y de honrada pasión: se defendía la unidad del idioma, la
hegemonía del habla castellana. «... si un código pueden hacerlo
sólo juristas, que suelen ser por lo común doctores de la letra
muerta, creo que para hacer una Constitución, que es algo más que
un Código, hace falta el concurso de los líricos, que somos los de

la palabra viva». El era un técnico, como hombre sabio en cuestiones de lingüística y de su historia y, sobre todo, como desentrañador del sentido del idioma en lucha continua para comunicar a los demás el sentido de su pensamiento. Su condición de vasco apoyaba también la independencia de sus palabras. En aquel discurso habló en vasco, en gallego, en catalán, en lemosín. Pidió a las regiones, como ya había hecho treinta años atrás en su tierra, que impusieran su espíritu a España, en castellano. «España no es nación, es renación: renación de renacimiento y renación de renacer, allí donde se funden todas las diferencias, donde desaparece esa triste y pobre personalidad diferencial.»

Todas las intervenciones de Unamuno en las Constituyentes tuvieron el denominador común de la unidad hispánica. Le preocupa poco qué grupo de presión podrá alzarse o no con el poder, deja aparte incluso la fraseología del nuevo régimen:

> «... mientras otros se afanan —dice en *El sol* de 20 de noviembre— en remachar esta llamada revolución republicana española actual, yo me afano por ir preparando su leyenda, su osamenta espiritual futura; he aquí por qué me esfuerzo en descarnarla más que desnudarla, en quitarle toda la carnaza, y la grasa y la pringue y la cotena de su pobre actualidad política pasajera. Quitarle su actualidad política pasajera a ver si descubrimos su potencialidad cósmica permanente».

Y este criterio es el que mantiene en sus escasas intervenciones parlamentarias. El 25 de setiembre dice en las Cortes: «Aquí se ha hablado de un hecho, el *fet* catalán, del estado de conciencia del pueblo catalán, pero se ha olvidado que hay otro hecho y es el estado de conciencia del resto del pueblo español o del pueblo español todo...» El no habla allí ni en pro ni en contra de Cataluña, ni de la República, como temía Corominas el día antes de su intervención: va únicamente a hacer una llamada al buen sentido, a denunciar la prisa de la Comisión de la Constitución que lleva a que «los dictámenes los estamos haciendo aquí y no los hace la Comisión, y se están rehaciendo», porque —añade—: «Los forceps son muy peligrosos, no para la vida de la criatura, sino para la vida de la madre. Cuando aquí se habla de la República recién nacida y de los cuidados que necesita, yo digo que más cuidados necesita la madre, que es España, que si al fin muere la República, España puede parir otra nueva y si muere España no hay República posible.» Es en esta ocasión en la que declara: «Nosotros no trajimos la República: la República nos ha traido», y recuerda a todos que presten atención a la opinión pública que allí se está haciendo y «que hay problemas que duelen, no por el problema mismo, sino por la manera de tratarlos.»

Su Majestad España

El 1 de octubre de 1931 se inaugura el curso académico en todas las universidades españolas. Don Miguel, como rector, preside el acto en que, por vez primera —y a ruego suyo—, se prescinde del traje académico. Hace cuarenta años que vino por vez primera a Salamanca. Hace treinta que presidió igual acto como rector. Es mucho pasado el que pesa sobre su corazón. También el cansancio de Madrid, las sesiones de las Cortes, donde ha declarado que lo único que desea es que termine su mandato para volver a dar sus clases. Pero es una circunstancia histórica: su vuelta al lugar presidencial del Paraninfo y el primer curso académico que se abrirá bajo la promesa del nuevo régimen, «a cuyo establecimiento —dirá aquel día— ha contribuido más que cualquier español».

Cuando entran en el Paraninfo los estudiantes, el público, los catedráticos, profesores y maestros, don Miguel rumia lo que debe decir al fin del acto. El nuevo director de *La gaceta regional* —el profesor de alemán del instituto, don Domingo Sánchez Hernández—, que hace poco ha sustituido en el cargo periodístico a don Manuel García Blanco, que ha ido a Puerto Rico de profesor visitante, está con don Miguel. Unamuno ha tanteado sus bolsillos y no encuentra papel. Don Domingo le da el saluda en que se le invita al acto y mientras éste se desarrolla Unamuno traza el guión de su breve y trascendente discurso. Puede levantarse y decir simplemente que, en nombre del presidente de la República, declara inaugurado el curso académico, pero comprende que es preciso algo más: llevar a la Universidad la prédica que en los periódicos y en las Cortes ha emprendido:

«Venimos a continuar la historia de España, la historia de la universidad española. No ha habido, no, solución de continuidad, como pretenden algunos [...]. Ni las Ciencias, ni las Letras, ni las Artes son monárquicas o republicanas. La cultura está por encima y por debajo de las pequeñas diferencias contingentes ,accidentales y temporales de las formas de gobierno.»

Si en las Cortes se ha opuesto ya a los particularismos regionalistas, resalta en esta ocasión el sentido universalista de la Universidad de Salamanca, universalismo que quiere dar también a la República bajo el nombre de Imperio, que es «a la vez monárquico y republicano». Para los coleccionistas de contradicciones de Unamuno, que no son tales, dada su consecuencia de pensamiento, puede haber aquí una de las deseadas ocasiones recordando aquellas palabras suyas de 1914 en el Ateneo madrileño: «Enamorado del futuro Estado, y no Imperio español. Imperio... ¡jamás!» Sólo que entonces se refería al imperio colonialista y ahora aclara: «Universidad es igual a unidad y universalidad. Una y universal es la cultura;

unidad es imperialidad y universalidad equivale, etimológicamente, a catolicidad.»

El acto, con la voz emocionada y señera de Unamuno, ha adquirido inusitada solemnidad. El Paraninfo, perhinchido de público, sostiene el denso silencio de las horas estelares.

«Lucharemos por la libertad de la cultura, porque haya ideologías diversas, ya que en ello reside la verdadera y democrática libertad. Lucharemos por la unidad de la cultura y por su universalidad, y tendremos fe en la libertad; y por la fraternidad, por la hermandad, nos entenderemos en un corazón y en una lengua.»

Y, por último, la forma ritual de apertura de curso con nuevo cuño, cuyo acento produce sorpresa en el Paraninfo: don Miguel, en pie, con la seriedad de un apóstol, con la voz quebrada, está diciendo:

«En nombre de Su Majestad España, una, soberana y universal, declaro abierto el curso de 1931-1932 en esta Universidad, universal y española, de Salamanca, y que Dios Nuestro Señor nos ilumine a todos para que con su gracia podamos en la República servirle, sirviendo a nuestra común madre patria.»

Por encima de la República

Aquellas palabras, que lee el país entero reproducidas taquigráficamente en *El sol*, de Madrid, producen el escándalo. ¿Qué republicano es este Unamuno que parece añorar, en la fórmula oficial, la monarquía y que habla de Dios, cuando la constitución en proyecto declara la arreligiosidad del nuevo régimen? Salvador de Madariaga, hacía años, entre 1918-1919 (su carta está sin fechar), había intuido acertadamente el sentido de la peculiar postura unamuniana, cuando le escribió:

«Veo su situación de usted con sumo interés. Está usted hoy a la cabeza de nuestras izquierdas, pero nuestras izquierdas no le comprenden a usted. Usted es religioso por desesperación, y las izquierdas son antirreligiosas y, lo que es mil veces peor, irreligiosas, a la manera de monsieur Homais. Yo me pregunto todos los días cuándo va a llegar usted a una crisis de fe en la libertad. Yo estoy en ella.»

Pero el escándalo ha sonado y es fácil rasgarse las vestiduras ante las palabras del profeta de signo jeremiaco que ya el 16 de julio de 1931, en *El sol*, en un artículo titulado «República española y España republicana», que su yerno, José María Quiroga Plá, ha pensado como título posible del libro en que se recojan estos escritos volanderos, ha dicho:

«¡Ahora hay que consolidar la República! —oigo—. Y me digo
"Ahora hay que consolidar, esto es, hay que consolidar a España."
Porque en tanto oir hablar de República española apenas se oye
hablar de España sin adjetivos. Y piense el lector si es lo mismo
República Española que España republicana.

A consolidarla, pues, a consolidar, no sea que se nos liquide.
Y en liquidación de quiebra, que sería lo peor.»

Y el 29 de octubre confiesa que le da miedo «ese español de santo
y seña, de disciplina, de partido, que me dicen está fraguando la
República, esta quisicosa ya casi mítica». Y sigue la lucha en las
Cortes. El 22 de octubre se discute el artículo 48 de la Constitución
sobre la enseñanza del castellano y Unamuno lee una enmienda que
firman con él Miguel Maura, Roberto Novoa Santos, Fernando Rey,
Emilio González, Felipe Sánchez Román y Antonio Sacristán. Unamuno ha estado enfermo pocos días antes y, como siempre, sus acha-
que puramente somáticos han dejado una profunda cicatriz en su
espíritu y en su sistema nervioso. Sus palabras están teñidas de
amargura, de cansancio y desaliento. Habla de la «Constitución de
papel» y dice:

«... vengo al texto concreto: "Es obligatorio el estudio de la
lengua castellana, que deberá emplearse como instrumento de
enseñanza en todos los centros docentes de España." Yo hubiera
preferido que se dijera: "Es obligatorio enseñar en castellano.
Las regiones autónomas podrán, sin embargo, organizar enseñanzas en sus lenguas respectivas —naturalmente las comunistas podrán organizarlas en esperanto o ruso—; pero, en este caso, el
Estado mantendrá también en dichas regiones las instituciones
de enseñanza de todos los grados en el idioma oficial de la nación." En este caso, y en cualquier caso, "mantendrá". La cosa
está bien clara: no tiene más que seguir manteniendo».

Don Miguel ha terminado diciendo que aquella cuestión está incluso por encima de la República. Se procede a la votación y Unamuno sólo cuenta con 93 votos frente a 169. Se decide que las regiones autónomas organicen la enseñanza en sus lenguas respectivas
y que se estudie el castellano como una lengua más, extraña y hasta
hostil. Fernández Flórez, en sus cotidianas *Acotaciones de un oyente*
en el *A B C*, anota: «La de ayer ha sido una de las peores tardes del
Parlamento de la República.» Don Miguel, derrotado sin justicia, es
asediado por la prensa al salir de las Cortes:

«Dijo que no había modo de darse cuenta —contaban los telegramas periodísticos— de lo que puede llegar a ser una constitución urdida o tramada no por choque o entrecruce de doctrinas diversas, sino de intereses de partido o, mejor, de clientelas políticas, sometidas a disciplina, que nada tiene que ver con el dis-
cipulado.

Así se forja, claro que no más que en el papel, un Código de compromiso henchido, no ya de contradiciones, que esto suele ser un resorte de progreso, sino de ambigüedades hueras de verdadero contenido. Así se llega al "camelo".

Esto es lo peor. Lo triste es que fuera de España, en los observadores serenos de la madurez intelectual y política, puede esto provocar la agorera sonrisa con que se acogen los juegos de los niños terribles que juegan a la revolución.

Y menos mal que lo más de ello se quedará en el papel: es decir, sujeto no ya a revisión, sino a borrón.»

El 4 de noviembre, toda la Prensa difunde otras palabras de Unamuno, que manifiestan su desencanto, afirmando que «para dentro de unos meses habrá que rectificar lo que estamos estampando en esa Constitución de papel que el Parlamento confecciona», palabras a las que, sonriente, asiente Alejandro Lerroux, diciendo: «Eso, desde luego.» Dos días después se produce un nuevo escándalo. La Prensa española difunde una carta firmada con el nombre Miguel de Unamuno, que ha sido publicada en *La nación*, de Buenos Aires, y que figura dirigida a don Francisco Cordeira, director de la revista borinqueña *Los Quijotes*, con fecha de 10 de setiembre y enviada desde Madrid. La carta es la siguiente:

«Distinguido amigo mío: En esta inmensa piara recibí su carta que tuvo a bien enviarme a Salamanca.

Aunque ya estoy viejo para que me guste el incienso, no por eso dejo de darle las gracias por todas sus bondades.

Me pregunta usted cómo va la República.

La República o rex-pública (sigo fiel a mi pensamiento) no va, se nos va. Esa es la verdad.

El suspensorio que el año 1923 le puso a la Monarquía aquel *boy-scout* setentón, que Dios confundió, no era tan malo e indecente como el braguero que nos pusieron estos pinches y limpiabotas vitalicios, con lo cual acabaron de extrangular la hernia putrefacta de la nación.

No cabe duda que Ortega y Gasset divagaba bonachonamente al decir que la República había que defenderla de los payasos, los tenores y los jabalíes. Eso era antes. Ahora de lo que hay que defenderla es de los bufones, Scarpias y Al Capones, también ésa es la verdad. Del caos presente y del horizonte sombrío que ya palpamos, ¿quién tiene la culpa? La culpa es de esa plutocracia en mal uso y jubilada que no curó el mal el año 1898: el de la vergonzosa derrota. El 23 era tarde. Ahora no hablemos.»

El escándalo en la Cámara es mayúsculo. El presidente, don Julián Besteiro, anuncia que una persona autorizada le ha hecho saber que Unamuno afirma que la carta es falsa. *La Nación* insiste en su autenticidad, añadiendo que el 17 de octubre se publicó en *La Democracia*, de Puerto Rico. El 18 de noviembre, Pérez Madrigal llama a don Miguel «primer jabalí de España», y él contesta: «Yo no tengo la culpa de que las ranas que me escuchan confundan mis palabras», reiterando la falsedad de la carta y confesando que, por falta de pruebas, no puede decir quién sea el hábil falsificador.

El 29 de noviembre, en Salamanca, da Unamuno una conferencia, sermón, en el Paraninfo de la Universidad a la asociación de estudiantes de Derecho, acto al que asisten Gordón Ordax y Victoria Kent, que al día siguiente toman parte en un mitin socialista en el teatro Bretón. El 6 de diciembre, en Madrid, asiste Unamuno a la conferencia de José Ortega y Gasset, *Rectificación de la República,* en que suena el «No es eso, no es eso» que tanto se ha repetido. El acercamiento de Unamuno y Ortega, «que nos honra a ambos», como recordó el segundo, llega en estas circunstancias a su climax. Ortega, como Unamuno, como Marañón con su silencio dolorido, están en la hora del desencanto. A la salida del mitin, que ha producido estupor en unos, indignación en otros, serena rumia en unos pocos, los periodistas asaltan a Unamuno buscando el escándalo, y don Miguel, serio, triste, impresionado y conmovido, se niega a dar su opinión. Ha protestado, el 1 de noviembre, del artículo de la Constitución que declara que el Estado no tiene religión: «Declarad en el papel —dice— que no hay religión del Estado; pero la hay nacional, y es la del pueblo que vive de misteriosidades y por ellas», y cuatro días después del mitin de Ortega insiste en que «aunque se diga y se repita hoy mucho que el pueblo español es indiferente en religión, o más bien que es irreligioso, somos algunos los que creemos que con la revolución que llaman política se está cumpliendo, en los hondones del alma popular, una revolución religiosa. Que hay una fe que forcejea por alumbrarse. Forcejeo que es una herencia y una adherencia histórica, que es el meollo de la Historia». Su postura está ya definida desde la tribuna pública de *El Sol* en sus *comentarios,* único título que él ponía a sus escritos, dejando en libertad al periódico de titular sus artículos.

«Queremos en estos comentarios —decía el 20 de noviembre— que aspiren a hacerse permanentes en cierto modo en el ánimo de sus lectores, mentar y comentar aquellos hechos —no menos sucesos— que estén haciendo de Dios a nuestra España. Lo demás son gacetillas, aunque en forma de leyes vayan a parar en la *Gaceta,* saliendo de una cámara que, como es inevitable y acaso útil en el sistema parlamentario, se compone de camarillas.»

Muerte de Sánchez Rojas

Se está terminando el año de 1931, el año cuya primavera trajo anticipadamente a la República y España celebra sus primeras Navidades laicas. A Salamanca vuelve roto, deshecho, náufrago de la vida, navegante solitario de su patológica bohemia, José Sánchez

Rojas. Tiene sólo cuarenta y seis años y parece más viejo. Ha hecho periodismo a destajo en los últimos años, muchas veces sólo por el café y la tostada. Pepe Sánchez Rojas, el antiguo discípulo, va a ver a don Miguel. Tampoco él confía ya mucho en su fervor ingenuo de la primera hora republicana. En Salamanca los inviernos son terribles, con bajas temperaturas. Este final de la altiplanicie sufre los vientos más heladores. Sánchez Rojas, sin abrigo, con el traje mugriento y raído, tose incesantemente. Desea buen año a Unamuno. Queda en verle al día siguiente y se retira a su habitación del hotel Terminus, en la calle de Toro. Por primera y última vez en su vida no trasnocha, porque se siente verdaderamente enfermo, y se acuesta para tener el más largo sueño, el de la muerte.

El primer día del año de 1932 es de consternación en Salamanca: José Sánchez Rojas ha muerto, solo, como un perro abandonado por voluntad propia, ya que él ha querido apartarse de todos. Don Miguel recuerda lo que él llamó su hora de los remordimientos; las esperanzas puestas en Pepe Rojas; el instinto del idioma que perdió en el periodismo fácil la posibilidad de un gran escritor; la fidelidad casi perruna de aquel hombre —un muchacho para él— que fue desterrado a Huesca por Primo de Rivera por defender al maestro; la muerte que llega a los más jóvenes.

La familia de Sánchez Rojas se entera, como la ciudad, cuando él ha muerto. Deciden enterrarle en su entrañable patria chica, en Alba de Tormes, la tierra de Santa Teresa, que tuvo él siempre a flor de su pluma fácil. Unamuno, con los hombros hundidos bajo el peso de una gran tristeza, de las dudas de no haber insistido lo suficiente para salvarle de su cotidianidad a salto de mata y de artículo, sintiéndose tremendamente viejo, preside el entierro que cruza el Tormes y lleva, en último y definitivo retorno a su tierra madre, al pobre y desmedrado despojo de aquel ser desventurado, entusiasta e ingenuo, cuya trinidad de entusiasmo literario y humano estaba formada por el agustino horaciano, la santa andariega y el vasco peripatético.

... y María Unamuno

Pero no ha terminado el desfile incesante de los que van muriendo. El día 3, en la casa de la calle de Bordadores, muere María Unamuno, aquella hermana en cuya compañía oyó don Miguel, en el mirador de la casa bilbaína, el estallido de una bomba durante la guerra carlista. Toda su vida, que es historia de España, se le remeje al escritor, que en este tiempo evoca continuamente la guerra civil que iluminó su infancia y la de sus hermanos, que han iniciado ya el camino de la muerte. En casa, María pasaba como una sombra, con doña Concha siempre, pero su silencio se oye y su sombra se echa de menos. Monseñor Tedeschini, nuncio del Vaticano en España, escribe a Unamuno dándole el pésame.

Ruptura con «El sol»

Y la historia de España sigue envolviendo a don Miguel, que se esfuerza por aclarar el sentido de cuanto pasa en torno suyo, porque piensa que hacer historia y asumirla es la única revolución posible y que ha de ser a paso de trilla y no de carga, como la revolución de los astros en torno al Sol. Y así se pregunta angustiado: «¿Dónde hoy el sosiego íntimo de España?», y el 14 de enero, en *El Sol*, pide: «Tenéis que devolvernos al reinado de España, de S. M. Imperial España.» Don Miguel rumia, continuamente, «el parto amargo de mis inquisiciones sobre la íntima tragedia española engendradora de mal contentos, agraviados, resentidos, resquemorados, puntillosos, recelosos, desesperanzados y desesperados».

El 6 de enero, en las Cortes, se discute el problema de los bienes de la Compañía de Jesús. El diputado salmantino Lamamié de Clairac decide intervenir y no se le permite. Unamuno firma con Ossorio y Gallardo, Miguel Maura y Abadal un escrito protestando del veto impuesto al defensor de los jesuítas. El día 3 habla en el Ateneo madrileño sobre Joaquín Costa, de quien dice que, de estar vivo, hubiera sido diputado a las Cortes y no asistiría a sus debates, y ataca declaradamente a la Ley de Defensa de la República.

En aquella primavera hace don Miguel una pausa, y el 28 de marzo está en Murcia como mantenedor de Juegos Florales, intentando un estilo menos retórico, más escueto y preciso para estas circunstancias. Apenas si habla de política, aunque no puede evitar su llamamiento a hacer una República digna de todos.

No hay artículo de este tiempo en que Unamuno no estampe con letra estremecida, empañada la tinta por la emoción, el nombre de España, y el 14 de abril, en la Universidad de Salamanca, hace el balance de un año de República española, de un año de esperanzas y de decepciones de su España republicana, un breve examen de conciencia que es su historia universitaria. Sólo al final habla de la República, una república sin hacer, aún promesa. Y explica lo que quiere decir cuando habla de Su Majestad España.

«Saben los que tienen algún conocimiento de humanidades que "majestad" es "mayestad", es "mayoridad", es decir, lo que está por encima de todo y corresponde a la soberanía. Y al decir "Su Majestad España" quería decir que no hay más soberanía que la de España, que la del pueblo español. Es lo que se llama la soberanía popular, por la cual todos, en cuanto tengamos conciencia de ciudadanía y españolidad, todos seremos soberanos.

Decía Cristo: "El reino de Dios está en vosotros." Y yo os digo que la República de España está en vosotros. No está fuera de nosotros, ni está sobre nosotros, sino que está en nosotros.

... Asentemos una República de hombres libres, responsables y disciplinados, y, como decía Cristo, "hágase la luz", para que podamos encaminar al fin a esta España por un camino de gloria.»

Ha estado siempre clara la postura del rector ante el hecho republicano: cree en la República, espera en la República, aunque no esté conforme con aquella República en cuya Constitución está interviniendo. Carlos M. Rama, en su libro *La crisis española del siglo XX*, señala cómo en las Cortes se vivió «una común pasión por las ideas y cierta visión singularmente abstracta del problema del Estado» y cómo «este clima y estos hombres que explican un tan alto nivel intelectual y la existencia de un pensamiento abstracto sobre temas de gran complejidad, también sirven para mostrar sus defectos. La Asamblea participa de la actitud tan española de confiar en los textos más que en las ideas y en éstas más que en las realidades cotidianas». Esto, que puede aplicarse a casi todos los intelectuales que participan en aquella hora republicana, no es plenamente exacto en el caso de Unamuno. Sí pretende imponer don Miguel su idea de la unidad y soberanía española; pero si en las Cortes no suele intervenir en los debates de cuestiones cotidianas no es porque las desprecie, ya que suelen ser el objeto de sus comentarios en *El sol*, sino que es tarea que deja a los políticos de oficio, a los que ambicionan un poder que nunca entró en su mente el deseo de detentar.

Tan es así que, por aquellas fechas, en vísperas de la discusión del Estatuto catalán, en que piensa intervenir, contesta con claro sentido práctico a las preguntas de la periodista Elma Mann Mahlan, para *La gaceta de Colonie*, sin abandonar su visión del problema más trascendente que afecta a la soberanía del país todo.

«El Estatuto —dice en esta declaración que reproduce el *A B C* de 1 de julio— será el principio de las grandes batallas. Lo prudente sería no concederlo y seguir luchando como hasta hoy, porque luchando es como se entienden los hombres. Tal como se plantea el problema del Estatuto puede dar lugar a algo trágico, y es que en una parte de España estén sometidos los españoles a una doble ciudadanía. Sólo debe darse lo que convenga a los que piden y a los que dan. Un pueblo no tiene derecho al suicidio, porque no se suicida "para él sólo", sino que se suicida también "para los demás", y eso hay que evitarlo aunque sea a la fuerza.

Hay que procurar que todo ciudadano español sea bien español y después que sea universal.»

El 23 de junio y el 2 de agosto se discute el Estatuto catalán y Unamuno interviene de nuevo en defensa del castellano y por una cuestión de orden práctico fundamentalmente. En la sesión de Cortes del día 25 habló muy brevemente para apoyar un artículo adicional en que se pedía «que los funcionarios del Estado de Cataluña no estén obligados a saber catalán», y a los partidos les dice «que varíen del rumbo emprendido en la política, pues de lo contrario cambiarán de sexo, convirtiéndose en partidas». Más graves son sus palabras del 2 de agosto: «Estoy harto, así estoy ya harto, de que cuando se adopta una posición que está en contra de la directiva del Gobierno o de la mayoría se diga que se va contra la República.»

A finales de noviembre escribe Unamuno un monodiálogo en que se burla del llamado fervor republicano, y dice: «No daré ni un viva a la República, aun deseando que viva, mientras no se pueda dar un viva al rey, a un rey cualquiera.» La dirección de *El sol* devuelve el artículo a don Miguel y éste rompe con el periódico iniciando su colaboración en *Ahora*, que publica aquel monodiálogo, si bien se encarga de advertir que, aunque muchas veces no estén de acuerdo con él no por ello dejarán de insertar sus textos.

Académico

Prácticamente puede decirse que ya no volverá a las Cortes. No interviene más en aquella lucha y cuando se convocan las nuevas elecciones de 1933 no se presenta a la reelección. Toda su labor en el órgano legislativo de la República no ha sido, fundamentalmente, más que política del idioma, defensa del castellano como lengua soberana frente a intereses mezquinos. Al fin, la Academia de la Lengua, el cenáculo de los llamados inmortales —que han de ser residentes en Madrid para poder ocupar el sediario alfabético—, repara en que Miguel de Unamuno no es persona indigna para cubrir la vacante producida por el fallecimiento de don Manuel de Sandoval. En la junta ordinaria del 15 de diciembre de 1932 se toma el acuerdo haciendo constar que el nuevo académico es presidente del Consejo de Instrucción Pública, rector y catedrático de la Universidad de Salamanca y, por último —debe de tratarse de méritos menores—, «escritor de los más famosos en España desde hace treinta años». Y añade la nota del *Boletín* académico (T. XIX. Dic. 1932, p. 822): «La Academia no puede menos de congratularse de contar en su seno con personalidad tan conspicua como el señor Unamuno. Creemos que pronto tomará posesión de su plaza, leyendo el discurso reglamentario para ello.» Y se equivocaban: don Miguel no se preocupó, ni poco ni mucho, de la Academia y, si llegó a pensar en el discurso obligado, sería sobre el idioma, el que prefirió leer en el Paraninfo de su Universidad el día de la jubilación.

Estreno de «El otro»

Un día antes del acuerdo de la docta corporación, en el teatro Español de Madrid, la compañía de Margarita Xirgu y Enrique Borrás había estrenado *El otro, misterio en tres jornadas*, obra que don Miguel escribió durante el destierro, en Hendaya, cuando le llegaban las noticias de que su hermano Félix se había puesto en la solapa, como insignia, el cartelito de «no me hable de mi hermano». *El otro* estaba redactado en octubre de 1926. *Azorín* escuchó su lectura en Hendaya el verano siguiente. En 1928 estuvo a punto de ser estrenado en San Sebastián por María Fernanda Ladrón de Guevara y Rafael Rivelles. Los ensayos habían llegado a su fin y la víspera del estreno fue prohibida la representación por orden gubernativa. La versión que ahora se estrena difiere de la que estuvo a punto de representarse en San Sebastián y de la que se estrenó, poco después de aquella prohibición, en Alemania. «Cuando he vuelto sobre lo escrito —le confesó al periodista Julio Romano—, la nueva lectura me ha sugerido algunas cosas que he ido incrustando en el diálogo, dándole mayor densidad. Y he llenado las márgenes del original con las nuevas aportaciones.» En su vida se ha producido un suceso fundamental: la muerte de su hermano Félix. El argumento de *El otro* es muy simple: dos hermanos gemelos, iguales, uno de los cuales mata al otro; pero después ni él mismo sabe si es él o su hermano, como tampoco pueden saberlo los demás personajes. La muerte de Félix creo que influyó poderosamente en la matización de este drama en su segunda redacción. Aunque el éxito de crítica fue indudable, ¿será necesario decir que la obra no permaneció mucho tiempo en cartel?

«El régimen no me satisface»

Aún se representaba *El otro* en el escenario madrileño cuando el telón del año 1932 cayó sobre la tragicomedia española iniciando un nuevo año que fue para Unamuno uno más de lucha y también de decisivas renunciaciones.

Don Miguel ha llegado a un estado de irritabilidad incontenible, incapaz ya de soportar lo que él llamó «La enfermedad de Flaubert»: el dolor del entendimiento ante el espectáculo de la mentecatez humana. Cuál era la situación de don Miguel en medio de aquella lucha política, poco antes del estreno de *El otro* la exponía en el *A B C* del 30 de noviembre de 1932 Fernández Flórez, que en los tiempos republicanos trata a don Miguel con el respeto que le negó en otras épocas.

«Para los amigos del Gobierno —escribe—, don Miguel está un poco loco. Hace dos años, hace año y medio nada más, estos mismos hombres encendían los epítetos más entusiastas para alumbrar las palabras y las acciones de Unamuno, y buscaban en ellas amparo y prestigio para su propia significación. Contaban con él orgullosamente. Pero ha bastado que en el ancho camino de las ideas se abriese una bifurcación hacia las conveniencias personales y el interés partidista para que lo que ayer era genio hoy sea tildado de locura; la devoción por la verdad, de afán extravagante; sus ideas, de simplezas, y hasta hay quien se anticipa a decir que una comedia —aún desconocida— de don Miguel será abominable.»

Esta acotación del escritor gallego fue suscitada por la discusión del Estatuto del funcionario, y concluía:

«Si el Gobierno quiere, habrá Estatuto. Si no quiere, no.
Si el Gobierno quiere, regirá la Constitución. Si no quiere, la ley de Defensa de la República.
Si el Gobierno quiere, Unamuno es un sabio de reputación universal. Si no quiere, un pobre tonto salmantino.»

Don Miguel no puede ya caminar con los profesionales de la política. «Fracasados los derechos individuales —declaraba en abril de 1933 a *La razón*, de Buenos Aires—, el régimen no me satisface. Y lo digo sin miedo, porque tengo arraigado el sentimiento de la justicia. Nunca esperé que lo que los ingenuos llaman revolución nos cambiara sustancialmente de estrofa y de drama el alma colectiva. Nunca creí en agüeros de ciertas renovaciones.» No desea otra cosa sino volver a Salamanca, dar sus clases todos los días, dejar de estar en candelero. El 1 de mayo *La gaceta de Madrid* publica un decreto aceptando la dimisión de don Miguel como presidente del Consejo Nacional de Instrucción Pública. No quiere atadura alguna con Madrid, donde ha tenido que evocar tantas veces, en sus callejeos solitarios, al mozo morriñoso que allá fue a estudiar la carrera recién salido de su Bilbao. Pero tendrá que volver a Madrid, llamado por el presidente de la República, el 9 de junio, ante una nueva crisis. Alcalá Zamora requirió a consulta aquel día a Ossorio y Gallardo, a Sánchez Román, a José Ortega y Gasset, a Marañón, a don Miguel y a Amadeo Hurtado. A las cinco y media de la tarde fue recibido Unamuno, «contemplador de la historia», como se llamó a sí mismo.

Ha querido sustraerse a la vida política y no le es posible. A la salida de palacio le esperan los periodistas para intentar sonsacarle su diálogo con el presidente. Don Miguel, distante, aburrido, les hace seña de que tomen nota y les dicta:

«Como ésta no es una crisis de Gobierno, sino de las Cortes mismas, que no representan la opinión de los ciudadanos, hace falta un Gobierno republicano nacional, no meramente parlamentario, para dictar y hacer votar leyes, sino para aplicar las ya votadas, sin violencias; un Gobierno para garantizar unas elecciones generales cuanto antes, pues apremia el remedio; Gobierno en el que naturalmente no debían entrar sino los decididos a aceptar el resultado esas elecciones, sea el que fuere.

La República vino, gracias a Dios, por unas elecciones populares y no por una sedición armada o por una huelga no económica.

Hacer de eso que llaman revolución, y es guerra civil, una Dictadura Parlamentaria es antipatriótico y antidemocrático, por lo cual libres elecciones cuanto antes y sepamos qué quiere España.»

Cuando Unamuno terminó de dictar y los periodistas mantenían aún sus estilográficas en vilo sobre sus blocs, Don Miguel se abrió paso entre ellos y, retador, les dijo todavía:
—¿Está claro?

Colaborador de «Ahora»

Y se volvió a Salamanca: a sus clases, a su tertulia, a sus paseos por la carretera de Zamora, a retocar su traducción de *Medea*, de Séneca, que Borrás y la Xirgu van a montar en el teatro romano de Mérida, que el arqueólogo José Ramón Mélida esta restaurando.

Antes de presentar la dimisión como presidente del Consejo Nacional de Instrucción Pública, el 11 de abril aparece en el diario *Ahora* un artículo titulado «Esa revolución...», al que la dirección del periódico se ve moralmente obligada a añadirle, en un recuadro, esta advertencia:

«Con la plena libertad de opinión y de expresión que concedemos a nuestros colaboradores, don Miguel de Unamuno, en el artículo preinserto, expone un estado de conciencia que no comparte este periódico. Ni antes, ni ahora, ni mañana, estas diferencias de criterio entre los que estampan su firma al pie de los artículos que aparecen en nuestras columnas y el pensamiento de la Redacción nos privará de concederles —muy honrados con ello— el espacio que les tenemos reservado.»

Unamuno, eterno comentarista que tomaba siempre como apoyatura un texto ajeno para sus personalísimas interpretaciones, comenta el libro *Las dos Españas*, de Fidelino de Figueiredo, en que se dice: «Y España, país de violencia, por segunda vez mudó su régimen político, incruentamente, por vía legal. Pero la innata necesidad de un sello de violencia, que crease una conciencia de vencedores y una situación de vencidos, satisfaciéronla los conventos, las iglesias y sus tesoros artísticos vandálicamente destruidos por un formidable auto de fe.» Este es el punto de partida de Unamuno. Anuncia que el Parlamento será desbordado, arrastrando a los «irreflexivos legisladores» que «con el agua al cuello, ahogándose en el torbellino, gritaron en las últimas boqueadas: "¡Estamos haciendo la revolución! ¿Y después? La obra"...» Anuncia que será quemada la Constitución y, ya al final, escribe:

«Estamos haciendo la revolución. ¿Cuál? ¿La del artículo *n*, o *x* o *u* de la Constitución? ¿La de la reforma agraria? ¿La de la ley de congregaciones? ¿La de otra ley cualquiera de papel? No, la revolución es otra; la revolución es la de los agentes ciegos y sordos de un instinto colectivo, la de la "innata necesidad de un sello de violencia", la de los que quieren crearse "una conciencia de vencedores", ya que carecen de conciencia alguna. La voluntad de poder que dijo Nietzsche, y que en las muchedumbres es voluntad de destrucción. Y luego esas mismas, fuerzas ciegas, se volverán contra lo que ahora se les antoja erigir. De la misma muchedumbre que grita "¡abajo el fascio!" saldrán los fajistas, vendrá la resaca, vendrá el golpe de retroceso. Es ley de mecánica social como lo es de mecánica física.

¿Y quién se salvará de esa mecánica, de ese determinismo de la realidad? El que tenga fe en el espíritu, en la personalidad, en la libertad [...], el que tenga fe en el espíritu, es decir, en la libertad, aunque perezca también ahogándose en el torbellino, podrá sentir en sus últimas boqueadas que salva en la historia su alma, que salva su responsabilidad moral, que salva su conciencia. Su aparente derrota será su victoria.

Y luego, Dios dirá.»

¿Puede asombrar a nadie la dimisión de Unamuno? ¿Es que puede escandalizar ya aquella su dolorida confesión de «nos han tupido de rencores el lecho de la patria», del 28 de abril de 1933? ¿Puede asustar a nadie que el solitario Miguel de Unamuno proponga la Unión de Españoles, réplica obligada de aquella Unión Patriótica de Primo de Rivera que tanto combatió?

«... sólo una Unión Nacional de Españoles —industriales, comerciantes, empleados, obreros— puede sacarnos del atasco en que nos están metiendo los fanáticos del mito de la lucha de clases»,

decía el 28 de julio. ¿Podía asombrar que el 3 de setiembre, en Salamanca, como vocal del Tribunal de Garantías Constitucionales, en su condición de concejal del Ayuntamiento salmantino, votase la candidatura llamada de los agrarios?

«No se trataba —dijo en un artículo titulado «Constitución y República» que publicó casi toda la prensa nacional el día 12 de setiembre—, en efecto, de pronunciarse ni en favor ni en contra del régimen republicano, aunque sí en favor o en contra de lo que se da en llamar revolución. Por lo que a mí hace, trataba de pronunciarme con mi voto no contra la República —¡claro está que no!—, pero sí, sí es que no contra la Constitución, actualmente yacente —que no vigente— en favor de su revisión. Porque creo que si el Tribunal de Garantías Constitucionales cumple con su deber de justicia preparará la inevitable revisión de una Constitución y unas leyes adyacentes en que vulneran los preceptos mismos que ella establece. Y no sólo creo que puede y debe haber República con otra Constitución —o con ésta, más bien que reformada, refundida—, sino que si se persiste en mantener la Constitución tal y como salió de las Cortes, la República corre peligro.»

Para Unamuno estaban el peligro y el error «en haber querido hacer a un tiempo una revolución y una constitución que la encauce y la entrene»; en el convencimiento de que la mayoría del pueblo español no votó por la República, sino sólo contra la Monarquía y la Dictadura; en su disgusto por el gesto irresponsable que volvía a dar valor al chulesco desplante de la real gana.

«Y que no se venga con mandangas de fascismo, de dictadura o de lo que sea. España está entregada a la más lamentable anarquía, a luchas de supuestas clases, a luchas de comarcas, a luchas de confusiones. Y si ha de constituirse algo ha de ser sobre el sentimiento de justicia, que no es venganza ni represalia, y si ha de garantizarse lo constituido ha de ser sin hurtar nada al examen de la constitucionalidad.

He aquí —concluye— por qué voté contra la dictadura ministerial, por entender que el Gobierno actual de la República trata de poner a salvo el necesario recurso de revisión de una Constitución que acaba con ella la República o que ella acaba con la República.»

Esto mismo había querido decir con su traducción de la *Medea* de Séneca. «Hay en esa pasión tremenda... —escribía después de la representación— mucho de la tremenda pasión que agita las más típicas tragedias de la historia de nuestra España.» La soledad iba siendo cada vez mayor. Cuando el 19 de noviembre se convocaron las elecciones parlamentarias, Unamuno ya no aceptó el ser presentado como candidato. Estaba convencido de que no merecía la pena. La Constitución ya estaba hecha y aprobada. Su participación, en la que había puesto el fuego del típico y mítico canto del cisne, había sido un tiempo perdido. ¿Merecía la pena seguir en la lucha? ¿Se vería obligado, como Medea, a matar a sus hijos para vengar un rencor infernal? No, la juventud de un régimen le hizo concebir esperanzas y olvidarse de que era un anciano, pero cuando el telón desciende sólo queda la soledad de Medea, proscrita y maldita, que allá por donde pase puede atestiguar que los dioses han muerto.

26

Ciudadano de honor

Don Miguel, ¿qué hacemos?

La segunda República española, ya historia, está, sin embargo, muy próxima aún en el tiempo y es difícil separar la anécdota de la categoría, lo esencial de lo accidental. Para Unamuno fue una etapa más de lucha: ni mejor ni peor que habían sido las anteriores para el cumplimiento de su misión campidoctora. Para nosotros puede resolverse esta etapa, un quinquenio de vida española, o en una abigarrada teoría de nombres y sucesos o en poco más de una frase. Pero con esta última solución se corre el riesgo de no llegar a la fiel y veraz interpretación de lo que fue la peripecia biográfica del hombre Miguel de Unamuno en aquel tiempo.

Se cuenta la anécdota, cuya veracidad ha de aceptarse con la desconfianza que todas las anécdotas merecen, que al día siguiente de proclamada la República se presentó en casa de Unamuno una comisión de obreros para ponerse a sus órdenes.

—Don Miguel, ¿qué hacemos? —le preguntaron.

—Trabajar —fue la respuesta de Unamuno que enfrió los entusiasmos.

Ya digo que la anécdota —aunque merezca serlo— dudo de que sea cierta. Pero si fue posible inventarla era porque respondía a un estado de ánimo que expresaba. Una nación no se inventa todos los días, sino que es el producto decantado del tiempo, y en 1931 se creyó que un cambio de gobierno significaba un país distinto. Cierto que un régimen nuevo ha de estructurar en forma distinta a la nación, pero no es obra de un día, ya que, al fin y al cabo, es el hombre de ayer el que hoy quiere hacer el mañana y no podrá prescindir nunca de la huella del pasado, la urgencia del presente y la inseguridad del porvenir que aspira a someter a sus leyes y previsiones. En 1931 se quiso prescindir del pasado y resultó ya incompleto e

inseguro el presente. Unamuno lo vio bien y aspiró por eso a meter
en la conciencia de los españoles la idea de la continuidad necesaria
de la historia; menester en el que Ortega tampoco estuvo ajeno. Si
Ramiro de Maeztu abundó en lo fundamental de su idea, su tradicionalismo implicaba no tanto el contar con el pasado como la necesidad sentida de volver a él.

La prisa de la República

El 16 de abril de 1931 se celebra el primer Consejo de Ministros
de la República. Don Niceto Alcalá Zamora es el presidente provisional del nuevo régimen y sus ministros, nombrados ya antes de la
proclamación, eran Lerroux, Fernando de los Ríos, Miguel Maura,
Azaña, Casares Quiroga y Alvaro de Albornoz. Aquel día se nombra
a cinco ministros nuevos: Indalecio Prieto, Marcelino Domingo, Martínez Barrio, Largo Caballero y Nicolau D'Olwer. Algunos de ellos
acaban de regresar del exilio.

La España republicana tiene que hacerse y empieza a sentir la
prisa legisladora. El día 29 de abril se promulga el primer Decreto
sobre la Reforma Agraria, el 1 de mayo se declara Fiesta del Trabajo y en Sevilla piden ya el reconocimiento del Gobierno de Rusia
y la derogación de la Ley de Orden Público. Es preciso modificar la
Ley electoral y se decide que haya un diputado por cada 50.000 habitantes. No hace un mes de la proclamación de la República y ya
se producen choques con los monárquicos, y el día 11 de mayo la
tea incendiaria e incontrolada inicia autos de fe a la inversa en
iglesias y conventos de Madrid y ese fuego se extenderá después por
España.

Al empezar el mes de junio reaparecen en Madrid dos periódicos:
el comunista Mundo Obrero y el monárquico A B C. El día 4 se convocan las Cortes Constituyentes y, el día 27, se habla de un complot
en el aeropuerto sevillano de Tablada, por lo que es destituido el
director de la Aviación Militar, comandante Ramón Franco. Al día
siguiente se celebran las elecciones generales en que Unamuno sale
elegido diputado y al otro se clausura la Academia General Militar
de Zaragoza, de la que es director el general Francisco Franco.

Tres meses justos después de proclamada la República las Cortes
Constituyentes se abren, tal vez con el recuerdo de las viejas Cortes
liberales de Cádiz y —en todo caso— sin que entonces pueda pensarse en ello, como un paréntesis en la historia de España. Ya hemos
oído la voz de Unamuno defendiendo la primacía del castellano como
lengua oficial, vehículo de cultura y convivencia y atacando al Estatuto regional de Cataluña, que ha sido llevado a las Cortes por los
diputados catalanes el 15 de agosto. En julio hubo huelga general
en Sevilla y en setiembre en Zaragoza, en Osuna, en Murcia, en Tarragona, en León, Granada, Soria, Salamanca, Santander, Manresa y
Barcelona, donde tiene el tono especialmente dramático y macabro
de incluir a los empleados de Pompas Fúnebres. Mientras, en el des-

tierro, Alfonso XIII y don Jaime de Borbón firman un pacto para unificar las fuerzas monárquicas, y desde el día 16 de setiembre los periódicos españoles publican los debates de las Cortes en torno a la Constitución. La discusión de los artículos 24 y 26, que determinan la expulsión de los jesuitas y la reglamentación de las Órdenes religiosas, artículos que han provocado protestas de don Miguel de Unamuno, llevan a Alcalá Zamora y a Miguel Maura a la dimisión, haciéndose cargo de la presidencia del Consejo Manuel Azaña. Casares Quiroga ocupa la cartera de Gobernación, que había sido la desempeñada por Miguel Maura, y a él le sustituye en Marina el entonces rector de la Universidad de Madrid y antiguo catedrático de Salamanca, José Giral. El 20 de octubre se promulga la Ley de defensa de la República y, tras juzgar y condenar a Alfonso XIII a la pérdida de la ciudadanía española y de sus bienes, el 20 de noviembre se crea el Tribunal de Garantías Constitucionales, al que pertenecerá el rector de Salamanca. La constitución se aprobó el 9 de diciembre y, al día siguiente, se votó en las Cortes la presidencia de la República, siendo elegido por mayoría (362 votos) don Niceto Alcalá Zamora. Los 48 votos restantes fueron para el maestro de historiadores del arte don Manuel Bartolomé Cossío, el descubridor del Greco; para el catedrático de Lógica de la Universidad de Madrid, don Julián Besteiro, y para el rector de Salamanca, don Miguel de Unamuno. El día 11 promete Alcalá Zamora fidelidad a la Constitución y en los grandes actos, en lugar de honor, aparece la gallarda y venerable figura del escritor vasco.

Durante los primeros meses de 1932 abundan los mítines derechistas. Lerroux incluso, en Valencia, parece marcar su oposición naciente al gobierno de Azaña; los campesinos y la Guardia Civil están en continua fricción y su lucha tiene el triste balance de muertos por ambos bandos. En agosto el general Sanjurjo se subleva en Sevilla, pero su rebelión no obtiene eco y decide entregarse al Gobierno; condenado a muerte, es indultado por el presidente de la República e internado en el penal del Dueso. La pena de muerte se suprime el 6 de setiembre. En toda la provincia de Salamanca se declara la huelga general el 5 de diciembre.

Los sucesos de Casas Viejas, donde el Gobierno ahogó cruentamente el brote del comunismo libertario, ensombrecieron el panorama político de España al empezar el año de 1933. El 8 de setiembre, después de dos años en el poder, dimite Azaña la presidencia del Consejo. Unamuno fue llamado a consulta y ya se ha citado en el capítulo anterior su declaración al término de la entrevista con el presidente de la República. En marzo se había constituido la C. E. D. A., capitaneada por el salmantino José María Gil Robles, compañero de claustro universitario de don Miguel. El 2 de octubre Lerroux presenta a su gobierno ante las Cortes y dimite el día 4. El 8 forma nuevo gabinete Martínez Barrios y el 9 disuelve Alcalá Zamora las Cortes convocando elecciones para el 19 de noviembre, a las que ya no aceptará presentarse don Miguel de Unamuno.

El hogar vacío

Ya a don Miguel deja de interesarle la política como actividad. Se recluye en sus clases, en su Salamanca recoleta y en su soledad, para desde ella seguir con sus comentarios buscando el resón de la conciencia nacional. Su labor periodística se intimiza más aún y es ya menos frecuente su comentario al hecho político concreto, aunque no falte. Así el 28 de febrero dedica el artículo «Acción y contemplación» a don Manuel Azaña y le dice: «... mi aplauso, y sincerísimo. Bien, muy bien, requetebién, amigo mío. La obligación, en efecto, de las personas inteligentes, aun de las incluidas en la política activa, es saber qué pueblo se lleva entre manos, sobre qué fuerza está uno sustentado», y el 19 de junio dirige, desde las columnas del diario *Ahora*, una «Carta abierta a don Alfonso de Borbón y Habsburgo-Lorena, rey que fue de España» en que renueva su oposición al régimen monárquico ante la posibilidad de que el pueblo español se deje impresionar por la actividad desarrollada en el exilio por el ex rey y su hijo don Juan.

El 3 de marzo muere su hermana monja, Susana, y cuando aún no se ha podido reponer del golpe, la Universidad francesa de Grenoble le nombra doctor *honoris causa*, siendo su padrino en la ceremonia Jacques Chevalier. El acto se celebra el 12 de mayo de 1934 y don Miguel no asiste a la ceremonia, preocupado por la salud de su mujer. El día 15 de mayo, casi repentinamente, de una hemiplegía, se muere doña Concepción Lizárraga, la compañera silenciosa del batallador Unamuno. La ciudad entera —como se dice en estos casos— acude al entierro. Los periódicos de Madrid envían sus fotógrafos y redactores especiales para recoger la estampa del duelo colectivo, en este momento en que el gran solitario se queda más solo aún, sin el apoyo y sin la silente compañía de su mujer, a cuya confortadora presencia había llamado su *costumbre*.

A principios de siglo, cuando fue nombrado rector y se instaló en la casa de la calle de Libreros, le regalaron a Unamuno un perrillo que fue juguete de sus hijos, muy especialmente del pobre Raimundín. Pero el perro murió pronto y don Miguel, impresionado por los ojos moribundos del can, escribió su «Elegía en la muerte de un perro»:

> *«La quietud sujetó con recia mano*
> *al pobre perro inquieto,*
> *y para siempre*
> *fiel se acostó en su madre*
> *piadosa tierra.*
> *Sus ojos mansos*
> *no clavará en los míos*
> *con la tristeza de faltarle el habla.»*

Es una imagen del pasado, ligada al recuerdo de su hijo más infortunado, cuya enfermedad provocó en él la crisis de 1897. Los ojos del perro son la expresión del ser indefenso e incomunicado. Y cuando muere doña Concha, don Miguel recuerda aquel instante.

—Me miró mi Concha —le decía al doctor Adolfo Núñez— como aquel perro...

¡Qué hondo dramatismo en estas palabras! La irremediable soledad a que queda condenado en su propio hogar al morir su mujer es más dramática con este gesto de la esposa moribunda, que sólo con los ojos puede darle su último mensaje. ¡Los ojos de doña Concha! Don Miguel se enamoró, sobre todo, de sus ojos, y son éstos los que le hablan de la despedida, el pasmo y acaso el miedo y desesperación de la muerte.

Asistir a la muerte de un ser querido es un duro trance y todos tenemos el recuerdo de ese último brillo, cuando el hablar ya no es posible, con que los ojos gritan la necesidad de seguir en la vida. Don Miguel, con esa ejemplar y solemne ingenuidad que da forma a su vida afectiva, recuerda los ojos de un perrillo moribundo, un ser que quería seguir viviendo, cuando se le muere la compañera de su vida. Cinco días después toma su abandonado *Cancionero* y escribe:

DESPUES DE LA MUERTE DE MI CONCHA

«*Me llega desde el olvido*
tierna canción de ultra-cuna,
que callandito al oído
me briza eterna fortuna.
Es el perdido recuerdo
de mi otra vida perdida;
me dice por si me pierdo:
vuelve a tu primer partida.»

Es ya demasiado. Don Miguel vive ese sentimiento egoista que en la pareja humana auténticamente unida alimenta la esperanza de no asistir a la muerte del ser querido porque ya estará él muerto. Pero no ha sido así. En la casa de la calle de Bordadores, como cuando murió su hermana María, han vuelto a latir las horas terribles de la vela, con olor de cirios, bisbiseos de rosarios, llantos contenidos y la pregunta inquietante en lo más escondido de su alma sobre el gran salto hacia el más allá, hacia el vacío o... Concha, Conchita, con sus trenzas bajo el tilo del Arenal, cuando él la recitaba sus primeros y más torpes —de puro ingenuos y sencillos— versos de amor; Concha, soñada en Madrid cuando al dejar de ir a misa se preguntó cómo podría decírselo a ella; la novia por la que ya no quiso esperar a ser catedrático para casarse; la alegría de decirla, recién casados casi: «Nos vamos a Salamanca»; los hijos; aquella noche de 1897 en que le llamó «hijo mío»; el llanto de Concha cuando no entendía y no podía ayudarle en sus congojas y llegó a pre-

guntarle si estaba loco; la separación del destierro...; su vida toda
yéndose en un cuerpo ya mineralizado.

Salamanca entera desfila por la casa de la calle de Bordadores.
La juvenil arrogancia del viejo Unamuno ha desaparecido y, a ratos,
no puede soportar a las gentes, ni a sus hijos, y se refugia en el
despacho. Pero no lee, ni escribe. No podría hacer literatura de su
dolor.

En el cementerio, junto al nicho que ocupa su hermana María,
depositan el cadáver de doña Concha. ¿Por qué Unamuno elige estos
nichos, los más altos, donde el cuerpo tarda en corromperse y queda
momificado las más de las veces? ¿Influye en ello su esperanza y su
fe en la inmortalidad con envoltura carnal prometida por el cristianismo para la última hora del género humano? Es aventurado suponerlo, pero creo que sí. El nicho se cierra .Don Miguel, sobre la
lápida de mármol, lisa como una cuartilla aún no escrita, traza con
su hermosa letra el nombre de su mujer. El cantero, hombre sencillo
que ve el dolor de Unamuno en aquel gesto que vale por un poema
imposible de describir, sigue con el cincel los rasgos del escritor
y deja así la lápida, desnudo poema de amor en la hora de la separación.

Llueven las cartas, los telegramas. Hasta el nuncio apostólico de
Roma, monseñor Tedeschini, le escribe, como ya había hecho a la
muerte de María. Pero ahora es más explícito y al texto mecanografiado añade una postdata autógrafa, en su carta del 25 de mayo,
ornada con las armas pontificias de la Nunciatura.

> «Muy estimado y querido don Miguel:
> Con hondo sentimiento me he enterado de la irreparable des-
> gracia que usted acaba de sufrir con la pérdida de su amada esposa.
> Comparto de todo corazón su dolor y pido a Dios N. S. le con-
> ceda sus consuelos en la visión de la vida futura en que descansen
> nuestros amados difuntos y en que continúan y continuarán eter-
> namente en nuestros afectos.
> Le saluda cordialmente s. a. y s. s.
>
> *Francisco Tedeschini, N. A.*
>
> P.S.—Adjunto la presente de las indulgencias acostumbradas, que
>   otorgo con todo afecto para el eterno descanso de la virtuosa
>   finada.»

Al llegar las vacaciones, Fernando Unamuno arrastra a su padre
hasta Palencia, donde él trabaja como arquitecto municipal. Allí don
Miguel, en la rumia dolorosa de su soledad, empieza a sobreponerse,
aunque ya nada podrá aliviarle de la pérdida de su «costumbre»,
costumbre amasada en cuarenta y tres años de matrimonio y en más
de sesenta de un amor sin reservas.

El Sol

Año XVIII.—Núm. 5,344 :: Precio: 10 céntimos el ejemplar. Diario independiente fundado por D. Nicolás M. Urgoiti en 1917. Madrid, domingo 30 de septiembre de 1934

DIA DE TREGUA: LA FIESTA JUBILAR DE D. MIGUEL DE UNAMUNO

Sucinta apreciación de Unamuno

Las dos ciudades de Miguel de Unamuno

DON MIGUEL DE UNAMUNO, VISTO POR BAGARÍA

El homenaje a D. Miguel de Unamuno tiene carácter nacional

La obra de España en [Filipinas]

No fué de explotación, sino de civilización y progreso

Primera página de *El sol*, sobre la plana del periódico, superpuesta, la foto de Unamuno con el presidente de la República el día de su jubilación. (Reproducida de *Ahora*.)

Don Miguel con su hijo político, José Mª Quiroga, y su nieto Miguel.

Don Miguel, ya al final de
su vida.

«Fue ella? fui yo quien se murió?
fue ella? fui yo quien morí?
pues yo no sé quien era yo
ni quien ella ¡pobre de mí!»,

solloza poéticamente en Palencia.

Amigos y admiradores quieren arrastrarle a un viaje a América, pero él renuncia, porque su hija Salomé está en Salamanca, herida ya de muerte, y no quiere moverse de allí. El 14 de julio Salomé muere también y ahora ya no es la experiencia de muerte de los que han ido precediéndonos o acompañándonos en la vida, sino la más dolorosa de ver morir a quienes nos continuaban. Han sido muchos golpes seguidos y don Miguel se deja llevar a Santander, a la naciente Universidad Internacional, donde los jóvenes profesores y escritores quieren mimarle como a niño viejo.

«Está aquí;
más dentro de mí que yo mismo;
está aquí, sí;
en el divino abismo
en que huidiza eternidad se espeja,
y en su inmortal sosiego
se sosiega mi queja.
Mas cómo pude andar tan ciego
que no vi que era su vista
la que hacía mi conquista,
día a día y me esperaba.
Y esperándome sigue en otra esfera;
la muerte es otra espera.
Aquel sosiego henchido de resignación;
sus ojos de silencio; aquel resón
del silencio de Dios a mi pregunta
mientras El como a yunta
con mano todo poderosa
nos hizo arar la vida;
esta vida tan preciosa
en que creí no creer, pues me bastaba
su fe, la de ella, su fe henchida
de un santo no saber, de que sacaba
su simple y puro ver.
Que mientras me miraba
vi en su mirada el fondo de mi ser.
En su regazo
de madre virginal
recogí con mi abrazo
las aguas del divino manantial,
que pues no tuvo origen,
no tendrá fin; aguas que rigen
nuestro santo contento,

> *la entrañada costumbre*
> *que guarda eternidad en el momento.*
> *Ay sus ojos, su lumbre*
> *de recatada estrella*
> *que arraiga en lo infinito del amor,*
> *y en que sentí la huella*
> *de los pies del Señor.*
> *Está aquí, esta aquí, siempre conmigo,*
> *de todo aparentar al fin desnuda;*
> *está aquí al abrigo*
> *del sino y de la duda.»*

Don Miguel está en una terrible hora de desfallecimiento. Su lucha política le ha dejado exhausto y ahora el vacío del hogar —¡tantas muertes en tan poco tiempo!— colma cruelmente la medida que su alma puede soportar sin desfallecimiento. Había sido su vida, como en amical polémica le dijo el doctor Marañón, un noble aspirar a la cicuta. Ustedes —le decía el gran humanista en *Ahora* el 15 de febrero de 1933— «siguen creyendo, a pesar de sus lecciones de duda, en sus ilusiones de siempre, y así no se enteran de que la tierra que pisamos hoy es ya distinta a la de ayer». Y don Miguel replicaba: «Pues yo, el escéptico, el pesimista, el anarquista, si usted quiere —no me duelen motes—, yo, que creo en la justicia, creo en la libertad. Y en cuanto a la mía, tengo que creer en ella, pues que la gozo. Gocé de ella en el destierro aquél, y sigo de ella gozando. Y sirviendo con ella a mi patria, en el servicio que la debo, y es el de proclamar la verdad frente a todos los embelecos. Y Dios sobre todo.» Pero eso fue cuando aún luchaba en el mundo de la política. El desencanto y un vago presentimiento le llevan a retirarse. Primero la dimisión de la presidencia del Consejo de Instrucción Pública, luego su negativa a volver a ser diputado. Era el presentimiento de la hora de la jubilación que iba a sonar ya y que adquiere más triste significación con la pérdida de la *costumbre* hogareña, aquella alfombra de su conciencia que ahogaba los gritos del mundo exterior y le permitía sentir la paz del silencio y la soledad del que se sabe silentemente acompañado.

En la Magdalena de Santander

En Salamanca ha renacido la idea del homenaje y los amigos se mueven con fiebre queriendo aturdir a don Miguel para aliviarle la rumia de su tristeza viuda. Esteban Madruga abre una suscripción popular para la compra de la estatua de Victorio Macho, que se piensa colocar en el palacio de Anaya, donde se ha instalado la Facultad de Filosofía y Letras. El fotógrafo salmantino José Suárez, acompañado del alcalde de Salamanca, doctor Prieto Carrasco, lleva a don Miguel, para retratarle, hasta un otero de la margen izquierda del Tormes, que da vista a la Flecha, el huerto de fray Luis, y Venancio Gombau, el veterano fotógrafo charro que guardó en su cámara oscura para dar luz a los salmantinos toda la historia gráfica de la Salamanca que vivió Unamuno, le retrata para siempre en su despacho, ante su librería, pluma en mano y con gesto de buho, y estas fotos se piensa editarlas como parte del homenaje, y piensan los festejantes, Iscar entre ellos, como secretario de la nueva comisión, en que las postales deben ir acompañadas de un autógrafo en el que Unamuno resuma su vinculación a Salamanca.

El 11 de agosto don Miguel envía a Iscar una carta con dos autógrafos para que ellos elijan «el que mejor encaje en sus propósitos o en las condiciones materiales —de marco— de una postal». El texto elegido es éste:

«Vasconia —Bilbao— me dio con su sangre espiritua el hueso del alma, que Castilla —Salamanca—, con su habla sobre todo, me soldó y arreció, y el meollo tuétano español.»

La frase tiene la fecha del día 11 de aquel agosto santanderino y don Miguel, como obsequio epistolar al amigo, le incluye una poesía que califica de «diablura» y está dedicada a la ex reina Victoria, toda una debilidad afectiva y sentimental del viejo republicano. Y este poema ha sido escrito el mismo día, inmediatamente después del que ha dedicado al recuerdo de su esposa; escrito en el mismo sitio, en el palacio de la Magdalena, que fue residencia veraniega de la ex reina.

Acto seguido de la boda real celebrada el 31 de mayo de 1906, Unamuno escribía un hermoso poema dedicado «A la reina de España Victoria Eugenio de Battenberg, en el día de su boda», poema que respira ya antimonarquismo jacobino:

«*Con temblorosos brazos te esperaba*
el hijo de cien reyes anhelante
y pisaste esta España a que perdieron
esos cien reyes»,

que guardó inédito y que el celo de García Blanco hizo público en 1958. El mismo tono de emocionado afecto mantiene esta otra poesía que fui yo quien publicó por vez primera (27):

«*Desde aquí, en su isla de Wight, soñaba,*
y en su niñez, como la mar, serena;
el canto de las olas le brizaba
—anglicana sirena—
inocencias de paz en patria tierra
de principesco hogar entre las brumas
de la Mancha al abrigo de la guerra.»

_____

(27) Vid. mi artículo «Casi al final», en *Insula*, Madrid, núm. 88, 15-IV-1953, reproducido con correcciones en mi libro *Literatura salmantina del siglo XX*, Salamanca, 1958. (En parte refundo aquí este artículo.)

Y en un artículo de *Ahora*, titulado «Desde la Magdalena de Santander», escribe :«También ella, Ena, soñaría desde este mirador maravilloso en su vaga e inocente niñez, en la isla de Wight, en el sosiego entre las brumas y las espumas del canal [...]. La mar le desplegaría sus olas con la misma serenidad que la primera aurora y brizándole con recuerdos de las serenas auroras de su niñez —con brumas y sus espumas— le calmaría dolores de madre y mujer.» Enfrentado desde hacía años con la Monarquía, con el rey y con la reina madre, sintió siempre una secreta ternura hacia la reina Victoria Eugenia, que mantiene en esta hora en que la monarquía española ha entrado en el lejano y frío mundo de la historia.

Catedrático jubilado, rector vitalicio

Va pasando el verano y don Miguel escribe la que ha de ser su última lección de cátedra y que bien hubiese valido como discurso de ingreso en la Academia de la Lengua. En Santander piensa ya en la hora solemne —ese certificado de vejez y deceso que es la jubilación— en que en el Paraninfo ha de dar su última clase, sobre la Palabra, y recuerda el comienzo del Evangelio de San Juan:

> *«El Verbo fue en el comienzo,*
> *no la Idea, la visión;*
> *"¡Hágase!", dijo, y el lienzo*
> *llenó de formas el son.*
> *Del dicho al hecho no hay trecho*
> *hace el que dice al avío;*
> *se hace la corriente lecho*
> *y al dicho le dicen río.»*

Aquel mismo día, 18 de agosto de 1954, se despide de la Magdalena. El día 21 está en Zarauz, y el 25 de nuevo en Palencia, con su hijo Fernando. Allí coincide con Federico García Lorca, «joven auténtico», como ya le había llamado, y al que conocía de la Residencia de Estudiantes, que lleva su teatro ambulante de *La barraca* por tierras de España, y le dedica un breve poema:

> *«Español, español,*
> *saca los pechos y ponte al sol!*
> *Llévate a cuestas la casa;*
> *el vivido es lo que pasa,*
> *lo que queda es pervisión;*
> *mañana será otro día,*
> *cada día su alegría,*
> *con su pena de sufrir;*
> *cada día su mañana,*
> *con la santísima gana*
> *de cantar.*

Quién nos quita la vida,
en el seno del olvido
el descanso de soñar.»

El día 27 de agosto está en Salamanca ya, sintiendo el peso de la ausencia de su mujer. Huye de la casa de la calle de Bordadores, testigo de la muerte de su hermana María, de la de su hija Salomé y de la de su esposa, y pasa el tiempo en la calle de Zamora, donde sus hijos Pablo y Rafael han instalado su consultorio médico. Salamanca prepara sus ferias de setiembre, que este año tendrán un especial atractivo: la inauguración del teatro Coliseum, en la Plaza Mayor —edificado sobre lo que fue el antiguo Parador de los Toros—, y el cinema Taramona, en las afueras. Como prolongación de las ferias se piensa en el homenaje a Unamuno, para lo cual se ha constituido una comisión oficial que bajo la presidencia del gobernador civil, señor Friera, se reúne el 2 de setiembre para fijar el programa de actos de las fiestas jubilares, que prevé la presencia en ellos del presidente de la República.

La escalinata del palacio de Anaya, tras cuya portada neoclásica están las aulas en que don Miguel ha dado sus clases el último curso, se convierten en escenario romano. La compañía de Enrique Borrás y Margarita Xirgu, bajo la dirección de Cipriano Rivas Chérif, que ha representado *Medea* en el teatro de Mérida, está en Salamanca para inaugurar el teatro Coliseum y representa, en la plaza de Anaya, la tragedia de Séneca, traducida por Unamuno, la noche del 11 de setiembre. La roja túnica de Margarita Xirgu, leyenda ya del mejor teatro español de aquellas años, fue como una llama de fuego eterno en aquel severo y claro escenario.

Pasadas las ferias —aun las ferias tienen virtual vigencia y las gentes del campo se vuelcan en la ciudad para gastarse el dinero de la cosecha— se inician los solemnes actos de homenaje a Unamuno. Su jubilación va a coincidir con la investidura del poeta portugués Eugenio de Castro, como doctor *honoris causa* por Salamanca. El día 14 el Gobierno ha anunciado que tendrán carácter oficial las fiestas de homenaje a Unamuno.

En un comercio de la Plaza Mayor se ha expuesto la gran fotografía de Unamuno que le hizo Suárez. El fotógrafo le había dicho:

—Quiero retratarle en el campo, en la cumbre de un otero, con el Tormes abajo y perdiéndose en el horizonte nuestras tierras de pan llevar.

El día 25 se ponen a la venta las postales y los periódicos anuncian jubilosos la efemérides para que los salmantinos se acuerden aquellos días de amigos y familiares olvidados para escribirles con las tarjetas que muestran a don Miguel, a campo y cielo abiertos —sentado o de pie—, paseando por el claustro de la vieja Universidad o cerrado en su estudio.

Dos días después la ciudad arde en preparativos. El poeta portugués Eugenio de Castro llega a Salamanca acompañado del rector de la Universidad de Coimbra, doctor Duarte D'Oliveira. El alcalde, don Casto Prieto Carrasco, hace un llamamiento a la ciudad en que dice que el homenaje que Salamanca quiere tributar al maestro Unamuno se ha convertido, por obra de la magnitud de su fama, en un homenaje más que nacional. La Unión Radio anuncia que montará sus equipos en la ciudad —aun sin emisora— para transmitir a todo el país los actos jubilares.

En la mañana del 29 de setiembre Salamanca es un hervidero. Puede uno tropezarse por la calle con el doctor Marañón y su hermano; con don Hipólito Rodríguez Pinilla —ya jubilado y triste por la muerte de su hermano, el poeta ciego—; con el director de la Biblioteca Nacional, don Miguel Artigas, antiguo estudiante de Salamanca; con Maurice Legendre; con los miembros de las comisiones del Ayuntamiento de Bilbao o la Diputación de Vizcaya; con el embajador de Portugal; con los rectores de las universidades españolas.

A primera hora un grupo de antiguos alumnos de don Miguel, que la noche antes le han ofrecido una cena en el Corrillo de la Hierba, en el popular restaurante de la Viuda de Fraile, han ido al cementerio a depositar una corona de flores ante la tumba de la esposa del maestro, con esta dedicatoria: «A doña Concepción Lizárraga, en estos momentos de intensa emoción, los antiguos alumnos del maestro.»

La ciudad —como reseñan los periodistas locales— tenía aspecto de días de feria. Se acerca el mediodía y los salmantinos esperan en la carretera de Valladolid, ante la plaza de toros de la Glorieta, al jefe del Estado. Cuando Unamuno llega, se le aplaude y vitorea como el día en que regresó del destierro. Poco después llega el presidente de la República, que va acompañado del ministro de Instrucción Pública y Bellas Artes, el salmantino doctor Villalobos. Detrás vienen más coches, con ministros, subsecretarios, jefes de partidos políticos. Se gritan vivas a don Niceto Alcalá Zamora, a la República, a España y a don Miguel de Unamuno.

La caravana de coches se detiene en la Puerta de Zamora y el presidente, que lleva a su lado a don Miguel, decide seguir a pie —como Unamuno hizo unos años atrás— hasta la Plaza Mayor. En el Ayuntamiento se ha anunciado una recepción popular en honor del jefe del Estado y dura ésta casi dos horas de apretado desfile. Terminada la recepción, el alcalde, Prieto Carrasco, pronuncia un discurso justificando el homenaje popular a don Miguel, alcalde honorario y perpetuo de Salamanca, colocando en el salón de sesiones una lápida en que figuran los últimos versos de su *Oda a Salamanca*. El poeta Esteban Calle Iturrino, en nombre del Ayuntamiento de Bilbao, entrega un mensaje al de Salamanca.

Don Miguel tiene que salir al balcón del Ayuntamiento, sobre la plaza, con Alcalá Zamora a su lado, para recibir las aclamaciones de los salmantinos y les habla emocionado recordando su vida en la ciudad y cerrando su oración, con la voz empapada de lágrimas contenidas, con la lectura del más hermoso poema que jamás se haya dedicado a una ciudad.

Las lágrimas asoman repetidamente a sus ojos y la voz se le

estrangula. Maurice Legendre, que acompaña a Unamuno, le ve aba-
tido, deshecho por la emoción.

—Esto ya no importa —le dice don Miguel—; ya no tiene importancia nada desde que murió ella.

Pero sigue el vértigo de los actos oficiales. Con el presidente de
la República han ido a Salamanca el primer ministro, don Miguel
Samper, y los ministros de Instrucción pública, Villalobos; de Esta-
do, don Leandro Pita Romero; de Industria y Comercio, don Vicente
Irauzo Enguila; de Agricultura, don Cirilo del Río y Rodríguez; de
Marina, don Juan José Rocha, y de Comunicaciones, don José María
Cid.

En la Diputación se celebra un banquete y a las cuatro y media
de la tarde, en el palacio de Anaya, en su patio, un festival hispano-
portugués. Por la noche, en el teatro Coliseum se representa *Todo
un hombre,* asistiendo Alcalá Zamora y Unamuno, que son más aplau-
didos que los actores.

La última lección

Al día siguiente en el Paraninfo es imposible entrar y la gente
ha de conformarse con escuchar fuera lo que los altavoces trans-
miten. Don Miguel, vestido con la negra muceta rectoral, que resalta
más el blanco plateado de su pelo y de su barba, está sentado junto
al presidente de la República. El catedrático de la Facultad de Letras,
don Francisco Maldonado, traductor del poema *Costanza,* de Eugenio
de Castro, que ha prologado Unamuno, hace el panegírico del poeta
portugués que va a ser investido doctor. Después, Eugenio de Castro
agradece el honor que se le dispensa, evoca la figura de sus amigos
don Luis Maldonado y don Julio Nombela y glosa el valor de la luso-
filia unamunesca.

Don Miguel se pone en pie después, abandonando la presidencia,
y le acompañan hasta la cátedra del Paraninfo el vicerrector, Esteban
Madruga, y varios claustrales. El público se ha puesto en pie también y aplaude sin saber cuándo acabar. Va sin gafas. Sus azules y
emocionados ojos de miope no necesitan de los lentes para leer su
última lección.

«Vengo a repetirme, repito, a renovarme. Una vida espiritual
entrañada es repetición, es costumbre, santo cumplimiento del
oficio cotidiano, del destino y de la vocación. Día a día he venido
labrando mi alma y labrando las de otros, jóvenes, en el oficio
profesional de la enseñanza universitaria y del aprendizaje. Que
enseñar es, ante todo y sobre todo, aprender.»

Don Miguel hace públicamente un examen de conciencia sobre lo
que ha sido su labor universitaria de casi medio siglo y habla de la
palabra, la importancia de la palabra, filología viva, «amor de habla,
y no exclusivamente erudita investigación de seminario técnico». La

palabra es el nombre y el carácter. Por la palabra se desentraña el alma del pueblo.

«Esta fue mi obra, y obra política también. Política, es decir: civil, de civilización (...). Hay que hacerse mártires, esto es: testigos de esa cultura; y el mártir da su vida por la palabra, por la libertad de la palabra. Da su vida, pero no se la quita a los otros; se deja matar, pero no mata. Al recordar todo esto creo mostraros el hilo de propia continuidad de toda mi obra, y que este hombre, a quien se le ha supuesto tan versátil, ha seguido, en su profesión académica como en la popular, una línea seguida.
A esta mi obra responde, creo, vuestro homenaje. Lo acato. Homenaje —¡siempre el filólogo!— deriva de "hominen", de hombre, y he procurado cumplir mi misión, mi destino, de hacerme hombre universitario de la España universal.
... Tened fe en la palabra, que es la cosa vivida; sed hombres de palabra, hombres de Dios, Suprema Cosa y Palabra Suma, y que El nos reconozca a todos como suyos en España. ¡Y a seguir estudiando, trabajando, hablando, haciéndonos y haciendo a España, su tradición, su porvivir, su ventura! ¡Y a Dios!»

Don Miguel ha doblado la última página del folleto impreso con su discurso. Los aplausos suenan ensordecedores y el viejo rector permanece en la cátedra del Paraninfo y saca unas cuartillas cuya aparición hace el silencio. No, don Miguel no ha terminado. Recordó —ya impreso su discurso— aquel suceso del 2 de abril de 1903 que costó la vida a dos estudiantes salmantinos, al leer en la prensa que en la Ciudad Universitaria de Madrid se han encontrado varios alijos de armas. Y, acongojado, presintiendo la guerra civil de sangre, habla a los escolares:

«Y ahora, estudiantes míos, tengo que deciros otra cosa. Sería congojoso que os ejercitárais en el abuso de las armas de fuego —o de las llamadas blancas— y que las escondiérais en el mondado libro de matute, pero más congojoso será que os dejéis ganar del ejercicio de otras armas peores. Me refiero a las de la calumnia, la injuria, la insidia y el insulto, de que tanto empiezan a abusar vuestros mayores. Os están enseñando a calumniar, a injuriar, a insultar a la incitación de vuestros padres y abuelos. Os están incitando a renegar de los que os dieron vida.
Vosotros, estudiantes españoles, que os ejercitáis en la investigación científica, histórica y social, en la dialéctica —escuela de tolerancia y de comprensión de la concordancia final de las discordancias, de la coincidencia de las oposiciones que dijo Cusano—, vosotros tenéis que enseñar a vuestros padres —a nosotros— que esa marea de insensateces —de injurias, de calumnias, de burlas impías, de sucios estallidos de resentimientos— no es sino el síntoma de una mortal gana de disolución. De disolución nacional, civil y social. Salvadnos de ella, hijos míos. Os lo pide al entrar

los setenta años, en su jubilación, quien ve en horas de visiones revelatorias rojores de sangre y algo peor: lívideces de bilis.

Salvadnos, jóvenes, verdaderos jóvenes, los que no mancháis las páginas de vuestros libros de estudio ni con sangre ni con bilis. Salvadnos por España, por la España de Dios, por Dios, por el Dios de España, por la Suprema Palabra creadora y conservadora.

Y en esa Palabra, que es la Historia, quedaremos en paz y en uno y en nuestra España universal y eterna.

Adiós, de nuevo.»

¿Ha resonado jamás con más dolorido y desesperanzado acento la voz de Unamuno? Es el grito del náufrago de la historia que ya no espera salvar nada. Mientras hablaba, sus palabras han hallado el resón de quienes le escuchan y los desconcierta; se miran, no se atreven a hablar y muchos tienen un nudo en la garganta, y no falta quien furtivamente parpadea para borrar una lágrima naciente. Unamuno mismo, que ha escrito estas cuartillas momentos antes, al releerlas no ha podido evitar el trémolo de la voz, aunque su emoción no sea por aquello que ha dicho, sino por las circunstancias que le fuerzan a hablar así.

El acto académico se prolonga. Esteban Calle Iturrino lee un mensaje del Ayuntamiento de Bilbao. El presidente de la República se pone en pie para hablar y el público también para aplaudirle. Don Niceto habla de su viaje, de la amistad con Portugal, y dedica la última parte de su discurso a don Miguel.

«En Unamuno no llega a plantearse como problema —y si se plantea lo resuelve en seguida su temperamento— el que se planteó a escritores en otros países sobre cuál es el deber social del pensador y la obligación ciudadana del literato: si el apartarse o mezclarse en la contienda. El, probablemente, no sintió el problema y, si lo sintió, lo resolvió en seguida, y, en vez de parapetarse, se echa a la calle, aunque los tribunales puedan desterrarle o enviar a la cárcel, y así fija y señala la vida de una democracia moderna.»

Del Paraninfo van las autoridades al palacio de Anaya, en cuya monumental escalera ha sido colocado el busto de Unamuno que le hiciera Victorio Macho en Hendaya y que ha sido adquirido por suscripción. La estatua está cubierta y lejana del estrado que se ha puesto en el patio para las autoridades. El catedrático de Arte, don José Camón Aznar, pronuncia un discurso glosando el valor artístico de esta escultura admirable. El presidente de la República, con los ministros, preside junto a Unamuno. Va a ser descubierta la estatua. La gente inicia el desfile para pasar ante ésta, como en un duelo, y don Miguel no resiste el espectáculo. Su corazón late arrítmicamente como un potro desbocado. No, no puede verse allí en estatua, como si ya estuviese muerto, hecho mito e historia, y se escapa del palacio de Anaya. De buen grado no acudiría ya a más actos, pero amigos solícitos que no le dejan ni a sol ni a sombra le animan y le recuerdan que todavía ha de acudir al banquete de la Universidad.

El presidente ha firmado el día anterior dos decretos. Lo ha hecho en Salamanca, como mejor homenaje al viejo maestro. El primero es el decreto protocolario de la jubilación por edad reglamentaria. El otro es el homenaje fuera de norma: el nombramiento de Unamuno como rector perpetuo de la Universidad de Salamanca y la creación de la cátedra de su nombre, que regentará el viejo rector con toda libertad. Don Miguel, cuando Alcalá Zamora y Villalobos le explicaron lo que querían hacer se opuso en principio.

—¡Es que la excepción va a ser luego una puerta falsa para componendas!

Pero le convencieron y aceptó.

La Facultad de Letras, por su parte, se ha reunido para solicitar que se le conceda a don Miguel de Unamuno el Premio Nobel de Literatura.

De todo aquello se habla en el banquete de la Universidad. Los ministros y el presidente están preocupados. Han ido a Salamanca a rendir homenaje a un español egregio en un momento en el que está planteada la crisis y la minoría radical de Lerroux trabaja activamente en el Parlamento. Don Alejandro se ha sumado también al homenaje a Unamuno, con su telegrama, pero permanece en Madrid, al pie del escaño moviendo los hilos de la intriga que desencadene la crisis.

¡Qué bien se está en las Batuecas!

Se han ido ya el jefe del Estado y los ministros, y Unamuno ha de asistir aún, en el palacio de Anaya, a una representación de *La venda* por el teatro-escuela de Cipriano Rivas Chérif. Han sido muchos saludos, demasiadas felicitaciones, unas jornadas aturdidoras en las que milagrosamente sacó tiempo el día 29 para pasear por la plaza con don Niceto Alcalá Zamora, mientras la gente les contemplaba. (Recuerdo que iba yo con mi padre y fue aquélla la primera vez que vi en mi vida a un jefe de Estado tan cerca de mí. Para mí, entonces, un presidente de la República era un rey que salía a la calle sin la corona puesta y que tampoco se la ponía en casa.) Don Miguel está agotado y se escapa de Salamanca. Le llevan su hijo Fernando y varios amigos a Béjar, la Peña de Francia, las Batuecas, La Alberca, San Martín del Castañar, el Castañar de Béjar y vuelven a Salamanca. Al regreso se pone a escribir un artículo que titulará «¡Qué bien se está en las Batuecas!», y empieza:

«Ayer, 1 de este mes de octubre, sentí, después del homenaje nacional que se me había hecho y después de la que dieron en llamar mi última lección académica, la última necesidad de escaparme de la ciudad, de ir a embozarme en la luz y el aire libre

del campo. Y tratar de sacudirme el mito. ¡Cosa fatídica ésta!
Nos lleva a cada uno de nosotros el hombre de carne y hueso,
el propiamente individuo y lleva al hombre social, público —por
modesto y restringido que sea—, y éste lleva al mítico, al legen-
dario. ¿Quién no tiene su mito, su leyenda, aunque contenido en
mezquina aldea?

De esta especie de travesía por entre gentes campesinas, de
estos paseos por los pueblos retirados de las grandes rutas, re-
costados al pie de sierras o a la orilla de nuestros ríos nacionales, de estas peregrinaciones, saca uno el ánimo aquietado. Y casi
se olvida de esas rabias represadas en nuestra guerra civil. Y
es que se prueba la paz civil que la sustenta, la paz bajo la
guerra...

... ...

Y ahora, ya en mi casa de la ciudad, a enterarme del curso
de la crisis y de los rumores de venidera revolución y pensando:
¡Qué bien se está en las Batuecas!»

Estar en las Batuecas, como estar en Babia, tiene un claro significado: no enterarse de lo que sucede por ahí. Unamuno, que realmente ha visitado una vez más el vallecillo de las Batuecas, saca
punta intencionada a la anécdota jugando con su valor anfibológico.

Un artículo censurado

Cuando se publica este artículo en las páginas de *Ahora* ya se
ha resuelto la crisis y Lerroux forma su cuarto Gobierno, en el que
sigue como ministro de Instrucción pública el salmantino Villalobos.
El día 6 ha estallado la revolución de Asturias y es llamado al Ministerio de la Guerra por don Diego Hidalgo Durán el general Franco.
Aquel mismo día se proclama el Estado Catalán independiente. Se
abre de nuevo el Parlamento; se restablece la pena de muerte; don
Manuel Azaña es detenido bajo la acusación de haber organizado la
revolución de Cataluña, y Largo Caballero, por su responsabilidad
en la de Asturias. El día 15 se ha logrado ya la calma, pero entretanto ha habido varios Consejos de guerra y han menudeado las
penas de muerte aplicadas a los revolucionarios.

Don Miguel escribe un artículo que titula «Verdugos no», que la
censura tacha íntegramente. En su archivo se conservan las galeradas cruzadas por el lápiz rojo del censor. Se le informa a don Miguel
que su artículo fue leído en el Consejo de Ministros del día 18 de
octubre, en que se discutió el problema de los indultos de los revolucionarios catalanes y asturianos. Algunos de los hombres que asistieron al homenaje jubilar de Unamuno permanecen en este Consejo de Ministros y deciden que el artículo no debe publicarse:
Samper, que es ahora ministro de Estado, y los que siguen en sus
carteras, como Juan José Rocha, Filiberto Villalobos y José María
Cid, que ha pasado a Obras Públicas.

Don Miguel encaja el golpe e inicia en el periódico una serie que llama «Reflexiones actuales» y, cuando al empezar noviembre se inauguran las sesiones de la cátedra Francisco Vitoria, lee el artículo que el Gobierno ha impedido que se publique y los tres primeros de sus «reflexiones».

«Moralmente —decía en este artículo— puede justificarse la llamada ley de Lynch, el linchamiento, y hasta una forma de ella, que es la llamada ley de fugas. Que una muchedumbre ebria de venganza, en momentos de irreflexión —los movimientos reflejos colectivos suelen ser irreflexivos—, ejecute al que cree, con razón o sin ella, culpable, se comprende, y se comprende un acto análogo de parte de los llamados defensores del orden. O tenemos el caso de Sócrates, a quien una muchedumbre enloquecida obligó a suicidarse —al fin no hubo verdugo—, y de la que se ha dicho que sin razón le condenó a muerte y luego, sin más razón, habría querido resucitarle. El linchamiento o la inmediata represión a muerte se comprende; pero, ¿el verdugo? ¿El obligar a unos desgraciados a que en frío, y sin conciencia de la justicia del acto, ejecuten a un reo?

¡Qué tristes días estamos pasando! Porque hay que percatarse de la morbosa y resentida cainidad —mejor que cainismo— de los que piden la última pena para Caín, marcado con la señal del indulto del Señor. ¿Es que creen así justificar y santificar el odio?»

Don Miguel se está situando ya decididamente en la oposición: frente a lo que considera una lamentable falta de sentido de todos los españoles y frente a la lucha de los partidos políticos. Los ataques le empiezan ya a venir de todos los bandos, aunque él sigue en lo que cree ha de ser su puesto. El 4 de diciembre recuerda al cuchillero de Durango, Juan de Unamuno, quemado por la Inquisición el 1444, al que se calificó de «apóstata relajado», y escribía: «Y yo ahora —acaso de su sangre—, en 1934, casi cinco siglos después, apostata de esa España decente e incompatible que amenaza estupidizarnos.» Ya sólo confía en la mirada serena de algunos mozos con quienes se cruza y, sin necesidad de hablarse, entiende que no son hombres de partido. Asiste en Madrid, en diciembre, a los actos conmemorativos del centenario de la Academia de Medicina y preside el día 24 el banquete del periódico *Ahora*, que celebra su cuarto aniversario. Entre los comensales están *Azorín*, Ortega y Gasset, Federico García Lorca.

Cuando está en Madrid recala por la tertulia de la *Revista de Occidente* y va menos al Ateneo, donde no tiene a Valle Inclán para charlar con él. En la *Revista*, Ortega le deja hablar y se retira muchas veces, discretamente, sin que don Miguel lo advierta.

Perdón para vuestros mayores

Alcalá Zamora ha visto bien que el belicoso Unamuno, el gran luchador, es el único que habla de paz en España, y le encarga dirigir un mensaje a los niños españoles en el día de Reyes en su nombre. Don Miguel preside en Salamanca, en el nuevo y flamante grupo escolar Profesor Sáez, bautizado con este nombre del genial y arbitrario matemático amigo y compañero de Unamuno por el concejal doctor Salcedo, el acto de entrega de juguetes y pronuncia unas palabras que se difunden por todo el país:

«... venimos vuestros mayores —padres, tíos y abuelos— a regalaros juguetes de todas clases —menos pistolas— para que aprendáis a jugar en paz en la vida, a jugar en paz la vida. Y, sobre todo, venimos a que nos perdonéis. A que nos perdonéis muchos pecados contra vosotros y, sobre todo, el que no siempre os dejemos jugar en paz.

En estos regalos o aguinaldos de Reyes ha puesto su parte aquí, en Salamanca, como en algunas otras ciudades, el señor presidente de la República de España, haciendo de mago adorador de la niñez, pues cuando visitó esta nuestra ciudad fue la alegre tropa pacífica de los niños lo que más le conmovió. Y yo, padre y abuelo de salmantinos, he de deciros por su parte —como él, por mi boca, os lo dice en nombre de nuestra madre España— que con este agasajo, con esta fiesta queremos ganar, más que vuestro agradecimiento, vuestro perdón. Perdón, niños de España para vuestros mayores».

Don Miguel pide a los niños que sean capaces de renunciar a estos juguetes si los padres no renuncian a sus juegos de muerte; «que España sea una casa de familia, entonces os perdonaremos», dice a los padres, tíos y abuelos en nombre de los niños.

El hijo del dictador en casa de Unamuno

El 10 de febrero de 1935 se celebra en Salamanca un mitin de Falange Española y el acto, que podría haber pasado entonces como uno más de la campaña que hacía por su partido *el chico del dictador* —como se llamaba entonces a don José Antonio Primo de Rivera—, tuvo especial resonancia y provocó el escándalo de la prensa madrileña de derechas y de izquierdas.

Unamuno, disconforme, profeta agorero de una etapa de calamidades, era todo un objetivo político. Así lo entendió el periodista Francisco Bravo, redactor jefe de *La gaceta regional* y fundador de la Falange en Salamanca. Cuando llegaron a Salamanca Primo de Rivera, Sánchez Mazas, Alejandro Salazar y Manuel Mateo les propuso visitar a don Miguel. Rafael Sánchez Mazas estaba unido por un lejano parentesco a don Miguel, y al marqués de Estella, que no había ocultado su admiración por aquel formidable rival de su padre, le atrajo la idea, que aceptó en cuanto Bravo aseguró que don Miguel les recibiría y que el 29 de octubre había escuchado en el Casino, por radio, el mitin fundacional y que, cuando alguien bromeó con el nombre de «el chico del dictador», no ocultó su desagrado por la manía española de prejuzgar las conductas.

Don Miguel recibe en su despacho al grupo falangista. Primo de de Rivera se siente violento y es Unamuno quien allana las cosas dedicando más atención a Sánchez Mazas, entreteniéndose en reconstruir su parentesco. El nombre del general, prudentemente, no lo cita nadie. Se rompe el hielo y se habla de política.

—Yo soy un viejo liberal —les dice Unamuno— que he de morir en liberal.

—Yo quería conocerle —rompe ya el marqués de Estella—, porque admiro su obra literaria y, sobre todo, su pasión castiza por España, que no ha olvidado usted ni aun en su labor política de las Constituyentes. Su defensa de la unidad de la patria frente a todo separatismo nos conmueve a los hombres de nuestra generación.

—Eso siempre —salta don Miguel—. Los separatismos sólo son resentimientos aldeanos. Hay que ver qué gentes enviaron a las Cortes. Aquel pobre Sabino Arana, que yo conocí, era un tontiloco. Maciá también lo era, acaso todavía más por ser menos discreto. Estando yo en Francia, cuando la Dictadura, se empeñó que hablásemos en un mitin contra aquéllo. Yo me negué.

Bravo temió que la reunión acabase mal, y se equivocaba, porque no conocía bien a Unamuno, pese a haber cultivado su trato liberal.

—Bueno, don Miguel —intervino el periodista—, aquello del padre de José Antonio es ya historia. Díganos cuándo le apuntamos a la Falange.

—Sí —contesta el rector—; aquello es Historia. Y lo de ustedes es otra historia también. Yo jamás me apunté a nada. Como tampoco jamás me presenté candidato a nada; me presentaron. Pero esto del fascismo yo no sé bien lo que es, ni tampoco creo que lo sepa Mussolini. Confío en que ustedes tengan, sobre todo, respeto a la dignidad del hombre.

—Lo nuestro, don Miguel —protestó Primo de Rivera— tiene que asentarse sobre ese postulado. Respetamos la dignidad del individuo. Pero no puede consentírsele que perturbe nocivamente la vida común.

—No lleguen ustedes a esos extremos contra la cultura que se dan en otros sitios. Eso es lo que importa. No es posible que la juventud, por muy estupidizada que esté, y yo lo creo, caiga en el horror de creer que el pensamiento es una «funesta manía». Crean ustedes que hay un peligro terrible para la cultura y el espíritu en que se lance a la juventud a la borrasca de la pasión y no a la tarea de pensar y criticar.

—Estamos necesitados, don Miguel —le dice Primo de Rivera— de una fe indestructible en España y en el español.

—¡España! ¡España!... Muchas veces he pensado que he sido injusto en mis cosas y que combatí sañudamente a quienes estaban
enfrente; acaso, quizá, a su padre. Pero siempre lo hice porque me
dolía España, porque la quería más y mejor que muchos, que decían
servirla sin emplearse en criticar sus defectos.

—También nosotros, don Miguel —le dice el jefe de Falange—,
hemos llegado al patriotismo por el camino de la crítica.

—Muy bien. Pero sin xenofobia. ¡El hombre, el hombre! Y también el español y España. Y los valores del espíritu y de la inteligencia. Pero cuidado con que ustedes aticen esa propensión a des-
mentalizarse que tienen nuestros muchachos.

El tiempo apremia ya a los visitantes. Bravo, temeroso de que
el acto que él organizó pueda fracasar por falta de puntualidad, indica que hay que despedirse. Primo de Rivera se despide, y Unamuno, auscultador del alma humana, les dice que le esperen, el tiempo
de quitarse las zapatillas y calzarse. Los falangistas se asombraron,
como se asombraron quienes vieron pasar a Unamuno por las calles,
camino del teatro Bretón, para asistir al mitin que iba a dar el hijo
del hombre que le había desterrado.

Don Miguel ocupó un palco, y según cuenta Francisco Bravo,
Primo de Rivera, que aludió a la «voz familiar y magistral» del rector salmantino, estuvo un poco cohibido y su discurso no fue de
los más afortunados y brillantes.

Después se celebró un banquete, al que invitaron a Unamuno.

—¿Por qué no? —contestó el viejo liberal.

Algo después en *Ahora* contó Unamuno que había acudido a aquel
mitin y al banquete; pero que eso no significaba su adhesión, sino
sólo su presencia y atención. Don Miguel había atacado, seguía atacando por igual, a las J. O. N. S., que él creyó anagrama de *Juventudes* en vez de *Junta* en un artículo que tituló I. O. N. S., dando
a la I. el valor de infancia irresponsable. En su famoso artículo titulado «Cruce de miradas», aparecido en diciembre de 1934, había
hablado del joven que él buscaba: «Alguno he podido vislumbrar
—basta verlo y ver cómo mira—, que es, como yo era a su edad, un
solitario, ni fu ni fa, quiero decir, ni de FE, ni de FUE, ni de JAP,
ni de JONS, ni de TYRE, ni de requeté, ni socialista, ni comunista.»

Bravo no debía recordar esta postura tan constante de Unamuno y demostraba desconocerlo mucho, pese a su trato diario, cuando
se asombró de que don Miguel saliese por los fueros de su independencia de viejo liberal no adscrito a ningún partido. El rector hubiese ido aquel día a cualquier mitin, salvo acaso si era de anarquistas o comunistas, sin entender que su papel de espectador le
comprometía formalmente. En el número segundo del semanario
Arriba escribió Bravo un artículo sin firma, que es una verdadera
antología del insulto dirigido al hombre que quiso atraer al partido
que él capitaneaba en Salamanca.

Una carta a Valle Inclán

Días antes de la visita de Primo de Rivera estaba ya don Miguel preocupado con otros problemas. Aún no se ha liquidado la cuestión de Asturias.

Azorín escribe un manifiesto y es Valle Inclán el encargado de enviárselo a Unamuno para pedir su adhesión.

«Querido don Miguel: Le adjunto la emocionada página que escribió Azorín. Si usted quiere concedernos el honor de su firma, pónganos un telegrama.

Apremia el tiempo. Hay pendientes veinte penas de muerte y quizá nosotros podamos salvar alguna vida.

Admirándole y queriéndole le estrecha la mano

Valle Inclán.»

El mismo día 7 de febrero, en que el escritor gallego escribía a Unamuno, el rector de Salamanca contesta a la carta de Valle Inclán:

«Hace dos o tres días, mi querido amigo, recibí un escrito de Gordón Ordax sobre lo de los malos tratos a los presos revolucionarios. ¿Dejo de lado la redacción del escrito, o sea, su parte... literaria? No se trata de eso. Como aldabonazo está bien. Después, ayer mismo, recibí una carta de Alvarez del Vayo remitiéndome copia de una denuncia que dirigen al fiscal general de la República esos 556 presos de Oviedo. Y hoy recibo su carta. Ahora espero el escrito de Azorín para suscribirlo [con] Ossorio y Gallardo, Sánchez Román, Teófilo Hernando, Pío del Río Hortega, ustedes y cuantos a él se adhieran. ¡Pues no faltaba más! No me meto, desde luego, a discutir si todo o casi todo lo que se atribuye a unos y a otros, a los sublevados y a los represores, es exacto y verídico. Basta que sea verosímil y que haya casos, por pocos que sean, bien comprobados. No se trata de cantidad, sino de calidad. Y además, aunque algunas de esas atrocidades sean ilusorias, soñadas o inventadas, el hecho de soñarlas o inventarlas —de una parte o de otra— arguye de por sí una gravísima dolencia colectiva. Lo más de nuestra leyenda negra ha brotado de la negrura de nuestra conciencia pública comunal. Es, pues, preciso que se haga luz y que no siga el diablo pidiendo sangre. Con el bárbaro dogma del prestigio (engaño, en latín) de la autoridad (se llama autoridad al poder) no se salva un pueblo. La suprema justicia es la libertad de la verdad. Y no sigo...

Venga, pues, el escrito.

No espero volver a ésa hasta fines de marzo, de paso para París. ¡Qué descanso aquellos ratos vespertinos de nuestra tertulia ateneística!

La última morada de don Miguel, junto a la salmantina Casa de las Muertes. (Dibujo de José Cueto.)

«Ignoro todavía los datos de su acabamiento, pero, sean los que fueren, estoy seguro de que ha muerto de "mal de España"... Ha inscrito su muerte individual en la muerte innumerable que es hoy la vida española. Ha hecho bien. Su trayectoria estaba cumplida. Se ha puesto al frente de doscientos mil españoles y ha emigrado con ellos más allá de todo horizonte.» (José Ortega y Gasset, «En la muerte de Unamuno», enero de 1937.) Dibujo de José Herrero.

El entierro. (Fotos Almaraz.)

Vaya, pues, un fuerte abrazo. Y repártalo entre todos esos buenos mozos que tanto me han remozado.

Usted sabe cuánto le admira y le quiere

Miguel Unamuno

Salamanca, 7-II-35.»

De la suerte de aquel manifiesto nada sé ni he podido enccontrar. Las huelgas que afectaban con frecuencia a los periódicos pueden ser una causa. También es posible que se volvieran atrás a última hora parte de los firmantes previstos.

De nuevo en París

El 10 de abril está Unamuno en París para asistir a la inauguración del Colegio de España en la Cité Universitaire, frente al Parc de Mont Souris. Unamuno acompaña a Prieto Bancés, ministro de Instrucción Pública, y al embajador Juan Francisco de Cárdenas. Pronuncia una conferencia sobre Quevedo, que sirve de base a los «Comentarios quevedianos» que publica en *Ahora* del 29 de mayo y del 16 de junio ahondando en el temor de la envidia hispánica. Don Miguel va a recordar su París, el de la calma de la isla de San Luis, la provinciana plaza de los Vosgos «en que murió el gran abuelo Víctor Hugo» y el Palais Royal. En un rincón del Palais almorzó muchas veces cuando su destierro con el ahora ministro de Instrucción, y vuelven los dos en peregrinación sentimental alegrándose de que nada ha cambiado, de que el tiempo parece haberse detenido.

Ciudadano de honor

A los pocos días del regreso, Alejandro Lerroux, presidente del Consejo de Ministros, envía a Unamuno un oficio que es un nuevo homenaje que le tributaba la República.

«Su Excelencia el señor Presidente de la República se ha servido expedir, con fecha 13 del actual, el siguiente Decreto: "A propuesta del presidente del Consejo de Ministros, y de acuerdo con la designación del Comité de Honor creado por Decreto de veintitrés de marzo de mil novecientos treinta y cuatro, vengo en nombrar ciudadano de honor a don Miguel de Unamuno y Jugo. Dado en Madrid, a trece de abril de mil novecientos treinta y cinco. *Niceto Alcalá Zamora.* El presidente del Consejo de Ministros, *Alejandro Lerroux García."* Lo que tengo el honor de comunicar a V. S. para su conocimiento y satisfacción. Madrid, 15 de abril de 1935.

A. Lerroux.»

25

Este título fue conferido por el Gobierno de la República sólo en dos ocasiones: a don Manuel Bartolomé Cossío en 1934 y ahora a don Miguel, que va a Madrid a agradecer ante el Presidente de la República la designación. Su discurso de gracias y de aceptación es también una declaración de humildad y de independencia. «Creo —dice— que lo que más haya podido mover a la Junta designada a otorgarme este honor habrá sido mi edad.» Hizo historia de sus relaciones con la Monarquía, revelando que «al partir al confinamiento me llevé —no sin cierta sarcástica burla— la gran Cruz de Alfonso XII, que su hijo me regaló de propia mano. Y allí, en la isla, la dejé y allí está guardada y aguardándome. Y la guardaré con esta medalla de honor, prendas de que he procurado servir a España bajo el régimen que ella haya aceptado.» Hizo después un resumen de su labor como diputado y concluyó:

> «Por todos estos sentimientos —más aún que razones— recojo reconocido de manos del Gobierno de nuestra República, régimen que libre y gozosamente se dio a sí misma mi patria, esta prenda, figurándome que es ella, mi patria, la que me la da. Preveo que no tendré un día que llevármela al destierro; mas, aunque así fuese, la guardaría con la otra [la gran Cruz de Alfonso XII]. Y ambas me enseñan a recibir con humildad pagos de mi pueblo.
>
> ... ...
>
> Gracias, pues, por esta lección que se me da. Y que al enmudecer en mí al cabo por ley naturalmente fatal, para siempre mi verbo español, quepa a mis hermanos y a sus hijos, y a los míos, decir sobre el terruño patrio que me abrigue: Aquí duerme para siempre en Dios un español que quiso a su patria con todas las potencias de su alma toda y que contribuyó con ésta entera a dar a conocer el espíritu del genio de España, y en especial a conservar y a recrecer y a recrear el habla inmortal con que ella soñaba, su historia y su destino.»

Ante el Premio Nobel

España, como el río Tormes a su paso por Salamanca, se desborda y las aguas toman nuevo e impensado cauce. En agosto de 1933 ha habido grandes inundaciones en Salamanca por las tormentas; pero un año después, en el mismo mes de agosto, se repiten las lluvias, que desbordan el río. La Historia está también desbordada y don Miguel ya no puede más que dar sus consejos, que vuelven a ser desesperanzada prédica en desierto. A él le siguen llevando y trayendo de un lado a otro. Se vuelve a hablar, y ya con carácter oficial, de su candidatura al Premio Nobel de Literatura. Y en la Prensa no faltan quienes enturbian el asunto, y se da el nombre de Ramón Pérez de Ayala, embajador de la República de Londres. Luis Calvo, agregado de Prensa en la Embajada londinense, escribe a Unamuno desde Londres el 5 de julio de 1935.

«Querido don Miguel: No tuve nueva ocasión de conversar con usted. Quería haberle preguntado si su candidatura para el Nobel estaba en regla y si la había presentado la Academia, único trámite indispensable. Al llegar a Londres he visto a [Pérez de] Ayala, le he preguntado si presentaba su candidatura, y como me ha dicho que no sólo no la presentaba, sino que ni ahora ni nunca la presentaría mientras no lograra usted, representante indiscutible de nuestras letras en el extranjero, ese premio. Yo no he vacilado en decirle que creía usted que él —Ayala— optaba también. Y hoy me dice que le ha escrito expresándole ese sentimiento de admiración, y que, siendo un honor para España el que usted lo consiga, sería absurdo pensar que él se iba a oponer o a contrarrestar con pretensiones propias las del resto de los españoles.

Crece en cada nuevo artículo de *Ahora* mi admiración, y lamento no hallarme ahí, a su lado, para recibir sus enseñanzas.

Suyo, leal,

Luis Calvo.»

La postura de Ramón Pérez de Ayala, que jamás ocultó su entusiasmo, fidelidad y devoción respondona ante don Miguel, era generosa. Ya le habían atacado al comienzo de la vida de las Cortes Constituyentes con supuestos sueldos fabulosos, y tuvo que demostrar que no cobraba más que su asignación de embajador, que gastaba en buena parte, con señoril generosidad, en atender a sus compatriotas de toda clase en Inglaterra. Ahora han pretendido enfrentarle con Unamuno, y el futuro biógrafo de este gran escritor ha de plantearse el problema de hasta qué punto el silencio del novelista, tras *Tigre Juan* y su continuación, no esté condicionado por las maniobras políticas que quisieron ponerle en ridículo enfrentándole con Unamuno. Lo que dice Calvo es cierto, un día antes que su carta, el 4 de julio, ha escrito a don Miguel el embajador de la República en Londres:

«Mi querido don Miguel: Luis Calvo —recién llegado— me comunica algo que, de no recibirlo con incredulidad, me causaría estupor y tristeza. Cree haber entendido que usted supone o sospecha que yo aspiro al Premio Nobel. Nada de eso. Primero: caso que yo fuera candidato con usted, retiraría en el acto mi candidatura para dejar libre la de usted. Segundo: no soy candidato. Y no siendo candidato es imposible que se me otorgue el premio. Y no siendo posible que obtenga el premio, ¿cómo he de aspirar a él?

Cuando digo candidato me refiero a haber sido propuesto: y no lo he sido.

Le repito que acojo con incredulidad la comunicación de Calvo; porque ¿me conoce usted tan poco y tan mal como para imaginarme capaz de semejante estupidez y fealdad?

Le abraza con la admiración y el cariño de siempre,

Ayala.»

La carta de aquel gran artífice del idioma español que fue Ramón Pérez de Ayala es ejemplar y elocuente. ¿Quién pudo mezclarse en aquel asunto? Es indudable que don Miguel aceptó la idea de ser Premio Nobel de Literatura, y es justo que se creyese merecedor del premio, que —en definitiva— hubiese dado prestigio a España. Pérez de Ayala —escritor sobre el cual los españoles debemos volver, y quién sabe si no intentaré yo con él parecida aventura a ésta que estoy realizando con Unamuno— tampoco hubiera sido mal representante de España en ese caprichoso olimpo de los Nobel. Pero Pérez de Ayala es claro y su espontaneidad generosa no se presta a equívocos.

La candidatura de Unamuno sigue adelante como cuestión del Gobierno. El 26 de agosto de 1935, la Academia argentina de Letras pide al Comité Nobel de la Academia sueca el premio para don Miguel, firmando la petición «la totalidad de los profesores de Literatura, Historia y Estética de las universidades argentinas». Amado Alonso, el joven y prometedor discípulo de Menéndez Pidal, escribe a Unamuno el 7 de noviembre:

> «Del Ministerio de Estado (Relaciones Culturales) nos enviaron una orden de que gestionáramos aquí que se pidiera el Premio Nobel para usted. Yo fui a la Legación de Suecia y me cercioré de que, según los estatutos, la Academia argentina de Letras y los profesores de Literatura, de Estética y de Historia son los que tienen derecho a pedir el premio para alguien.»

¿Qué había sucedido? Amado Alonso, activo, como correspondiente de la Academia argentina de Letras, sigue en la lucha apoyando la candidatura de Unamuno, que ya ha presentado el Gobierno español y que los catedráticos argentinos —como se ha dicho más arriba— habían apoyado anticipadamente, y en el archivo unamuniano se conserva una copia de la petición con todas las firmas. Pero en Europa, en Suecia concretamente, se tiene miedo a los nuevos poderes centrales, totalitarios del nacismo y el fascismo, y es el Gobierno de la Argentina quien se encarga de recordar a la Academia sueca que Unamuno ha recibido en su casa de Salamanca al jefe de un naciente grupo fascista en España y que asistió al mitin y a un banquete. El veto es eficaz, porque el Premio Nobel, que habría de concederse en 1936, no se concede en vista de la tensión mundial, y cuando en 1937 se da este premio de 1936, muerto ya Unamuno, se designa a un norteamericano, Eugenio O'Neill.

Nueva vuelta a Portugal

Y mientras tanto, don Miguel, sin otra compensación que el poder desbordar su ternura en el nieto mayor, en Miguel Quiroga Unamuno, continúa con su dolor de España. Miguelín le distrae. Ha heredado de él la facilidad del dibujo y se entretiene poniendo letra a los monos del nieto. Miguelín juega con él en su despacho, como habían hecho sus hijos, y Unamuno no parece tener otra razón de vivir que este niño. Cuando a veces le visitan comités de huelga de estudiantes, les riñe, y señalando a su nieto les dice siempre:

—Este niño tiene mejor sentido que ustedes. Y es un niño, no un hombrecito todavía como ustedes se creen.

El periodista Luis de Sirval ha sido asesinado y sus asesinos sentenciados a ridícula pena, que es en realidad absolutoria. Unamuno encabeza con su firma el manifiesto de protesta, que suscriben con él Azorín, Julián Besteiro, Antonio Machado, Juan Ramón Jiménez, José F. Montesinos, José Bergamín y Corpus Barga, que se publica el 8 de agosto.

Cuando Unamuno firma aquel manifiesto ha vuelto a Portugal, «mi antiguo país amigo del que faltaba hace veintiún años». Asiste en Lisboa a un congreso de escritores, donde vuelve a encontrarse con Luigi Pirandello. Ha sido invitado por el Secretariado de Propaganda turística, con motivo de las fiestas de Lisboa. No oculta su oposición al Gobierno de Oliveira Salazar, «dictadura académico-castrense o, si se quiere, belico-escolástica», y cuando muchos de sus compañeros de viaje solicitan audiencia del primer ministro portugués él no lo hace. «Y fue por ser yo también catedrático y no pretender ni examinarle yo a él ni que él me examinase.» Se les mostró un Portugal en fiestas y Unamuno «trataba de penetrar más allá del velo de aquellas fiestas».

En Lisboa, en Braga, en Viana de Castelo, en Aveiro, Unamuno, que ya tiene casi sólo pasado, visita tumbas, recuerda historia y vuelve a España con la honda *saudade* de su dolor ibérico, porque Portugal le duele en la conciencia como España.

¿La tercera República?

El día 1 de enero de 1935 el periódico derechista El debate *bautiza al nuevo año como el de «la revisión». La revisión la hacen las derechas y las izquierdas. Unamuno, por su independencia, recibe los disparos de todos los campos. El propio presidente de la República intenta explicar al Consejo de Ministros su actuación de tres años para colaborar en las tareas del mando de nación. En Roma se hace un homenaje a don Alfonso XIII con motivo de la boda de la infanta Beatriz con el príncipe Alejandro de Torlonia el día 14 de enero y asisten a los actos cuatro mil miembros de Renovación Española. El día 16, Lerroux, Gil Robles, Melquiades Alvarez y Martínez Velasco proyectan la reorganización del Gobierno. Al día siguiente, Manuel Azaña reúne en su domicilio al Consejo Nacional de Izquierda Republicana. El 21 se celebra el consejo de guerra de 214 procesados por los sucesos de Barcelona.*

En febrero, el día 13 —cifra que espeluzna a todo español supersticioso—, Lerroux y Gil Robles celebran una nueva entrevista para fortalecer su colaboración. Calvo Sotelo ataca a la C. E. D. A.

—*el partido que dirige el catedrático salmantino José María Gil Robles*— *y la C. E. D. A. acusa a Manuel Azaña y a Casares Quiroga de
haber preparado armas para una sublevación en Portugal, compro-
metiendo la seguridad y amistosa neutralidad del Estado español.
El 21 de febrero el Gobierno que preside Lerroux y en el que es ministro de Estado desde el 16 de noviembre de 1934 Rocha García,
que lo era ya de Marina, y en el que ha cesado Filiberto Villalobos
como ministro de Instrucción pública, sustituido por Joaquín Dual-
de y Gómez, anuncia la reforma constitucional, la liquidación de la
revolución de octubre y la normalidad jurídica.*

*Gil Robles da una sonada conferencia el día 4 de marzo de 1933
en la Unión Mercantil sobre el problema del paro obrero. El día 5
sale para Marruecos el recién nombrado jefe de las Fuerzas de Africa, general Francisco Franco. El 29 se produce la crisis, pero Lerroux
sigue en el poder, y el 3 de marzo presenta su quinto gobierno. El
15 de abril se ofrece a Ortega y Gasset la banda de la República, que
el filósofo rechaza, y el nombramiento de ciudadano de honor a don
Miguel de Unamuno, que acepta con las palabras que ya hemos re-
cogido aquí. Calvo Sotelo propone el día 21 la unión de todas las
derechas y el día 26, desde París, Indalecio Prieto postula la unidad
de las izquierdas.*

*Lerroux, el hombre inamovible, dimite el 3 de mayo y el día 6
forma su sexto gobierno, en el que figuran los salmantinos José María
Gil Robles, en la cartera de Guerra; Cándido Casanueva, en la de
Justicia, y el valenciano Luis Lucía Lucía, los tres de la C. E. D. A.*

*El día 17 Gil Robles nombra jefe del Estado Mayor del Ejército
al general Franco. El 26 de junio, en el parador de Gredos, donde
está el pintor Pablo Picasso, la Junta Política de Falange Española
acuerda ir a la revolución, al tiempo que en todo el país se da ya por
descontado el triunfo de Manuel Azaña en las próximas elecciones.
Lerroux, que es propietario de los Baños de Montemayor, en la provincia de Salamanca, y donde ha celebrado en los últimos tiempos
de la Monarquía no pocas de sus más importantes reuniones revolu-
cionarias, sella su pacto con Gil Robles en la ciudad unamuniana,
declarando que prefiere una «República regida por las derechas a
una Monarquía regida por las izquierdas». El día 24 Alcalá Zamora
hace la presentación a las Cortes del Proyecto de Reforma constitucional. Gil Robles, el día 30, hace alarde de político omnipresente
asistiendo a un mitin de la C. E. D. A. en Medina del Campo y, horas
después, trasladándose en avión, en el Campo de Mestalla, de Valencia. El 5 de julio es leído en las Cortes el proyecto de revisión
de la Constitución. El día 20 es absuelto Manuel Azaña de toda responsabilidad en los sucesos de Barcelona y glosará después su experiencia política de este momento en el libro Mi rebelión de Cataluña.
En Asturias, en Riosa, se celebran unas maniobras militares a las
que asiste el ministro de la Guerra, Gil Robles, acompañado de los
generales Franco, Fanjul y Goded. El día 24 se discute en las Cortes
el proyecto de la Reforma Agraria, que es aprobado el 26 de julio.*

En agosto, como consecuencia de las conclusiones del VII Con-

*greso de la III Internacional Comunista, celebrado en Moscú, noti-
fica el día 13 el Consejo de Ministros que está al tanto del interés
del comunismo por España y que repelerá toda agresión. El 1 de
setiembre el partido comunista español pacta con el Frente Popular. Del 8 al 13 se celebran varios homenajes a Lerroux y el día 20
dimite el jefe radical. Cinco días después forma gobierno Chapaprieta, que conserva la cartera de Hacienda y lleva a Lerroux a la
de Estado, sin mover de su puesto a Gil Robles. Se abre el Parlamento el 1 de octubre. El día 12 se congregan en Roma seis mil españoles para rendir homenaje a Alfonso XIII con motivo de la boda
de su hijo, don Juan de Borbón y Orleáns, con doña María de las
Mercedes de Borbón y Orleáns. Azaña plantea su programa político
en el Campo de Comillas, de Madrid. El día 29 forma Chapaprieta
su segundo gobierno, en el que ya no figura Lerroux, sustituido por
José Martínez de Velasco, gobierno que presenta al Parlamento el
31 de octubre.*

*Miguel Maura y Gil Robles se entrevistan el 9 de noviembre y el
país habla de una coalición. El 14 de diciembre es Portela Valladares
el nuevo presidente del Consejo de Ministros, quien autoriza al día
siguiente la reaparición del periódico* El socialista, *que había suspen-
dido el 6 de octubre de 1934. El día 16 es una jornada de especial
tensión política: Largo Caballero dimite como presidente del partido
socialista; Gil Robles, dejado de lado por Portela Valladares en su
Gabinete, hace público un manifiesto en que critica su formación y
el presidente de la República brinda al Gobierno un decreto de disolución de las Cortes que le ha de costar la presidencia. El 30 de diciembre se produce una vez más la crisis. Al comenzar el año de 1936
se prorroga en un mes la suspensión de las Cortes. El día 7 el presidente firma el decreto de disolución de las Cortes convocando nuevas
elecciones. Al día siguiente se levanta la censura y se restablecen las
garantías constitucionales. El día 15 el Frente Popular anuncia con
un manifiesto la unión de los partidos Izquierda Republicana, Unión
Republicana, Unión General de Trabajadores, Partido Socialista, Partido Comunista, Partido Nacional de Juventudes Socialistas, Partido
Obrero de Unificación Marxista y Partido Sindicalista. Mientras las
izquierdas se unen, las derechas monárquicas se separan y el infante
don Alfonso Carlos instituye como regente a don Javier de Borbón,
su sobrino. Pero entre las izquierdas hay también luchas y en la Casa
del Pueblo, a la hora de elegir candidatos, Largo Caballero se impone
a la moderación del catedrático don Julián Besteiro.*

*Ante las elecciones se anuncia la candidatura del Frente Nacional
contrarrevolucionario, que encabezan José María Gil Robles, José
Calvo Sotelo y Antonio Royo Villanova. El 16 de febrero se celebran
las elecciones y triunfan arrolladoramente las izquierdas. El general
Franco propone a Alcalá Zamora el día 17 la declaración del estado
de guerra, que éste no acepta, proclamándose sólo el estado de
alarma. Portela Valladares dimite y Manuel Azaña vuelve al poder,
su cuarto Gabinete, que va a llamarse «primero de la Tercera República». El día 21 el presidente del Consejo de Ministros se dirige a*

la nación prometiendo y pidiendo orden y paz. Se destina a la Capitanía General de Canarias al general Franco, que cesa como jefe del Estado Mayor Central, y se envía a Baleares al general Goded. La ley de Amnistía General a los presos políticos es aprobada por la Diputación Permanente de las Cortes. El día 25 de febrero se constituyen las nuevas Cortes con 260 diputados de izquierda, 66 de centro y 143 de derechas. El 26 queda autorizada la apertura del Parlamento Catalán, y el 27 la Kominter, en su plan de acción, acuerda la eliminación del poder del presidente Alcalá Zamora.

Mientras el Frente Popular celebra su triunfo en los primeros días de marzo, el día 11, en casa del abogado Serrano Suñer, celebran una entrevista secreta el general Franco y Primo de Rivera, siendo detenido este último el día 14. El 3 de abril se constituyen definitivamente las Cortes con 280 diputados de izquierdas (entre los que hay 16 comunistas), 31 del centro y 142 de derechas, que el día 7 destituyen a Alcalá Zamora, nombrando presidente interino a Diego Martínez Barrio. El día 18 fracasa el golpe militar del general Rodríguez del Barrio en Madrid y se destituye a los generales Varela y Orgaz, que son deportados a Cádiz y Canarias, respectivamente. La C. E. D. A. anuncia que no intervendrá en la elección de compromisarios para participar en las elecciones presidenciales.

En mayo vuelve a producirse la quema de conventos. Socialistas y comunistas piensan en Manuel Azaña como candidato a la presidencia de la República, quien el día 10 obtiene 754 votos de las 847 papeletas que se depositaron. El día 11 jura el cargo y dos más tarde Casares Quiroga forma gobierno.

El marqués de Estella ingresa en la prisión de Alicante el 9 de junio. El 23 el general Franco escribe al primer ministro notificándole la postura molesta de los militares ocasionada por las destituciones que se han sucedido en esta época. Gil Robles pidió la autonomía para León y Castilla el 20 de mayo y el 29 de junio la piden para Galicia los políticos gallegos. Después, el coronel Yagüe, durante las maniobras militares de Llano Amarillo, en Marruecos, sondea la posibilidad de una sublevación inminente. En la madrugada del 12 al 13 es asesinado Calvo Sotelo por miembros de las fuerzas de orden público. La tensión el día 16 de julio es enorme y el Gobierno permanece reunido todo el día. El día 17 se ha sublevado la guarnición de Melilla. Empieza la guerra civil.

La generación de 1931

Para don Miguel el vértigo de la historia política de España es ya un plato acaso excesivamente fuerte. El era, lo ha reconocido a la hora de redactar su revelador artículo titulado «La antorcha del ideal», de junio de 1931, un hombre del siglo XIX. Los acontecimientos le desbordan y en su soledad familiar —jubilado, viudo, testigo de la muerte de todos sus hermanos y de una hija— se repliega en su interior esforzándose por entender lo que juzga una locura colectiva.

Su desengaño y su desilusión lo ha expresado de muchas maneras. El 22 de febrero de 1935 escribe el poema 1.722 de su *Cancionero*:

> «*La ciudad liberal bulle en holgorio;*
> *la patria es libre ya; la gloria nace,*
> *y un nombre llena la espaciosa plaza;*
> *¡Constitución!*
> *Han pasado cien años, y los nietos,*
> *rota la placa y rota la memoria*
> *con otro nombre bañan la rotura:*
> *¡Revolución!*
> *Y así la bola de la historia rueda...*
> *¡generación de las generaciones!*
> *¡Viva, pues, definitiva!... y todo*
> *¡generación!*»

Estos versos, según confiesa después, los ha escrito en una noche de insomnio, tras la lectura de la biografía de Castelar de Benjamín Jarnés. Los ha escrito pensando en lo que se llama generación de 1931. «Por lo que hace la generación intelectual española de hoy —la llamémosla de 1931—, ¿sabe su camino, si es que no su meta? ¿Sabe no adónde va, sino por dónde va? Desde luego, en el casi fatal cambio de 1931, en el advenimiento del régimen republicano, no tuvo apenas parte esa generación. Ni otra cualquiera», escribía en *Ahora* el 21 de enero de 1936.

Todo en torno a él se desborda, como el Tormes idílico, que el 28 de diciembre arrasa el barrio del Arrabal y hace pensar angustiadamente al Ayuntamiento salmantino —del cual sigue siendo concejal Unamuno— en pedir autorización al Gobierno para volar con dinamita el Puente Romano y evitar que la ciudad toda se inunde. El 19 de febrero de 1936 se repite la historia y las aguas se llevan cuanto había empezado a reconstruirse. ¿No sucede igual con España?

Viaje a Inglaterra

La Universidad de Oxford le nombra doctor *honoris causa* y don Miguel de Unamuno visita Inglaterra. Pérez de Ayala le había escrito el 27 de noviembre de 1935: «Si usted viene, como espero, tendré tanto gusto como honor en ofrecerle alojamiento en la Embajada.»

Tarda don Miguel en responder y al fin lo hace justificando sus temores de anciano:

> «Mi siempre querido amigo: Anteayer les puse sendos telegramas a usted y a Pastor aceptando la propuesta y hoy les escribo a ambos.

Ante todo, y para dejar desbrozado el camino, he de decirle que ni usted debe hacer caso de *cabotinajes* con que puedan haberle ido, como yo no he hecho con otros con que me han venido. Ya habrá ocasión de hablar de ello.

En cuanto a la invitación de ir a esa Inglaterra, cuya historia, literatura y vida tanto he estudiado, figúrese usted... No la he visitado antes nunca y aunque leo corrientemente el inglés —aun el más enrevesado— lo entiendo oído con gran dificultad y no lo hablo. Pero esto no es un obstáculo. Ahora sí, debo decirle algo. Hace tres meses cumplí mis setenta y un años y, aunque nunca he gozado de mejor salud y no tengo ninguno de los achaques de mi edad, empiezan a molestarme los viajes —prefiero una caminata entre montañas a un día de tren— y, por otra parte, mis circunstancias personales, privadas, las familiares y las nacionales me tienen en tal estado de ánimo que me cuesta tomar resoluciones definitivas a plazo fijo.

Pero ahora viene lo más engorroso y que usted, que creo me conoce algo, habrá de entenderlo. He llegado a eso que se llama "tener cosas" y a pasar por un tanto extravagante y aun *shoking*. Y me duele mucho ser tratado como excepción. Y al caso. Fui a París a la inauguración del Colegio Español en compañía de Blas Cabrera, José Ortega, Cierva y otros, y no sabe usted los ratos que pasé avergonzado —así— de mí mismo. Todos se portaron conmigo no ya correcta, sino afectivamente, pero en ciertas comidas de etiqueta o gala yo aparecía como un aldeano. En el homenaje que se me hizo aquí al jubilarme la cosa no fue tanto, pero salí decidido a no volver a enmascararme. Este año fui invitado a Portugal. Iban Duhamel, Maeterlink, Mauriac, Curtius y otros varios. De aquí, de España, Maeztu, Fernández Flórez y algunos más. Y en los banquetes seguía pareciendo como un aldeano. Pero no puedo, es una verdadera enfermedad. Ponerme a tono o a forma con los demás me costaría una verdadero angustia. Como que es esto —no se me ría usted— una de las cosas que más me impide resolverme a hacer mi ingreso en la Academia Española, en la que somos varios —usted entre ellos— los que estamos a la puerta. Baroja, con pasar por más ogro —mejor, más aldeano— que yo, ha tenido más fortaleza de ánimo. Y lo que me duele es que se crea que es afán de singularizarme. ¡No! No voy a andar vestido de charro o de aldeano vasco como Tolstoy de mujic, pero... Comprendo que lo hondamente humano, lo normal, es ponerse a tono con convenciones de mutua convivencia, mas no es cosa de razonar. Las pocas veces —hace años— en que me rendí sé lo que sufrí. Y ahora, con la edad, es una enfermedad incurable. Y cuando me dicen: "Usted puede ir adonde quiera, como quiera, porque usted es usted", creyendo halagarme me hieren. Es una de las cosas que más me atosigan.

"Bien —dirá usted—, ¿y a qué viene esto?" Pero no, no lo dirá usted. Le temo a Inglaterra, le temo a esa sociedad. Y eso que me figuro que la verdadera calidad de *gentleman* es algo de otra clase que se supone. Y no se sonría de mis pequeñeces.

Y no sigo por ahora.

Por lo demás, ver eso, conocer ahí gente, respirar ese aire espiritual... Y quién sabe si volveré aliviado de alguna de mis rarezas y de mis aldeanerías de ciudad. (Mejor villa, que mi Bilbao lo es.)

Usted conoce sin duda a mi traductor, Crawford Flicht. ¡Qué hombre! ¡Qué verdadero hombre! ¡Qué hidalgo! Salude también a Luisito Calvo.

Y crea, se lo repito, que ha sido y sigue siendo su leal y fiel amigo

Miguel de Unamuno

Salamanca, 17-XII-35.»

Pero acepta y a finales de febrero de 1936 es huésped agradecido del novelista que ha dejado de escribir novelas. Homenajes, banquetes, dejan ya frío al viejo e hirsuto vascongado. La Cámara de Comercio de Londres le ofrece un banquete memorable, que Unamuno preside con el embajador novelista y al que, entre los asistentes, acude el joven poeta y crítico de arte, premio nacional de Literatura, Rafael Lainez Alcalá, quien —rodando los años— ha venido a parar en Salamanca como catedrático de Arte, para recitar en la noche los versos de don Miguel en sus rincones más queridos ante los visitantes ilustres que vienen buscando el eco de Unamuno entre sus viejas piedras.

El 2 de marzo, al partir de Londres, escribe un poema que dedica a Pérez de Ayala.

> *«Londres con su sol lunático*
> *—por entre la niebla asoma—*
> *ni es Jerusalén ni es Roma,*
> *sino cine fantasmático;*
> *ceñido de parques reales,*
> *pintada una fortaleza;*
> *no realidad, mas realeza;*
> *praderas artificiales;*
> *nubes sumidas en humo;*
> *sueños sumidos en tedio,*
> *que no queda otro remedio*
> *que consumirse en consumo;*
> *muchedumbres en desierto,*
> *soledad entre millones*
> *de mortales que entre sones*
> *mecánicos van al puerto*
> *del morirse soberano;*
> *y viejas con el perrito,*
> *que es el fetiche de un rito*
> *eugénico y malthusiano.*

Me vuelvo a ti, madre España,
clara, pobre y cecijunta,
que allí cuando el sol despunta
puedo renovar mi entraña.»

Sí, don Miguel es incapaz de ver el paisaje del turista, que no siente. Su España, su Portugal, son paisajes vividos en la lenta contemplación de la Historia. También Francia en la soledad del destierro. En Inglaterra su añoranza de sol es necesidad de luz y claridad sobre la niebla confusa que se ha cernido sobre España.

El día 3 de marzo está en París y recuerda cuando pensó —una vez más— en suicidarse arrojándose al Sena desde el Puente del Angel y creyó enloquecer escribiendo su *Cómo se hace una novela.*

«*Cielo gris lloviendo hastío,*
ambiente de decadencia;
lleva temores el río
hacia la mar en demencia.»

El 21 de enero de 1936 le había enviado a Unamuno don Angel Ossorio y Gallardo un manifiesto en que se hacía una llamada a la cordura de los españoles para evitar el peligro de una sangrienta guerra civil. Unamuno pone su firma junto a las de *Azorín,* Teófilo Hernando, Pío del Río Hortega, Manuel Bastos y Gustavo Pittaluga. Rehusan firmar, alegando que Ossorio ha exagerado la gravedad del momento, Marañón, Castro, Eduardo Marquina y José Ortega y Gasset. El propio Ossorio y Gallardo llega a creer que éstos tienen razón y desiste de hacer público el manifiesto.

Unamuno ya sólo desea guardar silencio. Como una recapitulación, en junio, entrega a su hijo político, José María Quiroga Plá, los poemas de su *Cancionero* de 1928 a 1930 para que prepare su edición. Se despiden en Salamanca, donde queda con don Miguel el hijo de Quiroga, y no volverán a verse ya.

Don Miguel, un día de julio, relee «el Libro de España» y se detiene en el capítulo XXIII de la segunda parte, el del episodio de la cueva de Montesinos, en que Durandarte dice aquello de «paciencia y barajar». Con este título escribe un artículo que dirige a Indalecio Prieto y en el que recuerda la glosa de la frase que hizo en su autobiografía del destierro.

«Así escribía yo hace diecinueve años en aquella Hendaya, a la que no sé si tendré que volver —también yo, amigo Prieto— a barajar en paciencia, a volver a los solitarios. Aunque, ¿qué más solitarios que estos comentarios que barajo aquí?

Esperemos, pues, aunque sea desesperadamente; tengamos paciencia y hagamos de la paciencia barajando. Y si salvamos nuestra alma, o sea, nuestro juego en la Historia, nuestra responsabilidad, no habrán sido baldíos ni nuestra barajadura ni nuestra paciencia. Paciencia, pues, y a barajar. No del todo en silencio como Durandarte, sino murmurando entre dientes: "¡Acaso...!" Y los impacientes, o sea, los que se creen revolucionarios —¡pobretes!—, a su juego.»

El 15 de julio, en su artículo «Mandarines y mandones», dice algo parecido: «¡Aguantar y aguardar!» La idea de volver al exilio le había asustado ya en 1934, cuando en su artículo «Y después, ¿qué...?» había escrito: «Al que esto os dice, que ya otra vez tuvo que emigrar de su patria, le estruja el cogollo del corazón el pensar que tenga que volver a hacerlo y... después de haber pasado sus setenta años.» Don Miguel está ya vencido, agotado por los años y la desilusión de que su voz de cordura no haya sido escuchada. Ya sólo le queda esperar, y no sabe qué espera cuando en Salamanca recibe noticias de la sublevación militar.

27

La última guerra civil de don Miguel

Un verano caluroso

AQUEL verano parecía como todos; un poco más caluroso tal vez, pero un verano igual a los anteriores. Hombres como Unamuno han hablado de catástrofes, de guerra incivil y anárquica incluso. Día a día, los periódicos dan noticia de la muerte que espera tras las esquinas, en interminable cadena de represalias, a los jóvenes que militan en los múltiples bandos en que se dispersa y desorienta el pueblo español. Sin embargo, se llega a creer que aquel verano será la gran siesta de la conciencia nacional. La burguesía española organiza su veraneo. Las familias emprenden el éxodo vacacional, de un extremo a otro del país, alegres y confiadas. ¿Qué va a suceder? En España, y en verano, no puede suceder absolutamente nada. Después dirán todos que estaba claro, que ellos lo veían venir, que lo habían anunciado; pero se olvidan del día en que, de súbito, se vieron separados de sus familias a cientos de kilómetros. Entonces fue el asirse a una nueva esperanza: tras el «no pasa nada», el «esto durará poco», alimentado en unos por su fe mágica en la palabra República y en otros por la confianza excesiva en el acto de levantar una bandera y dar una voz para que España, doncella enamorada, se entregase sin lucha al nuevo señor. Y fueron treinta y dos meses de lucha civil el resultado de aquella confianza y seguridad del «no pasa nada» y «esto durará poco». La imprevisión española logró una vez más desarrollar las posibilidades creadoras de la improvisación, pero a un muy fuerte precio.

Salamanca, con la guarnición militar aún no decidida, era republicana el 18 de julio de 1936. El domingo 19 aún parece continuar este signo. En la estación hay disturbios y los ferroviarios protestan porque el jefe no les permite llevar a Madrid todas las locomotoras que hay en su parque. En el Gobierno Civil el alcalde, doctor Prieto

Carrasco, se opone a entregar las armas al Frente Popular. A primeras horas de la mañana los militares ya han decidido ponerse al lado de sus compañeros de Marruecos, en pie de guerra desde el día 17. Se proclama la ley marcial. En la Plaza Mayor se producen algunos tiros cuando los soldados están conquistando sin esfuerzo, en un paseo, la ciudad. Hay algunos muertos: gente que pasaba por la Plaza, convencida de que no sucedía nada. Con la sangre llega a Salamanca el convencimiento de que algo grave pasa: ha estallado la guerra civil.

Las puertas de la cárcel se han abierto para que el periodista Francisco Bravo y varios de sus compañeros salgan a la calle. Bravo, automáticamente, queda erigido en jefe de las milicias. A su vez las puertas se cierran como la tapa de una tumba para significados republicanos, entre ellos el doctor Prieto Carrasco, amigo de Unamuno que muy poco después fue fusilado.

Las calles de la ciudad empiezan a despoblarse. Don Miguel es uno de los primeros que aparecen en la Plaza Mayor y se sienta en la desierta terraza del Novelty, dando sensación a todos de calma y seguridad. Después estalla el fervor y el entusiasmo. ¡Nadie había sido republicano en Salamanca! Florecen los uniformes de las milicias y se va al Alto de León como de merienda con unos amigos. En uno como en otro lado se olfatea la pólvora, se presiente la sangre. Y acaso el calor también excite. Ya nadie podrá detener el reloj de la historia. Los dioses, una vez más —como en la frase homérica que gustaba de repetir Unamuno— traman la destrucción de los humanos para dar argumento de que hablar a los siglos venideros.

Don Miguel no ha vuelto a tomar la pluma desde que estalló la guerra. Un artículo suyo apareció en Madrid cuando ya España estaba dividida. Le había gustado repetir siempre que él había nacido a la conciencia nacional en plena guerra civil, y en un principio ha debido pensar en un retorno al mundo de su niñez. Va a cumplir setenta y dos años y le cuesta hacerse a la idea de que la contienda civil no se resuelva ahora por los mismos cauces del siglo XIX. Cree, entre otras cosas, que su actitud personal y su palabra en el momento oportuno bastarán para decidir el futuro de España. La situación, por demás, sigue estando un poco confusa en los primeros días. El manifiesto del general Cabanellas, como presidente de la Junta de Defensa, terminaba con un «¡Viva la República!», y la lucha parecía entablada en forma distinta a como hoy —veintisiete años después— vemos los sucesos de entonces.

Cuando el 26 de julio se constituye el nuevo Ayuntamiento salmantino en él figuran dos significados republicanos: don Miguel y Tomás Marcos Escribano. Unamuno, además, habló claramente en republicano y sus palabras las recoge con esta significación La gaceta regional, periódico nada sospechoso por su marcado tono derechista.

«Comienza diciendo —cuenta la reseña de este periódico— que está allí considerándose como elemento de continuación, puesto que el pueblo le eligió concejal el 12 de abril, y puesto que el pueblo lo trajo, aquí está, sirviendo a España por la República.

No se trata hoy de ideologías: no se respetan las ideas ni se oponen éstas a las otras; es, triste es decirlo, un estallido de malas pasiones, del que hay que salvar a la civilización occidental, que está en peligro.

Aquí me tienen, mientras me lo permitan mis otros servicios, hasta mi edad. Lo peor no es tampoco la mala pasión, sino que se pierda la inteligencia, creando una generación de idiotas, pues los chicos de dieciocho años físicos tienen la mentalidad de los de cinco.

Recuerda —sigue la reseña— que todos los días, al ir a la Rectoral, pasa ante la estatua de fray Luis de León —la mejor de Salamanca—, con su magnífico gesto de la mano tendida, en signo de paz y de calma.

Hay que salvar la civilización occidental, la civilización cristiana, tan amenazada. Bien de manifiesto está mi posición de los últimos tiempos, en que los pueblos estaban regidos por los peores, como si buscaran los licenciados de presidio para mandar los pueblos.»

España vive abiertamente la situación de guerra. Unamuno parece ser el único que no se da cuenta de lo distinta que es esta guerra a las del pasado. Se ha producido una ruptura en el tiempo que es la que él ya no podrá salvar. Su familia ha quedado dividida: Ramón y Pepe están en Madrid y con ellos su cuñado José María Quiroga Plá. Don Miguel cree que podrá volver a verlos y que no tendrán dificultades por cuanto él crea su deber decir. Los periodistas extranjeros olfatean la gran noticia en torno al viejo luchador que desconcierta a tirios y troyanos. En agosto le visita un corresponsal de la agencia americana *Internacional News*, y cuando difunde su crónica anuncia que «estas declaraciones de Unamuno pesarán más en el orden internacional que las declaraciones todas de los jefes militares del patriótico movimiento español», porque «La condenación rotunda del régimen representado por el Gobierno de Madrid proviene de un hombre que no es un cualquiera entre los republicanos, sino el guión de la lucha contra la Monarquía».

Sin embargo, las declaraciones, como todas las hechas en estos casos, hay que aceptarlas con naturales reservas, separando un poco el ascua del entrevistado de la sardina del entrevistador. Por lo pronto, y pese a la violencia de Unamuno con sus adversarios, creo que es exagerado poner en su boca que Azaña, como acto patriótico, debía suicidarse. Hay que recordar las antiguas relaciones que les unieron, la defensa que Azaña hizo de don Miguel en su revista *La Pluma* cuando fue procesado por injurias al rey, que en esta publicación, así como en *España*, que dirigió algún tiempo el político, colaboró don Miguel. Las cartas de Azaña que he leído en el archivo unamuniano son cordiales y respetuosas y ya hemos visto que Unamuno no tuvo inconveniente en aplaudir el discurso de Comillas.

26

Claro que tampoco se mordía la lengua para resaltar errores y en los últimos tiempos todos los amigos le oyeron criticar la labor política del presidente de la República. Que Unamuno dijera que Azaña debía marcharse, sí; que Unamuno, en la hora ya serena de la vejez, en que nada espera, invite al suicidio a nadie es poco verosímil. En aquel tiempo hablaba don Miguel de suicidio colectivo, ¿no sería que el periodicta americano no entendió bien el personalísimo inglés del rector de Salamanca?

Cuando el periodista le preguntó a don Miguel por qué hablaba mal de una República a cuyo nacimiento había contribuido le contestó:

—Porque el Gobierno de Madrid y todo lo que representa se ha vuelto loco, literalmente lunático. Esta lucha no es una lucha contra una República liberal, es una lucha por la civilización. Lo que representa Madrid no es socialismo, no es democracia, ni siquiera comunismo. Es la anarquía, con todos los atributos que esta palabra temible supone. Alegre anarquismo lleno de cráneos y huesos de tibias y destrucción.

El periodista anota que «los reproches más ácidos de Unamuno son para los dirigentes de Madrid, a quienes el profesor acusa de haber desvanecido sus sueños de una República liberal y libre, entregando el poder en manos de los pistoleros». El periodista da también la noticia, que no he podido confirmar, de que Unamuno entregó cinco mil pesetas en la suscripción para el ejército del general Mola y concluye con estas palabras del viejo luchador:

—Yo no estoy ni a la derecha ni a la izquierda. Yo no he cambiado. Es el régimen de Madrid el que ha cambiado. Cuando todo pase, estoy seguro de que yo, como siempre, me enfrentaré con los vencedores.

Destituido por la República

El 20 de agosto difunde la prensa de la zona nacional estas palabras que, en extracto, subrayando que Azaña debía suicidarse, ya habían sido anticipadas el día 1 de agosto, al ser difundidas en la prensa extranjera. Esto provoca la inmediata reacción del Gobierno de la República, que en *La gaceta oficial de Madrid* publica el día 23 el siguiente decreto:

«El Gobierno ha visto con dolor que don Miguel de Unamuno, para quien la República había reservado las máximas expresiones de respeto y devoción y para quien había tenido todas las muestras de afecto, no haya respondido en el momento presente a la lealtad a que estaba obligado, sumándose de modo público a la facción en armas.

En vista de ello, y de acuerdo con el Consejo de Ministros y a propuesta del de Instrucción Pública y Bellas Artes,

Vengo a decretar:

Artículo 1º Queda derogado y nulo en todos sus extremos el decreto de 30 de setiembre de 1934 por el que se nombraba a don Miguel de Unamuno y Jugo rector vitalicio de la Universidad de Salamanca, que creaba en este centro docente la cátedra "Miguel de Unamuno", señalando como titular de ella al mismo señor, y se designaba con dicho nombre al Instituto Nacional de Segunda Enseñanza de Bilbao.

Artículo 2º Queda asimismo separado de cuantos otros cargos o comisiones desempeñara relacionados con el Ministerio de Instrucción Pública y Bellas Artes.

Daño en Madrid, a veintidós de agosto de mil novecientos treinta y seis.—*Manuel Azaña.*—El ministro de Instrucción Pública y Bellas Artes, *Francisco Barnés Salinas.*»

La noticia, cuando se conoce con algún retraso en la zona nacional, se publica a toda plana y en primera página: «DON MIGUEL DE UNAMUNO, DESTITUIDO COMO RECTOR PERPETUO DE LA UNIVERSIDAD DE SALAMANCA.» En Bilbao se arranca la placa que da el nombre de Unamuno a una calle y se sustituye por el de Simón Bolívar. El general Cabanellas, el 1 de setiembre, firma en Burgos un decreto confirmando a Unamuno en sus cargos académicos, «con cuantas prerrogativas se le confirieron en el decreto de treinta de setiembre de mil novecientos treinta y cuatro».

Siguen publicándose declaraciones de Unamuno a la prensa extranjera que, si en el fondo son ciertas en el matiz, es indudable que han sido rehechas por los entrevistadores, adaptándolas a la retórica del momento. Al corresponsal de *Le Matin* le dice Unamuno:

—En el extranjero todavía no se ha comprendido la naturaleza de la guerra más espantosa que ha conocido España. No se comprende que España atraviesa una crisis de demencia desencadenada a la sombra de un Gobierno delicoescente, que no admite otra solución que no sea por el hierro y por el fuego.

El periodista anota y casi no tiene que andar preguntando, dejándole a Unamuno que desate el ovillo de su monodiálogo:

—Se habla —continúa don Miguel— de una guerra de ideas, pero en esta guerra no hay ninguna idea a debatir. Se trata de vencer a un tirano. Se habla de una tregua, pero no es posible. En España hay una epidemia de locura. Estamos ante una ola de destrucción, asesinatos y crímenes de todas clases. Los comunistas nunca tuvieron una noción de política constructiva. Los anarquistas, por su turno, no fueron rozados por tal idea. Esos hombres están atacados de delirio furioso. Tal vez se trate de una crisis de desesperación. Las iglesias que saquean e incendian, las imágenes que decapitan, los esqueletos que exhuman, acaso sean sólo gestos de desesperación; pero en todo esto debe haber otra cosa de origen patológico. No es el alcoholismo, porque el pueblo español no bebe. Pienso en otro origen de la decadencia o tara mental.

El periodista le pregunta por el Gobierno republicano:

—No hay Gobierno en Madrid; hay solamente bandas armadas,

que cometen todas las atrocidades posibles. El poder está en las manos de los presidiarios que fueron libertados y empuñaron las armas. Azaña nada representa. Lo imagino muy bien en su palacio, porque lo conozco hace treinta años. Se perdió en un sueño ocupado en tomar notas para escribir sus memorias. Es él el gran responsable de lo que acontece. Cuando el movimiento surgió creyó que se trataba de un simple pronunciamiento. No comprendió que había un pueblo dispuesto a unirse al Ejército. Sólo pensó en el Frente Popular, sin tener en cuenta que los campesinos, los obreros y los pequeños burgueses que vivían con dificultades eran más pueblo que los elementos del Frente Popular, y armó a unos hombres que, en el momento que se encontraron con un fusil en la mano, se transformaron en bandidos.

—¿Cuánto piensa usted, don Miguel, que puede durar la guerra?

—La lucha será larga, muy larga y espantosa; me estremezco pensando en Cataluña. ¡Qué locura imbécil la de idea separatista aliada con la anarquía! En el país vasco, que es el mío, el absurdo no es tan evidente. Felizmente, el Ejército ha dado pruebas de gran prudencia. Franco y Mola tuvieron el supremo cuidado de no pronunciarse contra la República. Son dos hombres sensatos y reflexivos.

Ante el gesto asombrado del periodista, don Miguel añade:

—Yo mismo me admiro de estar de acuerdo con los militares. Antes yo decía: primero un canónigo que un teniente coronel. No lo repetiré. El Ejército es la única cosa fundamental con que puede contar España.

Mensaje universitario

El 26 de setiembre, por la tarde, se reúne el claustro de la Universidad bajo la presidencia de Unamuno. Asisten a la reunión los catedráticos y profesores Esteban Madruga, Arturo Núñez, José María Ramos Loscertales, Francisco Maldonado, Manuel García Blanco, Ramón Bermejo Mesa, De Juan, Antonio García Boiza, García Rodríguez, Villaamil, Andrés García Tejado, López Jiménez, Serrano, Teodoro Andrés Marcos, Nicolás Rodríguez Aniceto, Peña Mantecón, Sánchez Tejerina, Wenceslao González Oliveros, González Calzada, Román Retuarto, Mariano Sesé y Arochacena.

Ramos Loscertales ha redactado un escrito al que Unamuno ha hecho algunos retoques y se acuerda enviarlo en castellano a todas las universidades de Hispanoamérica y en latín a las del resto del mundo. He aquí su texto:

«MENSAJE DE LA UNIVERSIDAD DE SALAMANCA A LAS UNIVERSIDADES Y ACADEMIAS DEL MUNDO ACERCA DE LA GUERRA CIVIL ESPAÑOLA.

La Universidad de Salamanca, que ha sabido alejar serena y austeramente de su horizonte espiritual toda actividad política, sabe asimismo que su tradición universitaria la obliga, a las veces, a alzar su voz sobre las luchas de los hombres en cumplimiento de un deber de justicia.

Enfrentada con el choque tremendo producido sobre el suelo español al defenderse nuestra civilización cristiana de Occidente, constructora de Europa, de un ideario oriental aniquilador, la Universidad de Salamanca advierte con hondo dolor que sobre las ya rudas violencias de la guerra civil destacan agriamente algunos hechos que la fuerzan a cumplir el triste deber de elevar al mundo civilizado su protesta viril. Actos de crueldades innecesarios— asesinatos de personas laicas y eclesiásticas— y destrucción inútil —bombardeo de santuarios nacionales (tales el Pilar y la Rábida), de hospitales y escuelas, sin contar los sistemáticos de ciudades abiertas—, delitos de lesa inteligencia, en suma, cometidos por fuerzas directamente controladas o que debieran estarlo por el Gobierno hoy reconocido "de jure" por los Estados del mundo.

De propósito se refiere exclusivamente a tales hechos la Universidad —silenciando por propio decoro y pudor nacional los innumerables crímenes y devastaciones acarreadas por la ola de demencia colectiva que ha roto sobre parte de nuestra patria—, porque tales hechos son reveladores de que crueldad y destrucción innecesarias e inútiles o son ordenadas o no pueden ser contenidas por aquel organismo que, por otra parte, no ha tenido ni una palabra de condenación o de excusa que refleje un sentimiento mínimo de humanidad o un propósito de rectificación.

Al poner en conocimiento de nuestros compañeros en el cultivo de la ciencia la dolorosa relación de hechos que antecede, solicitamos una expresión de solidaridad, referidos estrictamente al orden de los valores, en relación con el espíritu de este documento.

Salamanca, 20 de setiembre de 1936.—El rector, *Miguel de Unamuno.*»

Aquella tarde del 26 todos los asistentes al claustro estampan su firma al pie del documento. Luego discuten la organización del acto académico que se celebrará el día 12 de octubre con motivo de la Fiesta de la Raza. Se trata de un acto académico protocolario. Otros sucesos reclaman mayormente la atención de Unamuno.

Setenta y dos años

Durante los últimos días de setiembre, a pocos kilómetros de Salamanca, en el improvisado aeródromo de San Fernando, en los llamados Terrenos del Hospicio y Muñodomo se han celebrado dos importante reuniones de generales que ha tenido por resultado la unificación del mando militar y la jefatura del Estado en el general

Franco. El día 1 de octubre es proclamado caudillo de España y poco después instala su cuartel general en Salamanca.

Unamuno va varias veces al palacio episcopal, próximo a la Universidad, donde Franco le recibe. Sus visitas tienen un mismo motivo siempre: don Miguel recibe muchas cartas, de amigos, de simples conocidos, de mujeres o hijos de esos amigos, pidiendo su intercesión en la hora de las depuraciones. Como rector de la Universidad preside una comisión depuradora encargada de los expedientes desde el catedrático universitario al humilde maestro sustituto. Lo malo no es tener que ser juez e informar, sino enfrentarse con un oscuro mundo de envidias que practica la delación por los más diversos motivos. Para don Miguel es este un trance amargo. No es un juez y mucho menos un fiscal. Aquella situación empieza a acentuar en él la crisis de disolución de su ancianidad. El día 29 de setiembre cumple setenta y dos años y escribe un soneto:

> «Un ángel, mensajero de la vida,
> escoltó mi carrera torturada,
> y desde el seno mismo de mi nada
> me hiló el hilillo de una fe escondida.
>   Volvióse a su morada recogida,
> y aquí, al dejarme en mi niñez pasada,
> para adormirme canta la tonada
> que de mi cuna viene suspendida.
>   Me lleva, sueño, al soñar divino;
> me lleva, voz, al siempre eterno coro;
> me lleva, suerte, al último destino
> me lleva, ochavo, al celestial tesoro,
> y, ángel de luz de amor en mi camino,
> de mi deuda natal lleva el aforo.»

Desde el 10 de abril, viernes santo, no había retomado Unamuno su *Cancionero* hasta la fecha de su cumpleaños y no volverá sobre él hasta un mes justo más tarde.

En torno a la fecha de su cumpleaños, Unamuno está enfermo. Le visitan pocos amigos, ya que no ocultan su disgusto y decepción ante el colaboracionismo de don Miguel con el nuevo régimen quienes ven mermado su grupo con detenciones, destituciones y algunos fusilamientos, dolorosa lista abierta con el nombre del catedrático Prieto Carrasco. Las visitas de ahora más frecuentes son gente joven llegada a Salamanca con el aluvión de la guerra y el sistema administrativo en formación.

A veces hay quien al saber que está enfermo le deja una breve nota. Son siempre peticiones para que él interceda en favor de alguien. Una de estas visitas, la mujer de un amigo, le deja una nota, sin fecha ni firma, que va a tener singular importancia en los últimos días de Unamuno:

«Don Miguel: Soy la esposa del pastor evangélico y le voy a molestar una vez más.

Se acusa a mi esposo de masón y en realidad lo es, lo hicieron en Inglaterra el año 20 ó 21; me dice que consulte con usted
qué es lo que tiene que hacer; mi esposo, desde luego, no ha
hecho política de ninguna clase; le hicieron eso porque sabe usted
que en Inglaterra casi todos los pastores lo son, y muchos también en España; en Inglaterra lo es el rey, y también el jefe de
las iglesias anglicanas. En España he oído que lo son algunos
generales; no se lo que habrá de verdad en esto.

Creo que esto pasará al Gobierno Militar, y quisiera que usted
cuando pudiera se informase de algo, o que dé alguna luz sobre
esto.

Perdone que le moleste hasta en la cama; que mejore usted
y Dios le premie todo lo que por nosotros está haciendo.»

La carta da ya noticia de que Unamuno está ayudando a la familia
de Atilano Coco, así se llamaba el pastor protestante, único que había
en Salamanca. Y el día 12 de octubre, cuando está en el Paraninfo,
lleva esta carta en su bolsillo. No he podido precisar si este día
había sido ya fusilado el pastor, porque no cuento para fijar este
dato con otra información que la de algunos compañeros de cárcel
del pastor evangélico. Estos creen que en esta fecha Coco había sido
ya ejecutado. Sea como fuere, aquel día Unamuno sabe que no puede
abrigar ninguna esperanza sobre su amigo masón (28) o que ya es
absurdo esperar, porque todo se ha consumado.

En el Paraninfo, por última vez

Cuando el día 11 habló con el vicerrector le encargó a éste que
presidiese el acto religioso. Al repasar el programa del acto académico, Madruga le preguntó si pensaba intervenir y don Miguel contestó:

—No, no quiero hablar, pues me conozco cuando se me desata
la lengua.

El acto literario en honor de la festividad de la Raza se celebra
a Paraninfo lleno. Preside don Miguel, que ostenta en el acto la representación del general Franco. A su izquierda se sientan el presidente de la Audiencia, don Manuel del Busto; el delegado de Hacienda, don Benito Jiménez Ezguera, y el general Millán Astray; y a
la derecha, el gobernador civil, don Ramón Cibrán Finot; el teniente
coronel don Miguel Pérez Lucas, en representación del coronel gobernador militar; el presidente de la Diputación, don Francisco Már-
quez, y el alcalde de Salamanca, don Francisco del Valle. Comenzado el acto, llegó al Paraninfo la esposa del jefe del Estado, doña
Carmen Polo de Franco, cuya presencia iba a ser decisiva para evitar

---

(28) Unamuno nunca fue masón, repudiendo todo lo secreto. Pero tuvo
amigos masones, como el catedrático Demófilo de Buen —que perteneció a
Salamanca—, que desde Granada, antes de la Dictadura, le instaba a afiliarse
a la masonería.

una trágica e irreparable catástrofe momentos después. Acompañaba a la esposa de Franco el ayudante de éste, teniente coronel Díaz Varela, y la escolta formada por una escuadra de la guardia de palacio, que aquel día correspondía a las milicias de Renovación Española. La escolta quedó dentro del Paraninfo, pero a la puerta. Entró, con breves minutos de diferencia, el obispo de Salamanca, don Enrique Plá y Daniel. La presidencia se alteró: doña Carmen Polo de Franco pasó a ocupar un sillón a la derecha del rector y el obispo a su izquierda.

Unamuno abrió el acto anunciando que ostentaba la representación de Franco. Después hablaron don José María Ramos Loscertales, el dominico P. Vicente Beltrán de Heredia, don Francisco Maldonado de Guevara y don José María Pemán.

El tema de todos los conferenciantes es, fundamentalmente, de circunstancias. Ramos habla de imperio, de las esencias históricas de la raza; el P. Beltrán de Heredia, de la obra de ilustres maestros de Salamanca sobre América, especialmente la influencia del P. Vitoria; Maldonado, siempre barroco, se extendió en un juego conceptual aplicado al momento político, y Pemán, que empezó agradeciendo a Unamuno la invitación que éste le había hecho para hablar en la Universidad, hizo glosa actual y política del momento.

Ha comenzado a hablar el primer orador y don Miguel ha sacado del bolsillo de su chaqueta la carta que días atrás le envió la mujer del pastor evangélico. No necesita releerla para saber lo que dice. Con lápiz, nerviosamente, escribe unas palabras que van a ser guión de un comentario que decide hacer para cerrar el acto.

Ha concluido el último orador y cuando los aplausos se apagan don Miguel se pone en pie. Reconstruir lo que dijo es tarea casi imposible, porque la pasión ha falseado la memoria en unos y otros, omitiendo palabras a veces y en otras inventando una fraseología nada unamuniana.

Con muchas reservas me atrevo a brindar un posible resumen. Don Miguel, en pie, con la cuartilla doblada en la mano, con voz más velada e incisiva que nunca, con aire de indignación, rompe el silencio que se ha cernido sobre el atestado Paraninfo.

—Dije que no quería hablar, porque me conozco; pero se me ha tirado de la lengua y debo hacerlo. Se ha hablado aquí de guerra internacional en defensa de la civilización cristiana; yo mismo lo he hecho otras veces. Pero no, la nuestra es sólo una guerra incivil. Nací arrullado por una guerra civil y sé lo que digo. Vencer no es convencer y hay que convencer, sobre todo, y no puede convencer el odio que no deja lugar para la compasión; el odio a la inteligencia que es crítica y diferenciadora, inquisitiva, mas no de inquisición. Se ha hablado también de los catalanes y los vascos, llamándoles la anti-España; pues bien, con la misma razón pueden ellos decir otro tanto. Y aquí está el señor obispo, catalán, para enseñaros la doctrina cristiana que no queréis conocer, y yo, que soy vasco, llevo toda mi vida enseñándoos la lengua española, que no sabéis. Ese sí es Imperio, el de la lengua española, y no...

El general Millán Astray, sentado en un extremo de la presidencia, golpeó con su única mano la mesa presidencial, poniéndose en pie e interrumpiendo al rector. Varias veces antes ha dicho en voz bastante alta: «¿Puedo hablar? ¿Puedo hablar?» Tras su sillón, con la metralleta, estaba recostado en la pared el más fiel guardián del general. Su despertar del letargo fue acompañado del gesto automático de poner el arma a punto. El general pronunció muy pocas palabras, justificando la situación del hombre de armas, los motivos del levantamiento militar y, al fin, perdido el control, debió hacer retemblar las bóvedas del Paraninfo, aunque no se movieron, cuando bajo su ámbito se oyó el grito de: «¡Mueran los intelectuales!» y «¡Viva la muerte!». Unamuno inició la réplica dirigiéndose directamente al general y éste vuelve a hablar cuando en el Paraninfo estalla ya el escándalo. Los legionarios que asistían al acto se agrupan y entonces la serenidad de la esposa del jefe del Estado salva la situación. Doña Carmen hace una seña a su guardia, que avanza hacia la presidencia. Millán Astray casi le grita a Unamuno: «Dele el brazo a la señora.» La mujer de Franco toma del codo a don Miguel y tira de él, mientras el viejo rector se deja llevar. Don Esteban Madruga, sentado en los escaños laterales, se levanta y va hacia Unamuno, cuando la escolta de palacio cierra guardia en torno a don Miguel. El tenso silencio de unos minutos de estupor se ve sucedido ahora por el griterío de quienes desde todos los sitios abuchean a Unamuno y le hacen gestos amenazadores. Ramos Loscertales está más pálido que nunca y don Francisco Maldonado, que ha vivido de su devoción a Unamuno y del recuerdo de la amistad de

éste con su padre, sigue sentado, en silencio, con la mandíbula des-
encajada. Don Miguel se deja llevar y parece sólo un pesado saco
de carne. En su conciencia acaso ha nacido el convencimiento de
que está viviendo en un siglo que no es el suyo. A la puerta de la
Universidad, al ser llevado hasta el coche del cuartel general, tro-
pieza y es doña Carmen Polo quien tiene que sostenerle. El coche
en el que van con Unamuno don Esteban Madruga y el jefe de la
escolta de palacio enfila la calle de la Rúa hasta la casa de don
Miguel (29).

Pero aquella tarde Unamuno se ha repuesto ya, achacando su
flaqueza a la edad, y se va, como otras tardes, al Casino, del cual
era presidente honorario. En el Casino se hablaba con voz velada
del incidente de la mañana. En la tertulia de Unamuno se sentía
miedo. Faltaban algunos contertulios que estaban en la cárcel y otros
que deliberadamente no habían ido aquel día por si acaso. El doctor
Pablo Beltrán de Heredia distingue la cabeza cana de don Miguel,
que asciende la monumental escalera hacia el rincón de la tertulia
en la galería del primer piso.

—¡Buque a la vista! —comenta alarmado.

Dos contertulios, el maestro don Juan Francisco Rodríguez y don
Andrés Hernández, se levantan al ver a don Miguel que se acerca.
Se oyen aplausos apoyando su huida ante el amigo de hasta hace
poco. Se oyen ya algunas voces: «¡Fuera!», «¡Que lo echen!, «¡No
es un español; es un rojo!», «¡Rojo, traidor!». Don Tomás Marcos Escribano, cuando Unamuno se sienta entre ellos, rompe el silencio:

—No debió venir usted, don Miguel. Sentimos lo que ha pasado
hoy en la Universidad, pero no debía haber venido esta tarde al casino.

El griterío es cada vez mayor, y la actitud manifiestamente hostil, que ha empezado por protestas e insultos a distancia, puede
cobrar un carácter más grave. Rafael de Unamuno llega al Casino
y toma del brazo a su padre. Don Miguel se deja llevar. Van a salir
por la puerta de la calle del Concejo y Unamuno reacciona:

—No, por la puerta principal.

A sus espaldas queda el griterío de los señores del Casino de los
señores. Desde la calle puede oirse los adjetivos de «traidor», «rojo»
y hasta otras calificaciones de subido tono. Con don Miguel va su

---

(29) Para la redacción del relato de este incidente he desechado por in-
exacta la versión de Luis Portillo en el libro *The golden horizon* (Londres,
1953, págs. 397 y s.), que es la que aprovecha Hugh Thomas en su libro sobre
nuestra guerra. Me guío por la reseña de la prensa salmantina, que da texto
taquigráfico de todos los discursos a excepción del de Unamuno (se silencia
hasta que hablase) y el de Millán Astray, de quien se dice puso fin al acto
«con unas exaltadas palabras de patriotismo y amor a España». Tuve que acudir
a los recuerdos personales de los siguientes testigos, a quienes agradezco la
generosa honradez con que me lo relataron: don Esteban Madruga Jiménez,
entonces vicerrector y que nos lo contó en 1954 a Eugenio Montes y a mí; don
Francisco Maldonado de Guevara y don José María Pemán, el primero en múltiples ocasiones y el segundo en la primavera de 1963 —ambos hablaron en el
acto—, y, por último, mi fraternal amigo el escritor Juan Crespo, que aquel
día dio escolta a la esposa del Jefe del Estado y a don Miguel. En pruebas
el libro me confirma en esta versión el testimonio de don César Real de la
Riva, actual vicerrector de la Universidad de Salamanca, y Felisa Unamuno,
recordando los comentarios de su padre a aquella jornada.

hijo y Mariano de Santiago Cividanes, el pobre e insignificante escritor local que se unió a don Miguel en el momento en que todos le daban la espalda.

La seguridad personal de don Miguel está comprometida. Aquel 12 de octubre y días siguientes soldados armados formaron ante la casa de la calle de Bordadores y un grupo de policías tenía orden de seguir a Unamuno adonde quiera que saliese. Don Miguel salió poco y decidió por recluirse, mientras no faltaba quien iba a palacio para pedir su inmediato fusilamiento. El buen sentido se impuso después de todo. Por aquel entonces en más de una biblioteca particular desaparecían los libros de Unamuno, que eran arrojados al fuego.

La Universidad pide la destitución del rector

Los catedráticos están asustados y cuando la noticia trasciende a la prensa extranjera y a la de la España republicana, José María Ramos Loscertales pide reunión del claustro. El vicerrector, don Esteban Madruga, no asiste. Hay que comprender la psicosis de aquellos momentos aún iniciales de nuestra guerra civil para explicarse algo tan triste: el claustro, unánimemente, decide retirar su confianza a don Miguel de Unamuno y pedir al general Franco su destitución como rector perpetuo de Salamanca. Son sus compañeros —y esto se olvida cuando se habla de estos años de la vida de don Miguel— quienes le expulsan de la Universidad. El general Franco llama a don Manuel Torres López, a quien le ofrece el rectorado, que éste declina, y después a don Esteban Madruga, vicerrector, que acepta tras consultar con don Miguel. El día 23 la prensa salmantina, en su última página, con un titular a dos columnas —«Cese del señor Unamuno y nombramiento del nuevo rector de la Universidad de Salamanca»—, publica los dos breves decretos:

«Decreto número 36.

Vengo en disponer cese en el cargo de rector de la Universidad de Salamanca don Miguel de Unamuno y Jugo.
Dado en Salamanca, a 22 de octubre de 1936.

Francisco Franco.»

«Decreto número 37.

Vengo en nombrar rector de la Universidad de Salamanca a don Esteban Madruga Jiménez, catedrático de Derecho.
Dado en Salamanca, a 22 de octubre de 1936.

Francisco Franco» (30).

---

(30) La reunión del claustro para pedir la destitución de Unamuno se celebró el día 14 de octubre y está registrada en el libro de actas de ese año, folios 83-86. Se proponía en aquella junta el nombre de Madruga como rector.

Ya todo se está consumando. El 28 de octubre reanuda don Miguel su *Cancionero*:

> «*Horas de espera, vacías:*
> *se van pasando los días*
> *sin valor,*
> *y van cuajando en mi pecho,*
> *frío, cerrado y deshecho,*
> *el terror.*»

Todo el peso de los años y la más triste soledad ha caido sobre sus hombros, que se vencen. Está enfermo, del mal de España y también del rencor de unos y otros, sosteniendo a duras penas su silencio entre los dos fuegos. Está persuadido de que toda su obra será condenada al silencio, sea cual sea el resultado de la guerra, y se pregunta:

> «*Aquí mis nietos se quedan*
> *alentando mientras puedan*
> *respirar...*
> *la vista fija en el suelo,*
> *¿qué pensarán de un abuelo*
> *singular?*»

Sólo el silencio. «El abismo insondable es la memoria, / y es el olvido gloria.» Prefiere que no le vean. Opta por no salir y empieza a escribir un libro amargo y decepcionado que titula *Del resentimiento trágico de la vida*.

En la hora de los honores, cuando sus compañeros todos eran sacerdotes del culto de su fama, anunció Unamuno que entregaba a la Universidad toda su biblioteca y fue trasladada allí, conservando don Miguel la llave. Ahora que decide no salir ya más de casa envía a su hija Felisa con las llaves de la biblioteca a casa del rector.

—Y diles —la ha encargado— que quiten el busto.

La carta que Felisa lleva a Madruga es ésta:

«Sr. D. Esteban Madruga,
Rector de la Universidad.

Ahí le envío, mi muy querido amigo, por mano de mi hija Felisa las llaves del departamento de la antigua casa rectoral, en que se guarda la librería que fue mía y hoy es de la Universidad, pues que a ella —a que tanto debía— se la cedí. Cuando pueda traer los libros que me quedan en Hendaya se los cederé también, ya que éste era uno de mis firmes propósitos y no soy de los que se vuelven de ellos.

Tengo aquí dos o tres libros de la biblioteca de la Facultad de Letras. Diga a su decano que se digne mandar un bedel para que los recoja y los guarde allí. Y que si no voy yo mismo a llevarlos —lo he hecho, ¡claro está!, muchas veces— es porque he decidido no salir ya de casa desde que me he percatado de que el pobrecito policía esclavo que me sigue —a respetable distancia— a todas partes es para que no escape —no sé a dónde— y así se me retenga en este disfrazado encarcelamiento como rehén no sé de qué, ni por qué ni para qué.

... ...

Y no quiero seguir.

Ya sabe usted cuánto y cuán bien le quiere quien fue su compañero leal y fue y es y seguirá siendo su amigo para siempre.

Miguel de Unamuno

Salamanca, 23-XI-36.»

Morir soñando

Se ha dicho y escrito que Unamuno estaba encarcelado en su casa, lo que no es exacto. Igual que aceptó voluntariamente el destierro en Francia, es él quien voluntariamente se recluye. Es su forma de protestar. Cada día recibe menos visitas. Son muchos los que no se atreven y los que no pueden de sus antiguos contertulios. A veces recala por allí el viejo adversario Diego Martín Veloz, a quien los años también pueden. Ellos se entienden; su lucha fue contienda civil y de puro combatirse llegaron a quererse. Creo que es éste uno de los más conmovedores episodios de estas dos vidas singulares que están a punto de extinguirse.

> «Y yo en mi hogar, hoy cárcel desdichosa,
> sueño en mis días de la libre Francia,
> en la suerte de España desastrosa,
> y en la guerra civil que ya en mi infancia
> libró a mi seso de la dura losa
> del arca santa de la podre rancia»,

escribía en la triste Navidad de 1936. El frío, quizá atraido por la muerte, se extendió implacable como la guerra por toda España.

El día de los Inocentes, el ex rector, anciano, sólo y enfermo, escribe su último poema, sugerido por la relectura de *Le Rouge et le Noir*, de Stendhal, por aquel pasaje en que Julián Sorel se dice a sí mismo que su destino será morir soñando.

> «Morir soñando, sí, mas si se sueña
> morir, la muerte es sueño; una ventana
> hacia el vacío; no soñar; nirvana;
> del tiempo al fin la eternidad se adueña.
>   Vivir el día de hoy bajo la enseña
> del ayer deshaciéndose en mañana;
> vivir encadenado a la desgana
> ¿es acaso vivir? ¿Y esto qué enseña?

Soñar la muerte, ¿no es matar el sueño?
Vivir el sueño, ¿no es matar la vida?
¿A qué el poner en ello tanto empeño,
*   aprender lo que al punto al fin se olvida*
escudriñando el implacable ceño
—cielo desierto— del eterno dueño?»

El año trágico de 1936 se termina y España sabe que ya no sabe
cuándo podrá terminar su guerra. El 31 de diciembre en Salamanca
el cielo está color de plomo y sus piedras doradas tienen color de
muerte. El viento agorero corre invisible por las calles casi desier-
tas, estremeciendo las maderas de balcones y ventanas. De torre a
torre salta lúgubre haciendo vibrar con rumor de presagio a las campanas de las iglesias. Del torreón de las Ursulas a la Torre de Monterrey fustiga el viento el balcón del despacho de don Miguel, y su
nieto oye el ulular de lobos de muerte desatados.

A las cuatro y media de la tarde entra en el despacho el profesor
Bartolomé Aragón, que visita con frecuencia a Unamuno. Don Miguel
se esfuerza y con el brillo de sus ojos azules, casi más que con
su palabra, le dice al visitante:

—Me encuentro mejor que nunca.

Está sentado ante la camilla, aterido por el frío de la historia
y de la soledad. Aragón se sienta ante él y el ex rector le mira.

—Le agradezco que no venga usted con la camisa azul, como lo
hizo el último día, aunque veo que trae el yugo y las flechas...; tengo
que decirle a usted cosas muy duras y le suplico que no me inte-
rrumpa.

Ramos Loscertales, único relator de la muerte de Unamuno por
lo que Aragón le contó, no reproduce el monólogo que —escribe—
«se abre en ráfagas de pasado nacional histórico y arqueológico, de
recuerdos sentimentales de hombres del presente, de visiones de otros
pueblos; y hay más amargura y más dolor en los comentarios que
acritud o dureza». Bartolomé Aragón le ofrece a don Miguel un ejemplar del periódico de Huelva *La provincia de F. E.*

—No quiero verlo. No quiero ver esas revistas de ustedes, porque, ¿cómo puede irse contra la inteligencia?

—Don Miguel, Falange ha hecho un llamamiento a los trabajadores de la inteligencia.

—¡Cómo!

—Sí, sí, lo ha hecho y le prestarán su opoyo, no lo dude usted.

Guardan silencio. El viento extiende su presagio por la calle y re-
tiemblan las maderas del balcón.

—La verdad es —comenta Aragón— que a veces pienso si no habrá
vuelto Dios la espalda a España disponiendo de sus mejores hijos.

Don Miguel se inclinó hacia la camilla, dando un puñetazo sobre
el tablero.

—¡No! ¡Eso no puede ser, Aragón! Dios no puede volverle la espalda a España. España se salvará porque tiene que salvarse.

Unamuno se reclina de nuevo en su sillón y hunde la barbilla en el pecho. El silencio ha vuelto al despacho. El visitante nota que Unamuno no se mueve. Sus zapatillas se están quemando en el brasero. Don Miguel ha muerto. Aragón, asustado, sale del despacho para avisar a la familia. Está pálido y desencajado, apenas si puede hablar.

—¡Don Miguel, don Miguel!... ¡Yo no le he hecho nada!... ¡Yo no le he matado!

A las seis de la tarde el viento lleva por las calles de Salamanca la noticia como en un susurro de misterio: don Miguel ha muerto, el Prometeo español que quiso robar el fuego de los dioses ha sucumbido al buitre. El aire es más frío. Salamanca parece una tumba. Las sombras caen sobre la ciudad, y la casa de la calle de Bordadores, con la puerta entreabierta, empieza a recibir la visita de muchos que habían dejado solo al viejo escritor.

A las once de la mañana, en la iglesia de la Purísima, se celebran los solemnes funerales, que presiden Fernando y Rafael Unamuno, el rector, don Esteban Madruga, y el decano de Letras, Ramos Loscertales. A las cuatro de la tarde la calle de Bordadores y la de las Ursulas rebosan de gente. El tenor Miguel Fleta y los periodistas Víctor de la Serna, Antonio de Obregón y Salvador Díaz Ferrer —todos con camisa azul y correajes— toman el féretro, sobre el cual ha sido colocado el birrete negro de rector, en póstuma devolución de su dignidad vitalicia. El cortejo pasa delante de la Torre de Monterrey y sigue por la calle en cuesta de Ramón y Cajal. A la altura del convento de los capuchinos, Mariano Rodríguez de Rivas, delegado nacional de Arte, los escritores Melchor de Almagro San Martín y Carlos Domínguez y otro falangista toman la caja hasta el Campo de San Francisco. Las cintas del féretro eran llevadas por los catedráticos don Nicolás Rodríguez Aniceto, don Francisco Maldonado, don Isidro Beato y don Manuel García Blanco. En torno a la caja llevan las velas los catedráticos don Primo Garrido, don Leopoldo de Juan, Pérez Villaamil y César Real de la Riva, aun no incorporado entonces al claustro salmantino. El duelo lo presiden el rector, los hijos de Unamuno, el decano de Letras y don Andrés Pérez Cardenal.

En el cementerio está abierto el nicho en que fue enterrada Salomé. Se sube la caja que contiene los restos de Unamuno. Cuando ya está dentro, Manuel Gil Remírez, luego alcalde de Salamanca, extiende el brazo con el saludo romano y grita:

—¡Camarada Miguel de Unamuno!

—¡Presente! —le contestan brazo en alto los falangistas que le han acompañado.

El nicho se cierra y empieza ahora la disputa del cadáver. La noticia de su muerte ha corrido el mundo confundida con partes de guerra. Cuando Ortega lo sabe en París comenta: «Temo que suframos ahora una época de atroz silencio.» Sí, don Miguel ha enmudecido y es la hora de que tirios y troyanos quieran atraérselo usando sus textos. Se lucha, se sigue luchando, por un despojo. Y Unamuno queda ahí, en la Historia, solitario, terco e hirsuto vizcaíno, todo sinceridad y corazón, hombre de carne y hueso, rebelde, apasionado, distinto.

Salamanca, 6-XII-1961.

Cangas de Morrazo, 16-VIII-1963.

Bibliografía

1) ESCRITOS DE UNAMUNO

1. *Paz en la guerra* (novela). Madrid, Fernando Fe, 1897, 349 págs.
2. *De la enseñanza superior en España*. Madrid, *Revista Nueva*, 1899, VIII + + 112 págs. [Incluye también el ensayo «La enseñanza del latín en España».]
3. *Discurso leído en la solemne apertura del curso académico de 1900 a 1901 en la Universidad de Salamanca*. Imprenta F. Núñez, Salamanca, 1900, 16 págs.
4. *Tres ensayos* (*¡Adentro! La ideocracia. La fe*). Madrid, B. Rodríguez Serra, 1900, 16 págs.
5. *En torno al casticismo*. Barcelona, 1902, Biblioteca moderna de Ciencias Sociales, vol. IV. Con un prólogo del autor. 212 págs.
6. *Amor y pedagogía* (novela). Barcelona, Heinrich y compañía, 1902. Biblioteca de novelistas del siglo XX. 276 págs.
7. *Paisajes*. Salamanca, 1902, Colección Calón, vol. V, 69 págs.
8. *España y los españoles* (*Discurso en los Juegos Florales de Cartagena el día 8 de agosto de 1902*). Imprenta de *El noticiero salmantino*, Salamanca, 1902.
9. *De mi país. Descripciones, relatos y artículos de costumbres*. Madrid, Fernando Fe, 1903, 155 págs.
10. *Discurso pronunciado en el acto de apertura del curso de 1903 e inauguración de la Escuela Superior de Industrias de Béjar*. Béjar, Viuda de Aguilar, 1903, 9 págs.
11. *Vida de don Quijote y Sancho, según Miguel de Cervantes Saavedra, explicada y comentada por Miguel de Unamuno*. Madrid, Librería de Fernando Fe, 1905, 427 págs.
12. *La enseñanza universitaria. Ponencia presentada a la II Asamblea universitaria* (*Barcelona, 2 a 7 de enero de 1905*). Barcelona, La Académica, 1905, 8 págs.
13. *Conferencias dadas en Málaga por don Miguel de Unamuno*. Málaga, Tipografía «La Ibérica», 1906, 32 págs.
14. *Poesías*. Bilbao, Imprenta y encuadernación de José Rojas, 1907, 336 págs.
15. *Recuerdos de niñez y mocedad*. Madrid, Victoriano Suárez, 1908, 223 págs.
16. *La conciencia liberal y española. Conferencia pronunciada por don Miguel de Unamuno el día 5 de setiembre de 1908*. Bilbao, Sociedad «El sitio», 1908, 22 págs.
17. *Mi religión y otros ensayos breves*. Madrid, Renacimiento, 1910. 223 págs.
18. *Por tierras de Portugal y de España*. Madrid, Renacimiento, 1911, 296 págs.
19. *Soliloquios y conversaciones*. Madrid, Renacimiento, 1911, 284 págs.
20. *Rosario de sonetos líricos*. Madrid, Librerías de Fernando Fe y Victoriano Suárez, 1911, 291 págs.
21. *Una historia de amor* (novela corta), «El cuento semanal», Madrid, 22-XII-1911, 16 págs.
22. *Contra esto y aquello*. Madrid, Renacimiento, 1912, 257 págs.
23. *El porvenir de España*. Madrid, Renacimiento, 1912, 170 págs. [Correspondencia entre Ángel Ganivet y Miguel de Unamuno, publicada en *El defensor de Granada* en 1898.]

24. *El espejo de la muerte* (novelas cortas). Madrid, Renacimiento, 1913, 230 páginas.
25. *La venda* (drama). Madrid, «El libro popular», núm. 24, 18-VI-1913, páginas 641-52. Seguida de *La princesa doña Lambra*, págs. 653-68. Se hizo tirada aparte. 30 págs.
26. *Niebla (nivola)*. Madrid, Renacimiento, 1914, 313 págs.
27. *Lo que ha de ser un rector en España (Conferencia en el Ateneo el 25 de noviembre de 1914)*. Madrid, Editorial Nuevo Mundo, 1914, 8 págs.
28. *Conferencia pronunciada en el Teatro Lope de Vega, de Valladolid, el día 8 de mayo de 1915*. Valladolid, Imprenta castellana, 1915, 20 págs.
29. *Ensayos*. Madrid, Residencia de estudiantes, 1916-18, siete volúmenes.
30. *Nada menos que todo un hombre* (novela inédita). Madrid, «La novela corta», núm. 28, julio 1961, 34 págs.
31. *Autonomía docente. Conferencia pronunciada en la sesión pública de 3 de enero de 1917 en la Real Academia de Jurisprudencia de Madrid*. Madrid, Jaime Ratés, 1917, 30 págs.
32. *Abel Sánchez. Una historia de pasión* (novela). Madrid, Renacimiento, 1917, 233 págs.
33. *Tulio Montalván y Julio Macedo* (novela inédita). Madrid, «La novela corta», número 260, diciembre, 1920, 16 págs.
34. *El Cristo de Velázquez* (poema). Madrid, Calpe, «Los poetas», 1920, 170 páginas.
35. *Tres novelas ejemplares y un prólogo*. Madrid, Calpe, «Los novelistas», 1920, 164 págs.
36. *La tía Tula* (novela). Madrid, Renacimiento, 1921, 207 págs.
37. *Sensaciones de Bilbao*. Bilbao, Publicaciones de Editorial Vasca, 1922, 105 páginas.
38. *Andanzas y visiones españolas*. Madrid, J. Pueyo, 1922, 287 págs.
39. *Rimas de dentro* (poesías). Valladolid, Tipografía Cuesta, 1923. «Libros para amigos de José María de Cossío, no destinados a la venta», edición numerada de 100 ejemplares, 65 págs.
40. *Teresa. Rimas de amor de un poeta desconocido, presentadas y presentado por Miguel de Unamuno*. Madrid, Renacimiento, 1924, 227 págs.
41. *De Fuerteventura a París. Diario íntimo de confinamiento y destierro vertido en sonetos por Miguel de Unamuno*. París, Excelsior, 1925, 169 págs.
42. *Todo un hombre. Escenificación de la novela dramática de Miguel de Unamuno titulada «Nada menos que todo un hombre», por Julio de Hoyos*. Madrid, Imprenta gráfica, 1925, 76 págs.
43. *L'agonie du Christianisme*, traudit du texte espagnol inedite par Jean Cassou. París, F. Rieder et Cie, editeurs, 1925, 162 págs.
44. *Tulio Montalván y Julio Macedo. Drama en cuatro actos*. San Sebastián, Imprenta y encuadernación *La voz de Guipúzcoa*, 1927, 31 págs.
45. *Cómo se hace una novela*. Buenos Aires, Editorial Alba, 1927, 160 págs.
46. *Romancero del destierro*. Buenos Aires, Editorial Alba, 1928, 158 págs.
47. *Sombras de sueño*. Madrid, Colección teatro moderno, núm. 237, 1930, 44 páginas. [Es el mismo texto del número 44 de esta bibliografía, con nuevo título y versión teatral, como el anterior, del número 33.]
48. *Dos artículos y dos discursos*. Madrid, Editorial Historia Nueva, 1930, 232 páginas.
49. *San Manuel Bueno, mártir* (novela inédita). Madrid, 1931, «La novela de hoy», núm. 401, 13-III-1931.
50. *El otro. Misterio en tres jornadas y un epílogo*. Madrid, Espasa Calpe, S. A,. 1931, 91 págs.
51. *San Manuel Bueno, mártir, y tres historias más*. Madrid, Espasa Calpe, S. A., 1933.
52. *El hermano Juan o el mundo es teatro. Vieja comedia nueva. Tres actos. Con un prólogo del autor*. Madrid, Espasa-Calpe, S. A., 1934, 205 págs.
53. *Avant et après la révolution*. Traduit de l'espagnol par Jean Cassou. Les éditions Rieder. París, 1933, 260 págs. [Incluye el «Portrait d'Unamuno» de Cassou, el «Commentaire» de Unamuno, la traducción de la última versión unamunesca y española de *Cómo se hace una novela*, el «Salut-aux restes d'Angel Ganivet» y, bajo el epígrafe de «Articles ècrits depuis la révolution», trece escritos de Unamuno reunidos por vez primera en libro.]
54. *Cuaderno de la Magdalena*. Santander, Tipografía Aldos, 1934, 32 págs.
55. *Ultima lección académica*. (*Discurso leído en la solemne inauguración del curso académico de 1934-35 en la Universidad de Salamanca el día 29 de setiembre de 1934, al ser jubilado como catedrático*), Salamanca, F. Núñez, 1934, 18 págs.

56. *La última lección de don Miguel de Unamuno.* Ministerio de Instrucción Pública, Madrid, 1934, 6 págs. [Se trata de un apéndice al discurso anterior.]

Estos son los libros y folletos de Unamuno publicados durante su vida. No se citan ni los artículos de revista ni mucho menos los innumerables de periódico, que habrá que recoger algún día en la bibliografía completa de Unamuno que está aún por hacer. Brindo aquí un inicio de la tarea a los bibliógrafos. Por la misma razón omito las obras póstumas, recogidas ya por el profesor García Blanco en su edición de las *Obras completas* de don Miguel.

2) BIBLIOGRAFIA IDEAL

Van a continuación los títulos en que Unamuno pensó, pero nunca llegó a escribir o, si lo hizo, alteró notablemente el título y el contenido.

1880-84. *Historia del pueblo vascongado* [«en 16 ó 20 tomos en folio», como recordó después don Miguel].

1890. *La batracomiomaquia,* traducida del griego e ilustrada por Miguel de Unamuno.

1891. *Tiempos antiguos y medios.* [Título de una serie de artículos pensados como libro. Después proyectó titular la colección *Celajas y paisajes* y, por último, refundida, se tituló *Recuerdos de niñez y mocedad.*]

1894. *Vida del romance castellano. Ensayo de biología lingüística.* [Incompleto, ha sido publicado por M. G. B. en las *Obras completas.*]

1896. *Filosofía lógica.* [Pensó también en los títulos de *Metafísica positiva* o *Filosofía nominalista.* Vid. Armando Zubizarreta: *Tras las huellas de Unamuno.*]

1897. *Patología del lenguaje* [concebido como continuación de la *Vida del romance castellano*].

— *Estudios filológicos acerca del eusquera.*

— *Nuevo mundo* (novela). [Con los títulos también de *El reino del hombre* y *Eugenio Rodero* (primera redacción) y *El reino de Dios,* último proyecto que no realizó. (Vid. también op. cit. de Zubizarreta).]

— *Diario* [permanece inédito].

1897-98. *Meditaciones evangélicas:* I, *El mal del siglo.* II, *Jesús y la samaritana.* III, *Nicodemo el fariseo.* IV, *La oración de Dimas.* V, *San Pablo en el aerópago,* y VI, *El reinado social de Jesús.* [Escribió sólo las tres meditaciones primeras y publicó únicamente la tercera.]

1899. *La muerte de Sancho* (drama).

1900. *Diálogos filosóficos.* [Posiblemente algunos de los ensayos que publicó bajo el título de *Soliloquios y conversaciones.*]

1901. *Seisena de conferencias en Vigo:* 1, *Introducción.* 2, *El problema de la patria.* 3, *El problema político.* 4, *El problema pedagógico.* 5, *El problema económico,* y 6, *El problema religioso.*

1902. *La tía* (novela). [No tiene nada que ver con *La tía Tula.* Espero publicar un estudio sobre este escrito proyectado por don Miguel.]

— *Comentarios a Homero.*

— *Religión y ciencia.* [Indudablemente anticipo del libro *Del sentimiento trágico.*]

— *Tratado del amor de Dios.* [Refundido luego en *Del sentimiento trágico.*]

1905. *Escuela e instituto.* [Recogiendo su conferencia «La enseñanza de la gramática» y otros escritos afines.]

— *Una mujer* (drama).

— *El nuevo Prometeo* (drama en verso).

— *Don Quijote y don Juan* (drama). [Presumiblemente le volvió la idea al redactar *El hermano Juan o el mundo es teatro.*]

1908 *La lengua castellana.* [«Trataré de su porvenir en América».] Le escribí a Nin Frias el 30 de julio de 1908.

1910. *¡Al fuego!* (drama). [Tema que siguió en su relato «Los hijos espirituales».]

— *El maestro de escuela* (drama). [Versión dramática de un cuento de 1903 titulado «El maestro de Carrasqueda».]

— *Icaro, el hombre que vuela* (comedia burlesca).

— *El oso enjaulado* (comedia).

— *Sacrificio* (drama).

[Es difícil fijar la fecha de estos proyectos dramáticos y los agrupo en este año con la presunción de que Unamuno tantease varios temas, dada su inclinación a dedicarse a un solo género literario, intensamente, durante algún período.]

1912. *Los tiranos de América.*
—   *Comentarios a Séneca.*
1913. *Tristán e Iseo* (tragedia).
1914. *La poesía de Juan Maragall.* [Fue tema de su conferencia en Valladolid «Lo que puede aprender Castilla de los poetas catalanes».]
1916. *Comentario al «Licenciado Vidriera» de Cervantes.*
1921. *La sombra sin cuerpo* (novela). [Publica un fragmento ese año, pero su tema está relacionado con el mismo proyecto de *La tía,* de 1902.]
1923. *Abisag la sunamita.* [Refundido en *La agonía del cristianismo.*]
1924. *La niñez del hombre* (Conferencia pronunciada en Bilbao).
—   *Don Quijote en Fuerteventura.*
—   *Las noches del destierro.* [En 1925 duda entre *Los trabajos y los días del destierro* y *Los días de Hendaya.* Este libro se publicó póstumamente en 1957 con el título de *En el destierro (recuerdos y esperanzas).*]
1928. *Maese Pedro* (drama).
—   *Gárcia y no García* (sainete). [En 1923 había publicado un cuento titulado «Gárcia, mártir de la ortografía fonética».]
1929. *Biografía de Galdós.* [La editorial Espasa-Calpe llegó a enviar contrato a Unamuno para este libro, que de haberlo escrito hubiese sido incluido en la colección «Vidas españolas e hispanoamericanas del siglo XIX», muy directamente inspirada por José Ortega y Gasset.]
1936. *Del resentimiento trágico de la vida en los hombres y en los pueblos.* [Unamuno empezó a escribir este libro el 13 ó 14 de octubre de 1936 y no pasó de unas pocas páginas, que conserva inéditas su hijo Fernando.]

3) ESTUDIOS CONSULTADOS

AGUIRRE IBÁÑEZ, RUFINO: «Sánchez Rojas y Unamuno». *El adelanto,* Salamanca, 31-XII-1948.
— «El ciego y su lazarillo» [Cándido Rodríguez Pinilla y Unamuno], *La gaceta regional,* Salamanca, 18-IX-1949.
* ALAS ARGÜELLES, LEOPOLDO: «El silencio, manera de opinar». [Sobre la etapa de Unamuno como presidente del Consejo de Instrucción Pública de que fue secretario el hijo de *Clarín.*] *El adelanto,* suplemento extraordinario, Salamanca, 29-IX-1934.
ALBERÉS, RENÉ MARILL: *Miguel de Unamuno.* París, 1952. Traducción española, Buenos Aires, 1955, 170 págs.
ALBERTI, RAFAEL: «Imagen primera de don Miguel de Unamuno» en el libro *Imagen de...* Buenos Aires, Losada, 1945, págs. 69-74.
ALBORNOZ, AURORA DE: «Un extraño presentimiento misterioso (En los veinticinco años de la muerte de Miguel de Unamuno)». *Insula,* núm. 181, Madrid, diciembre 1961.
ALEIXANDRE, VICENTE: «Los encuentros. Paseo con don Miguel de Unamuno». *Indice de arte y letras,* núms. 77 y 78, Madrid, octubre 1955. Reproducido en el libro *Los encuentros,* Madrid, Guadarrama, 1958, págs. 27-32.
* ARANGUREN, JOSÉ LUIS: «Sobre el catolicismo como cultura y sobre el talante religioso de Miguel de Unamuno», en el libro *Catolicismo y protestantismo como formas de existencia,* Madrid, *Revista de Occidente,* 1952, págs. 185-209.
* — «Personalidad y religiosidad de Unamuno», *La torre,* núms. 35-36, San Juan de Puerto Pico, julio-diciembre 1961, págs. 239-250.
ARAQUISTÁIN, LUIS: «Apología de Unamuno», *España,* Madrid, 15-IV-1922. [Se refiere a la visita a palacio.]
— «En el Ateneo de Madrid, Unamuno explica su visita a palacio». *El sol,* Madrid, abril 1922.
* AREILZA, JOSÉ MARÍA: «Una anécdota pictórica. Iñigo de Loyola y Miguel de Unamuno». *La estafeta literaria,* núm. 18, Madrid, 15-XII-1944.
* ARMAS AYALA, ALFONSO: «Unamuno y Canarias». *Cuadernos de la cátedra Miguel de Unamuno,* X, Salamanca, 1960, págs. 69-99.
AZAÑA, MANUEL: «El león, don Quijote y el leonero», en el libro *Plumas y palabras.* Madrid, 1930, págs. 209-216. [Por la visita a palacio.]

* Azaola, José Miguel de: *Unamuno y su primer confesor*. Bilbao, Junta de Cultura de Vizcaya, 1959, 50 págs.

* Azorín: «El maestro Unamuno» y «La conferencia de Unamuno» (1906), en el libro *Los clásicos redivivos*. *Los clásicos futuros .Obras completas*, IX, Aguilar, Madrid, 1948, págs. 116-122. [En las ediciones de la Colección Austral de Espasa Calpe falta el segundo artículo.]

— «La actitud del profesor». *La prensa*, Buenos Aires, abril 1924. [Sobre el confinamiento en Canarias.]

— «El destierro de Unamuno». *La prensa*, Buenos Aires. Reproducido en *Repertorio americano*, San José de Costa Rica, 26-V-1924.

— «En la frontera», *La prensa*, Buenos Aires, 5-II-1929.

— «Unamuno», en el libro *Madrid*, Biblioteca Nueva, Madrid, 1941, cap. VIII, páginas 41-87.

— «Bibliografía». *A B C*, Madrid, 22-IX-1948. [Sobre el discurso académico de 1900.]

Baroja, Pío: «Unamuno». *La nación*, Buenos Aires, 22-IX-1940.

— *Memorias*. Ediciones Minotauro, Madrid, 1955.

* Benítez, Hernán: *El drama religioso de Unamuno*. Universidad de Buenos Aires, Instituto de Publicaciones, 1949, 487 págs. [El excepcional interés de este libro, que abrió una nueva etapa en la exégesis unamuniana, se debe únicamente a las cartas cruzadas entre Unamuno y Jiménez Ilundáin y no a la glosa, siempre ligera y poco fundamentada, del autor.]

Bilbao, E. de: «Unamuno y los republicanos». *Diario del Plata*, Montevideo, 22-X-1912.

* Bilbao Aristegui, Pablo: «El bautismo de Unamuno». *Arriba*, Madrid, 5-VIII-1944. [Reproduce en facsímil la partida de bautismo de don Miguel.]

* Blanco Aguinaga, Carlos: *El Unamuno contemplativo*. México, el Colegio de México, 1959, 298 págs.

* Bravo, Francisco: «Burleta. Unamuno, el Fascismo y el Premio Novel». *Arriba*, número 2, Madrid 28 de marzo de 1935, pág. 6. [Es uno de los más duros ataques lanzados contra don Miguel a causa de su asistencia al mitin falangista del teatro Bretón en 1935 y los comentarios que posteriormente hizo. Se publicó sin firma.]

* — «José Antonio y Unamuno», en el libro *José Antonio. El hombre. El jefe. El camarada*. Madrid, Ediciones Españolas, S. A., 1939, págs. 85-93.

— «Cuando José Antonio fue a visitar a Unamuno». *Arriba*, Madrid, 24-X-1944.

— «Don Miguel, José Antonio y la Falange». *La gaceta regional*, Salamanca, 31-XII-1961.

Bueno, Manuel: «Galdós, Cavia, Unamuno». *Los aliados*, Madrid, 12-X-1918. [Sobre el homenaje conjunto a los tres escritores.]

Cabezas, Juan A.: «Una visita de don Miguel de Unamuno a las escuelas del Ave María de Granada». *Salmanticensis*, Salamanca, 1962, págs. 231-239. [Sobre la amistad de Unamuno y el P. Manjón.]

* Camón Aznar, José: «Discurso de don...» (al ser descubierto el busto de Unamuno, obra de Victorio Macho). *El adelanto* y *La gaceta regional*, Salamanca, 30-IX-134, y *Ahora*, Madrid, igual fecha.

— «Homenaje jubilar a don Miguel de Unamuno». *Almanaque literario*, Madrid, Plutarco, 1935, págs. 43-46.

— «El lago de Sanabria y Unamuno». *A B C*, Madrid, 15-III-1953.

Cassou, Jean: «Unamuno deporté». *Mercure de France*, CLXXI, 1924, páginas 245-252.

* — «Portrait d'Unamuno», ibídem, CLXXXVIII, 126, págs. 5-12. [El propio Unamuno lo tradujo al español, incorporándolo a la edición castellana de *Cómo se hace una novela*.]

— «Unamuno l'exilé à perpetuité». *Cahiers du Sud*, París, XXXIX, núm. 325, 1954, págs. 382-389.

— «Don Miguel viviente». *La torre*, núms. 35-36, San Juan de Puerto Rico, julio-diciembre, 1961, págs. 87-91.

* Castillo, Manuel: «Nueve lustros después». *El adelanto*, suplemento extraordinario, Salamanca, 29-IX-1934.

* Castro, Américo: «Carta al director de *La prensa*». *La prensa*, Nueva York, número 1.936, 4-IV-1924.

* Cividanes, Mariano Santiago de: *Epistolario de Gabriel y Galán*. Madrid, 1916.

* Corominas, Pedro: «La trágica fí de Miguel de Unamuno». *Revista de Catalunya*, Barcelona, núm. 83, febrero 1938, págs. 155-170.

* — «Cuando Unamuno y yo fuimos a sublevar Zamora», cap. V del libro *Por Castilla adentro*, en el tomo *El sentimiento de la riqueza en Castilla. Por Castilla adentro*. Aguilar, Madrid, 1951, págs. 286-293.

* COROMINAS, JOAN: «Correspondence entre Miguel de Unamuno et Pere Corominas». *Bulletin hispanique*, LXI, núm. 4, Burdeos, setiembre-noviembre
1959, págs. 386-436 y LXII, núm. 1, enero-marzo 1960, págs. 43-77.
CORTHIS, A.: «Avec Miguel de Unamuno à Salamanque». *Revue des deux
mondes*, París, XXI, 1924, 168-188.
CORREA CALDERÓN, EVARISTO: *Costumbristas españoles*. Estudio preliminar y
selección de... Madrid, Aguilar, tomo I, 1950, págs. XLI-XLIV.
* CLAVERÍA, CARLOS: *Temas de Unamuno* [«Unamuno y Carlyle», «Unamuno y la
enfermedad de Flaubert», «Sobre el tema de Caín en la obra de Unamuno»,
«Notas italianas a la *Estética* de Croce» y «Don Miguel y la luna»]. Ma-
drid, Gredos, 1953, 157 págs.
* — «Keyserling y Unamuno». *Insula*, núm. 156, Madrid, noviembre 1959.
* CROTONTILO [GONZÁLEZ CASTRO]: «Unamuno». *El adelanto*, Salamanca, 6-XI-1900.
[Antes que Corominas y Sánchez Barbudo, da noticia de la crisis de 1897,
que era de dominio común en Salamanca.]
CRUZ HERNÁNDEZ, MIGUEL: «La misión socrática de don Miguel de Unamuno».
Cuadernos de la Cátedra Miguel de Unamuno, III, Salamanca, 1952, pá-
ginas 41-53.
* — «Bergson et Unamuno». *Bulletin de la Société Française de Philosophie*,
París, 1959, págs. 81-83.
CHEVALIER, JACQUES: «Homenaje a Unamuno». *Cuadernos de la Cátedra Miguel
de Unamuno*, I, Salamanca, 1948, págs. 2-28.
DARÍO, RUBÉN: «La Pardo Bazán en París. Un artículo de Unamuno», en el
libro *España contemporánea*, *Obras completas*, III. Madrid, Afrodisio
Aguado, 1950, págs. 148-150.
— «Miguel de Unamuno», en *Semblanzas*, *Obras completas*, II. Madrid, Afro-
disio Aguado, 1950, págs. 787-795.
* — «Unamuno», en el libro *Autobiografía*, *Obras completas*. Madrid, Afrodisio
Aguado, 1950.
DÍEZ CANEDO, ENRIQUE: «Un estreno de Unamuno» [*Sombras de sueño*]. *El sol*,
Madrid, 15-XII-1932.
— «Retratos españoles: Miguel de Unamuno». *Cervantes*, Habana, VII, 1932,
número 2, págs. 6-7.
DOMENECHINA, JUAN JOSÉ: «Semblanzas españolas: Don Miguel de Unamuno».
Las Españas, México, III, abril 1948, núm. 8.
DONOSO, ARMANDO: «La destitución de don Miguel de Unamuno». *El Mercurio*,
Santiago de Chile, 1914.
— «Don Miguel de Unamuno habla para *El Mercurio*». *El Mercurio*, Santiago
de Chile, 1-XI-1925.
DOS PASSOS, JOHN: *Rosinante tho the road again*. New York, 1922.
* DUHAMEL, GEORGES: *Lumiers sur ma vie*, t. V, págs. 200-201.
* — «Una carta de...» [A Aurelio Viñas]. *Cuadernos de la Cátedra Miguel de
Unamuno*, I, Salamanca, 1948, págs. 7-8.
ECHEVERRI, L.: «Unamuno y Bilbao». *La nación*, Buenos Aires, 15-IV-1928.
EDWARD BELLO, J.: «Destierro de Unamuno y clausura del Ateneo». *La na-
ción*, Santiago de Chile, 24-II-1924.
EHRENBURG, ILYA: «Miguel de Unamuno and the tragedy of no man's Land»,
en el libro *Long Drawn ont denouement*. Moscú, Sovietskii Picatel, 1934,
páginas 208-217.
* — «Carta a don Miguel de Unamuno. *El pueblo*, Valencia, 30-VII-1936, y *Me-
diodía*, Habana, 1936, núm. 4, pág. 12.
— *Duhamel, Gide, Malraux, Mauriac, Romains, Unamuno vus par un ecrivain
sovietique*. París, 1934.
ERGOYEN, ANTONIO DE: «Desde este rincón, Pedro Eguilor hablaba todos los
días de España». *La estafeta literaria*, núm. 7, Madrid, 15-VI-1944. [Da la
noticia del bilbaíno café «Suizo», a cuya tertulia concurría Unamuno.]
— «La primera cesantía de Miguel de Unamuno». *El español*, Madrid, 30-XII-
1944.
* ESCLASANS, AGUSTÍN DE: *Miguel de Unamuno*. Buenos Aires, Editorial Juventud
Argentina, S. A., 1947, 220 págs.
ESPERABÉ DE ARTEAGA, ENRIQUE: *Historia pragmática e interna de la Universidad
de Salamanca*, II. *Maestros y alumnos más distinguidos*. Salamanca, 1917.
938 págs.
* — *Contestando a Unamuno*. Salamanca, 1930, 70 págs.
* — *Diccionario enciclopédico ilustrado y crítico de los salmantinos ilustres y
beneméritos*. Madrid, 1952.

ESPLÁ RIZO, CARLOS: *Unamuno, Blasco Ibáñez y Sánchez Guerra en París. Recuerdos de un periodista.* Buenos Aires, Editorial Araújo, 1940, 93 págs.
* — «Vida y nostalgia de Unamuno en el destierro». *La torre,* núms. 35-36, Puerto Rico, julio-diciembre 1961, págs. 117-146.

FERNÁNDEZ ALMAGRO, MELCHOR: «La jubilación de Unamuno». *Repertorio americano,* San José de Costa Rica, 3-XI-1934.
* — *Historia del reinado de don Alfonso XIII.* 2ª edición, Montaner y Simón, Barcelona, 1934, 612 págs.
* — *Vida y obra de Angel Ganivet.* Madrid, *Revista de Occidente,* 1952.

* FERRATER MORA, JOSÉ: *Unamuno, bosquejo de una filosofía.* Editorial Losada, Buenos Aires, 1944, 192 págs, 2ª edición corregida, Editorial Sudamericana, Buenos Aires, 1957, 142 págs. [El capítulo I, «Unamuno y su generación», es uno de los más penetrantes atisvos escritos sobre la posibilidad biográfica de don Miguel.]

FERRERES, RAFAEL: «Un retrato desconocido y una anécdota». *Cuadernos de la Cátedra Miguel de Unamuno,* VI, Salamanca, 1955, págs. 61-64.

* FRAILE, P. GUILLERMO: «Unamuno y el padre Arintero». *La gaceta regional,* Salamanca, 24-II-1959.

* GALLEGO MOREL, ANTONIO: «Tres cartas inéditas de Unamuno a Ganivet». *Insula,* 1948, núm. 35, págs. 1-2 y 7.

GAMALLO FIERROS, DIONISIO: «Maeztu y su generación». *Correo literario,* número 162, Madrid, 15-XII-1952.

GARCÍA BLANCO, MANUEL: «Unamuno, profesor y filólogo». *La gaceta literaria,* Madrid, 15-III-1930.
— «Salamanca y Unamuno». *El español,* núm. 9, Madrid, 26-XII-1942.
— «Unamuno y el lenguaje salmantino». *El español,* Madrid, 24-VI-1944.
* — «Don Miguel de Unamuno y sus pseudónimos». *Bulletin of Spanich Studies,* Liverpool, XXIV, 1947, págs. 125-132. Reproducido en *Insula,* Madrid, número 20, 15-VIII-1947. [Estudio fundamental en el que, sin embargo, no se registra el pseudónimo de Augusto Pérez Niebla.]
— «La Universidad de Salamanca en estos últimos cincuenta años». *La gaceta regional,* Salamanca, 31-XII-1950.
* — *Don Miguel de Unamuno y la lengua española.* Discurso inaugural del curso académico 1952-52, Salamanca, Universidad, 1952, 60 págs.
* — «Clarín y Unamuno». *Archivum,* Oviedo, 1952, II, págs. 113-139.
* — «Tres cartas inéditas de Maragall a Unamuno». *Cuadernos de la Cátedra Miguel de Unamuno,* III, Salamanca, 1952, págs. 81-104.
* — «Italia y Unamuno». *Archivum,* Oviedo, 1954, IV, págs. 182-219.
* — «Teixeira de Pascoes y Unamuno». *Revista filosófica,* Coimbra, mayo 1954, páginas 85-92.
* — «El escritor argentino Manuel Gálvez y Unamuno (historia de una amistad)». *Cuadernos hispanoamericanos,* Madrid, 1954, núm. 53, págs. 182-198.
— «El escritor uruguayo Juan Zorrilla de San Martín y Unamuno». *Cuadernos hispanoamericanos,* Madrid, 1954, núm. 58, págs. 29-57.
* — *Don Miguel de Unamuno y sus poesías.* Estudio de antología de textos poéticos no incluidos en sus libros. Acta Salmanticensia, Salamanca, 1954, 453 págs.
* — «Viviendas salmantinas de don Miguel de Unamuno. Del mirador del Campo de San Francisco al museo de la casa rectoral». *Cuadernos de la Cátedra Miguel de Unamuno,* VI, Salamanca, 1955, págs. 65-76.
— «Unamuno, lector atento de Gabriel y Galán». *Monterrey,* Salamanca, 1955, número 1, enero, págs. 24-26.
* — «El escritor americano Alfonso Reyes y Unamuno». *Cuadernos hispanoamericanos,* núm. 71, Madrid, noviembre 1955, págs. 155-179.
* — «Cartas inéditas de Antonio Machado a Unamuno». *Revista hispánica moderna,* Nueva York, 1956, XXII, págs. 97-114 y 270-285.
* — «De las andanzas de Unamuno por tierras extremeñas. Un recuerdo poético inédito». *Papeles de Son Armadans,* Madrid-Palma de Mallorca, mayo 1956, número 1, págs. 137-144.
* — «Galicia y Unamuno». *Papeles de Son Armadans,* Madrid-Palma de Mallorca, noviembre 1957, núm. XX, págs. 123-168.
— «Ricardo Rojas y Unamuno». *Revista de la Universidad de Buenos Aires,* julio-setiembre 1958, págs. 403-456.
* — «El novelista asturiano Palacio Valdés y Unamuno». *Archivum,* Oviedo, 1958, VIII, págs. 5-13.
* — «El pensador uruguayo Carlos Vaz Ferreira y Miguel de Unamuno». *Revista nacional,* núm. 198, Montevideo, octubre-diciembre 1958, págs. 481-513.

* — «Benedetto Croce y Miguel de Unamuno (historia de una amistad)». *Annali,* Nápoles, 1959, I, págs. 1-29. [Ignora la circunstancia de que Sánchez Rojas puso en contacto a los dos pensadores.]
* — «Escritores franceses amigos de Unamuno». *Bulletin hispanique,* Burdeos, 1959, LXI, págs. 82-103.
* — «El mundo clásico de Miguel de Unamuno», en el libro (de varios autores) *El mundo clásico en el pensamiento español contemporáneo.* Madrid, 1960. Publicaciones de la Sociedad Española de Estudios Clásicos, págs. 45-89.
* — «Angel Ganivet y Miguel de Unamuno (afinidad y diferencia)». *Humanidades,* Universidad de los Andes, Mérida, Venezuela, II, núm. 6, abril-junio 1960, págs. 59-190.
* — «Unamuno y Ortega (Aportación a un tema)». *Insula,* núm. 181, Madrid, diciembre 1961.
* — «Amor y pedagogía, nivola unamuniana». *La torre,* núms. 35-36, Puerto Rico, julio-diciembre 1961, págs. 443-478.
— «Al fragor de un relámpago». *La gaceta regional,* Salamanca, 31-XII-1961.
* — «Don Luis y don Miguel», en *Homenaje a Luis Maldonado (1860-1960).* Centro de Estudios Salmantinos, Salamanca, 1962, págs. 19-41.
GARCÍA MORENTE, MANUEL: «Miguel de Unamuno. El hombre». *La publicidad,* Barcelona, 25-VIII-1906. Reproducido de *La Unión Mercantil* de Málaga.
GIL NOVALES, ALBERTO: «La pajarita de Unamuno». *A B C,* Madrid, 17-IV-1955.
GÓMEZ DE LA SERNA, RAMÓN: «Unamuno, Venegas y la cocotología», en *Variaciones.* Madrid, 1922, págs. 188-200.
* — «Unamuno», en *Retratos contemporáneos.* Buenos Aires, Sudamericana, 1941, págs. 401-428.
* — *Azorín.* Buenos Aires, Losada, 1942.
— «La papirología». *Arriba,* Madrid, 10-III-1946.
— «Unamuno en Salamanca». *Saber vivir,* Buenos Aires, 1950, VIII, núm. 90, 1951, págs. 20-23.
— «Camino de Unamuno». *Revista nacional de cultura,* Caracas, núm. 84, 1951, págs. 36-54.
* — «Unamuno y Salamanca». *Lyra,* Buenos Aires, 1953, X, núms. 122-124.
* GÓMEZ MORENO, MANUEL: «El Unamuno de 1901 a 1903, visto por M.». [Se publicó sin firma este importante trabajo.] *Cuadernos de la Cátedra Miguel de Unamuno. II,* Salamanca, 1951, págs. 10-31.
* — Prólogo al libro de Fernando Chueca *La catedral nueva de Salamanca.* Universidad de Salamanca, 1951. Con el título de «Recuerdos de Salamanca» reproducido en el libro *Salamanca en las letras contemporáneas (antología).* Publicaciones de la Diputación Provincial, Salamanca, 1954, páginas 83-87.
GONZÁLEZ CAMINERO, S. J., NEMESIO: *Unamuno, I. Trayectoria de su ideología y de su crisis religiosa.* Comillas (Santander), Universidad Pontificia, 1948, 392 págs.
GONZÁLEZ DE LA CALLE, PEDRO URBANO: «Recuerdos personales de la vida profesional del maestro Unamuno». *Revista hispánica moderna,* New York, VII, 1941, págs. 235-242.
* GONZÁLEZ MENÉNDEZ REIGADA, FRAY ALBINO: «¡Ay mi Castilla latina! Don Miguel de Unamuno en trance con su cuita. Datos para una biografía». *El español,* número 279, Madrid, abril 1954.
* — «Algo más sobre Unamuno». *El español,* núm. 287, Madrid, mayo-junio 1954.
GONZÁLEZ OLIVEROS, WENCESLAO: «Unamuno y Martínez Anido. Pequeña historia de una mediación». *El español,* núm. 13, Madrid, 23-I-1943.
* GONZÁLEZ RUANO, CÉSAR: *Vida, pensamiento y aventura de Miguel de Unamuno.* Madrid, Aguilar, 1930, 238 págs. [Escrito con ritmo y urgencia de reportaje, es, sin embargo —pese a todas sus deficiencias—, el único intento de escribir una biografía de Unamuno.]
— *Mi medio siglo se confiesa a medias.* Barcelona, Editorial Noguer, 1951.
GRANJEL, LUIS S.: *Retrato de Unamuno.* Madrid, Guadarrama, 1957, 392 págs.
* — «Patografía de Unamuno». *Impressa médica,* año XVII, Lisboa, noviembre 1953, págs. 663-671.
GRAU, JACINTO: *Unamuno, su tiempo y su España.* Buenos Aires, Editorial Alda, 1946, 193 págs.
GULLÓN, RICARDO: «Un drama inédito de Unamuno». *Insula,* núm. 181, Madrid, diciembre 1961. [Este delicioso escrito es una simple fabulación, una broma intelectual de Ricardo Gullón, que inventó un posible drama escrito por Unamuno que éste jamás escribió. Envió su artículo como *cuento* y no como *estudio* a la revista que lo publicó. El propio Gullón, ante José Luis Aranguren, Pierre Emmanuel y Pablo Martí Zaro, me confirmó estas palabras el 22 de julio de 1963.]

HESSE, HERMANN: «Reisegedanken». *Berliner Tageblatt*, Berlín, 7-X-1926.
ITURRIOZ, S. J., JESÚS: «Crisis religiosa de Unamuno joven. Algunos datos curiosos». *Razón y fe*, julio-agosto 1944, págs. 103-114.
JIMÉNEZ FRAUD, ALBERTO: «Unamuno residente». *El nacional, papel literario*, Caracas, 31-X-1957.
JIMÉNEZ, JUAN RAMÓN: «Miguel de Unamuno», en *Españoles de tres mundos*. Buenos Aires, Losada, 1942, págs. 59-60.
KEYSERLING, CONDE HERMANN: «Miguel de Unamuno», cap. IV de *Viaje a través del tiempo, II, Aventura del alma*. Editorial Sudamericana, Buenos Aires, 1951, págs. 161-211.
* LAIGLESIA, MARCIAL DE: «¡Este don Miguel!» *Correo de Galicia*, 24-II-1935. [Sobre su asistencia en Salamanca a un mitin de José Antonio Primo de Rivera.]
* LAÍN ENTRALGO, PEDRO: *La generación del 98*. Madrid, Instituto de Estudios Políticos, 1945.
* — *La memoria y la esperanza. San Agustín. San Juan de la Cruz. Antonio Machado. Miguel de Unamuno*. Discurso de ingreso en la Real Academia Española, Madrid, 1954.
LÁZARO, ÁNGEL: «La compañera del gran hombre». *La voz*, Madrid, 17-V-1934. [Por la muerte de doña Concepción Lizárraga de Unamuno.]
LEGENDRE, MAURICE: «Souvenirs sur Miguel de Unamuno». *Vie intelectuelle*.
— «Miguel de Unamuno hombre de carne y hueso». *Cuadernos de la Cátedra Miguel de Unamuno*, I, Salamanca, 1948, págs. 11-70.
LÓPEZ MORILLAS, JUAN: *Intelectuales y espirituales. Revista de Occidente*, Madrid, 1961. [«Unamuno y sus criaturas: Antolín S. Paparrigópulos» y «Unamuno y Pascal notas sobre el concepto de la agonía», págs. 11-70.]
* LLANO GOROSTIZA, MANUEL: «Politiquerías, intrigas y leyendas en torno a un filólogo. Azkue, Unamuno, Arana y Goiri y el vascuence». *El correo español-El pueblo vasco*, Bilbao, 6, 8 y 9 de enero de 1957.
MACÍAS CASANOVA, MANUEL: «Acontecimiento teatral. Estreno de *La esfinge*, de Unamuno». *La ciudad*, Las Palmas, 25-II-1909.
* MADRID, FRANCISCO: *Genio e ingenio de don Miguel de Unamuno*. Buenos Aires, Editorial Aniceto López, 1943, 253 págs.
MAEZTU, MARÍA DE: «Visión e interpretación de España. Vida y romance. Don Miguel de Unamuno, el hombre». *La prensa*. Buenos Aires, 23-II-1940.
— *Antología siglo XX. Prosistas españoles. Semblanzas y comentarios*. Buenos Aires, Espasa Calpe Argentina, S. A., 1943.
MAEZTU, RAMIRO DE: «Un comentario de Ramiro de Maeztu sobre el discurso de Unamuno», en *Obras completas* de Unamuno, tomo VI, págs. 308-311. Reproduce un artículo aparecido en *El imparcial*, Madrid, 30-VIII-1901.
— «Recuerdos de mi niñez». *Nuevo Mundo*, Madrid, 10-XII-1908. [Sobre el libro *Recuerdos de niñez y mocedad*.]
— «Juicio sobre el caso de don Miguel de Unamuno». *La prensa*, Buenos Aires, abril 1924.
— «Palos de ciego». *El sol*, Madrid, 29-VII-1924.
* MALDONADO OCAMPO, LUIS: «Interpelación al ministro de Instrucción Pública sobre la destitución de don Miguel de Unamuno del cargo de rector de la Universidad de Salamanca, sesión de 31 de octubre de 1914», en *Antología de las obras de don Luis Maldonado*. Salamanca, 1928, págs. 157-165.
* MALDONADO DE GUEVARA, FRANCISCO: «Solipsiforme. Unamuno, el atuendo y la elegancia». *Arriba*, Madrid, 31-XII-1941.
MANN, HEINRICH: «Unamuno». *Berliner Inglebatt*, Berlín, 7-X-1926.
* MARAÑÓN POSADILLO, GREGORIO: «Réplica al filo o canto». *Ahora*, Madrid, 15-II-1393.
* — «Evocación universitaria». *La nación*, Buenos Aires, 14-VIII-1955.
* — «Recordando a Unamuno». *Cervantes*, Habana, 1941, XVI, núm. 12.
* — *La memoria y la esperanza. Discurso en la Academia Española, en contestación a Pedro Laín Entralgo*. Madrid, 1954, págs. 182-185.
* — «Unamuno en Francia». *La nación*, Buenos Aires, 14-VIII-1955.
* MARÍAS, JULIÁN: «Dos dedicatorias. Las relaciones entre Unamuno y Ortega». *La nación*, Buenos Aires, 13-X-1957.
MARICHALAR, ANTONIO: «Miguel de Unamuno, de cuerpo y alma, presente». *Revista cubana*, Habana, 1937, VII, págs. 50-58.
— «La mort d'Unamuno». *Le Figaro*, París, 2-II-1937.
MARRA-LÓPEZ, JOSÉ RAMÓN: «Vida y política en Miguel de Unamuno». *Cuadernos del Congreso por la libertad de la cultura*, 1960, núm. 44, págs. 110-112.
* MARRERO, VICENTE: *Maeztu*. Madrid, Ediciones Rialp, 1955.
— *El cristo de Unamuno*. Madrid, Ediciones Rialp, 1959, 274 págs.
MARTÍN DU GARD, MAURICE: «Unamuno», en *Verités du moment*. París, N. R. F,. 1928, pág. 79.

* MENÉNDEZ PIDAL, RAMÓN: «Recuerdos referentes a Unamuno». *Cuadernos de la Cátedra Miguel de Unamuno*, II, Salamanca, 1951, págs. 5-12.
MIOMANDRE, FRANCIS DE: «Reflexions et souvenirs sur Miguel de Unamuno». *Occident*, París, núm. 37, 10-V-1939.
* MIRÓ, GABRIEL: «Una fotografía de don Miguel». *La gaceta literaria*, Madrid, 15 de marzo de 1930.
* MOELLER, CHARLES: «Miguel de Unamuno et l'espoir désespéré», en *Litterature du XX éme siècle et Christianisme*, IV. Tournai, Casterman, 1960, páginas 45-146.
* MORACHINE, PAULINE: *Unamuno pendent son exil en France (1924-1930)*. Tesis de la Universidad de París, 1956. Texto mecanografiado en el museo Unamuno.
MOTA, FRANCISCO: *Papeles del 98*. Madrid, Afrodisio Aguado, 1950, págs. 12-22.
MOURLANE MICHELENA, PEDRO: «Las dos ciudades de Unamuno». *El sol*, Madrid, 29-IX-1934.
NOEL, EUGENIO: «Ante el Unamuno con la cruz al pecho del escultor Macho». *El Norte de Castilla*, Valladolid, 8-V-1932.
NUEZ CABALLERO, SEBASTIÁN DE LA: «Unamuno en Fuerteventura». *Anuario de estudios atlánticos*, Las Palmas, 1959, págs. 133-236.
OBREGÓN, ANTONIO DE: «Anecdotario de los últimos días de Unamuno». *Domingo*, San Sebastián, 2-I-1935.
ONÍS, FEDERICO DE: «Unamuno, profesor». *Revista hispánica moderna*, Nueva York, I, 1931, págs. 1-18.
— «Unamuno íntimo». *Cursos y conferencias*, Buenos Aires, XXXV, 1949, números 208-210, págs. 241-260.
* — «Mi primer recuerdo de Unamuno». *Strenae. Estudios de filología e historia dedicados al profesor Manuel García Blanco*. Salamanca, 1962, páginas 375-378.
ORTEGA Y GASSET, EDUARDO: *Monodiálogos de don Miguel de Unamuno*. Nueva York, Ediciones Iberia, 1958, 264 págs.
* ORTEGA Y GASSET, JOSÉ: «Glosas a un discurso». *El imparcial*, Madrid, 11-XI-1908.
* — «Unamuno y Europa, fábula». *Los lunes de El imparcial*, Madrid, 27-IX-1908.
* — «La destitución de Unamuno». *El país*, Madrid, 17-IX-1914.
* — «En la muerte de Unamuno». *La nación*, Buenos Aires, enero 1937.
PEMÁN, JOSÉ MARÍA: «Unamuno o la gracia resistida». *A B C*, Madrid, 29-V-1949.
* PÉREZ DE AYALA, RAMÓN: «Apostillas». *El sol*, Madrid, 28-IV-1920. [Sobre el procesamiento de don Miguel por supuestas injurias al rey.]
* — «Las pajaritas de papel y los dioses». *A B C*, Madrid, marzo 1957.
* — «Recuerdos». *A B C*, Madrid, 5-IV-1959.
PINTA LLORENTE, P. MIGUEL DE LA: «Don Miguel de Unamuno». *A B C*, 6-VII-1958.
* POMES, MATILDE: «Unamuno et Valery». *Cuadernos de la Cátedra Miguel de Unamuno*, I, Salamanca, 1948, págs. 57-70.
* PORTILLO, LUIS: «Ultima conferencia de Unamuno», págs. 397 y siguientes del libro *The golden horizon*, Londres, Weideefeld y Nicolson, 1953. [De esta versión, que acepta Hug Thomas en su libro *La guerra civil española*, se hace referencia en el presente libro.]
PRIETO, INDALECIO: «Al pasar por París». *El liberal*, Bilbao, 6-IX-1924.
— «Páginas viejas. La repatriación de Unamuno». *Acción*, Montevideo, 7-I-1956.
* RADITSA, BOGDAM: «Mis encuentros con Unamuno». *Cuadernos del Congreso por la libertad de la cultura*, París, núm. 34, enero-febrero 1959, págs. 45-50. [Incluye las cartas de don Miguel al escritor servio.]
* RAMOS LOSCERTALES, JOSÉ MARÍA: «Cuando Miguel de Unamuno murió», en el libro de Bartolomé Aragón *Síntesis de economía corporativa*, Salamanca, Librería de la Facultad, 1937, págs. 13-16.
* REYES, ALFONSO: «Unamuno, dibujante» y «Hermanito mayor», en *Reloj de sol*, 5ª serie, Madrid, 1926, págs. 58-61.
* — «Recuerdos de Unamuno», I y II, en *Grata compañía*. México, Tezontle, 1948, págs. 178-192.
* — «Mis relaciones con Unamuno». *Cuadernos de la Cátedra Miguel de Unamuno*, VI, Salamanca, 1955, págs. 5-8.
RICARD, R.: «Le visage d'Unamuno». *Etudes*, 1956, núm. 289, págs. 235-242.
RÍO, ANGEL DEL: «Miguel de Unamuno, Vida y obra». *Revista hispánica moderna*, Nueva York, I, 1934, págs. 12-19.
* — y M. J. BERNADETTE: *El concepto contemporáneo de España. Antología de ensayos (1895-1931)*. Buenos Aires, Editorial Losada, 1946, págs. 74-131.
* RODRÍGUEZ DE RIVAS, MARIANO: «La experiencia teatral de don Miguel de Unamuno». *Correo literario*, núm. 71, Madrid, I-V-1955.
* RODRÍGUEZ FORNOS, FERNANDO: «Unamuno, maestro; siempre maestro». *El adelanto*, suplemento extraordinario, Salamanca, 29-IX-1934.

ROJAS, RICARDO: «Retrato de Unamuno con Salamanca al fondo». *Hispania*, Buenos Aires, núm. 277, enero-febrero 1935, págs. 8-10. Reproducido en *Retablo español*, Buenos Aires, Losada, 1938, págs. 73-84.

* ROMANONES, CONDE DE: «Unamuno visita al rey». *Domingo*, Madrid, 18-IV-1948.

* ROMERA NAVARRO, MIGUEL: *Miguel de Unamuno. Novelista. Poeta. Ensayista.* Madrid, Sociedad general española de librería, 1928, 328 págs.

* RUIZ CONTRERAS, LUIS: «Autorretrato de Unamuno», cap. VI del libro *Memorias de un desmemoriado.* Madrid, Aguilar, 1946, págs. 149-182.

SALAVERRÍA, JOSÉ MARÍA: «Unamuno», en *A lo lejos. España vista desde América.* Madrid, 1914, págs. 159-164.

— «Retratos». Madrid, 1926, págs. 111-170.

* SALAZAR CHAPELA, ESTEBAN: «Mi encuentro con Unamuno». *La torre*, números 35-36, Puerto Rico, julio-diciembre 1961, págs. 189-197.

SALCEDO, EMILIO: «Clarín, Menéndez Pelayo y Unamuno». *Insula*, Madrid, 15 de abril de 1952.

* — *Salvación del poeta. Gabriel y Galán en su tiempo y en el nuestro.* Premio de las Diputaciones de Cáceres y Salamanca, 1955 (inédito).

* — «Miguel de Unamuno y Ortega y Gasset. Diálogo de dos españoles». *Cuadernos de la Cátedra Miguel de Unamuno*, VII, Salamanca, 1956, págs. 97-130.

* — «El primer asedio de Unamuno al *Quijote*». *Anales Cervantinos*, VI, Madrid, Consejo Superior de Investigaciones Científicas, págs. 227-250.

— «El abate Moeller y Unamuno». *La gaceta regional*, Salamanca, 7-II-1960.

* — «Gómez Moreno, el 98 y Salamanca». *La gaceta regional*, Salamanca, 24 de marzo de 1960.

* — «Luis Maldonado, cien años después». *La gaceta regional*, Salamanca, 10 de abril de 1960.

* — *Literatura salmantina del siglo XX.* Centro de Estudios Salmantinos, Salamanca, 1960. [Unamuno. Casi al final (págs. 21-23). Eco y silencio de Goethe (págs. 25-30). Don Miguel sin biografía (págs. 31-33)». «Gabriel y Galán. Situación literaria de un poeta regional (págs. 41-45). Una intriga de principios de siglo (págs. 47-55)». «Huella salmantina de Antonio Machado. Don Antonio en Salamanca (págs. 69-72)» y «Un peruano doctor por Salamanca» (págs. 171-174).]

* — «Del maestro al discípulo (Datos para una biografía)». *Hoja del lunes*, Salamanca, 1-I-1962. [Fragmento de la conferencia dada en 1960 en el Círculo cultural Puertorriqueño de Salamanca, con el título de *Federico de Onís, discípulo de Unamuno*.]

* — «Don Miguel, el dinero y la economía». *Boletín de la Cámara de Comercio de Salamanca.* Salamanca, abril 1962.

* — «Cartas de don Ramón del Valle Inclán a don Miguel de Unamuno» (en prensa).

* — «Cuando las pajaritas tienen alas». *Revista de Occidente*, Madrid (en prensa, homenaje a don Miguel).

SALDAÑA, QUINTILIANO: *Mentalidades españolas. I. Miguel de Unamuno.* Madrid, López del Horno, 1919, 160 págs.

SALINAS, PEDRO: «El palimpsesto poético de Miguel de Unamuno», en *Ensayos de literatura hispánica.* Madrid, Aguilar, 1958, págs. 317-324.

* SÁNCHEZ BARBUDO, ANTONIO: *Estudios sobre Unamuno y Machado.* Madrid, Guadarrama, 1959. [«I. La formación del pensamiento de Unamuno Una conversión *chateaubrianesca* a los veinte años» (págs. 15-29). «Sobre la concepción de *Paz en la guerra*» (págs. 31-42). «Una crisis decisiva: la crisis de 1897» (págs. 43-79). «II. Los últimos años: el misterio de la personalidad en Unamuno. *Cómo se hace una novela*» (págs. 83-198).]

* SÁNCHEZ MAZAS, RAFAEL: «Muerte del tilo de Arenal». *Arriba*, Madrid, 8-IV-1948.

* — «Cocotología». *A B C*, Madrid, 13-III-1957 (artículo publicado sin firma).

SÁNCHEZ RIVERA, J.: «La república y los intelectuales». *Heraldo de Madrid*, Madrid, 30-XI-1932.

SÁNCHEZ ROJAS, JOSÉ: «Hablando con Unamuno. ¡Este Madrid!», *Nuevo Mundo*, Madrid, 11-III-1909.

— «La francofilia de Unamuno». *Iberia*, núm. 147, Barcelona, 1918.

* — «Miguel de Unamuno». *Siluetas*, núm. 7, Madrid, agosto 1923, 16 págs. Número monográfico.

* — «Unamuno, profesor». *El hogar*, Buenos Aires, 16-V-1924.

SÁNCHEZ GÓMEZ, JOSÉ: «*La venda*, de Unamuno. Impresiones de un ensayo». *El adelanto*, Salamanca, 6-XII-1920.

— «*La venda*, de Unamuno. Impresiones del estreno». *El adelanto*, Salamanca, 8-XII-1920.

* SENA, ENRIQUE DE: «Don Miguel y el caballero de la mano al pecho». *Hoja del lunes*, Salamanca, 1-I-1962.

* SERNA, VÍCTOR DE LA: «Rito falangista en la muerte de Unamuno». *Arriba*, Madrid, 31-XII-1946.
SERRANO, PEDRO: «Don Miguel está solo...». *Excelsior*, Méjico, 30-IX-1931. [Sobre su actitud ante la República española.]
SERRANO PONCELA, SEGUNDO: *El pensamiento de Unamuno*. Méjico, Fondo de Cultura Económica, 1953, 256 págs.
SOREL, JULIÁN [Modesto Pérez]: *Los hombres del 98*: Unamuno. Madrid, R. Caro Raggio, 1917, 258 págs.
* TORRE, GUILLERMO DE: *Tríptico del sacrificio. Unamuno. García Lorca. Machado*. Buenos Aires, Losada, 1948.
TORRENTE BALLESTER, GONZALO: *Literatura española contemporánea (1898-1936)*. Madrid, Afrodisio Aguado, 1949, págs. 196-216.
— *Panorama de la literatura española contemporánea*. Ediciones Guadarrama, Madrid, 1956, págs. 151-169.
TOVAR, ANTONIO: «Unamuno, su tiempo y el nuestro». *Arriba*, Madrid, 31 de diciembre de 1946.
* — «Veinte años con la sombra de don Miguel». *Hoja del lunes*, Salamanca, 1 de enero de 1962.
* VALERY LARBAUD: «Au nom des ecrivains français. Proteste contre l'exil du grand ecrivain espagnol Miguel de Unamuno». *Les nouvelles litteraires*, París, 1-III-1924.
VILLARRAZO, BERNARDO: *Glosa de una vida. Miguel de Unamuno*. Barcelona, Aedos, 1959, 288 págs. [A este libro me refiero en mi escrito «Unamuno sin biografía».]
WILLS, ARTHUR: *España y Unamuno: un ensayo de apreciación*. Nueva York, 1938, 375 págs.
ZAMORA VICENTE, ALONSO: «Un recuerdo de don Miguel de Unamuno». *Cuadernos de la Cátedra Miguel de Unamuno*, VIII, Salamanca, 1958, págs. 5-8.
* ZUBIZARRETA, ARMANDO: «Aparece un diario inédito de Unamuno». *Mercurio peruano*, 1957, XXXVIII, págs. 182-189.
* — *Unamuno en su «nivola»*. Madrid, Taurus, 1960, 420 págs. [Libro fundamental, frente a las tesis de Sánchez Barbudo. No se hace cuestión, en cambio, de que Unamuno sea una mentalidad del siglo XIX y no el primer hombre del XX, como mantiene de tesis fundamental.]
* — *Tras las huellas de Unamuno*. Madrid, Taurus, 1960, 195 págs. [«Una desconocida *Filosofía lógica* de Unamuno» (págs. 15-32). «Desconocida antesala de la crisis de Unamuno. 1895-1896» (págs. 33-45). «Desconocida novela de Unamuno: *Nuevo Mundo*» (págs. 47-109). «La inserción de Unamuno en el cristianismo. 1897» (págs. 111-151). «Miguel de Unamuno y Pedro Corominas» (págs. 153-195).]
* — «Unamuno, lector atento del P. Faber». *Salmanticensis*, vol. 7, fasc. 3, Salamanca, 1960.
ZUGAZAGOITIA, JOAQUÍN: «Unamuno y Bilbao». *La gaceta literaria*, año IV, número 78, Madrid, 15-III-1930.

NOTA.—Como ya se indica, se trata de estudios consultados en función de una biografía. Por esto se omite la mención de algunos libros y estudios de interés que sólo tienen carácter exegético. El asterisco (*) señala aquellos a los que el autor concede una especial importancia. Las notas críticas que acompañan a algunos títulos tienen el mismo carácter orientador.

Corrigiendo pruebas de este libro llega a conocimiento del autor el libro de Margaret Thomas Rudd *The lone heretic. A biography of Miguel de Unamuno y Jugo*. Introduction by Federico de Onís. University of Texas Press. 1963. 350 págs.; libro generoso, noble esfuerzo por hacer una biografía de don Miguel, pero que, aun en los numerosos puntos de contradicción con esta *Vida de don Miguel* que el lector tiene en sus manos, no invalida en nada la información de primera mano y la veracidad de las noticias. El libro de la señora Rudd es generoso, ya lo he dicho, un buen comienzo para hacer la biografía de Unamuno; pero la señora Rudd desconoce en buena parte los escondidos meandros de la historia de España y de la vida de Salamanca.

Indice

ESTE LIBRO SE TERMINO
DE IMPRIMIR EL DIA 29 DE
SETIEMBRE DE 1964 EN LOS
TALLERES TORDESILLAS, O. G.
SIERRA DE MONCHIQUE, 25.
M A D R I D